A grande solidão

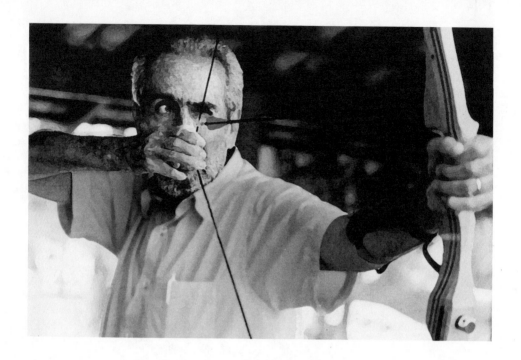

O Arqueiro

GERALDO JORDÃO PEREIRA (1938-2008) começou sua carreira aos 17 anos, quando foi trabalhar com seu pai, o célebre editor José Olympio, publicando obras marcantes como O menino do dedo verde, de Maurice Druon, e Minha vida, de Charles Chaplin.

Em 1976, fundou a Editora Salamandra com o propósito de formar uma nova geração de leitores e acabou criando um dos catálogos infantis mais premiados do Brasil. Em 1992, fugindo de sua linha editorial, lançou Muitas vidas, muitos mestres, de Brian Weiss, livro que deu origem à Editora Sextante.

Fã de histórias de suspense, Geraldo descobriu O Código Da Vinci antes mesmo de ele ser lançado nos Estados Unidos. A aposta em ficção, que não era o foco da Sextante, foi certeira: o título se transformou em um dos maiores fenômenos editoriais de todos os tempos.

Mas não foi só aos livros que se dedicou. Com seu desejo de ajudar o próximo, Geraldo desenvolveu diversos projetos sociais que se tornaram sua grande paixão.

Com a missão de publicar histórias empolgantes, tornar os livros cada vez mais acessíveis e despertar o amor pela leitura, a Editora Arqueiro é uma homenagem a esta figura extraordinária, capaz de enxergar mais além, mirar nas coisas verdadeiramente importantes e não perder o idealismo e a esperança diante dos desafios e contratempos da vida.

KRISTIN HANNAH

A grande solidão

Título original: *The Great Alone*
Copyright © 2018 por Kristin Hannah
Copyright da tradução © 2018 por Editora Arqueiro Ltda.

Todos os direitos reservados. Nenhuma parte deste livro pode ser utilizada ou reproduzida sob quaisquer meios existentes sem autorização por escrito dos editores.

tradução: Edmundo Barreiros

preparo de originais: Rachel Agavino

revisão: Flávia Midori e Suelen Lopes

diagramação: Abreu's System

imagens de capa: © Design Pics Inc./ Getty images (montanhas);
© Jonathan Kingston/ Getty images (árvores)

adaptação de capa: Gustavo Cardozo

impressão e acabamento: Lis Gráfica e Editora Ltda.

CIP-BRASIL. CATALOGAÇÃO NA PUBLICAÇÃO
SINDICATO NACIONAL DOS EDITORES DE LIVROS, RJ

H219g   Hannah, Kristin

A grande solidão/ Kristin Hannah; tradução de Edmundo Barreiros. São Paulo: Arqueiro, 2018.
400 p.; 16 x 23 cm.

Tradução de: The great alone
ISBN 978-85-8041-887-3

1. Ficção americana. I. Barreiros, Edmundo. II. Título.

18-51854   CDD: 813
                                                         CDU: 82-3(73)

Todos os direitos reservados, no Brasil, por
Editora Arqueiro Ltda.
Rua Artur de Azevedo, 1.767 – Conj. 177 – Pinheiros
05404-014 – São Paulo – SP
Tel.: (11) 2894-4987
E-mail: atendimento@editoraarqueiro.com.br
www.editoraarqueiro.com.br

Para as mulheres da minha família. Todas são guerreiras: Sharon, Debbie, Laura, Julie, Mackenzie, Sara, Kaylee, Toni, Jacqui, Dana, Leslie, Katie, Joan, Jerrie, Liz, Courtney e Stephanie.

E para Braden, nossa mais nova aventureira.

"A natureza nunca nos engana;
somos sempre nós que enganamos a nós mesmos."

– JEAN-JACQUES ROUSSEAU

1974

UM

Naquela primavera, a chuva caía em pancadas violentas que estremeciam os telhados. A água penetrava nas menores frestas e minava as fundações mais sólidas. Faixas de terra que se mantiveram firmes por gerações desmoronavam como montes de escória nas estradas lá embaixo, arrastando consigo casas e carros. Árvores tombavam sobre as fiações; a energia foi cortada. Rios transbordavam, espalhavam-se por jardins, destruíam casas. Pessoas que se amavam perdiam a paciência, e brigas surgiam enquanto a água subia e a chuva continuava.

Leni também estava tensa. Ela era nova na escola, apenas mais um rosto na multidão; uma garota de cabelo comprido repartido ao meio que não tinha amigos e sempre caminhava até o colégio sozinha.

Estava sentada em sua cama com as pernas magras encolhidas junto ao peito reto, um exemplar meio amassado de *A longa jornada* aberto ao seu lado. Através das paredes finas da espaçosa casa de um andar, ela ouviu a mãe dizer: *Ernt, querido, por favor, não. Escute...* E a resposta raivosa do pai: *Me deixe em paz, droga.*

Eles tinham começado outra vez. A discutir. A gritar.

Logo haveria choro.

Esse clima despertava a escuridão em seu pai.

Leni olhou para o relógio ao lado da cama. Se ela não saísse agora, ia se atrasar para a escola, e a única coisa que a deixava mais arrasada do que ser a garota nova no colégio era chamar atenção. Ela havia aprendido isso da pior forma; nos últimos quatro anos, tinha ido para cinco escolas. Nem uma vez conseguiu se adaptar de verdade, mas se mantinha teimosamente esperançosa. Respirou fundo, estendeu as pernas e saiu da cama. Movendo-se com cautela por seu quarto vazio, seguiu pelo corredor e parou na porta da cozinha.

– Droga, Cora – disse o pai. – Você sabe como isso é difícil para mim.

A mãe deu um passo na direção dele e estendeu a mão.

– Você precisa de ajuda, querido. Não é sua culpa. Os pesadelos...

Leni pigarreou para chamar a atenção deles.

– Oi.

O pai a viu e se afastou um pouco da mãe. Leni notou como ele parecia cansado, destruído.

– Eu... Eu tenho que ir para a escola – disse Leni.

A mãe levou a mão ao bolso do peito de seu uniforme rosa de garçonete e pegou o maço de cigarros. Ela parecia cansada; trabalhara no último turno da noite anterior e, nesse dia, estava com o turno do almoço.

– Pode ir, Leni. É melhor você não chegar atrasada. – Sua voz era calma e suave, tão delicada quanto ela.

Leni estava com medo de ficar e com medo de ir. Era estranho – até estúpido –, mas com frequência se sentia como se fosse o único adulto de sua família, como se fosse o lastro que mantinha o decrépito barco dos Allbrights no prumo. A mãe estava sempre envolvida em uma busca para "se encontrar". Nos últimos anos, ela experimentara os Seminários de Treinamento Erhard, o movimento de potencial humano, treinamento espiritual, unitarianismo. Até budismo. Passara por todos eles e selecionara partes de cada um. Basicamente, pensou Leni, tudo que a mãe trouxera disso foram camisetas e frases. Coisas como *O que é é, e o que não é não é.* Nada disso parecia ter muita utilidade.

– Pode ir – disse o pai.

Leni pegou a mochila na cadeira ao lado da mesa da cozinha e se dirigiu à entrada da casa. Quando a porta bateu às suas costas, ouviu-os recomeçar.

Droga, Cora...

Por favor, Ernt, apenas escute...

As coisas nem sempre foram assim. Pelo menos era o que a mãe dizia. Antes da guerra, eles eram felizes. Na época, viviam em um camping de trailers em Kent, o pai tinha um bom emprego como mecânico, e a mãe ria o tempo inteiro e dançava "Piece of My Heart" enquanto preparava o jantar. (A imagem da mãe dançando era tudo de que Leni se lembrava daqueles anos.)

Então o pai foi convocado, partiu para o Vietnã, foi ferido e capturado. Sem ele, a mãe desabou. Nessa época, Leni entendeu pela primeira vez a fragilidade dela. As duas ficaram sem rumo por um tempo, pularam de um emprego para outro e de uma cidade para outra até enfim encontrarem um lar no Oregon. Lá, cuidavam de colmeias, faziam sachês de lavanda para vender na feira dos fazendeiros e protestavam contra a guerra. A mãe mudou sua personalidade apenas o suficiente para se encaixar.

Quando o pai finalmente voltou para casa, Leni mal o reconheceu. O homem bonito e risonho de sua lembrança tinha se tornado deprimido, distante e irritadiço. Ao que parecia, odiava tudo na comunidade, por isso eles se mudaram. Então se mudaram de novo. E de novo. Nada nunca estava como ele queria.

O pai não conseguia dormir nem manter o emprego, embora a mãe jurasse que ele era o melhor mecânico do mundo.

Era sobre isso que ele e a mãe estavam discutindo naquela manhã: o pai tinha sido demitido outra vez.

Leni colocou o capuz. A caminho da escola, ela atravessava quadras de casas bem cuidadas, passava por uma mata escura (*fique longe de lá*), pela lanchonete aonde os garotos do ensino médio iam nos fins de semana, e por um posto de gasolina, diante do qual uma fila de carros esperava para encher o tanque por 13 centavos o litro. Era algo que deixava todos com raiva naquela época: o preço da gasolina.

Até onde Leni sabia, adultos em geral eram nervosos, mas isso não chegava a surpreender. A guerra no Vietnã tinha dividido o país. Jornais alardeavam más notícias todos os dias: bombardeios dos Weathermen ou do IRA; aviões sendo capturados; o sequestro de Patty Hearst. O massacre das Olimpíadas de Munique deixara o mundo inteiro em choque, assim como o caso Watergate. E, recentemente, universitárias da Washington State tinham começado a desaparecer sem deixar rastro. Era um mundo perigoso.

Ela daria qualquer coisa por um amigo de verdade naquele momento. Era tudo o que ela realmente queria: alguém com quem conversar.

Por outro lado, não a ajudava falar de suas preocupações. De que adiantaria?

Claro, o pai às vezes perdia a calma e gritava, e eles nunca tinham dinheiro suficiente e se mudavam o tempo todo para fugir dos credores, mas eram assim e se amavam.

Às vezes, no entanto, sobretudo em dias como aquele, Leni sentia medo. Era como se sua família estivesse se equilibrando à beira de um altíssimo penhasco que podia desmoronar a qualquer segundo, desabar como as casas que caíam nas encostas instáveis e encharcadas de Seattle.

Depois da aula, Leni voltou para casa a pé, na chuva e sozinha.

Sua casa ficava no meio de uma rua sem saída, tinha um quintal menos cuidado do que o das outras: uma construção marrom de um andar com jardineiras vazias, calhas entupidas e um portão de garagem que não fechava. Ervas daninhas cresciam aos montes nas telhas cinzentas e deterioradas do telhado. Um mastro de bandeira nu apontava acusadoramente para cima, uma declaração de ódio de seu pai ao rumo que o país tinha tomado. Para um homem que minha mãe chamava de patriota, ele sem dúvida odiava seu governo.

Ela viu o pai na garagem, sentado a uma bancada de trabalho inclinada ao lado do Mustang amassado da mãe. O carro estava com a capota coberta de fita adesiva. Caixas de papelão o atulhavam, repletas de coisas que eles ainda não haviam desembalado desde a última mudança.

Como sempre, o pai usava um casaco militar esfarrapado e a calça jeans rasgada. Curvava-se para a frente, com os cotovelos apoiados nas coxas. Seu cabelo preto e comprido estava todo emaranhado e ele precisava aparar o bigode. Os pés descalços estavam sujos. Mesmo inclinado e com aparência cansada, era bonito como um astro de cinema. Todo mundo achava isso.

Ele inclinou a cabeça e olhou para ela. O sorriso que abriu era um pouco vacilante em meio às mechas desgrenhadas, mas ainda iluminava seu rosto. O pai dela era assim: podia ser mal-humorado e temperamental, às vezes até assustador, mas apenas porque seus sentimentos eram muito intensos quando se tratava de amor, perda e decepção. Principalmente amor.

– Lenora – disse ele com sua voz rouca de fumante. – Eu estava esperando por você. Me desculpe por ter perdido o controle. E o emprego. Você deve estar muito decepcionada comigo.

– Não estou, pai.

Ela sabia quanto ele lamentava. Podia ver isso em seu rosto. Quando era criança, às vezes se perguntava de que adiantavam todos aqueles pedidos de desculpas se nada nunca mudava, mas a mãe lhe explicara: a guerra e a captura tinham mudado algo dentro de seu pai. *É como se a coluna dele estivesse quebrada*, dissera a mãe. *E você não deixa de amar uma pessoa quando ela está machucada. Você fica mais forte para que ela possa se apoiar em você. Ele precisa de mim. De nós.*

Leni se sentou ao lado dele. O pai passou um braço em volta dela e a puxou para mais perto.

– O mundo está sendo governado por malucos. Não são mais os meus Estados Unidos. Eu quero...

Ele não terminou, e Leni não disse nada.

Ela estava acostumada à tristeza e à frustração do pai. Ele interrompia as próprias frases o tempo todo, como se tivesse medo de dar voz a pensamentos assustadores ou depressivos. Leni conhecia essa reticência e a compreendia; muitas vezes era melhor ficar em silêncio.

Ele levou a mão ao bolso e pegou um maço de cigarros bem amassado. Acendeu um e ela sentiu o cheiro acre e familiar.

Leni sabia quanto ele estava sofrendo. Às vezes acordava com o pai chorando e a mãe tentando acalmá-lo, dizendo coisas como *Shh, tudo bem, Ernt, já acabou, você está em casa, em segurança.*

Ele balançou a cabeça e exalou uma torrente de fumaça cinza-azulada.

– Eu só quero... mais, eu acho. Não um emprego. Uma vida. Quero andar pela rua e não ter que me preocupar em ser chamado de assassino de bebês. Quero... – Ele suspirou e sorriu. – Não se preocupe. Vai ficar tudo bem. Nós vamos ficar bem.

– Você vai conseguir outro emprego, pai – falou ela.

– Claro que vou, Ruiva. Amanhã vai ser melhor.

Era isso que seus pais sempre diziam.

Em uma manhã fria e desoladora no meio de abril, Leni acordou cedo, assumiu seu lugar no sofá florido caindo aos pedaços na sala e ligou a TV no *Today Show*. Ajustou as antenas para obter uma imagem decente. Quando entrou em foco, Barbara Walters estava dizendo: "...Patricia Hearst, que agora chama a si mesma de Tania, é vista nesta fotografia segurando uma espingarda M1 no recente assalto a banco em São Francisco. Testemunhas contam que a herdeira de 19 anos, que foi sequestrada pelo Exército Simbionês de Libertação em fevereiro..."

Leni estava fascinada. Ela ainda não acreditava que um *exército* pudesse invadir e levar uma adolescente de seu apartamento. Como alguém podia ficar seguro em qualquer lugar em um mundo assim? E como uma adolescente rica se tornava uma revolucionária chamada Tania?

– Vamos, Leni – disse a mãe da cozinha. – Arrume-se para a escola.

A porta da frente se abriu bruscamente.

O pai entrou em casa, sorrindo de um jeito que tornava impossível não sorrir de volta. Parecia confiante e imponente naquela cozinha de pé-direito baixo, vibrante se comparado às paredes cinza com marcas de infiltração. Água pingava de seu cabelo.

A mãe estava parada junto ao fogão, fritando bacon para o café da manhã.

O pai entrou na cozinha e ligou o rádio de transistor que ficava na bancada de fórmica. Um rock estridente tocou. O pai riu e puxou a mãe para seus braços.

Leni ouviu seu sussurro:

– Sinto muito. Me perdoe.

– Sempre – respondeu a mãe, segurando-o como se estivesse com medo de que ele a empurrasse para longe.

O pai manteve o braço em torno da cintura da mãe e a levou até a mesa da cozinha. Puxou uma cadeira e exclamou:

– Leni, venha cá!

Leni adorava quando eles a incluíam nas conversas. Ela deixou seu lugar no sofá e se sentou ao lado da mãe. O pai sorriu para ela e lhe deu um livro: *O chamado selvagem*.

– Você vai adorar, Ruiva.

Ele se sentou de frente para a mãe e se aproximou da mesa. Tinha no rosto o que Leni chamava de "sorriso da Grande Ideia". Ela já o vira antes, surgia sempre que o pai tinha um plano para mudar a vida deles. E ele tivera muitos desses planos: vender tudo e acampar por um ano, enquanto percorriam a autoestrada de Big Sur. Criar visons (que horror tinha sido isso). Vender pacotes de sementes da American Seed na Califórnia Central.

O pai pegou uma folha de papel dobrada no bolso e bateu com ela na mesa de modo triunfante.

– Vocês se lembram de meu amigo Bo Harlan?

A mãe levou um momento para responder:

– Do Vietnã?

O pai assentiu. Para Leni, disse:

– Bo Harlan era o chefe da equipe, e eu era o atirador de porta. Cuidávamos um do outro. Estávamos juntos quando nosso helicóptero foi abatido e fomos capturados. Passamos pelo inferno juntos.

Leni percebeu como ele tremia. As mangas da camisa estavam arregaçadas, então ela podia ver as cicatrizes de queimadura que iam do pulso ao cotovelo, marcas protuberantes na pele franzida e desfigurada, que nunca se bronzeavam. Leni não sabia o que as causara – ele nunca contou e ela não teve coragem de perguntar –, mas tinham sido feitas pelos sequestradores. Ela adivinhara isso. As cicatrizes também cobriam suas costas, repuxando a pele em redemoinhos.

– Eles me fizeram vê-lo morrer – disse o pai.

Leni olhou com preocupação para a mãe. O pai nunca tinha contado isso antes. Ouvir essas palavras as deixou preocupadas.

Ele bateu com o pé no chão e tamborilou na mesa, num movimento rápido. Desdobrou a carta, alisou-a e virou-a para que elas pudessem ler.

Sargento Allbright,
Você é um homem difícil de encontrar. Eu sou Earl Harlan.
Meu filho, Bo, escreveu muitas cartas sobre a amizade de vocês. Eu lhe agradeço por isso.
Em sua última carta, ele falou que, se alguma coisa lhe acontecesse naquela droga de lugar, queria que você ficasse com as terras dele aqui no Alasca.

Não é muito: 16 hectares com uma cabana que precisa de reparos. Mas um homem trabalhador pode viver da terra por aqui, longe dos loucos, dos hippies e da confusão dos outros 48 estados continentais.

Eu não tenho telefone, mas você pode me escrever aos cuidados do correio de Homer. Cedo ou tarde recebo a carta.

A terra fica no fim da estrada, depois do portão prateado com uma caveira de vaca e pouco antes da árvore queimada, no marco de 20 quilômetros.

Obrigado outra vez,
Earl

A mãe ergueu os olhos. Inclinou a cabeça como um passarinho enquanto observava o pai.

– Esse homem... Bo. Ele nos deu uma casa? Uma *casa*?

– Imagine só – disse o pai, que se erguera da cadeira com o entusiasmo. – Uma casa que é *nossa*. Somos *donos* dela. Em um lugar onde podemos ser autossuficientes, plantar nossa horta, caçar nossa carne e ser livres. Nós sonhamos com isso por anos, Cora. Viver uma vida mais simples, longe de todas as mentiras daqui. Nós poderíamos ser livres. Imagine só.

– Esperem – disse Leni.

Mesmo para o pai, aquilo era demais.

– Alasca? Você quer se mudar de novo? Nós acabamos de vir para cá.

A mãe franziu a testa.

– Mas... não há nada lá, certo? Só ursos e esquimós.

Ele puxou a mãe para que se levantasse com uma empolgação que a fez tropeçar. Leni via uma ponta de desespero em seu entusiasmo.

– Eu preciso disso, Cora. Preciso de um lugar onde possa respirar de novo. Às vezes, sinto como se fosse arrancar a minha pele. Lá, os flashbacks e outras coisas vão parar. Eu sei. *Nós* precisamos disso. Podemos voltar a ser como antes, antes de o Vietnã acabar comigo.

A mãe ergueu o rosto para o pai; sua palidez era um contraste marcante com o cabelo preto e a pele morena dele.

– Vamos, querida – disse o pai. – Imagine...

Leni viu a expressão da mãe se suavizar, reajustando suas necessidades para combinarem com as dele, imaginando essa nova personalidade alasquiana. Talvez ela achasse que fosse como os Seminários de Treinamento Erhard, a ioga ou o budismo. Uma resposta. Onde, quando ou o quê não importava. Ela só se importava com ele.

– Nossa própria casa – disse ela. – Mas... dinheiro... Você podia solicitar aquele auxílio militar para deficiência...

– Esse assunto de novo, não – retrucou ele com um suspiro. – Não vou fazer isso. Tudo de que preciso é uma mudança. E vou tomar mais cuidado com dinheiro de agora em diante, Cora. Eu juro. Ainda tenho um pouco do que herdei de meu pai. E vou parar de beber. Vou frequentar aquele grupo de apoio a veteranos de que você quer que eu participe.

Leni tinha visto tudo isso antes. No fim, não importava o que ela ou a mãe queriam.

O pai queria um novo começo. Precisava disso. E a mãe precisava que ele fosse feliz.

Então eles iam tentar outra vez em um lugar novo, na esperança de que a mudança geográfica fosse a solução. Eles iam para o Alasca em busca de seu novo sonho. Leni ia fazer o que lhe pedissem de boa vontade. Seria a garota nova na escola *outra vez*. Porque o amor era isso.

DOIS

Na manhã seguinte, Leni estava deitada na cama ouvindo o tamborilar da chuva no telhado, imaginando cogumelos surgindo embaixo de sua janela, os chapéus bulbosos e venenosos abrindo caminho através da lama, brilhando de maneira tentadora. Ela tinha ficado acordada até bem depois da meia-noite, lendo sobre a vasta paisagem do Alasca, que a cativara de um jeito inesperado. Ao que parecia, a última fronteira era como seu pai. Maior que a vida. Expansiva. Um pouco perigosa.

Ela ouviu uma melodia transistorizada e metalizada, "Hooked on a Feeling". Afastou as cobertas e saiu da cama. Na cozinha, encontrou a mãe parada diante do fogão, fumando um cigarro. Ela parecia etérea à luz da lâmpada, com o cabelo louro repicado ainda despenteado, o rosto encoberto pela fumaça cinza-azulada. Usava uma regata branca que tinha sido lavada tantas vezes que estava folgada em seu corpo magro e uma calcinha rosa-choque com o elástico da cintura frouxo. Uma pequena marca roxa na base de seu pescoço era estranhamente bonita, quase uma estrela, realçando a delicadeza de seus traços.

– Você devia estar dormindo – disse a mãe. – É cedo ainda.

Leni se aproximou dela e apoiou a cabeça em seu ombro. A pele da mãe cheirava a rosas e cigarro.

– Nós não dormimos – disse Leni.

Nós não dormimos. Era o que a mãe sempre dizia. Você e eu. A conexão entre elas era uma constante, um conforto, como se a similaridade reforçasse seu amor. Sem dúvida era verdade que a mãe tinha problemas para dormir desde que o pai voltara para casa. Sempre que Leni acordava no meio da noite, via a mãe vagueando pela casa com seu robe diáfano aberto. No escuro, costumava falar sozinha, sussurrando coisas que Leni nunca conseguia entender direito.

– Nós vamos mesmo? – perguntou Leni.

A mãe olhou fixamente para o café sendo filtrado e se acumulando no pequeno recipiente de vidro no alto do bule de metal.

– Acho que sim.

– Quando?

– Você conhece seu pai. Em breve.

– Será que consigo terminar o ano letivo?

A mãe deu de ombros.

– Onde ele está?

– Ele saiu antes do amanhecer para vender a coleção de moedas que herdou do pai. – A mãe se serviu de café e tomou um gole, em seguida botou a caneca sobre a bancada de fórmica. – Alasca. Meu Deus. Por que não Sibéria? – Ela deu um trago demorado no cigarro e soltou a fumaça. – Preciso de uma amiga com quem conversar.

– Eu sou sua amiga.

– Você tem 13 anos. Eu tenho 30. Eu deveria ser sua *mãe*. Preciso me lembrar disso.

Leni ouviu desespero na voz da mãe e isso a assustou. Sabia como tudo era frágil: sua família, seus pais. Uma coisa que todo filho de prisioneiro de guerra sabia era a facilidade com que as pessoas podiam ser destruídas. Leni ainda usava o bracelete reluzente de prisioneiro de guerra em homenagem a um capitão que não voltara para sua família.

– Ele precisa de uma chance. Um novo começo. Todos nós precisamos. Talvez o Alasca seja a solução.

– Como foi o Oregon, e Snohomish, e os pacotes de semente que iam nos deixar ricos. E não se esqueça do ano em que ele achou que conseguiria fazer fortuna com máquinas de pinball. Podemos pelo menos esperar o fim do ano letivo?

A mãe suspirou.

– Acho que não. Agora vá se vestir para a escola.

– Hoje não tem aula.

A mãe ficou em silêncio por um bom tempo, em seguida disse baixinho:

– Você se lembra do vestido azul que seu pai comprou para você de aniversário?

– Lembro.

– Vista-o.

– Por quê?

– Ande logo. Vá se vestir agora. Você e eu temos coisas a fazer hoje.

Embora estivesse irritada e confusa, Leni fez o que lhe mandaram. Sempre fazia o que lhe mandavam. Isso tornava a vida mais fácil. Ela foi até o quarto e procurou em seu armário até encontrar o vestido.

Você fica linda como uma pintura nele, Ruiva.

Só que ela não ficava. Ela sabia exatamente o que parecia: uma garota de 13 anos alta, magra e sem peitos em um vestido fora de moda que mostrava suas coxas finas e fazia seus joelhos parecerem maçanetas. Uma garota que devia estar prestes a se transformar em mulher, mas era óbvio que não estava. Tinha quase certeza de que era a única garota da sua série que ainda não havia menstruado nem tinha peitos.

Ela voltou para a cozinha vazia, que cheirava a café e fumaça de cigarro, jogou-se em uma cadeira e abriu *O chamado selvagem*.

A mãe demorou uma hora para sair do quarto.

Leni quase não a reconheceu. Ela havia penteado o cabelo louro para trás e o prendido em um pequeno coque; usava um vestido verde-abacate justo, cinturado e de botões, que a cobria do pescoço aos pulsos e ia até os joelhos. E meias finas com sapatos de salto.

— Minha nossa.

— Eu sei, eu sei — disse a mãe, acendendo um cigarro. — Pareço uma organizadora de venda de bolos da associação de pais e professores.

A sombra azul que usava tinha um pouco de brilho. Ela colou os cílios postiços com a mão não muito firme e seu delineador estava mais grosso que de costume.

— Esses são seus únicos sapatos?

Leni olhou para seus sapatos Earth em forma de espátula, que deixavam os dedos um pouco acima do nível do calcanhar. Ela havia implorado por esses sapatos depois que Joanne Berkowitz ganhara um par e todos na sala tinham ficado babando.

— Tenho meus tênis vermelhos, mas o cadarço arrebentou ontem.

— Está bem. Não importa. Vamos.

Leni saiu de casa atrás da mãe. As duas se acomodaram nos bancos vermelhos rasgados de seu Mustang amassado e mal pintado. O porta-malas era mantido fechado por cordas elásticas amarelas.

A mãe baixou o quebra-sol e verificou a maquiagem no espelho. (Leni estava convencida de que a chave não ligaria a ignição se a mãe não se olhasse no espelho e acendesse um cigarro.) Ela retocou o batom, comprimiu os lábios e usou a pontinha do punho do vestido para limpar uma imperfeição invisível. Quando enfim ficou satisfeita, fechou o quebra-sol e ligou o motor. O rádio ganhou vida, berrando "Midnight at the Oasis".

— Sabia que há cem maneiras de morrer no Alasca? — perguntou Leni. — Você pode cair de uma montanha ou o gelo fino rachar. Ou pode congelar ou morrer de fome. Você pode até ser *devorada*.

— Seu pai não devia ter lhe dado aquele livro.

A mãe ligou o toca-fitas e a voz de Carole King soou: *I feel the Earth move...*

Cora começou a cantar e Leni se juntou a ela. Por maravilhosos cinco minutos, elas fizeram algo comum, seguindo pela I-5 na direção do centro de Seattle, a mãe trocando de faixa sempre que um carro surgia na sua frente, com o cigarro entre os dois dedos da mão que segurava o volante.

Duas quadras depois, a mãe estacionou em frente ao banco. Verificou a maquiagem outra vez e disse antes de sair do carro:

– Fique aqui.

Leni se inclinou e trancou a porta. Observou a mãe andar até a porta da frente. Na verdade ela não parecia andar, mas deslizar, com os quadris se movendo delicadamente de um lado para o outro. Ela era uma mulher bonita e sabia disso. Era outro motivo por que os pais brigavam, por causa do jeito como os homens olhavam para ela. Ele morria de ódio, mas Leni sabia que a mãe gostava da atenção (embora ela tomasse o cuidado de nunca admitir).

Quinze minutos mais tarde, quando a mãe saiu do banco, não estava deslizando. Marchava com os punhos cerrados. Parecia furiosa. Seu maxilar delicado estava trincado com força.

– *Filho da puta* – disse ela enquanto entrava no carro.

Repetiu o xingamento quando bateu a porta.

– O que foi? – perguntou Leni.

– Seu pai raspou nossa poupança. E eles não vão me dar um cartão de crédito a menos que o seu pai ou o *meu* se responsabilizem. – Ela acendeu um cigarro. – Pelo amor de Deus, estamos em 1974. Eu tenho um emprego. Ganho dinheiro. E uma mulher não pode ter um cartão de crédito sem a assinatura de um homem. O mundo é dos homens, filhota.

Ela ligou o carro, desceu a rua até o fim e pegou a autoestrada.

Leni tinha dificuldade para permanecer no banco com todas as mudanças de faixa; deslizava de um lado para outro. Estava tão concentrada em se manter firme que levou alguns quilômetros para perceber que haviam passado pelas colinas do centro de Seattle e agora seguiam por uma vizinhança tranquila e arborizada de casas suntuosas.

– Minha nossa – disse Leni baixinho.

Leni não passava por ali havia anos. Tantos que ela quase nem lembrava mais. As casas da rua emanavam privilégio. Havia Cadillacs, Tornados e Lincolns novinhos estacionados nas entradas de garagem cimentadas.

A mãe estacionou em frente a uma casa grande e rústica, de pedra cinza, com janelas cujas grades formavam losangos. Ficava no alto de uma pequena elevação em uma área de grama bem cuidada, cercada por todos os lados por canteiros de flores meticulosamente conservados. A caixa de correio dizia: Golliher.

– Uau. Faz anos que a gente não vem aqui – falou Leni.

– Eu sei. Fique aqui.

– De jeito nenhum. Outra garota desapareceu este mês. Não vou ficar aqui fora sozinha.

– Venha cá – disse a mãe, pegando uma escova e duas fitas rosa em sua bolsa.

Ela puxou Leni para perto e investiu contra seu longo cabelo ruivo-acobreado como se os fios a tivessem ofendido.

– Ai! – gemeu Leni quando a mãe fez marias-chiquinhas que se projetavam da cabeça em arcos, como esguichos.

– Você hoje vai apenas escutar, Lenora – mandou a mãe, amarrando fitas na extremidade de cada maria-chiquinha.

– Estou velha demais para marias-chiquinhas – reclamou Leni.

– Escutar – repetiu a mãe. – Traga seu livro, fique sentada em silêncio e deixe que os adultos conversem.

Ela abriu a porta e saiu do carro. Leni apressou-se para encontrá-la na calçada.

A mãe pegou a mão de Leni e a puxou pela entrada de carros bordejada de cercas vivas esculpidas e seguiu até uma grande porta de madeira.

Olhou para Leni e murmurou:

– Seja o que Deus quiser.

Então tocou a campainha, que emitiu um som metálico grave, como sinos de igreja. Em seguida, ouviram o som de passos abafados.

Momentos depois, a avó de Leni abriu a porta. Com um vestido cor de berinjela, um cinto fino na cintura e três fieiras de pérolas no pescoço, ela parecia pronta para almoçar com o governador. Seu cabelo castanho estava enrolado e lustroso como um daqueles pães natalinos. Seus olhos pesadamente maquiados se arregalaram.

– Coraline – sussurrou, dando um passo à frente e abrindo os braços.

– Papai está? – perguntou a mãe.

A avó recuou e deixou os braços caírem junto ao corpo.

– Ele está no tribunal hoje.

A mãe assentiu.

– Podemos entrar?

Leni viu como a pergunta incomodou sua avó; rugas surgiram em ondas por sua testa pálida e empoada.

– É claro. E Lenora! Que bom vê-la outra vez!

A avó recuou para as sombras. Elas percorreram um hall, além do qual havia salas, portas e uma escadaria que subia em curva até um segundo andar escuro.

A casa cheirava a limão e flores.

Ela as conduziu a uma varanda fechada nos fundos com janelas curvas de vidro, portas de vidro gigantes e plantas por toda parte. Os móveis eram todos de vime branco. Leni se acomodou numa cadeira a uma mesinha de frente para o jardim externo.

– Senti muita falta de vocês duas – disse a avó. Então, como se comovida por essa confissão, ela se virou e saiu, voltando pouco depois com um livro. – Eu me lembro de como você adorava ler. Nossa, mesmo aos 2 anos, você sempre tinha um livro nas mãos. Comprei este para você há algum tempo, mas... eu não sabia para onde mandá-lo. Ela também tem cabelo ruivo.

Leni se sentou e pegou o livro, que já havia lido tantas vezes que sabia passagens inteiras de cor: *Pippi Meialonga*. Um livro para meninas muito mais novas. Ela já passara disso havia muito tempo.

– Obrigada, senhora.

– Pode me chamar de vovó. Por favor – disse ela baixinho.

Havia algo saudoso em sua voz.

Então ela voltou a atenção para a mãe de Leni.

A avó mostrou a Cora uma mesa de ferro branca perto de uma das janelas. Em uma gaiola dourada ali perto, duas aves brancas arrulhavam uma para a outra. Leni pensou que deviam ser tristes, já que não podiam voar.

– Estou surpresa por você ter me deixado entrar – disse a mãe enquanto se sentava.

– Não seja impertinente, Coraline. Você é sempre bem-vinda. Seu pai e eu amamos você.

– Mas vocês não receberiam meu marido.

– Ele pôs você contra nós. E contra todos os seus amigos, aliás. Queria você só para ele...

– Não quero falar sobre tudo isso outra vez. Estamos nos mudando para o Alasca.

A avó se sentou.

– Ah, pelo amor de Deus.

– Ernt herdou uma casa e um pedaço de terra. Vamos plantar nossa própria horta, caçar nossa carne e viver de acordo com nossas próprias regras. Seremos puros. Pioneiros.

– Pare. Não consigo ouvir esse absurdo. Você vai segui-lo até o fim do mundo, onde ninguém vai poder socorrê-la. Seu pai e eu tentamos muito protegê-la de seus erros, mas você se recusa a ser ajudada, não é? Você acha que a vida é algum tipo de jogo. Fica se mudando de um lado para outro...

– Chega – disse a mãe de modo brusco. Ela se inclinou para a frente. – Você sabe como foi difícil para mim vir aqui?

Um silêncio seguiu essas palavras, interrompido apenas pelo arrulho de uma ave.

Parecia que um vento frio tinha passado. Leni podia jurar que as cortinas transparentes tinham se movido, mas não havia janelas abertas.

Leni tentou imaginar a mãe naquele mundo fechado e conservador, mas não conseguiu. Parecia impossível transpor o abismo entre a garota que a mãe tinha sido criada para ser e a mulher que havia se tornado. Leni se perguntou se todos aqueles protestos dos quais ela e a mãe tinham participado enquanto o pai estava ausente – contra energia nuclear, a guerra – e todos aqueles Seminários de Treinamento Erhard e as diferentes religiões que a mãe experimentara eram apenas seu jeito de protestar contra a mulher que fora criada para ser.

– Não faça algo tão louco e perigoso, Coraline. Deixe-o. Venha para casa. Fique em segurança.

– Eu o amo, mãe. Você não consegue entender isso?

– Cora – disse a avó, baixinho. – Escute-me, por favor. Você sabe que ele é perigoso...

– Nós vamos para o Alasca – interrompeu a mãe com firmeza. – Eu vim me despedir e... – A voz dela sumiu. – Você vai nos ajudar ou não?

Por um longo momento, a avó não falou nada, apenas cruzou e descruzou os braços.

– De quanto você precisa desta vez? – perguntou por fim.

No caminho de volta para casa, a mãe fumou um cigarro atrás do outro. O volume do rádio estava tão alto que era impossível conversar. Mas, na verdade, tudo bem, porque, embora Leni tivesse uma série de perguntas, não sabia por onde começar. Nesse dia, vislumbrara um mundo sob a superfície do seu. A mãe nunca contara a Leni muita coisa sobre sua vida antes do casamento. Ela e o pai haviam fugido juntos – uma bela e romântica história de amor que supera todas as adversidades. A mãe largara o ensino médio e "vivera de amor". Era assim que sempre descrevia o conto de fadas. Agora Leni tinha idade suficiente para saber que, como todos os contos de fadas, o deles era cheio de espinhos, lugares obscuros, sonhos abandonados e fugas.

Cora obviamente estava com raiva de sua mãe, mas ainda assim a procurara e nem precisou pedir para receber o dinheiro. Leni não conseguia entender, mas aquilo a perturbou. Como mãe e filha podiam se afastar tanto?

A mãe virou na entrada de carros de sua casa e desligou o motor. O rádio se calou, deixando-as imersas no silêncio.

– Não vamos contar a seu pai que peguei dinheiro com sua avó – avisou. – Ele é um homem orgulhoso.

– Mas...

– Isto não é uma discussão, Leni. Você não vai contar a seu pai.

A mãe abriu a porta do carro, saiu e a bateu.

Confusa pela ordem inesperada, Leni seguiu a mãe pela grama molhada do jardim, passando pelas moitas de zimbro do tamanho de um carro que se emaranhavam desordenadamente até a porta de entrada.

Dentro de casa, o pai estava sentado à mesa da cozinha com mapas e livros espalhados à sua frente. Bebia Coca-Cola de uma garrafa.

Quando elas entraram, ergueu os olhos e abriu um largo sorriso.

– Desenhei nossa rota. Vamos seguir pela Colúmbia Britânica e pelo território do Yukon. São quase 4 mil quilômetros. Marquem em suas agendas, moças: em quatro dias começa nossa nova vida.

– Mas a escola não acabou... – disse Leni.

– Quem liga para a escola? Isto aqui é educação de verdade, Leni – disse o pai, e então olhou para a mãe. – Vendi meu GTO, minha coleção de moedas e meu violão. Temos um pouco de dinheiro. Vamos trocar seu Mustang por uma Kombi, mas um pouco mais de dinheiro cairia bem.

Leni olhou para o lado e captou o olhar da mãe.

Não conte a ele.

Aquilo não parecia certo. Mentir não era sempre errado? E uma omissão como essa era obviamente uma mentira.

Mesmo assim, Leni ficou em silêncio. Ela nunca considerava desafiar a mãe. Em todo esse enorme mundo – e, com o fantasma de sua mudança para o Alasca, ele havia triplicado de tamanho –, a mãe era a única coisa que Leni tinha de verdade.

TRÊS

—⁕—

— Leni, querida, levante-se. Estamos quase chegando!

A garota piscou para acordar; no início, tudo o que viu foi seu colo todo sujo de farelos de batatas chips. Ao lado dela havia um jornal velho, coberto de embalagens de balas, e seu exemplar de *A Sociedade do Anel*, aberto como uma tenda, as páginas amareladas expostas. Seu bem mais valioso, uma câmera Polaroid, pendia de uma faixa em seu pescoço.

Tinha sido uma viagem incrível para o norte pela estrada ALCAN, em sua maior parte sem calçamento. Suas primeiras férias em família de verdade. Dias de carro sob a luz do sol; noites em que haviam acampado ao lado de rios furiosos e córregos tranquilos, à sombra dos picos serrilhados das montanhas, aconchegados ao redor de uma fogueira, desfiando sonhos de um futuro que parecia mais próximo a cada dia. Eles assavam salsichas para o jantar, faziam *s'mores* para sobremesa e compartilhavam sonhos sobre o que descobririam ao fim da estrada. Leni nunca tinha visto os pais tão felizes. Principalmente o pai. Ele ria, sorria, contava piadas e lhes prometia o mundo. Era o pai de que ela se lembrava de Antes.

Nas viagens, Leni costumava manter o nariz enfiado em um livro, mas dessa vez a paisagem frequentemente chamava sua atenção, sobretudo quando passaram pelas montanhas maravilhosas da Colúmbia Britânica. Enquanto a paisagem mudava, sentada no banco traseiro da Kombi, ela se imaginava como Frodo ou Bilbo, a heroína de sua própria busca.

A Kombi deu um solavanco ao passar por cima de algo – talvez um meio-fio – e coisas voaram em seu interior, caíram no chão, rolaram batendo nas mochilas e nas caixas que enchiam a traseira do carro. Eles frearam cantando pneu, o cheiro de borracha queimada e fumaça saindo do escapamento.

O sol penetrava pela janela suja com mosquitos esmagados. Leni subiu na pilha de seus sacos de dormir mal enrolados e abriu a porta lateral. Seu cartaz decorado com o arco-íris que dizia ALASCA OU NADA adejava na brisa fria, as laterais presas por fita adesiva.

Leni desceu da Kombi.

– A gente conseguiu, Ruiva. – O pai se aproximou dela e pôs a mão em seu ombro. – O fim do mundo. Homer, Alasca. As pessoas vêm de todos os cantos para cá estocar suprimentos. É uma espécie de último posto avançado da civilização. Dizem que é onde a terra acaba e começa o mar.

– Uau – disse a mãe.

Mesmo com todas as fotos que Leni havia estudado e todas as reportagens e livros que tinha lido, não estava preparada para a beleza selvagem e espetacular do Alasca. De algum modo era outro mundo, mágico em sua vastidão, uma paisagem incomparável de montanhas brancas cobertas de gelo que se estendiam por todo o horizonte, as pontas afiadas como facas projetando-se altas contra um céu azul-ciano sem nuvens. A baía de Kachemak era uma superfície de prata à luz do sol. Barcos pontilhavam a água. O ar tinha um cheiro salgado, marinho. Aves costeiras flutuavam ao vento, mergulhavam e emergiam sem esforço.

O famoso Homer Spit, sobre o qual havia lido, era uma faixa de terra sinuosa que avançava pouco mais de 7 quilômetros para dentro da baía. Uma confusão de casebres coloridos se erguia sobre palafitas à beira d'água, parecendo um parque de diversões: um lugar onde viajantes aventureiros fariam uma última parada para abastecer as mochilas antes de seguir para as regiões selvagens do Alasca.

Leni ergueu a Polaroid e tirou fotos o mais rápido que o revelador lhe permitia. Ela batia uma foto atrás da outra e observava as imagens se revelarem diante de seus olhos. As construções desenhavam-se sobre o papel branco brilhante, linha por linha.

– Nossa terra fica ali – disse o pai, apontando uma cadeia de colinas verdes enevoadas ao longe, do outro lado da baía de Kachemak. – Nossa casa nova. Embora fique na península Kenai, não há estradas até lá. Enormes geleiras e montanhas isolam Kaneq do continente. Então temos que ir de avião ou de barco.

A mãe se aproximou de Leni. Com seu jeans de cintura baixa e boca de sino, a camiseta regata com bordas de renda, seu rosto branco e o cabelo louro, Cora parecia ter sido esculpida a partir das cores frias daquele lugar, um anjo pousado em um litoral que esperava por ela. Até seu riso parecia em casa, um eco do tilintar dos sinos de vento na entrada das lojas. Uma brisa fria moldava a camiseta à forma de seus seios sem sutiã.

– O que você acha, filhota?

– É legal – disse Leni.

Ela tirou outra foto, mas não havia tinta e papel que pudessem captar a grandiosidade daquela cadeia de montanhas. O pai se virou para elas com um sorriso tão largo que chegava a enrugar seu rosto.

– A balsa para Kaneq é amanhã. Então vamos passear um pouco e depois arranjar um lugar para acampar na praia e dar uma volta. O que vocês acham?

– Sim! – disseram as duas juntas.

Enquanto se afastavam do Homer Spit e atravessavam a cidade, Leni encostou o nariz no vidro e ficou olhando fixamente para fora. As casas eram uma mistura eclética – construções grandes com janelas reluzentes ficavam ao lado de meias-águas tornadas habitáveis com remendos de plástico e fita adesiva. Havia casas em formato de tenda, cabanas, residências pré-fabricadas e trailers. Ônibus estacionados ao lado da estrada tinham cortinas nas janelas e cadeiras dispostas à sua frente. Alguns jardins eram cuidados e cercados. Outros tinham pilhas de sucatas enferrujadas, carros abandonados e equipamentos velhos. A maioria era inacabada, de um jeito ou de outro. Negócios funcionavam em qualquer coisa, desde um trailer Airstreamer caindo aos pedaços até uma construção de madeira novinha e um barraco de beira de estrada. O lugar era um pouco selvagem, mas não parecia estranho nem remoto como ela imaginara.

O pai aumentou o rádio quando eles viraram na direção de uma praia cinzenta e comprida. Os pneus afundaram na areia e a velocidade foi reduzida. Por toda a praia havia veículos estacionados: caminhões, vans e carros. As pessoas obviamente moravam nessa praia em qualquer abrigo que pudessem encontrar – barracas, carros velhos, barracos construídos com madeira levada pela maré e lona.

– São conhecidos como ratos do Spit – disse o pai, procurando um lugar para estacionar. – Trabalham nas fábricas de conserva e para empresas de frete.

Ele manobrou e entrou em uma vaga entre uma van Econoline suja de lama com placa de Nebraska e um Gremlin verde-limão com janelas de papelão e fita adesiva. Montaram sua barraca na areia e a amarraram ao para-choque da Kombi. O vento e a maresia eram insistentes ali.

As ondas faziam um ruído baixo ao avançarem e retrocederem. Ao redor deles, as pessoas estavam aproveitando o dia, jogando frisbees para cachorros, armando fogueiras na areia e botando caiaques na água. O barulho de vozes humanas parecia minúsculo e transitório diante da grandeza do mundo ali.

Eles passaram o dia como turistas, indo de um lugar para outro. A mãe e o pai compraram cervejas no Salty Dawg Saloon, e Leni comprou um sorvete numa barraca no Homer Spit. Então procuraram em caixotes do Exército de Salvação até encontrarem botas de borracha em seus tamanhos. Leni conseguiu quinze livros velhos (a maioria deles danificada e com manchas de água) por 50 centavos. O pai comprou uma pipa para empinar na praia, enquanto a mãe deu dinheiro escondido para Leni e disse:

– Vá comprar filme para você, filhota.

Em um pequeno restaurante na extremidade do Homer Spit, eles se juntaram em uma mesa de piquenique e comeram caranguejos gigantes; Leni se apaixonou pelo sabor salgado e adocicado da carne branca mergulhada em manteiga derretida. Gaivotas piavam para eles, planando acima, de olho em suas batatas fritas e no pão francês.

Leni não conseguia se lembrar de um dia melhor. Um futuro feliz nunca parecera tão perto.

Na manhã seguinte, seguiram com a Kombi até a enorme balsa *Tustamena* (chamada de *Tusty* pelos locais), que era uma parte da Autoestrada Marítima do Alasca. O barco velho e robusto servia cidades remotas como Homer, Kaneq, Seldovia, Dutch Harbor, Kodiak e as selvagens ilhas Aleutas. Assim que a Kombi estacionou em sua faixa, os três saíram correndo para o convés e seguiram para a amurada. A área estava cheia de gente, a maioria homens com cabelos compridos e barbas cerradas, usando bonés de caminhoneiro, camisas xadrez de flanela, coletes acolchoados e jeans sujos enfiados em botas de borracha marrons. Havia também alguns hippies em idade universitária, identificáveis por suas mochilas, camisas de *tie-dye* e sandálias.

A enorme balsa partiu cuspindo fumaça. Quase imediatamente Leni viu que as águas da baía de Kachemak não eram tão calmas quanto pareciam da segurança da costa. O mar se mostrava agitado e batido. Ondas subiam e estouravam contra os lados da balsa. Um cenário bonito, mágico, selvagem. Ela tirou pelo menos uma dúzia de fotos e as enfiou no bolso.

Um bando de orcas emergiu das ondas; leões-marinhos fizeram ruídos para elas das pedras. Lontras se alimentavam em leitos de algas ao longo da costa acidentada.

Por fim, a balsa fez uma curva e deu a volta em uma elevação de terra verde-esmeralda que os protegia do vento que soprava sobre a baía. Ilhas luxuriantes com costas rochosas e cobertas de árvores os receberam em suas águas calmas.

– Kaneq se aproximando! – disseram nos alto-falantes. – Próxima parada, Seldovia!

– Vamos, Allbrights, de volta para a Kombi! – chamou o pai, rindo.

Eles serpentearam entre os carros enfileirados, chegaram à Kombi e entraram.

– Mal posso esperar para ver nossa casa nova – disse a mãe.

A balsa atracou e eles desembarcaram, subindo a colina por uma estrada larga de terra que atravessava uma floresta. No cume ficava uma igreja branca de tábuas horizontais com uma torre cuja cúpula azul era encimada por uma cruz russa de três braços. Ao lado dela havia um cemitério cercado de estacas, cheio de cruzes de madeira.

Eles desceram o morro, chegaram do outro lado e deram sua primeira olhada em Kaneq.

– Espere – disse Leni, olhando pela janela suja. – Não pode ser isso.

Ela viu trailers estacionados sobre a grama, com cadeiras brancas em frente e casas que seriam chamadas de barracos em Washington. Diante de um dos barracos havia três cachorros magros acorrentados; todos eles estavam junto a suas casinhas velhas, latindo e ganindo furiosamente. O quintal coberto de capim estava cheio de buracos cavados pelos cães entediados.

– É uma cidade antiga com uma história incrível – disse o pai. – Habitada primeiro por nativos, depois por mercadores de pele russos, e então tomada por aventureiros à procura de ouro. Em 1964, um terremoto atingiu a cidade com tanta força que a terra afundou 1,5 metro em um segundo. Casas desmoronaram e caíram no mar.

Leni olhou para as poucas construções decrépitas com bolhas na pintura que estavam ligadas umas às outras por uma passarela velha; a cidade era assentada sobre palafitas acima de lamaçais. Para além da lama, havia uma baía cheia de barcos pesqueiros. A rua principal tinha menos de uma quadra de comprimento e não era pavimentada.

À esquerda havia uma taberna chamada Coice do Alce. A construção era uma casca chamuscada e enegrecida, sem dúvida vítima de um incêndio. Através do vidro sujo da janela, ela viu fregueses lá dentro. Pessoas bebendo às dez da manhã de uma quinta-feira em ruínas incendiadas.

Do lado da rua em que ficava a baía, Leni viu uma pousada fechada que seu pai contou que provavelmente tinha sido construída para os negociantes de pele russos mais de cem anos antes. Ao lado dela, uma lanchonete do tamanho de um armário chamada Mordendo a Isca estava com uma porta aberta. Leni pôde ver algumas pessoas debruçadas sobre um balcão em seu interior. Havia algumas caminhonetes velhas estacionadas perto da entrada da baía.

– Onde fica a escola? – indagou Leni, sentindo uma pontada de pânico.

Aquilo não era uma cidade. Um posto avançado, talvez. O tipo de lugar que uma caravana rumo ao oeste poderia ter encontrado cem anos antes, o tipo de lugar onde ninguém permanecia. Será que havia *alguém* da sua idade ali?

O pai estacionou em frente a uma casa vitoriana estreita e de telhado íngreme que parecia ter sido azul e agora mostrava apenas manchas dessa cor aqui e ali na madeira desbotada cuja tinta havia descascado. Na janela, em letras rebuscadas e douradas, havia as palavras ESCRITÓRIO DO ENSAIADOR. Embaixo delas, alguém tinha prendido com fita adesiva uma placa escrita à mão: POSTO COMERCIAL/ARMAZÉM.

– Vamos pedir informações, Allbrights.

A mãe saiu rapidamente da Kombi e correu na direção da pequena civilização que aquele armazém representava. Quando abriu a porta, uma sineta tocou acima de sua cabeça. Leni esgueirou-se atrás da mãe e pôs a mão na cintura.

A luz do sol entrava pelas janelas atrás delas, iluminando a parte da frente do armazém. Depois disso, apenas uma lâmpada no teto oferecia luz. Os fundos eram cheios de sombras.

O interior cheirava a couro velho, uísque e tabaco. As paredes eram cobertas de prateleiras; Leni viu serras, machados, enxadas, botas de pele para neve, botes de pesca de borracha, pilhas de meias e caixas cheias de lanternas de cabeça. Armadilhas de aço e rolos de corrente pendiam de cada coluna. Havia pelo menos uma dúzia de animais empalhados sobre as prateleiras e os balcões. Um salmão-rei gigante estava preso para sempre em uma placa de madeira reluzente, assim como cabeças de alce, chifres e crânios brancos de animais. Havia até uma raposa-vermelha acumulando poeira em um canto. À esquerda ficavam os produtos alimentícios: sacas de batatas e baldes de cebolas, latas de salmão, caranguejo e sardinhas empilhadas, sacos de arroz, farinha e açúcar, latas de gordura vegetal e, o favorito dela, a seção de petiscos, onde belas e coloridas embalagens de doces lhe lembravam sua casa – batatas fritas, sacos de doces amanteigados e caixas de cereal.

– Fregueses!

Leni ouviu o bater de palmas. Uma mulher negra com o cabelo *black power* emergiu das sombras. Ela era alta e de ombros largos e tão grande que precisava se virar de lado para sair de trás do balcão de madeira polida. Pequenos sinais pontilhavam seu rosto.

Ela se aproximou deles rapidamente, com pulseiras de marfim chacoalhando em seus pulsos grossos. Devia ter pelo menos 50 anos. Usava uma saia comprida jeans com *patchwork* que não combinava com as meias de lã, sandálias e uma camisa comprida azul por cima de uma camiseta desbotada. Havia uma faca embainhada pendurada no cinto grosso de couro.

– Bem-vindos! Sei que parece desorganizado e assustador, mas sei onde está tudo, até os anéis de vedação e as pilhas palito. As pessoas me chamam de Marge Gorda – disse ela estendendo a mão.

– E você deixa? – perguntou a mãe, oferecendo seu sorriso bonito, aquele que atraía as pessoas e fazia com que elas retribuíssem.

Ela apertou a mão da mulher.

O riso de Marge Gorda era alto e entrecortado, como se não tivesse fôlego suficiente.

– Adoro uma mulher com senso de humor. Então, quem eu tenho o prazer de conhecer?
– Cora Allbright – disse a mãe. – E esta é minha filha, Leni.
– Bem-vindas a Kaneq, senhoras. Não recebemos muitos turistas.
O pai entrou na loja bem a tempo de dizer:
– Somos locais, ou logo seremos. Acabamos de chegar.
O queixo duplo de Marge Gorda ficou triplo quando ela o contraiu com o susto.
– Locais?
O pai estendeu a mão.
– Bo Harlan me deixou sua casa. Viemos para ficar.
– Caramba. Sou sua vizinha, Marge Birdsall, a menos de 1 quilômetro pela estrada. Tem uma placa. A maioria das pessoas aqui vive longe das ruas, no mato, mas temos bastante sorte por estarmos em uma estrada. Vocês têm todos os suprimentos de que precisam? Podem abrir uma conta na loja se quiserem, e podem me pagar em dinheiro ou com trocas. É como as coisas são feitas aqui.
– Era exatamente esse tipo de vida que estávamos procurando – disse o pai. – Preciso admitir que o dinheiro está um pouco curto, então pagar por meio de troca seria uma boa solução. Eu sou um mecânico muito competente. Posso consertar quase qualquer motor.
– É bom saber. Vou espalhar a informação.
O pai assentiu.
– Ótimo. Gostaríamos de um pouco de bacon. Talvez um pouco de arroz. E uísque.
– Ali – orientou Marge Gorda, apontando. – Atrás da fileira de machados e machadinhas.
O pai seguiu a instrução dela e foi até as sombras do fundo da loja. Marge se virou para a mãe e a fitou dos pés à cabeça em um único olhar avaliador.
– Imagino que este seja o sonho do seu marido, Cora Allbright, e que vocês vieram para cá sem muito planejamento.
A mãe sorriu.
– Costumamos fazer tudo por impulso, Marge Gorda. Isso mantém a vida empolgante.
– Bom, você vai precisar ser durona, aqui, Cora Allbright. Por você e pela sua filha. Não pode apenas confiar no homem. Precisa ser capaz de salvar a si mesma e a essa sua linda menina.
– Isso é bastante dramático – disse a mãe.
Marge Gorda se abaixou até uma grande caixa de papelão e a arrastou pelo chão até junto dela. Remexeu em seu interior, seus dedos negros se movendo

como os de um pianista, até que ela tirou dois apitos laranja grandes com cordões pretos. Pôs um no pescoço de cada uma.

– É um apito de ursos. Vocês vão precisar. Lição número um: nada de andar em silêncio ou desarmado no Alasca. Não tão longe como aqui, não nesta época do ano.

– Você está tentando nos assustar? – perguntou a mãe.

– Podem apostar que sim. Aqui, o medo é senso comum. Muita gente vem para cá, Cora, com câmeras e sonhos de uma vida mais simples. Mas cinco em cada mil alasquianos desaparecem todo ano. Simplesmente desaparecem. E a maioria dos sonhadores... Bem, eles não conseguem passar pelo primeiro inverno. Mal podem esperar para voltar para a terra de cinemas drive-in e de aquecimento que chega com o apertar de um botão. E para a luz do sol.

– Você faz o lugar parecer perigoso – comentou a mãe, desconfortável.

– Dois tipos de pessoas vêm para o Alasca, Cora: as que estão fugindo para alguma coisa ou as que estão fugindo de alguma coisa. É bom ficar de olho nas pessoas do segundo tipo. O Alasca pode ser a Bela Adormecida em um minuto e uma traidora com uma espingarda de cano serrado no outro. Há um ditado: Aqui só se comete um erro. O segundo vai matar você.

A mãe acendeu um cigarro. Sua mão estava tremendo.

– Como comitê de boas-vindas, você deixa a desejar, Marge.

Marge Gorda riu outra vez.

– Você está absolutamente certa sobre isso, Cora. Minhas habilidades sociais foram pelo ralo. – Ela sorriu e pôs a mão no ombro magro da mãe, de um jeito reconfortante. – Aqui está o que você quer ouvir: somos uma comunidade unida em Kaneq. Há menos de trinta de nós vivendo nesta parte da península o ano inteiro, mas cuidamos uns dos outros. Minha terra é perto da sua. Se precisarem de alguma coisa, qualquer coisa, é só pegar o rádio amador. Irei correndo.

O pai abriu uma folha de caderno sobre o volante; no papel havia um mapa que Marge Gorda desenhara para eles. O mapa mostrava Kaneq como um grande círculo vermelho, uma única linha partindo dele. Essa era a estrada (só havia uma mesmo, dissera ela) que ia da cidade para a enseada Otter. Havia três X ao longo da linha reta. O primeiro era a propriedade de Marge Gorda, à esquerda, depois a de Tom Walker à direita e, por fim, a velha casa de Bo Harlan, que ficava bem no fim da linha.

– Seguimos por 3 quilômetros depois do riacho Icicle e vamos ver o início da terra de Tom Walker, marcada por um portão de metal. Nossa casa é só um pouco mais longe. No fim da estrada – disse o pai, deixando o mapa cair no chão enquanto se afastavam da cidade. – Marge falou que não temos como errar.

Atravessaram ruidosamente uma ponte de aspecto frágil que formava um arco acima de um rio azul cristalino. Passaram por terras pantanosas, pontilhadas por flores amarelas e rosa, depois por uma pista de pouso, onde quatro aviões pequenos e decrépitos estavam amarrados.

Logo depois da pista, a estrada de cascalho se transformava em terra e pedras. Árvores se tornavam mais próximas dos dois lados. Lama e mosquitos batiam no para-brisa. Buracos do tamanho de piscinas infantis faziam a velha Kombi sacolejar.

– Que droga – dizia o pai toda vez que eles eram jogados de seus assentos.

Não havia casas ali, nenhum sinal de civilização, até que chegaram a uma entrada de carros cheia de lixo enferrujado e veículos apodrecendo. Uma placa escrita à mão dizia BIRDSALL. A casa de Marge Gorda.

Depois disso, a estrada ficava pior. Mais acidentada. Uma combinação de granito e poças de lama. Dos dois lados, mato crescia desenfreado e arbustos e árvores eram altas o suficiente para bloquear a vista de qualquer coisa.

Agora eles estavam *mesmo* no meio do nada.

Depois de mais um trecho de estrada vazia, chegaram a uma caveira de vaca embranquecida sobre o portão de metal enferrujado que marcava a propriedade de Walker.

– Preciso confessar que desconfio um pouco de vizinhos que usam animais mortos na decoração – disse a mãe, segurando a maçaneta da porta que saiu em sua mão quando passaram por um buraco.

Cinco minutos depois, o pai pisou no freio. Cinquenta metros a mais e eles teriam caído de um precipício.

– Meu Deus! – exclamou a mãe.

A estrada havia desaparecido; em seu lugar, arbustos e uma borda de granito. Literalmente o fim do mundo.

– Chegamos!

O pai saltou da Kombi e bateu a porta.

A mãe olhou para Leni. As duas estavam pensando a mesma coisa: não havia nada ali além de árvores, lama e um penhasco que podia tê-los matado sob a neblina. Elas saíram da Kombi e se abraçaram. Não muito longe – supostamente abaixo do penhasco à sua frente –, as ondas quebravam e rugiam.

– Vejam só isso!

O pai abriu bem os braços, como se quisesse abraçar aquilo tudo.

Ele parecia crescer diante de seus olhos, como uma árvore, espalhando bem seus galhos, ficando forte. *Gostava* do nada que via, da vastidão vazia. Era em busca disso que viera.

A entrada de sua propriedade era uma faixa estreita de terra com penhascos dos dois lados, cujas bases eram açoitadas pelo oceano. Leni achou que um raio ou um terremoto podiam separar aquela terra do continente e deixá-la à deriva, uma ilha fortificada flutuante.

– Essa é nossa entrada de carros – disse o pai.

– Entrada de carros? – repetiu a mãe olhando fixamente para a trilha através das árvores.

Parecia que não era usada havia anos. Amieiros de tronco fino cresciam no caminho.

– Bo saiu daqui há muito tempo. Vamos ter que limpar as plantas novas da estrada, mas por ora iremos a pé – avisou o pai.

– A pé? – repetiu a mãe.

Ele começou a descarregar a Kombi. Enquanto Leni e a mãe ficavam paradas olhando para as árvores, o pai dividiu as coisas de que precisavam em três mochilas e disse:

– Muito bem. Vamos lá.

Leni olhou para as mochilas sem acreditar.

– Aqui, Ruiva – falou ele, levantando uma bolsa que parecia grande como um Buick.

– Você quer que eu ponha isso nas costas? – perguntou ela.

– Sim, se você quiser comida e um saco de dormir na cabana. – Ele sorriu. – Vamos lá, Ruiva. Você consegue.

Ela deixou que ele ajustasse a mochila em suas costas e se sentiu como uma tartaruga com um casco grande demais. Se caísse, nunca conseguiria se levantar. Leni se moveu de lado com extremo cuidado enquanto o pai ajudava a mãe a botar sua mochila.

– Está bem, Allbrights – disse o pai, erguendo e botando a própria mochila nas costas. – Vamos para casa!

Saiu andando, balançando os braços no ritmo de seus passos. Leni podia ouvir suas velhas botas do Exército triturando e deslizando na terra enlameada. Ele ia assobiando, como se fosse um pioneiro da América.

A mãe lançou um olhar desejoso à Kombi. Em seguida, se virou para a filha e sorriu, mas, para Leni, pareceu mais uma expressão de terror que de alegria.

– Então está bem – falou ela. – Vamos.

Leni estendeu o braço e pegou a mão da mãe.

Eles caminharam por uma terra sombreada por árvores, seguindo uma trilha estreita e sinuosa. Podiam ouvir o mar quebrando à sua volta. À medida que seguiam, o som das ondas diminuía. A terra se expandia. Mais árvores, mais terra, mais sombra.

– Meu Deus do céu! – exclamou a mãe depois de algum tempo. – Ainda falta muito?

Ela tropeçou em uma pedra e caiu com força.

– Mãe!

Leni estendeu os braços para ela sem pensar e sua mochila a jogou no chão. Sua boca se encheu de lama, e a garota cuspiu.

Em um instante o pai chegou ao lado delas, ajudando Leni e a mãe a se levantarem.

– Aqui, garotas, se apoiem em mim – disse ele.

Então partiram outra vez.

As árvores se amontoavam umas sobre as outras, brigavam por espaço e deixavam a trilha escura e sombria. A luz do sol penetrava, mudando a cor e a luminosidade à medida que andavam. O chão era acarpetado por líquen, que o tornava esponjoso, como caminhar sobre marshmallows. Em pouco tempo Leni percebeu que estava com os tornozelos nas sombras. A escuridão parecia aumentar em vez de dar lugar ao sol. Era como se a escuridão fosse a ordem natural ali.

Galhos se prendiam em seus rostos, os três tropeçavam no chão esponjoso, até que enfim saíram à luz outra vez, em uma campina de mato na altura dos joelhos e flores silvestres. Seus 16 hectares eram uma península; uma longa faixa de terra coberta de capim, empoleirada acima da água, que a cercava por três lados, com uma pequena praia em forma de C no meio. Ali, a água era calma, serena.

Leni entrou cambaleante na clareira e largou a mochila no chão. A mãe fez o mesmo.

E ali estava: a casa que eles tinham ido reivindicar. Uma pequena cabana construída com troncos enegrecidos pelo tempo, com um telhado inclinado coberto de musgo decorado com dezenas de crânios de animais. Um deque apodrecido se projetava da frente, atulhado de cadeiras plásticas mofadas. À esquerda, entre a cabana e as árvores, havia cercados de animais e um galinheiro, todos em ruínas.

Havia lixo por toda parte, jogado sobre o mato: uma grande pilha de rodas, tambores de óleo, rolos de arame avermelhado, uma máquina de lavar antiquada de madeira com um torcedor de roupas movido a manivela.

O pai pôs as mãos na cintura, jogou a cabeça para trás e uivou como um lobo. Quando parou e o silêncio caiu outra vez, ele tomou a mãe nos braços e rodopiaram juntos.

Quando finalmente a soltou, a mãe cambaleou para trás; estava rindo, mas havia uma espécie de horror em seus olhos. A cabana parecia algo em que um velho eremita desdentado moraria, e era *pequena*.

Eles ficariam amontoados em um único cômodo?

– Olhem para isso – disse o pai com um gesto amplo. Elas se viraram da cabana e olharam para o mar. – Esta é a enseada Otter.

No fim de tarde, a península e o mar pareciam ter brilho próprio como uma terra encantada de contos de fadas. As cores eram mais vibrantes do que ela jamais tinha visto. Ondas que lambiam a praia de seixos deixavam um resíduo cintilante. Na margem oposta, as montanhas eram de um roxo profundo e luxuriante na base e completamente brancas nos cumes.

A praia lá embaixo – a praia deles – era uma curva de seixos cinza polidos, lavados por uma onda suave de espuma branca. Uma escada velha construída em forma de raio ia da área coberta de mato até a margem. A madeira tinha ficado cinza com o tempo e estava preta de mofo; uma tela de arame cobria cada degrau. A escada parecia frágil, como se um vento forte pudesse destruí-la.

A maré estava baixa. A lama cobria tudo, escorrendo ao longo da praia, que tinha diversos tipos de algas marinhas. Montes de mariscos negros reluzentes ficavam expostos nas pedras.

Leni se lembrava do pai lhe dizendo que, em Upper Cook Inlet, a subida da maré e seu encontro com as águas dos rios criava ondas grandes o suficiente para surfar; as marés ali também eram muito altas. A segunda maior do mundo. Só a baía de Fundy tinha uma maré mais alta. Ela não havia entendido bem esse fato até então, quando viu a que altura a água podia chegar nas escadas. Seria bonito, mas nesse momento, com a maré recuada e lama por toda parte, entendeu o que isso significava. Na maré baixa, a propriedade era inacessível por barco.

– Vamos – disse o pai. – Vamos dar uma olhada na casa.

Ele pegou Leni pela mão e seguiu pelo capim e pelas flores silvestres, passando pelo lixo – barris virados, pilhas de paletes de madeira, *colders* de plástico velhos e armadilhas de caranguejo quebradas. Mosquitos picavam a pele de Leni, sugavam seu sangue, faziam um ruído constante.

Nos degraus da varanda, a mãe hesitou. O pai soltou a mão da filha, subiu a escada envergada, abriu a porta da frente e desapareceu lá dentro.

A mãe ficou ali parada por um momento, respirando fundo. Deu um tapa forte no pescoço e deixou uma mancha de sangue.

– Bem, isso não era o que eu esperava.

– Nem eu – concordou Leni.

Houve outro longo silêncio. Em seguida, a mãe disse baixinho:

– Vamos.

Ela segurou a mão de Leni enquanto subiam os degraus bambos e entravam na cabana escura.

A primeira coisa que a garota percebeu foi o cheiro.

Cocô. Algum animal – ela *esperava* que tivesse sido um animal – tinha feito cocô por toda parte.

Leni cobriu o nariz e a boca com a mão.

O lugar era cheio de sombras e formas escuras. Teias de aranha pendiam das vigas em emaranhados grossos. A poeira tornava difícil respirar. O chão estava coberto de insetos mortos, então cada passo fazia um ruído de trituração.

– Eca – disse Leni.

A mãe abriu as cortinas sujas e a luz do sol entrou, densa com partículas de poeira.

O interior era maior do que aparentava por fora. O piso tinha sido feito de compensados rústicos e diferentes, como uma colcha de retalhos. Paredes de troncos descascados exibiam armadilhas para animais, varas de pesca, cestos, frigideiras, baldes, redes. A cozinha – se é que podia se chamar assim – ocupava um canto do cômodo principal. Leni viu um velho fogareiro de acampamento e uma pia sem torneiras, embaixo da qual havia um espaço coberto por uma cortina. Na bancada havia um velho rádio amador, provavelmente da Segunda Guerra Mundial, coberto de poeira. O centro do aposento era ocupado por um fogão a lenha preto, e sua chaminé de metal subia até o teto como um dedo nodoso apontado para o céu. Um sofá em farrapos, um caixote de madeira emborcado e uma mesa de carteado com quatro cadeiras de metal compunham a mobília da casa. Uma escada de troncos estreita e íngreme levava a um espaço elevado iluminado pela luz natural, e à esquerda, uma cortina empoeirada de contas psicodélicas pendia de uma porta estreita.

Leni afastou a cortina e entrou no quarto, que era pouco maior que o colchão manchado e encaroçado no chão. Ali havia mais lixo pendurado em ganchos nas paredes. O lugar cheirava vagamente a excremento animal e poeira acumulada.

Leni manteve a mão sobre a boca, com medo de vomitar quando voltou para a sala pisando nos insetos mortos.

– Onde é o banheiro?

A mãe ofegou, foi depressa para a porta da frente, abriu-a e saiu correndo.

Leni a seguiu pelo deque e desceu os degraus parcialmente quebrados.

– Ali – disse a mãe, apontando para uma pequena construção de madeira cercada por árvores. Uma meia-lua recortada na porta a identificava.

Um banheiro externo.

Uma *latrina*.

– Que bosta – sussurrou a mãe.

– Sem trocadilhos – disse Leni.

Ela se apoiou na mãe. Sabia o que a mãe estava sentindo nesse momento, então precisava ser forte. Era assim que elas faziam. Revezavam-se em ser fortes. Foi como resistiram aos anos da guerra.

– Obrigada, filhota. Eu precisava disso. – A mãe passou o braço em volta dos ombros de Leni e a puxou para perto. – Vamos ficar bem, não vamos? Não precisamos de televisão. Nem de água corrente. Nem de eletricidade. – Sua voz terminou em uma nota aguda e estridente que parecia desesperada.

– Vamos fazer o melhor possível – disse Leni, tentando parecer segura em vez de preocupada. – E, desta vez, ele vai ficar feliz.

– Você acha?

– Eu sei que vai.

QUATRO

Na manhã seguinte, eles arregaçaram as mangas e começaram a trabalhar. Leni e a mãe limparam a cabana. Varreram, esfregaram e lavaram. Descobriram que a pia da cabana estava "seca" (não havia encanamento ali), então deveriam buscar água em baldes num rio próximo para que fosse fervida e pudessem beber, cozinhar, lavar utensílios ou tomar banho. Não havia eletricidade. Lamparinas a gás pendiam das vigas e se apoiavam sobre as bancadas de compensado. Embaixo da casa havia uma despensa que tinha pelo menos 2,5 metros por 3, coberta de prateleiras empenadas e empoeiradas e cheias de vidros de conserva vazios e imundos, além de cestos mofados. Então elas fizeram uma faxina ali também, enquanto o pai trabalhava limpando a entrada de carros para que eles pudessem levar o resto de seus suprimentos para a casa.

No fim do segundo dia – que, a propósito, durou uma eternidade, já que o sol não parava de brilhar –, passavam das dez da noite quando terminaram suas tarefas.

O pai armou uma fogueira na praia e os três se sentaram em troncos caídos ao seu redor, comendo sanduíches de atum e bebendo Coca-Cola quente. O pai encontrou mexilhões e mariscos e mostrou a elas como abri-los. Eles comeram cada um dos moluscos viscosos em uma única bocada.

A noite não caiu. Em vez disso, o céu ganhou um tom rosa-lilás profundo; não havia estrelas. Leni olhou além das chamas laranja tremeluzentes, com fagulhas sopradas para cima, estalando como música, e viu seus pais abraçados juntos, a cabeça da mãe no ombro do pai, a mão dele amorosamente na coxa dela, um cobertor de lã em torno deles. Leni tirou uma foto.

Com o flash e o ruído da Polaroid, o pai olhou para ela e sorriu.

– Vamos ser felizes aqui, Ruiva. Consegue sentir isso?

– Sim – respondeu ela e, pela primeira vez, realmente acreditou.

Leni acordou com o som de alguém – ou alguma *coisa* – batendo à porta da cabana. Ela saiu do saco de dormir, empurrou-o para o lado e derrubou sua pilha de livros na pressa. Lá embaixo, ouviu o barulho da cortina de contas e de passos enquanto a mãe e o pai corriam para a porta. Leni se vestiu depressa e desceu rápido a escada.

Marge Gorda estava parada no quintal com duas outras mulheres; atrás delas, uma bicicleta suja e enferrujada jazia na relva e, a seu lado, havia um quadriciclo carregado com tela de arame enrolada.

– Olá, Allbrights! – cumprimentou Marge, animada, acenando com a mão do tamanho de um pires. – Trouxe algumas amigas. – Indicou as duas mulheres que a acompanhavam.

Uma parecia um ser da floresta, pequena o suficiente para se passar por uma criança, com cabelo grisalho comprido e emaranhado; a outra era alta e magra. As três vestiam camisas de flanela e jeans manchados enfiados em botas de borracha na altura dos joelhos. Cada uma carregava uma ferramenta – uma motosserra, um furador, uma machadinha.

– Viemos oferecer ajuda para vocês começarem – disse Marge Gorda. – E trouxemos algumas coisas de que vão precisar.

Leni viu o pai franzir a testa.

– Você acha que somos incompetentes?

– É assim que fazemos as coisas por aqui, Ernt – respondeu ela. – Acredite, por mais que tenha lido e estudado, você nunca conseguirá se preparar o suficiente para seu primeiro inverno no Alasca.

O ser da floresta se adiantou. Ela era baixinha e magra, com um nariz fino como uma lâmina. Luvas de couro saíam do bolso de sua camisa. Apesar de pequena, exalava um ar de competência para tarefas braçais.

– Eu sou Natalie Watkins. Marge Gorda contou que vocês não sabem muito sobre a vida por aqui. Eu era assim dez anos atrás. Segui um homem até aqui. História clássica. Perdi o homem e encontrei uma vida. Agora tenho meu próprio barco de pesca. Por isso entendo o sonho que os trouxe, mas isso não é o bastante. Vocês vão ter que aprender rápido. – Natalie calçou as luvas amarelas. – Nunca achei outro homem que valesse a pena. Sabem o que falam sobre encontrar um bom homem: Deus disse que eles estariam em todas as esquinas do mundo, então fez a Terra redonda.

A mulher mais alta tinha uma trança alourada que caía quase até sua cintura e olhos tão pálidos que pareciam imitar a cor do céu desbotado.

– Bem-vindos a Kaneq. Eu sou Geneva Walker. Genny. Gê. A Geradora. Atendo por praticamente qualquer apelido.

Ela sorriu, revelando covinhas.

– Minha família é de Fairbanks, mas me apaixonei pela terra de meu marido, por isso acabei ficando. Estou aqui há vinte anos.

– Vocês vão precisar de pelo menos uma estufa e um depósito – disse Marge Gorda. – O velho Bo tinha grandes planos para este lugar quando o comprou. Mas Bo foi para a guerra... e ele era ótimo em fazer as coisas pela metade.

– Um depósito? – perguntou o pai.

Marge Gorda assentiu de um jeito brusco.

– Uma construção pequena sobre colunas. A carne deve ser guardada lá, para que os ursos não consigam alcançá-la. Nesta época do ano, os ursos estão famintos.

– Vamos, Ernt – disse Natalie, abaixando-se para pegar a motosserra a seus pés. – Eu trouxe uma serraria portátil. Você derruba as árvores e eu as serro em tábuas. Vamos começar pelas prioridades, certo?

O pai voltou para a cabana, pôs seu colete impermeável e seguiu para a floresta com Natalie. Logo Leni ouviu o ruído de uma motosserra e as pancadas de um machado na madeira.

– Vou começar com a estufa – avisou Geneva. – Imagino que Bo tenha deixado uma quantidade de canos de PVC em algum lugar.

Marge Gorda se aproximou de Leni e da mãe.

Uma brisa começou a soprar e, num piscar de olhos, ficou frio. A mãe cruzou os braços. Tinha que estar com frio, parada ali com uma camiseta da banda Grateful Dead e jeans boca de sino. Um mosquito pousou em sua bochecha. Ela o acertou com um tapa, deixando um rastro de sangue.

– Nossos mosquitos são ruins – comentou Marge Gorda. – Na próxima vez que eu vier visitar, vou lhes trazer repelente.

– Há quanto tempo você mora aqui? – perguntou a mãe.

– Dez dos melhores anos de minha vida. A vida no mato é trabalho duro, mas não há sabor melhor que um salmão que você pescou de manhã, coberto de manteiga que você bateu de seu próprio creme de leite fresco. Aqui não há ninguém para lhe dizer o que fazer nem como fazê-lo. Cada um sobrevive de seu próprio jeito. Se você é duro o bastante, é o paraíso na Terra.

Leni olhava para a mulher grande e de aspecto rústico com uma espécie de assombro. Nunca tinha visto uma mulher assim. Marge Gorda parecia poder derrubar sozinha um cedro adulto, empoleirá-lo no ombro e sair andando.

– Precisamos de um novo começo – respondeu a mãe, surpreendendo Leni.

Esse era o tipo de verdade dura que ela costumava evitar.

– Ele esteve no Vietnã?

– Prisioneiro de guerra. Como você sabe?

– Ele tem pinta. E, bom... Bo lhes deixou este lugar. – Marge Gorda olhou para a esquerda, onde o pai e Natalie cortavam árvores. – Ele é mau?

– Não – disse a mãe. – É claro que não.

– Flashbacks? Pesadelos?

– Não tem mais nenhum desde que viajamos para o norte.

– Você é bem otimista – comentou Marge Gorda. – Isso vai ser bom para começar. Bom... É melhor você mudar de roupa, Cora. Os insetos vão ficar loucos com tanta pele exposta.

A mãe assentiu e voltou para dentro da cabana.

– E você – disse Marge Gorda. – Qual é a sua história, senhorita?

– Não tenho nenhuma história em especial.

– Todo mundo tem. Talvez a sua comece aqui.

– Talvez.

– O que você sabe fazer?

Leni deu de ombros.

– Eu leio e tiro fotos. – Indicou a câmera pendurada em seu pescoço. – Nada que possa ser útil.

– Então você vai aprender – disse Marge Gorda. Ela se aproximou e se inclinou para sussurrar de forma conspiratória no ouvido de Leni: – Este lugar é mágico, menina, você só tem que se abrir para ele, sabia? Vai entender o que estou dizendo. Mas também é traiçoeiro, nunca se esqueça disso. Acho que foi Jack London que disse que havia mil maneiras de morrer no Alasca. Fique alerta.

– Ao quê?

– Perigo.

– De onde ele virá? Do clima? Ursos? Lobos? O que mais?

Marge Gorda olhou outra vez para além do quintal, onde o pai e Natalie derrubavam árvores.

– Pode vir de qualquer lugar. O clima e o isolamento deixam algumas pessoas loucas.

Antes que Leni pudesse indagar mais, a mãe voltou, vestida para trabalhar de jeans e suéter.

– Cora, você pode preparar um café? – perguntou Marge Gorda.

A mãe riu e bateu com o quadril no de Leni.

– Bom, Marge, agora parece que você descobriu a única coisa que eu *sei* fazer.

Marge, Natalie e Geneva trabalharam o dia inteiro ao lado de Leni e seus pais. As alasquianas mantiveram-se em silêncio, comunicando-se com grunhidos, meneios de cabeça e dedos apontados. Natalie pôs uma motosserra em uma coisa que parecia uma gaiola e, sozinha, serrou em tábuas os troncos grandes que o pai cortara. Cada árvore derrubada revelava mais uma fatia de luz do sol.

Geneva ensinou Leni a serrar madeira, bater pregos e construir canteiros de hortaliças elevados. Juntas, começaram a montar a estrutura de tubos de PVC e tábuas que ia se transformar em uma estufa. Leni ajudou a mulher a carregar um rolo enorme e pesado de plástico que encontraram no galinheiro em ruínas. Elas o jogaram no chão.

– Caramba! – exclamou a garota.

Ela respirava com dificuldade. Suor cobria sua testa e fazia com que seu cabelo com frizz pendesse escorrido dos dois lados do rosto corado. Mas o esboço de uma horta lhe deu uma sensação de orgulho, de propósito. Na verdade, estava ansiosa por plantar as verduras e os legumes que seriam seu alimento.

Enquanto trabalhavam, Geneva falava sobre quais hortaliças cultivar, como colhê-las e a importância que teriam quando o inverno chegasse.

Inverno era uma palavra que aquelas alasquianas falavam muito. Ainda era maio, quase verão, mas os alasquianos já estavam focados no inverno.

– Pare um pouco, garota – ordenou Geneva por fim, ficando de pé. – Preciso usar o banheiro.

Leni saiu cambaleante daquele início de estufa e encontrou a mãe parada sozinha com um cigarro em uma das mãos e uma xícara de café na outra.

– Sinto como se tivéssemos caído na toca do coelho da Alice – disse a mãe.

Ao lado dela, na mesa de carteado bamba estavam as sobras do almoço – a mãe fritara alguns bolinhos e um pedaço de mortadela.

O ar cheirava a fumaça de lenha, cigarro e madeira recém-cortada. E era tomado pelo som de motosserras, tábuas caindo em pilhas, pregos sendo martelados.

Leni viu Marge caminhando em sua direção. Parecia cansada e suada, mas estava sorrindo.

– Será que posso tomar um gole desse café?

A mãe entregou a xícara à mulher.

As três ficaram ali paradas, olhando para a propriedade que mudava diante de seus olhos.

– Ernt é um bom trabalhador – disse Marge. – Ele tem algumas habilidades. Contou que o pai era fazendeiro.

– Aham – respondeu a mãe. – Em Montana.

– Isso é uma boa notícia. Posso lhes vender um casal de cabras para reprodução assim que consertarem os currais. Faço um bom preço. Elas vão ser boas para leite e queijo. E vocês podem aprender um monte de coisas na revista *Mother Earth News*. Eu vou lhes trazer uma pilha.

– Obrigada – disse a mãe.

– Geneva comentou que foi ótimo trabalhar com Leni. Isso é bom. – Deu tapinhas nas costas de Leni com tanta força que a menina cambaleou para a frente. – Mas, Cora, dei uma olhada nos seus suprimentos. Espero que você não se importe. O que vocês têm não chega nem perto de ser suficiente. Como estão suas finanças?

– As coisas estão apertadas.

Marge Gorda assentiu. Seu rosto assumiu uma expressão sinistra.

– Você sabe atirar?

A mãe riu.

Marge Gorda não sorriu.

– Estou falando sério, Cora. Você sabe atirar?

– Com uma *arma*? – perguntou a mãe.

– É. Com uma arma – disse Marge.

O riso da mãe se desvaneceu.

– Não.

Ela apagou o cigarro em uma pedra.

– Bem, vocês não são os primeiros *cheechakos* a chegarem aqui com um sonho e sem um plano.

– *Cheechakos*? – indagou Leni.

– Novatos nesta terra. O Alasca não é sobre quem vocês eram quando tomaram este rumo. É sobre quem você se torna. Vocês estão na natureza selvagem. Isto aqui não é nenhuma fábula ou conto de fadas. É real. É duro. O inverno vai chegar em breve e, podem acreditar, não é como nenhum inverno que vocês já tenham experimentado. Ele destrói os mais fracos, e rápido. Vocês precisam saber sobreviver. Precisam aprender a atirar e a matar para se alimentarem e se manterem em segurança. Aqui, vocês não estão no topo da cadeia alimentar.

Natalie e o pai caminharam na direção delas. Ela carregava a motosserra e limpava a testa suada com uma bandana embolada. Era uma mulher muito pequena, pouco mais alta que Leni; parecia impossível que pudesse carregar por aí aquela motosserra pesada.

Ao lado da mãe, ela parou e apoiou a extremidade arredondada da motosserra na ponta da bota de borracha.

– Bom, tenho que alimentar meus animais. Entreguei a Ernt um bom projeto para o depósito.

Geneva veio se aproximando. Terra preta cobria seu cabelo, seu rosto e salpicava a frente de sua camisa.

– Leni tem a atitude certa para o trabalho. Bom para vocês.

O pai passou um braço em volta dos ombros da mãe e disse:

– Não posso lhes agradecer o suficiente.

– Sim, a ajuda de vocês significa muito para nós – concordou a mãe.

O sorriso de Natalie deu a ela uma expressão travessa.

– O prazer é nosso, Cora. Lembrem-se de trancar a porta esta noite, quando forem para a cama. Não saiam até de manhã. Se precisarem de um penico, comprem com Marge no posto comercial.

Leni percebeu que sua boca se abriu um pouco. Queriam que ela fizesse xixi em um *penico*?

– Os ursos são perigosos nesta época do ano. Especialmente os ursos-pretos. Eles às vezes atacam à toa – explicou Marge Gorda. – E há lobos, alces e sabe Deus o que mais. Não saiam andando por aqui sem uma arma, nem mesmo para ir até o banheiro. – Marge pegou a motosserra de Natalie e a jogou sobre o ombro como se fosse um palito de churrasco. – Não há polícia por aqui e nenhum telefone, exceto na cidade, por isso, Ernt, ensine suas mulheres a atirar e rápido. Eu vou lhes dar uma lista do mínimo de suprimentos necessários antes da chegada do inverno. Vão precisar caçar um alce neste outono para garantir. É melhor atirar neles na temporada, mas... você sabe, o que importa é ter carne no freezer.

– Não temos freezer – observou Leni.

Por algum motivo, as mulheres riram dessa observação.

O pai assentiu solenemente.

– Entendido.

– Está bem. Até mais – disseram as mulheres ao mesmo tempo.

Acenando, caminharam até seus veículos, montaram e seguiram pela trilha que levava à estrada principal. Em poucos instantes, desapareceram.

No silêncio que se seguiu, uma brisa fria agitou as copas das árvores acima deles. Uma águia sobrevoou com um peixe enorme lutando preso em suas garras. Leni viu uma coleira de cachorro pendurada em um galho alto de uma árvore perene. Uma águia devia ter apanhado um cachorro pequeno e o levado embora. Será que uma águia podia carregar uma garota magra como um graveto?

Tenha cuidado. Aprenda a atirar.

Eles moravam em um pedaço de terra que não podia ser acessado por água na maré baixa, em uma península com apenas um punhado de gente e centenas de animais selvagens, em um clima duro o bastante para matá-los. Não havia delegacia, serviço telefônico nem ninguém que pudesse ouvi-los gritar.

Pela primeira vez, ela realmente entendeu o que o pai queria dizer com *lugar remoto*.

―⁕―

Três dias depois, Leni acordou com o cheiro de bacon. Quando se sentou, a dor desceu por seus braços e subiu por suas pernas.

Sentia dor por toda parte. Picadas de mosquito faziam sua pele coçar. Três dias de trabalho duro – e ali os dias eram *infinitos*, a luz do sol durava até quase meia-noite – que haviam revelado músculos que ela nem sabia que tinha.

Ela saiu do saco de dormir e vestiu seu jeans de boca de sino. Havia dormido de suéter e meias. Tinha um gosto horrível na boca. Ela se esquecera de escovar os dentes na noite anterior. Já havia começado a economizar a água que não corria das torneiras e tinha que ser buscada em baldes.

Desceu a escada.

A mãe estava no canto que era a cozinha, diante do fogareiro, derramando aveia em um pote de água fervente. Bacon fritava e estalava em uma das frigideiras pretas de ferro que eles encontraram penduradas em ganchos.

Leni ouviu os golpes distantes de um martelo. Aquelas batidas ritmadas já tinham se tornado a trilha sonora de suas vidas. O pai trabalhava do amanhecer ao anoitecer, o que era um dia longo. Já havia reformado o galinheiro e consertado os cercados de cabras.

– Preciso ir ao banheiro – disse ela.

– Divirta-se – respondeu a mãe.

Leni calçou suas botas e lá fora encontrou um céu azul. As cores eram tão vibrantes que o mundo nem parecia real: capim verde em movimento na clareira, flores silvestres roxas, os degraus cinza em zigue-zague que levavam a um mar azul que inspirava e expirava ao longo da praia de seixos. Depois de tudo isso, um fiorde de grandeza inacreditável, esculpido tempos atrás por geleiras. Ela quis voltar para pegar a Polaroid e tirar fotos do jardim – de novo –, mas já estava aprendendo que precisava economizar filme. Não seria fácil conseguir mais por ali.

O banheiro estava posicionado no penhasco em meio a um grupo de abetos de troncos finos e dava para a costa rochosa. Na tampa da privada, alguém havia pintado *Eu nunca lhe prometi um jardim de rosas* e aplicara decalques de flores.

Ela levantou a tampa usando a manga para proteger os dedos, e evitou cuidadosamente olhar para o buraco ao se sentar.

Quando terminou, Leni seguiu de volta para a cabana. Uma águia-de-cabeça-

-branca pairava no céu, planando em um círculo gigante, e em seguida subiu e foi embora. Ela viu a carcaça gigante de um peixe pendurada no alto de uma das árvores, captando a luz do sol como um enfeite de natal. Uma águia devia tê-la deixado cair ali, depois de tirar toda a carne. À direita, o depósito estava semipronto – quatro colunas de troncos descascados que sustentavam uma plataforma de madeira de 1 metro quadrado a 7 metros do chão. Embaixo dele havia seis canteiros elevados cobertos por uma estrutura de canos e madeira, que parecia uma armação de anágua, à espera da cobertura plástica para se transformar em estufa.

– Leni! – chamou o pai, indo na direção dela com aquele seu passo largo e exuberante.

O cabelo dele estava uma bagunça, sujo e empoeirado, as roupas cobertas de manchas de óleo, e as mãos, encardidas. Serragem cor-de-rosa cobria seu rosto e seu cabelo. Ele acenou para ela, sorrindo.

A alegria em seu rosto a fez parar de imediato. Não conseguia se lembrar da última vez que o vira tão feliz.

– Meu Deus, como é bonito aqui – disse ele.

Esfregando as mãos em um lenço vermelho que mantinha sempre enfiado no bolso do jeans, passou um braço pelos ombros de Leni e caminhou com ela para o interior da cabana.

A mãe estava acabando de servir o café da manhã.

A mesa de carteado era bamba demais, por isso eles ficaram em pé na sala, comendo o mingau de aveia de suas tigelas de metal. O pai enfiou uma colher de aveia na boca ao mesmo tempo que mastigava bacon. Ultimamente, comer lhe parecia perda de tempo. Havia muita coisa a ser feita fora de casa.

Logo depois do café, Leni e a mãe voltaram a limpar a cabana. Já haviam removido camadas de poeira, sujeira e insetos mortos. Cada um dos tapetes tinha sido pendurado na grade da varanda e batido com vassouras que pareciam tão sujas quanto o próprio tapete. A mãe retirou as cortinas e as levou até um dos grandes tambores de óleo no quintal. Depois de Leni pegar água no rio, elas encheram a antiga máquina de lavar com água e sabão e Leni ficou ali por uma hora, suando ao sol, remexendo as cortinas. Então levou o monte pesado e gotejante de tecido até um barril cheio de água limpa para enxaguar.

Nesse momento, ela estava passando as cortinas encharcadas pelo antigo torcedor de roupas. O trabalho era duro, extenuante, exaustivo.

Ela podia ouvir a mãe no quintal não muito longe, cantando enquanto lavava outro monte de roupas na água com sabão.

Leni ouviu um motor e se levantou, esfregando as costas doloridas. Ouviu o triturar de pedras, o respingar de lama... e a velha Kombi emergiu das árvores e parou no quintal. A estrada enfim estava limpa.

O pai tocou a buzina. Pássaros voaram das árvores e piaram, irritados.

A mãe parou de mexer a roupa e ergueu os olhos. A bandana que cobria seu cabelo louro estava molhada de suor. Picadas de mosquito tinham criado um padrão de treliça em seu rosto pálido. Ela pôs a mão na testa, protegendo os olhos.

– Você conseguiu! – gritou.

O pai saiu da Kombi e acenou para que elas se aproximassem.

– Chega de trabalho, Allbrights. Vamos dar um passeio.

Leni deu um gritinho de prazer. Estava mais que pronta para tirar uma folga daquele trabalho cansativo. Pegou o tecido torcido, levou-o até o varal frouxo que a mãe amarrara entre duas árvores e pendurou as cortinas para secar.

Leni e a mãe estavam rindo quando subiram na Kombi velha. Eles já tinham retirado todos os seus suprimentos do veículo – várias viagens carregando bolsas pesadas, e apenas algumas revistas e latas de Coca-Cola vazias tinham sido deixadas nos bancos.

O pai lutou com a alavanca de câmbio e engatou a primeira marcha. A Kombi fez um ruído como o de um velho tossindo e estremeceu; o metal rangeu, os pneus encontraram diversos buracos enquanto ele dava a volta pelo quintal coberto de capim.

Leni agora podia ver a entrada de carros que o pai havia limpado.

– Ela já estava aí! – disse ele, gritando para ser ouvido por cima do lamento do motor. – Um monte de salgueiros tinha crescido nela. Eu só tive que limpar.

Era um caminho difícil, uma trilha um pouco mais larga que a Kombi. Galhos batiam no para-brisa, arranhavam as laterais do veículo. Seu cartaz foi rasgado, saiu voando e se prendeu nas árvores. A entrada de carros tinha mais buracos e rochas que terra; a velha Kombi subia e descia constantemente. Pneus passavam por cima de raízes expostas e afloramentos de granito ao seguirem pelas sombras escuras projetadas pelas árvores.

No fim eles chegaram à luz do sol e a uma estrada de terra de verdade.

Passaram pelo portão de metal dos Walkers e pelo letreiro de Birdsall. Leni se inclinou para a frente, animada por ver os pântanos e os campos de pouso que sinalizavam as cercanias de Kaneq.

Cidade! Apenas alguns dias antes aquilo parecera pior que um posto avançado, mas não era preciso muito tempo na natureza alasquiana para uma pessoa reavaliar sua opinião. Kaneq tinha uma *loja*. Leni podia comprar filme e talvez uma barra de chocolate.

– Segurem-se – disse o pai ao virar à esquerda entre as árvores.

49

– Aonde vamos? – perguntou a mãe.
– Agradecer à família de Bo Harlan. Trouxe 2 litros de uísque para o pai dele.
Leni olhou pela janela suja. A poeira transformava a vista em uma névoa. Por quilômetros não houve nada além de árvores e solavancos. De vez em quando aparecia um veículo apodrecendo no canto da estrada em meio ao capim alto.

Não havia casas nem caixas de correio, apenas trilhas de terra aqui e ali que saíam da estrada através das árvores. Se as pessoas moravam ali, não queriam que você as encontrasse.

A estrada era difícil: duas trilhas desgastadas por pneus sobre terreno rochoso e irregular. Ao subirem a elevação, as árvores ficavam mais grossas e começavam a bloquear cada vez mais o sol. Eles viram a primeira placa depois de cerca de 5 quilômetros: ENTRADA PROIBIDA. DÊ MEIA-VOLTA. SIM, ESTAMOS FALANDO COM VOCÊ. PROPRIEDADE PROTEGIDA POR CÃES E ARMAS. FORA, HIPPIES.

A estrada terminava no topo de um morro com uma placa: INVASORES SERÃO BALEADOS. OS SOBREVIVENTES SERÃO BALEADOS OUTRA VEZ.

– Meu Deus – disse a mãe. – Tem certeza de que estamos no lugar certo?

Um homem com um rifle surgiu na frente deles, parado com as pernas afastadas. Ele tinha cabelos castanhos e crespos, que saíam de um boné de caminhoneiro.

– Quem são vocês? O que querem?
– Acho que devíamos dar meia-volta – sugeriu a mãe.
O pai pôs a cabeça para fora da janela.
– Estamos aqui para ver Earl Harlan. Eu era amigo de Bo.
O homem franziu o cenho, em seguida assentiu e saiu do caminho.
– Não sei, Ernt – disse a mãe. – Isso não parece bom.
O pai engatou a marcha. A velha Kombi resmungou e avançou, saltando por cima de pedras e calombos.

Eles entraram em uma área larga e plana de terreno pantanoso pontilhada aqui e ali por touceiras de capim amarelado. Havia três casas à margem do campo. Na verdade eram barracos. Pareciam ter sido feitos com qualquer coisa que estivesse à mão – placas de compensado, plástico corrugado, troncos descascados. Um ônibus escolar com cortinas nas janelas repousava sobre as calotas, afundado na lama. Vários cachorros magros estavam acorrentados, forçando suas guias, rosnando e latindo. Barris com fogo soltavam fumaça com um cheiro terrível de borracha queimada.

Pessoas vestidas em roupas sujas saíram das cabanas e dos barracos. Homens de rabo de cavalo e cortes à máquina e mulheres usando chapéus de caubói. Todos tinham pistolas ou facas em bainhas e coldres no cinto.

Bem diante deles, um homem de cabelo branco saiu de uma cabana de troncos com o telhado inclinado, segurando uma pistola antiga. Ele era muito magro, com uma barba branca comprida e um palito mastigado preso na boca. Desceu para o quintal lamacento. Os cachorros ficaram loucos ao seu aparecimento, rosnaram, morderam e então se aquietaram. Alguns pularam para cima de suas casas e continuaram a latir. O velho apontou a arma para a Kombi.

O pai levou a mão à maçaneta da porta.

– Não saia – pediu a mãe, segurando seu braço.

O pai se soltou. Pegou a garrafa de 2 litros de uísque que havia comprado, abriu a porta e desceu na lama, deixando a Kombi aberta às suas costas.

– Quem é você? – gritou o homem de cabelo branco, o palito balançando para cima e para baixo.

– Ernt Allbright, senhor.

O homem baixou a arma.

– Ernt? É você? Eu sou Earl, pai de Bo.

– Sou eu, senhor.

– Ora, que surpresa. Quem está aí com você?

O pai se virou e acenou para que Leni e a mãe saíssem da Kombi.

– Uma ótima ideia... – disse a mãe ao abrir a porta.

Leni a seguiu. Saltou sobre a lama e a ouviu esguichar em torno de suas botas de caminhada.

Do outro lado do complexo as pessoas estavam paradas, observando.

O pai as puxou para perto.

– Esta é minha mulher, Cora, e minha filha, Leni. Garotas, este é o pai de Bo, Earl.

– As pessoas me chamam de Earl Maluco – disse o velho.

Ele as cumprimentou, em seguida pegou a garrafa de uísque da mão do pai e conduziu todos para dentro de sua cabana.

– Entrem. Entrem.

Leni teve que se obrigar a entrar no espaço pequeno e sombrio. Tinha cheiro de suor e mofo. As paredes estavam cobertas de suprimentos – comida, galões de água, engradados de cerveja, caixas de produtos enlatados, pilhas de sacos de dormir. Ao longo de toda uma parede, havia armas. Armas de fogo, facas e caixas de munição. Havia bestas antiquadas penduradas em ganchos ao lado de maças.

Earl Maluco se sentou em uma cadeira feita de ripas de caixotes de gasolina. Abriu o uísque, levou a garrafa à boca e tomou um grande gole. Em seguida, entregou a garrafa ao pai, que bebeu por um bom tempo antes de devolvê-la para o velho.

A mãe se abaixou, pegou uma velha máscara de gás de uma caixa cheia delas.

– O senhor coleciona lembranças de guerra? – perguntou com desconforto.

Earl Maluco tomou outro gole, drenando uma quantidade enorme de uísque de uma só vez.

– Não. Isso não está aqui por lembrança. O mundo enlouqueceu. Um homem precisa se proteger. Eu vim para cá em 1962. Os outros estados americanos já estavam uma bagunça. Comunistas por toda parte. A crise dos mísseis de Cuba assustou muito as pessoas. Abrigos antibombas foram construídos nos quintais. Eu trouxe minha família para cá. Só tínhamos uma arma e um saco de arroz integral. Achei que podíamos morar no mato, ficar em segurança e sobreviver ao inverno nuclear que estava chegando. – Ele tomou outro gole e se inclinou para a frente. – As coisas não estão ficando melhores lá embaixo. Estão piores. O que fizeram com a economia... com nossos pobres rapazes que foram para a guerra. Esse não é mais o meu país.

– Estou dizendo isso há anos – concordou o pai.

Ernt tinha uma expressão que Leni nunca vira antes. Uma espécie de assombro. Como se ele estivesse esperando ouvir essas palavras havia muito tempo.

– Lá embaixo – continuou Earl Maluco –, fora daqui, as pessoas estão esperando na fila por gasolina enquanto a OPEP morre de rir a caminho do banco. E você acha que a boa e velha União Soviética se esqueceu de nós depois de Cuba? Pois está enganado. Agora há negros chamando a si mesmos de Panteras Negras e erguendo os punhos contra nós, e imigrantes ilegais roubando nossos empregos. Então o que as pessoas fazem? Protestam. Fazem greve. Jogam bombas em prédios vazios dos correios. Erguem cartazes e fazem passeatas pelas ruas. Bem, não eu. Eu tenho um *plano*.

O pai se inclinou para a frente. Seus olhos brilhavam.

– Qual?

– Estamos preparados aqui. Temos armas, máscaras de gás, flechas, munição. Estamos *prontos*.

– Sem dúvida o senhor não acredita mesmo... – começou a mãe.

– Ah, eu acredito – interrompeu Earl Maluco. – O homem branco está fracassando e a guerra está chegando. – Ele olhou para o pai. – Você entende o que estou querendo dizer, não é, Allbright?

– Claro que entendo. Todos nós entendemos. Quantos são em seu grupo? – perguntou Ernt.

Earl Maluco deu um gole demorado, em seguida limpou a baba de seus lábios manchados. Seus olhos aquosos se estreitaram e se moveram de Leni para a mãe.

– Bem, é apenas nossa família, mas levamos isso a sério. E não falamos sobre o assunto com estranhos. A última coisa que queremos é que as pessoas saibam onde estamos quando a merda bater no ventilador.

Houve uma batida à porta. Quando Earl Maluco disse "Entre", a porta se abriu e revelou uma mulher pequena e magra com uma calça camuflada e uma camiseta com uma cara sorridente amarela. Embora devesse ter quase 40 anos, ela usava marias-chiquinhas. O homem ao seu lado era grande como um prédio, com um rabo de cavalo castanho comprido e uma franja que caía sobre seus olhos. Ela tinha uma pilha de potes nos braços e uma pistola no coldre da cintura.

– Não deixem que meu pai assuste vocês – avisou a mulher com um sorriso largo.

Quando entrou mais na cabana, uma criança deslizou para o seu lado, uma menina de cerca de 4 anos, descalça e com o rosto sujo.

– Eu sou Thelma Schill, filha de Earl. Bo era meu irmão mais velho. Este é meu marido, Ted. Esta é Marybeth. Nós a chamamos de Boneca.

Thelma pousou uma das mãos sobre a cabeça da menina.

– Eu sou Cora – disse a mãe, estendendo a mão. – Esta é Leni.

Leni deu um sorriso hesitante. O marido de Thelma, Ted, fitou-a, estreitando os olhos.

O sorriso de Thelma era caloroso, sincero.

– Você vai para a escola na segunda-feira, Leni?

– Tem uma escola aqui? – perguntou a garota.

– Claro. Não é grande, mas acho que você vai fazer amigos. Crianças vêm de lugares tão longe como a enseada Bear. Acho que há mais uma semana de aulas. A escola termina cedo por aqui, para que as crianças possam trabalhar.

– Onde fica? – perguntou a mãe.

– Na Alpine Street, logo atrás da taberna, no pé do morro da igreja. Não tem como errar. Segunda de manhã, às nove.

– Estaremos lá – respondeu a mãe, dando um sorriso para Leni.

– Que bom. Ficamos muito felizes por recebê-los aqui, Cora, Ernt e Leni.

Thelma olhou para eles, sorrindo.

– Bo nos escreveu muito sobre o Vietnã. Você era muito importante para ele. Todos querem conhecer vocês.

Ela atravessou o aposento, pegou Ernt pelo braço e o conduziu para fora da cabana.

Leni e a mãe os seguiram e ouviram Earl Maluco se levantar, resmungando por Thelma ter assumido o controle da situação.

Lá fora, um grupo maltrapilho de pessoas – homens, mulheres, crianças, jovens adultos – estava de pé, esperando, cada um segurando uma coisa.

– Eu sou Clyde – disse um homem com barba de Papai Noel e sobrancelhas que pareciam toldos. – Irmão mais novo de Bo. – Ele estendeu uma motosserra com a lâmina protegida por um plástico laranja. – Acabei de afiar a corrente. – Uma mulher e dois rapazes, ambos de cerca de 20 anos, deram um passo à frente, junto com duas garotas de rosto sujo que provavelmente tinham 7 ou 8 anos. – Esta é Donna, minha esposa, os gêmeos, Darryl e Dave, e nossas filhas, Agnes e Marthe.

Não havia muitos deles, mas eram amigáveis e acolhedores. Cada pessoa que conheceram lhes deu um presente: uma serra de metais, um rolo de corda, folhas de plástico pesado, rolos de fita adesiva, uma faca prateada brilhante em forma de leque chamada *ulu*.

Não havia ninguém da idade de Leni. O único adolescente – Axle, 16 anos – mal olhou para ela. Ficou sozinho, afastado, atirando facas em um tronco de árvore. Tinha cabelo preto, comprido e sujo, e olhos amendoados.

– Vocês vão precisar plantar uma horta rápido – disse Thelma quando os homens se dirigiram para um dos barris com fogo e começaram a passar a garrafa de uísque de mão em mão. – O clima aqui é imprevisível. Em alguns anos, junho é primavera, julho é verão, agosto é outono, e todo o resto é inverno.

Thelma conduziu Leni e a mãe a uma horta grande. Uma cerca feita de redes de pesca presas a estacas de metal mantinha os animais longe.

A maior parte das hortaliças era pequena, volumes verdes sobre montes de terra preta. Tapetes de algo nojento – que mais pareciam algas marinhas – secavam na base das redes, ao lado de pilhas de carcaças fedorentas de peixe, cascas de ovos e pó de café.

– Você sabe cuidar de uma horta? – perguntou Thelma.

– Sei dizer quando um melão está maduro – respondeu a mãe.

– Eu ficaria feliz em lhe ensinar. Aqui em cima a estação de cultivo é curta, então temos mesmo que trabalhar nisso. – Ela pegou um balde de metal amassado na terra ao seu lado. – Posso lhe dar algumas batatas e cebolas. Ainda há tempo para elas. E também algumas mudas de cenoura. E algumas galinhas vivas.

– Ah, de verdade, você não precisa...

– Acredite em mim, Cora, você não tem ideia de quão longo vai ser o inverno e de como ele vai chegar rápido. Aqui as coisas são diferentes para os homens, muitos deles vão partir para trabalhar naquele oleoduto novo. Você e eu, as mães, ficamos na propriedade e mantemos nossos filhos vivos e saudáveis. Nem sempre é fácil. O único jeito de fazermos isso é juntas. Ajudamos sempre que podemos. Nós trocamos. Amanhã eu vou lhe ensinar a conservar salmão. Precisa começar a encher sua despensa com comida para o inverno agora.

– Você está me assustando – murmurou a mãe.

Thelma tocou o braço dela.

– Eu me lembro de quando chegamos aqui; viemos de Kansas City. Minha mãe só chorava. Ela morreu no segundo inverno. Ainda acho que ela desejou morrer. Simplesmente não conseguia suportar a escuridão e o frio. Uma mulher tem que ser dura como aço por aqui, Cora. Não pode contar com ninguém para salvar você e seus filhos. Vocês precisam estar dispostas a salvar a si mesmas. E têm que aprender rápido. No Alasca só se pode cometer um erro. *Um*. O segundo vai matar você.

– Não acho que estejamos bem preparados – disse a mãe. – Talvez já tenhamos cometido um erro ao vir para cá.

– Eu vou ajudá-la – prometeu Thelma. – Todos nós vamos.

CINCO

A interminável luz do dia desregulou o relógio biológico de Leni, fazendo-a se sentir estranhamente fora de ritmo com o universo, como se até o tempo – a única coisa com a qual você podia contar – fosse diferente no Alasca. Era dia quando ela ia para a cama e quando acordava.

Nesse momento era segunda-feira de manhã.

Ela parou diante da janela e olhou o vidro recém-limpo, tentando ver seu reflexo. Um esforço inútil. Havia luz demais.

Só conseguia ver um fantasma de si mesma, mas sabia que não tinha uma boa aparência, mesmo para o Alasca.

Primeiro, havia seu cabelo. Comprido, rebelde e ruivo. E a pele leitosa típica e as sardas no nariz, como pimenta-calabresa. O melhor de seus traços – seus olhos azul-esverdeados – não era valorizado por aqueles cílios cor de canela.

A mãe veio por trás dela e pousou as mãos nos ombros de Leni.

– Você é linda e vai fazer amigos nessa nova escola.

Leni queria encontrar conforto naquelas palavras, mas com que frequência haviam se revelado falsas? Fora muitas vezes a garota nova na escola, e ainda não havia encontrado um lugar em que se encaixasse. Sempre havia algo errado com ela no primeiro dia – seu cabelo, suas roupas, seus sapatos. As primeiras impressões importavam muito no fim do ensino fundamental. Ela havia aprendido essa lição da forma mais difícil. Era complicado se redimir com garotas de 13 anos quando o assunto era um erro no visual.

– Provavelmente serei a única garota da escola – comentou ela com um suspiro dramático.

Não queria alimentar falsas esperanças. Ter as esperanças frustradas era pior do que não ter nenhuma.

– Com certeza vai ser a mais bonita – disse a mãe.

Ela prendeu o cabelo de Leni atrás da orelha com uma delicadeza que fez a menina lembrar que, não importava o que acontecesse, nunca estaria sozinha, pois tinha a mãe.

A porta da cabana se abriu e trouxe uma lufada de ar frio. O pai entrou carregando dois patos mortos com os pescoços quebrados pendurados, os bicos batendo em sua coxa. Ele colocou a arma no suporte perto da porta e a caça na bancada de madeira ao lado da pia seca.

– Ted me levou a seu esconderijo de caça antes de amanhecer. Temos pato para o jantar. – Ele chegou ao lado da mãe e lhe deu um beijo no pescoço.

A mãe o enxotou, rindo.

– Quer café?

Quando Cora foi até a cozinha, o pai se voltou para Leni.

– Você parece triste para uma garota que está indo para a escola.

– Estou bem.

– Talvez eu saiba qual é o problema – disse ele.

– Duvido – retrucou ela, parecendo desanimada.

– Deixe-me ver – comentou o pai, franzindo o cenho de forma exagerada.

Ele a deixou parada ali e foi até seu quarto. Momentos depois, voltou carregando um saco de lixo preto que botou em cima da mesa.

– Talvez isso ajude.

É. Ela precisava mesmo de lixo.

– Abra – pediu o pai.

Relutante, Leni rasgou o saco.

Lá dentro, encontrou uma calça boca de sino listrada de preto e ferrugem e um suéter de pescador, de lã grossa cor de marfim, que parecia ter sido de um adulto e que por algum motivo encolhera.

Ah, meu Deus.

Leni podia não entender muito de moda, mas aquela era sem dúvida uma calça de garoto, e o suéter... Ela não achava que aquilo já fora moda algum dia.

Leni captou o olhar da mãe. As duas sabiam quanto ele tinha se esforçado. E quanto tinha fracassado. Em Seattle, uma roupa como aquela era suicídio social.

– Leni? – chamou ele com uma expressão de decepção no rosto.

Ela forçou um sorriso.

– É perfeito, pai. Obrigada.

Ernt deu um suspiro e sorriu.

– Ah. Que bom. Eu passei muito tempo procurando nos caixotes.

Exército de Salvação. Então ele havia planejado aquilo, pensara nela no outro dia, quando estiveram em Homer. Isso quase fez com que as roupas ficassem bonitas.

– Vista – disse o pai.

Leni conseguiu dar um sorriso. Foi até o quarto dos pais e trocou de roupa.

O suéter irlandês era pequeno demais, a lã era tão grossa que ela mal conseguia dobrar os braços.

– Você está linda – elogiou a mãe.

Leni tentou sorrir.

A mãe se aproximou com uma lancheira do Ursinho Pooh.

– Thelma achou que você ia gostar.

E, com isso, o destino social de Leni estava selado, mas não havia nada que ela pudesse fazer.

– Bom – disse ela ao pai –, é melhor irmos andando. Não quero chegar atrasada logo no primeiro dia.

A mãe a abraçou apertado e sussurrou:

– Boa sorte.

Do lado de fora, Leni subiu no banco do carona da Kombi e eles partiram. Com solavancos pela trilha acidentada, viraram na estrada principal na direção da cidade e passaram pelo descampado que se pretendia pista de pouso. Na ponte, Leni berrou:

– Pare!

O pai pisou no freio e se virou para a filha.

– O que foi?

– Posso ir andando daqui?

Ele lançou um olhar decepcionado para ela.

– Sério?

Leni estava nervosa demais para acalmar os sentimentos confusos dele. Havia uma regra em todas as escolas onde ela estudara: nos últimos anos do ensino fundamental, os pais deviam ficar afastados. As chances de eles envergonharem você eram muito altas.

– Eu tenho 13 anos e aqui é o Alasca, onde todos devem ser durões – disse Leni. – Ah, vamos, pai. *Por favooor*.

– Está bem. Farei isso por você.

Leni saltou da Kombi e caminhou sozinha pela cidade, passando por um homem com um ganso no colo, sentado em posição de Buda ao lado da estrada. Ela o ouviu dizer *De jeito nenhum, Matilda* para a ave quando passou apressada pela barraca suja que abrigava o serviço de aluguel de barcos pesqueiros.

A escola de uma sala ficava em um terreno cheio de ervas daninhas atrás da cidade. Pântanos verdes e amarelos se estendiam nos fundos, um rio em forma de S corria através do capim alto. A escola era uma construção de troncos descascados, com teto pontiagudo de metal.

Leni parou à porta e olhou para dentro. A sala era maior do que aparentava de fora; pelo menos 4 por 4 metros. Havia um quadro-negro na parede com as palavras A COMPRA DO ALASCA escritas em letras maiúsculas.

Uma mulher nativa estava parada atrás de uma mesa grande, de frente para a porta. Ela era robusta, com ombros largos e mãos grandes. O cabelo preto comprido, arrumado em duas tranças desleixadas, emoldurava um rosto da cor de café fraco. Linhas negras tatuadas corriam em faixas verticais de seu lábio inferior a seu queixo. Ela usava uma calça jeans desbotada enfiada em botas de borracha, uma camisa de flanela masculina e um colete franjado de camurça.

Ao ver Leni, gritou:

– Olá! Seja bem-vinda!

Os garotos na sala de aula se viraram, arrastando as cadeiras.

Havia seis alunos. Duas crianças mais novas se sentavam na fileira da frente. Meninas. Leni as reconheceu do complexo de Earl Maluco: Marthe e Agnes. Também identificou aquele adolescente de aparência zangada, Axle. Havia duas garotas nativas risonhas que pareciam ter cerca de 8 ou 9 anos, sentadas em carteiras colocadas juntas; cada uma usava uma coroa de dentes-de-leão secos. Do lado direito da sala duas carteiras tinham sido postas juntas, lado a lado, de frente para o quadro-negro. Uma estava vazia; na outra sentava-se um garoto magro que devia ter a idade dela, com cabelo louro na altura do ombro. Foi o único aluno que pareceu interessado nela. Ele ficou virado em sua cadeira e ainda estava olhando fixamente para Leni.

– Eu sou Tica Rhodes – disse a professora. – Meu marido e eu moramos na enseada Bear, por isso às vezes não consigo chegar aqui no inverno, mas faço o possível. É isso que espero de meus alunos também. – Ela sorriu. – E você é Lenora Allbright. Thelma me informou que você viria.

– Leni.

– Você tem quantos anos, 11? – indagou a Sra. Rhodes, estudando Leni.

– Tenho 13 – respondeu a menina, sentindo o rosto corar.

Ela queria que seus seios começassem a se desenvolver logo.

A Sra. Rhodes assentiu.

– Perfeito. Matthew também tem 13 anos. Sente-se ali. – Ela apontou para o garoto de cabelo louro. – Vá em frente.

Leni estava segurando sua lancheira estúpida do Ursinho Pooh com tanta força que seus dedos doíam.

– O-oi – disse para Axle ao passar por sua carteira.

Ele lhe lançou um olhar de indiferença e voltou a desenhar algo que parecia um alienígena com seios enormes em seu fichário.

Ela se sentou pesadamente na cadeira ao lado do garoto de 13 anos.

– Ei – murmurou, olhando de lado.

Ele sorriu, exibindo uma boca cheia de dentes tortos.

– Graças a Deus – disse ele, afastando o cabelo do rosto. – Achei que ia ter que me sentar com Axle durante o resto do ano. Esse garoto vai acabar na prisão.

Leni riu mesmo a contragosto.

– De onde você é? – perguntou ele.

Leni nunca soube como responder a essa pergunta. Isso implicava uma permanência, um Antes que nunca existira para ela. Nunca tinha pensado em nenhum lugar como seu lar.

– Minha última escola era perto de Seattle.

– Você deve se sentir como se tivesse caído em Mordor.

– Você leu *O Senhor dos Anéis*?

– Eu sei. Não tem nada de maneiro nisso. Mas aqui é o Alasca. Os invernos são escuros demais e não temos TV. Ao contrário do meu pai, não consigo passar horas ouvindo os velhos falando no rádio amador.

Leni sentiu o início de uma emoção tão nova que não conseguia classificá-la.

– Eu amo Tolkien – disse baixinho.

Parecia estranhamente libertador ser honesta com alguém. A maioria dos garotos em sua última escola se preocupava mais com filmes e música do que com livros.

– E Herbert – completou.

– *Duna* foi incrível. "O medo é o assassino da mente." Isso é muito verdade, cara.

– E *Um estranho numa terra estranha*. É mais ou menos como me sinto aqui.

– E deveria mesmo. Nada é normal na última fronteira. Uma cidade mais ao norte tem um cachorro como prefeito.

– Não acredito.

– Sério. Um malamute. Eles o elegeram. – Matthew levou a mão ao peito. – Não dá para inventar uma bobagem dessas.

– Vi um homem sentado com um ganso no colo a caminho daqui. Acho que ele estava conversando com a ave.

– São Pete Doido e Matilda. Eles são casados.

Leni riu alto.

– Você tem uma risada estranha.

Ela sentiu o rosto esquentar de vergonha. Ninguém nunca lhe dissera isso. Era verdade? Como será que soava? *Ah, meu Deus*.

– Me... desculpe. Não sei por que disse isso. Minhas habilidades sociais são horríveis. Você é a primeira garota da minha idade com quem falo em um bom tempo. Quer dizer... Você é bonita. Só isso. Estou tagarelando, não estou? Você provavelmente vai sair correndo, gritando, e pedir para se sentar ao lado de Axle, o futuro assassino, o que com certeza seria uma melhora. Está bem. Vou calar a boca agora.

Leni não ouviu nada depois de "bonita".

Tentou dizer a si mesma que aquilo não significava nada. Mas, quando Matthew olhou para ela, sentiu uma palpitação. Ela pensou: *Nós poderíamos ser amigos*. E não o tipo de amigo que pegava o mesmo ônibus ou comia à mesma mesa.

Amigos.

Do tipo que tinha coisas de verdade em comum. Como Sam e Frodo, Anne e Diana, Ponyboy e Johnny. Ela fechou os olhos por uma fração de segundo, imaginando isso. Eles podiam rir e conversar e...

– Leni? – chamou ele. – Leni?

Ah, meu Deus. Ele tinha dito seu nome duas vezes.

– É. Eu entendo. Eu viajo o tempo todo. Minha mãe diz que é o que acontece quando você vive dentro da própria cabeça com um monte de coisas inventadas. Mas, também, ela está lendo mais um romance bobo desde o Natal.

– Eu faço isso – confessou Leni. – Às vezes simplesmente... viajo.

Ele deu de ombros, como se para indicar que não havia nada de errado com ela.

– Ei, você ouviu falar do churrasco esta noite?

E a festa? Você pode vir?

Leni não parava de repassar essas palavras enquanto esperava que o pai a buscasse na escola. Ela quis dizer sim. Queria isso mais do que desejara qualquer outra coisa em um bom tempo.

Mas seus pais não eram do tipo que frequentavam churrascos comunitários. Na verdade, nada de comunidade. Os Allbrights eram assim. As famílias em sua antiga vizinhança costumavam fazer todo tipo de reunião: churrascos no quintal, nos quais os pais usavam camisas com gola V, bebiam scotch e assavam hambúrgueres, e as mulheres fumavam cigarros, bebericavam martínis e levavam bandejas de fígado de galinha enrolados em bacon enquanto as crianças gritavam e corriam de um lado para outro. Ela sabia disso porque uma vez tinha espiado por cima da cerca do vizinho e visto tudo – bambolês, plásticos molhados para escorregar e jatos d'água.

– Então, Ruiva, como foi na escola? – perguntou o pai no fim do dia, quando Leni subiu na Kombi e bateu a porta.

Ele foi o último pai a chegar.

– Nós aprendemos sobre a compra do Alasca pelos Estados Unidos. E sobre o monte Alyeska na cordilheira Chugach.

Ele concordou com um grunhido e engatou a marcha.

Leni pensou em como dizer o que queria: *Tem um garoto da minha idade na turma. Ele é nosso vizinho.*

Não. Mencionar um garoto era a abordagem errada.

Nossos vizinhos vão fazer um churrasco e nos convidaram.

Mas o pai odiava esse tipo de coisa, pelo menos em todos os outros lugares em que haviam morado.

Eles seguiram ruidosamente pela estrada de terra, levantando poeira dos dois lados, e viraram em sua entrada de carros. Em casa, encontraram um monte de gente no quintal. A maioria do clã Harlan estava ali, trabalhando. Eles se moviam em uma harmonia silenciosa, se aproximando e se afastando como dançarinos. Clyde estava com aquela coisa parecida com uma gaiola e serrava troncos em tábuas. Ted estava acabando o depósito, martelando tábuas nas colunas laterais. Donna empilhava lenha.

– Nossos amigos apareceram ao meio-dia para nos ajudar a nos prepararmos para o inverno – disse o pai. – Não, eles são mais que amigos, Ruiva. São camaradas.

Camaradas?

Leni franziu a testa. Eram comunistas agora? Ela estava bem certa de que o pai odiava os comunistas, assim como odiava o Homem e os hippies.

– É assim que o mundo deveria ser, Ruiva. Pessoas ajudando umas às outras em vez de matarem os entes queridos por um pedaço de pão.

Leni não pôde deixar de notar que praticamente todo mundo tinha uma arma na cintura.

O pai abriu a porta da Kombi.

– Vamos a Sterling neste fim de semana para pescar salmão em Farmer's Hole, no rio Kenai. Ao que parece, esses reis salmões são difíceis de pegar. – Ele saltou no chão encharcado.

Earl Maluco acenou com a mão enluvada para o pai dela, que imediatamente seguiu na direção do velho.

Leni passou por uma estrutura nova que tinha cerca de 3 metros de altura por 1,2 de largura, com as laterais cobertas por plástico preto grosso (sacos de lixo fechados, Leni tinha quase certeza). Uma porta aberta revelava o interior cheio de salmões-vermelhos, cortados ao meio ao longo da espinha e pendurados abertos em galhos. Thelma estava ajoelhada na terra, cuidando de uma fogueira armada em uma caixa de metal. Fumaça subia em nuvens escuras e chegava aos salmões pendurados nos galhos acima do fogo.

A mãe ergueu os olhos do salmão que estava limpando em uma mesa no quintal. Havia uma mancha rosa em seu queixo, sujo das tripas.

– É um defumador – explicou a mãe, inclinando a cabeça na direção de Thelma. – Thelma está me ensinando a defumar peixe. Aparentemente, é uma verdadeira arte... Se houver calor demais, você cozinha o peixe. Ele deve secar e defumar ao mesmo tempo. Uma delícia. Como foi seu primeiro dia na escola?

Um lenço vermelho mantinha o cabelo longe dos olhos dela.

– Legal.

– Nenhum problema social terrível causado pelas roupas ou pela lancheira? Nenhuma garota rindo de você?

Leni não conseguiu evitar o sorriso.

– Nenhuma garota da minha idade. Mas... tem um garoto...

Isso deixou a mãe interessada.

– Um garoto?

Leni se sentiu corar.

– Um *amigo*, mãe. Por acaso ele é um garoto.

– Aham. – A mãe tentava não sorrir enquanto acendia seu cigarro. – Ele é bonito?

A menina não respondeu.

– Ele disse que vai acontecer um churrasco comunitário esta noite e eu quero ir.

– Sim. Nós vamos.

– Sério? Isso é ótimo!

– É – concordou a mãe com um sorriso. – Eu não falei que as coisas aqui seriam diferentes?

Quando chegou a hora de se vestir para o churrasco, Leni meio que perdeu a cabeça. Honestamente, não sabia o que havia de errado com ela.

Ela não tinha muitas roupas entre as quais escolher, mas isso não a impediu de experimentar várias combinações diferentes. No fim – principalmente porque estava exausta do desejo de ficar bonita quando isso era impossível –, decidiu pôr uma calça boca de sino de poliéster xadrez e uma blusa de gola rulê verde com listras em relevo por baixo de um colete franjado de camurça falsa. Por mais que tentasse, não conseguiu fazer nada com o cabelo. Ela o penteou para trás com as mãos e o arrumou em uma trança frouxa do tamanho de um punho.

Encontrou a mãe na cozinha, guardando fatias grossas de pão de milho em um pote. Escovara seu cabelo repicado na altura do ombro até reluzir. Sem dúvida tinha se vestido para impressionar: usava jeans justo boca de sino, suéter branco também justo e um grande colar indiano com uma flor turquesa achatada que havia comprado alguns anos antes.

A mãe parecia distraída enquanto fechava o recipiente.

– Você está preocupada, não está?

– Por que diz isso?

A mãe lhe lançou um sorriso breve e luminoso, mas a expressão em seus olhos não podia ser disfarçada com a mesma facilidade. Ela estava usando maquiagem pela primeira vez em dias e isso a fazia parecer vibrante e bonita.

– Você se lembra da feira?

– Aquilo foi diferente. O cara tentou enganá-lo.

Não era assim que Leni se lembrava. Eles estavam se divertindo na Feira Estadual até que o pai começou a beber cerveja. Então um cara flertou com a mãe (e ela retribuiu) e o pai ficou louco. Ele empurrou o homem com força suficiente para abrir sua cabeça e começou a gritar. Quando os seguranças chegaram, o pai agia com tanta agressividade que a polícia foi chamada. Leni ficou arrasada ao ver dois colegas de classe assistindo à confusão. Eles viram seu pai ser arrastado até a viatura.

O pai abriu a porta da cabana e entrou.

– Minhas garotas lindas estão prontas para a festa?

– Pode apostar – disse depressa a mãe com um sorriso.

– Então vamos – falou o pai, conduzindo-as para a Kombi.

Em pouco tempo – eram menos de 500 metros em linha reta –, chegaram ao portão de aço com a caveira de vaca sobre ele. O portão estava aberto em boas-vindas.

A propriedade dos Walkers. Seus vizinhos mais próximos.

O pai dirigiu devagar. A entrada de carros (duas faixas de capim amassado que ondulavam para cima e para baixo sobre o solo coberto de líquen) era um S que passava em meio aos abetos de tronco preto. De vez em quando, havia um intervalo entre as árvores à sua esquerda, e Leni via uma mancha azul distante, mas só quando chegaram à clareira ela pôde contemplar a vista.

– Uau – disse a mãe.

Eles emergiram sobre uma elevação plana situada acima de uma enseada azul calma. O terreno enorme tinha sido limpo de todas as árvores – com exceção de algumas cuidadosamente escolhidas – e plantado com feno.

Um casarão de madeira, de dois andares, ornava o ponto de terra mais alto, como uma coroa. Sua frente triangular exibia grandes janelas em forma de trapézio e um deque pontudo que a cercava. Ela parecia a proa de um navio, lançado à costa por um mar raivoso e preso em terra, olhando para sempre para o mar ao qual pertencia. Cadeiras diferentes decoravam o deque, todas viradas para a vista espetacular. No lado mais distante da casa havia vários cercados cheios de vacas, cabras, galinhas e patos. Rolos de arame farpado, caixotes de madeira e paletes, um trator quebrado, a pá enferrujada de uma escavadeira e as cascas de várias caminhonetes mortas e moribundas jaziam espalhados em meio ao capim na altura dos joelhos. Havia colmeias agrupadas perto de uma pequena estrutura de madeira que soprava fumaça. Em um intervalo nas árvores, via-se o teto bem pronunciado de um banheiro.

Lá embaixo, na água, um cais cinzento se projetava pelo mar azul. Em sua extremidade, um arco envelhecido dizia: ENSEADA WALKER. Havia um hidroavião amarrado ao cais, além de dois barcos de pesca prateados e reluzentes.

– Um hidroavião – murmurou o pai. – Deve ser rico.

Eles estacionaram a Kombi e passaram andando por um trator amarelo com uma caçamba azul e um quadriciclo vermelho brilhante. Da elevação, Leni viu pessoas reunidas na praia, pelo menos uma dúzia delas, em torno de uma fogueira enorme. Chamas subiam para o céu lavanda-claro, fazendo um barulho de dedos estalando.

Leni desceu a escada até a praia atrás de seus pais. Dali, podia ver todo mundo na festa. Um homem de ombros largos com cabelo louro comprido se sentara em um tronco caído, tocando violão. Marge Gorda tinha transformado dois baldes de plástico em bongôs, e a professora de Leni, a Sra. Rhodes, estava muito entusiasmada com um violino. Natalie se empolgava com uma gaita, e Thelma cantava "King of the Road". No trecho *means by no means*, todo mundo cantou junto.

Clyde e Ted cuidavam da churrasqueira, que parecia ter sido feita de velhos barris de óleo. Earl Maluco estava parado ali perto bebendo de um jarro de cerâmica. As duas meninas mais novas da escola, Marthe e Agnes, haviam se agachado à beira d'água catando conchas com Boneca.

A mãe chegou à praia carregando seu pote cheio de pão de milho. O pai vinha logo atrás com uma garrafa de uísque.

O homem grande e de ombros largos que tocava violão pôs o instrumento de lado e se levantou. Ele estava vestido como a maioria dos homens ali, com uma camisa de flanela, jeans desbotado e botas de borracha, mas mesmo assim se destacava. Parecia ter sido feito para aquela terra árdua, como se pudesse correr o dia inteiro, derrubar uma árvore com uma machadinha e caminhar com agilidade por um tronco caído sobre um rio furioso. Até Leni achou que ele era bonito – para um cara mais velho.

– Eu som Tom Walker. Bem-vindos à minha casa.
– Ernt Allbright.
Tom apertou a mão do pai.
– Esta é minha mulher, Cora.
A mãe sorriu para Tom, apertou sua mão e em seguida olhou para trás.
– Esta é nossa filha, Leni. Ela tem 13 anos.
Tom sorriu para Leni.
– Oi, Leni. Meu filho, Matthew, falou de você.
– Falou? – indagou Leni.
Não dê um sorriso tão grande. Que idiota.
Geneva Walker se aproximou do marido.
– Oi – disse ela sorrindo para Cora. – Estou vendo que você conheceu meu marido.
– Ex-marido. – Tom Walker passou o braço em volta de Geneva e a puxou para perto. – Eu amo essa mulher mais do que tudo, mas não consigo viver com ela.
– Também não consegue viver sem mim. – Geneva sorriu e inclinou a cabeça para a esquerda. – Aquele ali é minha paixão. Calhoun Malvey. Ele não me ama tanto quanto Tom, mas gosta muito mais de mim. E não ronca. – Ela deu uma cotovelada bem-humorada nas costelas do Sr. Walker.
– Soube que vocês não estão muito bem preparados – disse ele para o pai. – Vão ter que aprender rápido. Não tenham medo de me pedir ajuda. Estou sempre à disposição. Qualquer coisa que precisem pegar emprestada, eu tenho.
Leni notou algo no "Obrigado" do pai que a deixou em alerta. Ele, de repente, pareceu irritado. Ofendido. A mãe também ouviu isso e lançou um olhar de preocupação para ele.
Earl Maluco cambaleou para a frente. Estava usando uma camiseta que dizia EU PESCO HÁ TANTO TEMPO QUE AGORA SOU O REI DA VARA. Deu um sorriso bêbado, balançou de um lado para outro e tropeçou.
– Você está oferecendo ajuda a Ernt, grande Tom? É muita bondade sua. Meio como o rei João se oferecendo para ajudar seus servos pobres. Talvez seu amigo governador possa ajudá-lo.
– Meu Deus, Earl. De novo, não – disse Geneva. – Vamos ouvir um pouco de música. Ernt, você sabe tocar algum instrumento?
– Violão – disse o pai. – Mas eu o vendi...
– Ótimo – disse Geneva, tomando-o pelo braço e o puxando para longe de Earl Maluco e na direção de Marge Gorda e da banda improvisada reunida na praia.
Ela passou para ele o violão que Tom havia largado. Earl Maluco cambaleou até a fogueira e tornou a pegar seu garrafão de cerâmica.

Leni se perguntou se a mãe sabia quanto estava bonita, parada ali em sua calça justa, com o cabelo louro soprado pela brisa do mar. Sua beleza era tão clara quanto uma nota cantada com perfeição e tão deslocada ali quanto uma orquídea.

Sim. Ela sabia bem quanto era bonita. E o Sr. Walker viu isso também.

– Posso pegar alguma coisa para você beber? – ofereceu ele. – Uma cerveja está bom?

– Ora, claro, Tom. Eu adoraria uma cerveja – disse a mãe, deixando que o Sr. Walker a conduzisse na direção da mesa de comida e da geladeira cheia de cerveja.

A mãe seguiu ao lado do Sr. Walker. Seus quadris logo entraram no ritmo da música, balançando. Ela tocou seu antebraço em um leve roçar de dedos, e o Sr. Walker olhou para ela e sorriu.

– Leni!

A garota ouviu seu nome e se virou.

Matthew estava parado lá em cima, não longe da escada, acenando para que ela subisse.

Ela subiu e o encontrou com uma cerveja em cada mão.

– Você já tomou cerveja antes? – perguntou ele.

Leni balançou a cabeça.

– Nem eu. Vamos.

Ele entrou no aglomerado de árvores à sua esquerda. Eles seguiram uma trilha sinuosa que conduzia para baixo, passando por afloramentos rochosos.

Matthew foi até uma pequena clareira, o chão coberto de líquen. Através de uma abertura nos abetos, eles podiam ver a festa. A praia estava a apenas 5 metros de distância, mas podia ser um universo diferente. Lá fora, os adultos estavam rindo, conversando e tocando música. As crianças pequenas remexiam os seixos à procura de conchas que não estivessem quebradas. Axle estava afastado e sozinho, enfiando sua faca em um tronco apodrecido.

Matthew se sentou, esticou as pernas e se apoiou em um tronco. Leni se acomodou ao seu lado, perto mas não tão perto a ponto de tocá-lo.

Ele abriu uma cerveja e a entregou a ela. Franzindo o nariz, ela deu um gole. A bebida fervilhou em sua boca; tinha gosto ruim.

– Nojento – disse Matthew, e ela riu.

Mais três goles e ela se recostou no tronco. Uma brisa fria soprou da praia, trazendo com ela o cheiro de sal e o aroma pungente de carne assando. O barulho e o movimento da festa estavam logo depois das árvores.

Eles continuaram ali em um silêncio amigável, o que surpreendeu Leni. Normalmente ela ficava muito nervosa perto de jovens com quem quisesse fazer amizade.

Na praia, a festa estava a todo vapor. Através de uma abertura nas árvores, eles podiam ver tudo. Um pote de conserva passava de mão em mão. Sua mãe dançava balançando os quadris e jogando o cabelo. Ela era como uma fada da floresta, iluminada por dentro, dançando para o povo forte e bronco das árvores.

A cerveja fez Leni se sentir tonta, como se estivesse cheia de bolhas.

– Por que vocês se mudaram para cá? – perguntou Matthew.

Antes que ela pudesse responder, ele amassou a lata de cerveja vazia contra uma pedra.

Leni não conseguiu segurar o riso. Só um garoto faria isso.

– Meu pai é meio... aventureiro – foi a resposta que ela escolheu.

Nunca contar a verdade, nunca dizer que o pai tinha dificuldade de manter um emprego e de ficar em um lugar e *nunca* mencionar que ele bebia demais e gostava de gritar.

– Ele se cansou de Seattle, acho. E vocês? Quando se mudaram para cá?

– Meu avô, Eckhart Walker, veio para o Alasca durante a Grande Depressão. Falou que não queria mais ficar na fila por uma sopa aguada. Então empacotou suas coisas e foi de carona até Seattle. De lá, seguiu seu caminho para o norte. Supostamente ele percorreu o Alasca de costa a costa e até escalou o monte Alyeska com uma escada presa às costas para poder atravessar fendas na geleira. Conheceu minha avó Lily em Nome. Ela administrava uma lavanderia e uma lanchonete. Eles se casaram e decidiram tomar posse de um pedaço de terra.

– Então seus avós, seu pai e vocês todos cresceram naquela casa?

– Bom, a casa grande foi construída bem depois, mas todos crescemos nesta terra. A família de minha mãe mora em Fairbanks. Minha irmã está com eles enquanto vai para a faculdade. E meus pais se separaram alguns anos atrás, então minha mãe construiu para ela uma casa nova na propriedade e se mudou para lá com o namorado, Cal, que na verdade é um babaca. – Ele deu um sorriso torto. – Mas todos trabalhamos juntos. Ele e meu pai jogam xadrez no inverno. É estranho, mas é o Alasca.

– Nossa, não consigo nem imaginar morar em um só lugar minha vida inteira.

Ela ouviu um tom de desejo em sua voz e ficou envergonhada por isso. Virou a cerveja e sorveu as últimas gotas espumosas.

A banda improvisada estava a toda, mãos batendo em baldes, o violão e os violinos tocando.

Thelma, a mãe e a Sra. Rhodes estavam movendo os quadris no ritmo da música, cantando alto: *Ro-cky Moun-tain high, Color-ado...*

Perto da churrasqueira, Clyde gritou:

– Os hambúrgueres de alce estão prontos! Quem quer queijo?

– Vamos – disse Matthew. – Estou morrendo de fome.

Ele pegou a mão dela – isso pareceu tão natural – e a conduziu pelas árvores até a praia lá embaixo. Eles chegaram por trás do pai e de Earl Maluco, que estavam sozinhos, bebendo, e Leni ouviu o velho bater ruidosamente com seu vidro de conserva no do pai.

– Esse Tom Walker sem dúvida acha que a merda dele não fede – disse o pai.

– Quando a merda bater no ventilador, ele vai me procurar rastejando, porque eu estou preparado – disse Earl Maluco com voz embargada.

Leni congelou, aterrorizada. Ela olhou para Matthew. Ele tinha ouvido aquilo também.

– Nasceu rico – acrescentou o pai, suas palavras saindo lentas e confusas. – Foi isso que você disse, certo?

Earl Maluco assentiu e cambaleou. Os dois tentavam se sustentar de pé.

– Ele acha que é melhor do que nós.

Leni se afastou de Matthew; a vergonha a fez se sentir pequena. Sozinha.

– Leni?

– Sinto muito que você tenha ouvido isso – disse ela.

E, como se as ofensas de seu pai não tivessem sido ruins o suficiente, ali estava sua mãe, parada perto demais do Sr. Walker, sorrindo para ele de um jeito que podia causar problemas.

Como em todas as outras vezes. E o Alasca deveria ser diferente.

– Qual é o problema? – perguntou Matthew.

Leni balançou a cabeça, sentindo uma tristeza familiar tomar conta dela. Jamais poderia lhe contar a sensação de morar com um pai que às vezes a assustava e com uma mãe que o amava demais e o fazia provar quanto a amava de jeitos perigosos, esperando sua reação ao vê-la flertar com outros homens.

Esses eram os segredos de Leni. Seus fardos. Ela não podia dividi-los.

Por todo esse tempo, em todos esses anos, ela sonhara ter um amigo de verdade, um que lhe contasse tudo. Como não tinha percebido o óbvio?

Leni não podia ter um amigo de verdade porque não podia ser amiga de ninguém.

– Desculpe – murmurou ela. – Não é nada. Venha, vamos comer. Estou com fome.

SEIS

Depois da festa, de volta à cabana, os pais de Leni não paravam de se abraçar, se agarrando como adolescentes, batendo nas paredes, quase se esfregando. A combinação de álcool e música (e talvez a atenção de Tom Walker) os havia deixado loucos um pelo outro.

Leni subiu correndo para o mezanino, onde cobriu os ouvidos com o travesseiro e cantarolou "Come on Get Happy". Quando a cabana ficou em silêncio outra vez, ela rastejou até a pilha de livros que havia comprado no Exército de Salvação. Um livro de poesia escrito por um tal de Robert Service chamou sua atenção. Ela o levou para a cama e o abriu em um poema chamado "A cremação de Sam McGee". Não precisou acender a lanterna porque ainda havia luz lá fora, mesmo tão tarde.

Há coisas estranhas feitas sob o sol da meia-noite
Por homens que não cansam de trabalhar;
As trilhas do Ártico têm suas histórias secretas
Que fariam seu sangue gelar...

Leni se viu mergulhando no mundo árduo e belo do poema. Ele a cativou de tal forma que ela continuou a ler; o seguinte era sobre o perigoso Dan McGrew e a mulher conhecida como Lou, e depois "A lei do Yukon":

Esta é a lei do Yukon, e ela não deixa dúvidas:
"Fiquem com as pessoas tolas e fracas; mandem-me as fortes e lúcidas."

Cada verso revelava um lado diferente desse estado estranho para o qual tinham ido, mas, ainda assim, ela não conseguia tirar Matthew da cabeça. Continuava a se lembrar da vergonha que sentiu na festa quando ele ouviu as palavras feias de seu pai.

Será que ele ainda ia querer ser seu amigo?

A pergunta a consumia, deixando-a tão tensa que ela não conseguiu pegar no sono. Poderia jurar que não tinha dormido nada, só que na manhã seguinte acordou ouvindo:

– Vamos, dorminhoca. Preciso de sua ajuda enquanto sua mãe prepara uma comida para a gente. Você tem tempo antes da aula.

Leni vestiu seu jeans e o suéter grande e desceu para pegar os sapatos. Do lado de fora, encontrou o pai em cima daquela coisa sobre estacas que parecia uma casa de cachorro. O depósito. Uma escada de troncos descascados como a que levava ao mezanino estava apoiada na estrutura. O pai estava parado perto do topo, martelando tábuas no lugar no telhado.

– Passe-me esses pregos, Ruiva – disse ele. – Um punhado.

Ela pegou a lata azul de café cheia de pregos e subiu a escada atrás dele. Tirou um único prego da lata e lhe entregou.

– Sua mão está tremendo.

Ele baixou os olhos para o prego em sua mão, que caiu por causa do tremor. Seu rosto estava pálido como uma folha de pergaminho, e seus olhos pareciam roxos, de tão escuras que estavam suas olheiras.

– Bebi demais ontem à noite. Tive dificuldade para dormir.

Leni sentiu uma pontada de preocupação. Falta de sono não era bom para seu pai, pois o deixava ansioso. Até então, ele vinha dormindo muito bem no Alasca.

– Beber faz um monte de coisas ruins, Ruiva. Eu também sei que não devia fazer isso. Bom, terminou – disse ele, prendendo o último prego na luva de camurça que tinha sido usada para fazer a dobradiça da porta.

Fora ideia de Marge Gorda. Esses alasquianos conseguiam se virar com qualquer coisa.

Leni desceu e chegou ao chão, a lata de café cheia de pregos chacoalhando com o movimento.

O pai enfiou o martelo no cinto e começou a descer.

Ele parou ao lado de Leni e bagunçou seu cabelo.

– Acho que você é minha pequena carpinteira.

– Achei que fosse sua bibliotecária. Ou traça de livros.

– Sua mãe diz que você pode ser qualquer coisa. Uma besteira qualquer sobre a mulher precisar do homem tanto quanto um peixe precisa de uma bicicleta.

É, Leni tinha ouvido isso. Talvez fosse de Gloria Steinem. Quem podia saber? A mãe declamava frases de efeito o tempo todo. Isso fazia tanto sentido para Leni quanto queimar um sutiã em perfeito estado para provar um argumento. Mas, na verdade, não fazia nenhum sentido que em 1974 uma mulher adulta com um emprego não conseguisse um cartão de crédito em seu nome.

O mundo é dos homens, filhota.

Ela seguiu o pai do depósito ao deque, passando pela estrutura de sua nova estufa e pelo defumador improvisado envolto por sacos de lixo. Do outro lado da casa, suas galinhas ciscavam o chão em seu novo galinheiro. Um galo limpava suas penas na rampa que levava à entrada do espaço.

No barril de água, o pai pegou uma concha e molhou o rosto, o que fez com que filetes marrons escorressem por suas bochechas. Então foi ao deque e se sentou no degrau de baixo. Ele não parecia bem, como se estivesse bêbado havia dias e passasse mal por causa disso – algo que costumava acontecer quando ele tinha pesadelos e perdia a calma.

– Sua mãe pareceu gostar de Tom Walker.

Leni ficou tensa.

– Você viu o jeito como ele esfregava o dinheiro na nossa cara? *Posso lhe emprestar meu trator, Ernt,* ou *Você precisa de uma carona até a cidade?* Ele me olhou com desprezo, Ruiva.

– Ele me contou que achava você um herói, e que era uma vergonha o que tinha acontecido com todos vocês – mentiu Leni.

– Ele falou isso?

O pai afastou o cabelo do rosto. Uma expressão de reprovação vincou sua testa.

– Gosto deste lugar, pai – disse Leni, percebendo de repente a verdade de suas palavras. Ela já se sentia mais em casa no Alasca do que jamais se sentira em Seattle. – Estamos felizes aqui. Vejo como você está se dando bem. Talvez... talvez beber não seja tão bom para você.

Houve um momento tenso de silêncio. Para evitar conflitos, Leni e a mãe não mencionavam a bebida nem o temperamento do pai.

– Você provavelmente está certa sobre isso, Ruiva. – Ele ficou pensativo. – Venha. Vou levar você para a escola.

Uma hora depois, Leni estava olhando para a escola de uma sala só. Ela pendurou a alça da mochila em um ombro e seguiu em direção à porta da frente, com a lancheira batendo ruidosamente em sua coxa direita. A mãe teria chamado isso de preguiça. Tudo o que Leni podia argumentar era que não estava com pressa para chegar à aula.

Estava quase na porta quando ela se abriu de repente e os alunos saíram em um grupo risonho e falante. A mãe de Matthew, Geneva, estava no meio, suas mãos secas e rachadas pelo trabalho erguidas, pedindo a todos que se acalmassem.

– Ah, Leni! Ótimo! – disse a Sra. Walker. – Você está tão atrasada que achei que fosse faltar. Tica não conseguiu chegar à escola hoje, por isso eu vou dar aula. Rá-rá. Eu mal me formei, vamos encarar os fatos. – Ela riu de si mesma. – E como eu estava mais interessada em garotos que nos estudos, vamos fazer um passeio. Detesto ficar enfurnada num lugar quando o dia está tão bonito.

Leni acertou o passo com o da Sra. Walker, que passou um braço em volta dela e a puxou para perto.

– Estou muito satisfeita por você ter se mudado para cá.

– Eu também.

– Antes de você, Matthew tinha aversão a desodorante. Agora ele usa roupas limpas. É um sonho realizado para nós que moramos com ele.

Leni não tinha ideia de como reagir a isso.

Eles caminharam até a baía em bando, como os elefantes em *Mogli: o menino lobo*. Leni sentiu o olhar de Matthew sobre ela. Duas vezes pegou-o olhando fixo para ela com uma expressão confusa.

Quando chegaram ao cais de visitantes na baía, com barcos pesqueiros rangendo e balançando por toda parte, a Sra. Walker dividiu os estudantes em duplas e lhes indicou as canoas.

– Matthew. Leni. A verde é de vocês. Ponham seus coletes salva-vidas. Matthew, cuide para que Leni fique em segurança.

Leni fez o que lhe mandaram, desceu e entrou na parte de trás da canoa, de frente para a proa.

Matthew desceu atrás dela. A canoa chacoalhou e rangeu quando ele embarcou.

Ele se sentou de frente para ela.

Leni não entendia muito sobre canoagem, mas sabia que aquilo era errado.

– Você devia estar virado para o outro lado.

– Matthew Denali Walker. Que diabos você está fazendo? – disse a mãe dele passando com Boneca em sua canoa. – Teve um ataque ou alguma coisa assim? Qual é o meu nome?

– Eu só queria falar com Leni um segundo, mãe. Vamos alcançar vocês.

A Sra. Walker lançou um olhar sagaz para o filho.

– Não demore. Isto é aula, não seu primeiro encontro.

Matthew deu um gemido.

– Ah, meu Deus. Você é tão esquisita.

– Também amo você – disse a Sra. Walker.

Rindo, ela remou para longe. – Vamos, crianças! – gritou ela para as outras canoas. – Para a enseada Eaglet.

– Você está me encarando – Leni acusou Matthew quando ficaram sozinhos.

Matthew botou o remo sobre o colo. Ondas batiam contra sua canoa, fazendo um som oco e seco enquanto flutuavam para longe do cais.

Leni sabia que ele estava esperando que ela falasse alguma coisa. Havia apenas uma coisa a dizer. O vento passava por seu cabelo e soltava do elástico cachos em forma de saca-rolha. Fios ruivos se agitavam na frente do seu rosto.

– Me desculpe por ontem à noite.

– Desculpar pelo quê?

– Qual é, Matthew? Você não precisa ser tão legal.

– Não tenho ideia do que você está falando.

– Meu pai estava bêbado – comentou ela com cautela.

Admitir aquilo era mais do que ela já tinha dito em voz alta; pareceu desleal. Talvez até perigoso. Ela sabia que crianças às vezes eram tiradas de pais instáveis. Podia-se acabar com uma família por qualquer coisa. Ela nunca ia querer causar problemas ao pai.

Matthew riu.

– Todos eles estavam. Uma grande farra. No ano passado Earl Maluco ficou tão bêbado que fez xixi no defumador.

– Meu pai fica... bêbado, de vez em quando... e com raiva. Ele diz coisas que não quer dizer. Sei que você ouviu o que ele falou sobre seu pai.

– Eu escuto isso o tempo todo, especialmente de Earl Maluco. Pete Doido também não gosta muito do meu pai, e Billy Horchow tentou matá-lo uma vez. Ninguém nunca descobriu por quê. O Alasca é assim. Invernos longos e bebida demais podem levar um homem a fazer coisas loucas. Não levei isso para o lado pessoal. Meu pai também não levaria.

– Você quer dizer que não se importa?

– Aqui é o Alasca. Nós vivemos e deixamos os outros viverem. Não importa que seu pai odeie meu pai. É você que importa, Leni.

– Eu importo?

– Para mim, sim.

Leni se sentiu tão leve que poderia sair flutuando da canoa. Ela lhe contara um de seus segredos mais sombrios e terríveis. E ele gostava dela mesmo assim.

– Você é louco.

– Pode apostar.

– Matthew Walker, pare de falar e comece a remar! – gritou a Sra. Walker para eles.

– Então, somos amigos, certo? – disse Matthew. – Não importa o que aconteça.

Leni assentiu.

– Não importa o que aconteça.

– Legal. – Matthew se virou, ficou de frente para a proa e começou a remar. – Tenho uma coisa incrível para mostrar a você quando chegarmos aonde estamos indo – disse ele olhando para trás.

– O quê?

– Os pântanos vão estar cheios de ovos de sapo. Eles são completamente gosmentos e nojentos. Talvez eu consiga fazer com que Axle coma alguns. Aquele garoto é louco de pedra.

Leni pegou o remo.

Ela ficou satisfeita por ele não poder ver seu enorme sorriso.

Quando Leni saiu da escola, rindo de alguma coisa que Matthew tinha dito, viu seus pais esperando por ela na Kombi. Os dois. A mãe se debruçou na janela e acenou de forma exagerada.

– Nossa. Você recebe mesmo um tratamento de primeira.

Leni riu, separou-se dele e entrou na traseira da Kombi.

– Então, minha pequena devoradora de livros – disse o pai enquanto eles seguiam chacoalhando pela estrada de terra e saíam da cidade. – O que você aprendeu de útil hoje?

– Bom, nós fizemos um passeio até a enseada Eaglet e catamos folhas para um projeto de biologia. Você sabia que comer *baneberries* provoca ataque cardíaco? E que a erva chamada flecha-de-vidro causa falência respiratória?

– Ótimo – disse a mãe. – Agora as plantas também podem nos matar.

O pai riu.

– Isso é *ótimo*, Leni. Finalmente uma professora que está ensinando o que é importante.

– Também aprendi sobre a corrida do ouro do Klondike. A Polícia Montada do Canadá não deixava ninguém pegar a trilha Chilkoot a menos que carregassem um fogareiro com eles. Carregassem. Nas costas. Mas a maioria dos mineiros que vieram pagava índios para carregar seus suprimentos.

O pai assentiu.

– Ricos montando nas costas de homens melhores. É a própria história da civilização. É o que está destruindo os Estados Unidos. Homens que tomam, tomam, tomam dos outros.

Leni tinha notado que o pai vinha falando cada vez mais coisas desse tipo desde que conhecera Earl Maluco.

O pai virou na entrada de carros e seguiu em frente aos solavancos, o motor roncando. Quando chegaram à casa, ele estacionou e disse:

– Está bem, Allbrights, hoje minhas garotas vão aprender a atirar.

Ele saltou da Kombi e arrastou um fardo enegrecido e mofado de feno de trás do galinheiro.

A mãe acendeu um cigarro. A fumaça formava uma coroa cinza acima de seu cabelo louro.

– Isso deve ser divertido – disse ela, desanimada.

– Temos que aprender. Tanto Marge Gorda quanto Thelma disseram isso – falou Leni.

A mãe assentiu.

Leni foi para o banco do motorista.

– Ah, mãe? Você percebeu que papai está um pouco... implicante com o Sr. Walker, certo?

A mãe se virou. Seus olhos se encontraram.

– Está? – indagou ela com tranquilidade.

– Você sabe que sim. Então. Quero dizer. Você sabe como ele pode ficar se você... você sabe... flertar.

O pai bateu com tanta força na parte da frente da Kombi que a mãe se encolheu e emitiu um pequeno barulho, como um grito contido. Ela largou o cigarro e se abaixou para procurá-lo.

Leni sabia que a mãe não ia responder; essa era outra faceta estranha de sua família. O pai perdia a calma e a mãe de algum modo encorajava isso. Como se talvez quisesse saber o tempo inteiro quanto ele a amava.

O pai tirou Leni e a mãe de dentro da Kombi e as conduziu pelo terreno acidentado até onde ele tinha colocado um fardo de feno com alvo.

Ele tirou o rifle de sua capa de couro, apontou e atirou, atingindo o alvo bem no meio da cabeça que ele havia desenhado com um marcador em um pedaço de papel. Um bando de pássaros saiu voando das árvores, espalhando-se pelo céu azul, piando com raiva para o pai por perturbá-lo. Uma águia-de-cabeça-branca gigante, com uma envergadura de pelo menos 1,80 metro, chegou planando para ocupar seu lugar. Empoleirou-se no galho mais alto de uma árvore e apontou seu bico amarelo para eles lá embaixo.

– É isso que espero de vocês duas – disse o pai.

A mãe soprou a fumaça.

– Vamos ficar aqui um tempo, filhota.

O pai entregou o rifle a Leni.

– Está bem, Ruiva. Vamos ver se você tem habilidade natural. Olhe pela mira, não chegue perto demais, e quando tiver o alvo à vista, aperte o gatilho. Devagar e com firmeza. Respire com calma. Está bem. Aponte. Eu vou lhe dizer quando atirar. Cuidado com...

Ela ergueu o rifle, apontou, pensou *Uau, Matthew, mal posso esperar para contar a você*, e acidentalmente puxou o gatilho.

O rifle atingiu seu ombro com força suficiente para derrubá-la e a mira bateu em seu olho com um barulho que parecia osso se fraturando.

Leni gritou de dor, largou o rifle e desabou de joelhos na lama, levando a mão ao olho latejante. Doía tanto que ela sentiu um embrulho no estômago, quase vomitou.

Ainda estava gritando e chorando quando sentiu alguém se abaixar ao lado dela, a mão esfregando suas costas.

– Caramba, Ruiva – disse o pai. – Eu não falei para você atirar. Você está bem. Apenas respire. É um erro normal de iniciantes. Você vai ficar bem.

– Ela está bem? – gritou a mãe. – Como ela está?

O pai a ajudou a se levantar.

– Não chore, Leni – disse ele. – Não está treinando para um concurso de beleza no qual você aprende a cantar para conseguir bolsa numa faculdade. Você precisa me ouvir. É a sua *vida* que estou querendo salvar.

– Mas...

Doía muito. Uma dor de cabeça latejante. Ela não conseguia enxergar direito com o olho machucado. Metade do mundo estava turva. Doía ainda mais o fato de ele não se importar com sua dor. Leni não conseguiu evitar sentir pena de si mesma. Podia apostar que Tom Walker nunca tratava Matthew desse jeito.

– Pare com isso, Lenora – ordenou o pai, dando uma pequena sacudida em seu ombro. – Você falou que gostava do Alasca e que queria pertencer a este lugar.

– Ernt, por favor, ela não é um soldado – suplicou a mãe.

O pai girou Leni, segurou seus ombros e a sacudiu com força.

– Quantas garotas foram raptadas em Seattle antes de partirmos?

– M-muitas. Uma por mês. Às vezes mais.

– E quem eram elas?

– Apenas garotas. A maioria adolescente.

– E Patty Hearst foi levada de seu apartamento, com seu namorado bem ali, certo?

Leni esfregou os olhos e assentiu.

– Você quer se tornar vítima ou sobrevivente, Lenora?

Leni estava com uma dor de cabeça tão forte que não conseguia pensar.

– S-sobrevivente?

– Temos que estar preparados para qualquer coisa por aqui. Quero que você seja capaz de se defender. – A voz dele ficou embargada ao dizer isso. Ela viu a emoção que ele tanto se esforçava para esconder. Ele a amava. Era por isso que queria que ela fosse capaz de cuidar de si mesma. – E se eu não estiver aqui quando alguma coisa acontecer? Quando um urso derrubar a porta ou uma alcateia de lobos cercar vocês? Preciso saber que você pode proteger sua mãe e se salvar.

Leni fungou com força, lutando para recuperar o controle. Ele estava certo. Ela precisava ser forte.

– Eu sei.

– Está bem. Pegue o rifle – mandou o pai. – Tente outra vez.

Leni pegou a arma suja de lama. Apontou.

– Não fique com a mira tão perto do seu olho. O coice é terrível. Assim. Segure o rifle assim. – O pai reposicionou delicadamente a arma. – Ponha seu dedo no gatilho. De leve.

Ela não conseguia fazer isso. Estava com muito medo de ser golpeada no olho outra vez.

– Vamos – disse o pai.

Ela respirou fundo e enfiou o indicador no gatilho, sentindo a curva fria de aço. Encolheu o queixo, afastou-se mais da mira.

Obrigou-se a se concentrar. Os sons desapareceram: o crocitar dos corvos e o vento barulhento através das árvores se silenciaram até que tudo o que ela ouvia eram as batidas do próprio coração.

Ela fechou o olho esquerdo. Tentou se acalmar.

O mundo girou em espiral até virar um único círculo. Borrado no começo, uma imagem dupla.

Foco.

Leni viu o fardo de feno, o papel branco preso a ele, o contorno da cabeça e dos ombros de um homem. Ficou impressionada com a nitidez da imagem. Ajustou a posição do rifle e apontou bem no centro da cabeça.

Lentamente, apertou o gatilho.

O rifle deu um coice e a atingiu com força no ombro outra vez, tão forte que ela cambaleou, mas a mira não atingiu seu olho. Ela ouviu o zunido da bala e o barulho do impacto.

A bala atingiu o fardo de feno. Não o alvo, nem mesmo o papel branco em torno do alvo, mas o fardo. Ela sentiu um orgulho surpreendente por essa pequena conquista.

– Eu sabia que você ia conseguir, Ruiva. Quando terminarmos, você vai ser boa como um franco-atirador.

SETE

A Sra. Rhodes estava no quadro-negro escrevendo páginas de tarefas quando Leni chegou à escola.

– Ah – disse a professora. – Parece que alguém pôs a mira perto demais do olho. Precisa de algum remédio?

– Erro de principiante – respondeu Leni, orgulhosa de seu machucado. Aquilo significava que ela estava se tornando uma alasquiana. – Estou bem.

A Sra. Rhodes assentiu.

– Vá para seu lugar e abra seu livro de história.

Leni e Matthew se entreolharam quando ela entrou na sala de aula. O sorriso dele estava tão largo que ela podia ver quase todos os dentes tortos.

Ela se sentou na sua carteira, que bateu ruidosamente na dele.

– Quase todo mundo acerta o olho na primeira vez. Eu fiquei com o olho roxo por, tipo, uma semana. Doeu?

– Doeu. Mas aprender a atirar foi tão legal que eu não...

– Alce! – gritou Axle, levantando-se de sua cadeira e correndo até a janela.

Leni e Matthew o seguiram. Todas as crianças se reuniram na janela, observando um alce macho enorme caminhar pelo parquinho nos fundos da escola. Ele derrubou a mesa de piquenique e começou a comer os arbustos, arrancando-os pelas raízes.

Matthew se inclinou para perto de Leni; seu ombro roçou no dela.

– Podíamos inventar desculpas e matar aula hoje. Vou falar que precisam de mim em casa depois do almoço.

Leni sentiu uma pequena emoção com a ideia de matar aula. Ela nunca tinha feito isso.

– Eu poderia mentir que estou com dor de cabeça. Só tenho que estar de volta aqui às três para me buscarem.

– Legal – falou Matthew.

– Está bem, está bem – disse a Sra. Rhodes. – Chega disso. Leni, Axle, Matthew, abram seu livro de história do Alasca na página 117...

Pelo resto da manhã, Leni e Matthew observaram o relógio nervosamente. Pouco antes da hora do almoço, ela alegou estar com dor de cabeça e disse que precisava ir para casa.

– Posso ir até o armazém e chamar meus pais pelo rádio.

– Claro – concordou a Sra. Rhodes.

A professora não pareceu questionar a mentira, então Leni deixou a sala de aula e fechou a porta. Ela caminhou pela estrada e se agachou em meio às árvores, esperando.

Meia hora depois, Matthew saiu da escola com um grande sorriso.

– O que vamos fazer? – perguntou Leni.

Que opções tinham? Não havia TV nem cinema, nenhuma estrada pavimentada para andar de bicicleta, nenhuma lanchonete para tomar milk-shake, nenhum rinque de patinação ou parques.

Ele a pegou pela mão e a levou até um quadriciclo enlameado.

– Suba – disse Matthew, jogando a perna por cima do veículo e se posicionando no assento preto.

Leni achou que não era uma boa ideia, mas não queria que ele pensasse que ela era medrosa, por isso subiu. Meio sem jeito, ela passou os braços em volta da cintura dele.

Ele girou o acelerador, e os dois partiram levantando uma nuvem de poeira, o motor fazendo um zunido agudo, pedras voando de baixo dos pneus largos de borracha. Matthew atravessou a cidade, passou pela ponte e chegou à estrada de terra. Logo depois da pista de pouso, entrou no meio das árvores, cruzou uma vala e subiu depressa por uma trilha que ela não tinha visto até estarem nela.

Eles subiram a encosta, em meio a árvores grossas, e chegaram a um platô. Dali, Leni viu que uma faixa azul de água do mar adentrava a terra, ondas quebrando sobre a costa. Matthew reduziu a velocidade do veículo e o conduziu com habilidade sobre o terreno acidentado, onde não havia trilhas. Leni foi jogada de um lado para outro e teve que se agarrar firme a ele.

Por fim, ele reduziu, parou e desligou o motor.

O silêncio os envolveu instantaneamente, interrompido apenas pelas ondas quebrando sobre as rochas negras de granito lá embaixo. Matthew remexeu na bolsa em seu quadriciclo e pegou um binóculo.

– Vamos.

Ele caminhou à frente dela, seus pés firmes no terreno difícil e rochoso. Duas vezes Leni quase caiu quando a pedra cedeu sob seus pés, mas Matthew era como um cabrito-montês, estava em casa.

Ele a conduziu a uma clareira empoleirada sobre o mar como uma mão em concha. Havia duas cadeiras de madeira feitas à mão posicionadas de frente para as árvores. Matthew se sentou em uma delas e indicou a outra para ela.

Leni largou a mochila no mato e se sentou, esperando enquanto Matthew olhava pelo binóculo que estava guardado no veículo e examinava as árvores.

– Lá estão elas. – Ele passou o binóculo para ela e apontou para um grupo de árvores. – Essas são Lucy e Ricky. Minha mãe as batizou.

Leni olhou pelo binóculo. No início tudo o que viu foram árvores, árvores e mais árvores enquanto se movia lentamente da direita para a esquerda, então um clarão de branco.

Ela voltou um pouco para a esquerda.

Um casal de águias-de-cabeça-branca empoleiradas em um ninho do tamanho de uma banheira construído no alto nas árvores. Uma das aves estava alimentando um trio de filhotes que se empurravam, agitados, com o bico para cima, para conseguir a comida regurgitada. Leni podia ouvir seus piados e gritos briguentos acima do barulho das ondas.

– Uau – disse Leni.

Ela teria pegado a Polaroid em sua mochila (nunca ia a lugar nenhum sem ela), mas as águias estavam longe demais para serem capturadas pela câmera.

– Elas vêm botar ovos. Minha mãe me trouxe aqui pela primeira vez quando eu era pequeno. Você devia vê-las fazendo o ninho. É incrível. E quando elas se juntam, é para a vida inteira. Eu me pergunto o que Ricky faria se alguma coisa acontecesse com Lucy. Minha mãe diz que aquele ninho pesa quase 1 tonelada. Por toda minha vida eu observei os filhotes deixarem o ninho.

– Uau! – exclamou Leni outra vez, sorrindo enquanto um dos filhotes agitava as asas e tentava subir por cima dos irmãos.

– Mas faz muito tempo que a gente não vem.

Leni percebeu algo na voz de Matthew. Ela baixou o binóculo e olhou para ele.

– Você e sua mãe?

Ele assentiu.

– Desde que ela e papai se separaram tem sido difícil. Talvez seja porque minha irmã, Alyeska, se mudou para Fairbanks para cursar a faculdade. Sinto falta dela.

– Vocês devem ser próximos.

– É. Ela é legal. Você ia gostar dela. Ela acha que quer morar na cidade, mas isso não tem a menor chance de durar. Vai acabar voltando. Papai diz que nós dois temos que ir para a faculdade, para conhecermos todas as nossas opções. Ele é meio insistente com isso, na verdade. Eu não preciso de uma faculdade para me mostrar o que eu quero ser.

– Você já sabe?

– Claro. Eu quero ser piloto. Como meu tio Went. Adoro estar no céu. Mas meu pai diz que isso não é suficiente. Acha que preciso saber física e essas coisas.

Leni entendia. Ela e Matthew eram crianças, ninguém perguntava sua opinião nem lhe contava nada. Tinham apenas que seguir em frente e viver no mundo que lhes era apresentado, confusos na maior parte do tempo, porque nada fazia sentido, mas certos de seu lugar subalterno na cadeia alimentar.

Ela se recostou na cadeira lascada. Ele havia lhe contado algo pessoal, algo importante. Ela precisava fazer a mesma coisa. Não era assim que amizades verdadeiras funcionavam? Leni engoliu em seco e disse em voz baixa:

– Você tem sorte que seu pai queira o melhor para você. Meu pai tem sido... esquisito desde a guerra.

– Esquisito como?

Leni deu de ombros. Não sabia exatamente o que dizer ou como contar sem revelar demais.

– Ele tem... pesadelos... E às vezes uma situação ruim pode fazê-lo explodir. Mas ele não tem um pesadelo desde que nos mudamos para cá. Então talvez esteja melhor.

– Não sei. O inverno é uma grande noite por aqui. As pessoas ficam loucas no escuro, saem correndo e gritando, abrem fogo contra seus animais de estimação e amigos.

Leni sentiu um embrulho no estômago. Na verdade, nunca tinha pensado no fato de que a escuridão do inverno seria tão intensa quanto a claridade de agora. Não queria pensar nisso, *no escuro do inverno*.

– Do que você tem medo? – perguntou ela.

– De que minha mãe nos deixe. Quero dizer, sei que ela construiu uma casa e ficou na propriedade, e que meus pais ainda se amam de um jeito estranho, mas não é mais a mesma coisa. Ela simplesmente chegou em casa um dia e falou que não amava mais meu pai. Que amava Cal, o Terrível. – Ele se virou em sua cadeira, olhou para Leni. – É assustador como as pessoas simplesmente param de amar você, sabia?

– Sim.

– Eu queria que a escola durasse mais – disse ele.

– Eu sei. Temos mais três dias antes do recesso de verão. E depois...

Quando as aulas terminassem, esperava-se que Leni trabalhasse em tempo integral na propriedade, assim como Matthew faria na sua. Eles mal se veriam.

No último dia de aula, Leni e Matthew fizeram todo tipo de promessa sobre como manteriam contato até que a escola recomeçasse em setembro, mas a realidade se colocaria entre eles. Eram crianças e não estavam no controle de nada, muito menos de seus horários. Leni já se sentia solitária quando se afastou de Matthew no último dia e se dirigiu para a Kombi que esperava na rua.

– Você parece abatida, filhota – comentou a mãe do banco do motorista.

Leni subiu no carona. Não via sentido em reclamar de algo que não podia ser mudado. Eram três horas. Restava ainda um oceano de luz do dia; isso significava horas de tarefas a cumprir.

Assim que chegaram em casa, a mãe disse:

– Tenho uma ideia. Vá pegar aquele cobertor de lã listrado e a barra de chocolate na geladeira. Encontro com você lá embaixo na praia.

– O que vamos fazer?

– Absolutamente nada.

– O quê? Papai nunca vai concordar com isso.

– Bom, ele não está aqui.

A mãe sorriu.

Leni não perdeu um segundo. Correu até a casa antes que a mãe mudasse de ideia. Pegou a barra fina de chocolate Hershey's na geladeira e o cobertor no encosto do sofá. Enrolando-se nele como um poncho, ela seguiu para a frágil escada da praia e a desceu até a curva de seixos cinza salpicados de água: sua praia particular. À esquerda havia cavernas sedutoras de pedra escura, escavadas por séculos de água.

A mãe estava parada em meio ao mato alto acima da praia com um cigarro já aceso. Leni tinha quase certeza de que, para ela, a infância sempre ia ter um cheiro de ar marinho, fumaça de cigarro e o perfume de rosas de sua mãe.

Leni estendeu o cobertor no solo irregular, e as duas se sentaram sobre ele, as pernas esticadas, os corpos encaixados um no outro. Diante delas, o mar azul oscilava sem parar, derramando-se sobre as pedras, farfalhando. Ali perto, uma lontra flutuava de costas, usando suas patinhas escuras para abrir um marisco.

– Onde está papai?

– Ele foi pescar com Earl Maluco. Acho que seu pai está querendo pedir um empréstimo ao velho. O dinheiro está ficando bem curto. Ainda tenho um pouco da quantia que minha mãe me deu, mas o tenho usado para comprar cigarros e filme para a Polaroid.

Ela deu um sorriso delicado para Leni.

– Não tenho certeza se Earl Maluco faz bem ao papai – disse Leni.

O sorriso da mãe desapareceu.

– Sei o que você quer dizer.

– Mas ele está feliz aqui – admitiu Leni.

Ela tentou não pensar na conversa que tivera com Matthew, sobre como o inverno estava chegando e podia ser escuro, frio e enlouquecedor.

– Eu queria que você se lembrasse de seu pai antes do Vietnã.

– É.

Leni tinha ouvido dezenas de histórias sobre aquele tempo. A mãe adorava falar sobre o Antes, sobre quem eles eram no começo. As palavras soavam como um conto de fadas muito amado.

A mãe tinha 16 anos quando ficou grávida.

Dezesseis.

Leni faria 14 em setembro. Por mais incrível que parecesse, nunca havia pensado nisso antes. Ela sabia a idade da mãe, é claro, mas na verdade não tinha juntado os fatos. *Dezesseis.*

– Você tinha só dois anos a mais do que tenho agora quando engravidou – disse Leni.

A mãe deu um suspiro.

– Eu estava no penúltimo ano do ensino médio. Meu Deus. Não espanta que meus pais tenham surtado. – Ela deu a Leni um sorriso enviesado e cúmplice. – Não eram o tipo de pessoa capaz de entender uma garota como eu. Odiavam minhas roupas e minha música, e eu odiava as regras deles. Aos 16 anos, eu achava que sabia tudo e disse isso a eles. Então me mandaram para uma escola católica só para meninas onde rebelião significava enrolar a cintura da saia para encurtá-la e mostrar 2 centímetros de pele acima dos joelhos. Lá, nos ensinavam a ajoelhar, a rezar e a casar bem. Seu pai entrou na minha vida como um tsunami e me derrubou. Tudo o que ele dizia virou meu mundo convencional de cabeça para baixo e mudou quem eu era. Eu desaprendi a respirar sem ele. Ele me disse que eu não precisava de escola. Eu acreditava em tudo o que ele dizia. Seu pai e eu estávamos muito apaixonados para sermos cuidadosos, então acabei engravidando. Meu pai ficou furioso quando lhe contei. Ele queria me mandar para um daqueles abrigos para mães solteiras. Eu sabia que eles iam tirar você de mim. Nunca odiei ninguém mais do que o odiei naquele momento.

A mãe suspirou outra vez.

– Então nós fugimos. Eu tinha 16 anos, quase 17, e seu pai, 25. Quando você chegou, estávamos duros e vivendo em um trailer, mas nada disso importava. O que eram dinheiro, trabalho ou roupas novas quando você tinha o bebê mais perfeito do mundo?

A mãe se recostou.

– Ele carregava você o tempo inteiro. No início, nos braços, depois nos ombros. Você o adorava. Nós nos fechamos para o mundo e vivemos de amor, mas o mundo voltou rugindo.

– A guerra – disse Leni.

A mãe assentiu.

– Implorei para que seu pai fugisse quando foi convocado. Supliquei que fôssemos para o Canadá. Brigamos muito. Eu não queria ser esposa de um soldado, mas ele tinha sido convocado e ia. Então juntei minhas lágrimas com as roupas dele na mala e o deixei ir. Devia ser por um ano. Eu não sabia o que fazer, para onde ir, como viver sem ele. Fiquei sem dinheiro e me mudei de volta para a casa dos meus pais, mas não consegui aguentar aquilo lá. Brigávamos o tempo todo. Eles não paravam de dizer que eu devia me divorciar e pensar em você, e finalmente fui embora outra vez. Foi quando conheci a comunidade e pessoas que não me julgavam por ser uma criança com uma criança. Aí o helicóptero de seu pai foi abatido e o capturaram. Recebi apenas uma carta dele em seis anos.

Leni se lembrava da carta e de como a mãe tinha chorado depois de lê-la.

– Quando voltou para casa, ele parecia um homem morto – continuou a mãe. – Mas ele nos amava. Muito. Falou que não conseguia dormir se eu não estivesse em seus braços, embora ele na época também não dormisse muito.

Como sempre, a história da mãe tinha um final abrupto nesse ponto – o conto de fadas terminara. A porta da bruxa se fechou, encarcerando as crianças perdidas. O homem que voltara para casa não era o mesmo que embarcara no avião para o Vietnã.

– Mas ele está melhor aqui – disse a mãe. – Você não acha? É quase o mesmo de antes.

Leni olhou para o mar, quebrando implacável em sua direção. Nada que você fizesse podia deter aquela maré subindo. Um erro ou um cálculo errado e você podia ficar isolado ou ser levado. Era preciso se proteger lendo as tabelas, se preparando e fazendo escolhas inteligentes.

– Você sabe que é escuro aqui por seis meses no inverno. E neva, é gelado e tempestuoso.

– Eu sei.

– Você sempre falou que o tempo ruim o deixava pior.

Leni sentiu sua mãe se afastar dela. Era um fato que ela não queria confrontar. As duas sabiam por quê.

– Não vai ser assim aqui – disse a mãe, esmagando o cigarro nas rochas ao seu lado. Ela enfatizou só por garantia: – Aqui, não. Ele está mais feliz aqui. Você vai ver.

Com o passar dos longos dias de verão, a ansiedade de Leni desapareceu. O verão no Alasca era pura magia. A terra do sol da meia-noite. Rios de luz; dias de dezoito horas com apenas um bafejo de anoitecer separando o hoje do amanhã.

Luz e trabalho: isso era o verão no Alasca.

Havia muita coisa a ser feita. Todo mundo falava sobre isso, o tempo inteiro. Na fila na lanchonete, no caixa no armazém, na balsa para a cidade. *Como está a pesca? A casa está boa? Como está a horta?* Toda pergunta era sobre estocar comida, preparar-se para o inverno.

O inverno era algo importante. Leni aprendera isso. O frio por vir era uma questão que pairava no ar. Mesmo que você estivesse pescando em um belo dia de verão, estava pegando peixes para o inverno. Podia ser divertido, mas era um negócio sério. A sobrevivência, aparentemente, podia depender das menores coisas.

Ela e os pais acordavam às cinco da manhã, resmungavam durante o café e então começavam suas tarefas. Reconstruíram o cercado das cabras, cortavam lenha, cuidavam da horta, faziam sabão, pescavam e defumavam salmão, curtiam peles, enlatavam peixe e hortaliças, cerziam meias, prendiam tudo com fita adesiva. Eles moviam, erguiam, pregavam, construíam e limpavam. Marge Gorda lhes vendeu três cabras, e Leni aprendeu a cuidar delas. Também aprendeu a colher frutas silvestres e a preparar geleia, a descascar mariscos e a curar ovas de salmão para fazer a melhor isca do mundo. À noite, a mãe cozinhava pratos novos para eles – salmão e halibute em quase tudo, com verduras e legumes da horta. O pai limpava a arma e consertava as armadilhas de metal que Earl Maluco vendera para ele e lia manuais sobre limpeza e preparação de carne de animais. Todos ali viviam de escambo, comércio e ajuda de vizinhos. Você nunca sabia quando alguém ia surgir diante da sua casa e oferecer carne extra, algumas tábuas mofadas de madeira ou um balde de mirtilo em troca de alguma coisa.

As festas brotavam como ervas daninhas naquele lugar selvagem. As pessoas apareciam com *coolers* cheios de salmão, engradados de cerveja e fazia-se uma chamada pelo rádio amador. Um barco cheio de pescadores chegava à costa; um hidroavião pousava em sua enseada. Quando você percebia, as pessoas estavam reunidas em torno de uma fogueira na praia em algum lugar, rindo, conversando e bebendo até bem depois da meia-noite.

Leni se tornou adulta nesse verão; era essa a sensação que tinha. Em setembro, completou 14 anos, começou a menstruar e, finalmente, precisou de um sutiã. Espinhas pipocaram como pequenos vulcões cor-de-rosa em suas bochechas, seu nariz, entre suas sobrancelhas. Na primeira vez que isso aconteceu, ela se preocupou em ver Matthew, temendo que ele mudasse de opinião diante daquele cenário esquisito causado pela adolescência, mas ele não pareceu perceber que sua pele tinha se tornado uma inimiga. Vê-lo continuou a ser o ponto alto de seus dias. Sempre que tinham a oportunidade de ficar juntos naquele verão, eles fugiam do grupo, se escondiam e conversavam. Ele recitou para ela poemas de Robert Service e lhe mostrou coisas especiais, como um ninho cheio de ovos de pato azuis ou uma grande pegada de urso na areia. Ela tirava fotos de tudo que ele lhe mostrava – e dele – sob todas as luzes e as prendia em uma grande colagem na parede de seu quarto no mezanino.

O verão terminou tão depressa quanto havia começado. O outono no Alasca era menos uma estação e mais um instante, uma transição. A chuva começou a cair e não parou, transformando o solo em lama, afogando a península, caindo em cortinas cinzentas. Rios subiram para transbordar sobre suas margens prestes a desmoronar, arrancando grandes faixas de terra, mudando seu curso.

Todas de uma vez, ao que parecia, as folhas dos choupos-do-canadá em torno da cabana ficaram douradas e sussurravam para si mesmas, em seguida se enroscaram em flautas negras e flutuaram até o chão em montes quebradiços e rendados.

As aulas recomeçaram, e com elas Leni sentiu sua infância voltar. Encontrou Matthew e sentou-se aproximando o corpo do dele.

O sorriso do garoto de algum modo tornou a despertá-la, lembrando-lhe que havia mais na vida que trabalhar. Ele lhe ensinou algo novo sobre amizade: ela recomeçava exatamente do ponto em que havia parado, como se não tivessem ficado um momento separados.

Em uma noite fria de sábado no fim de setembro, depois de um longo dia de trabalho, Leni estava parada na janela olhando fixamente para o quintal escuro. Ela e a mãe estavam exaustas: tinham trabalhado do amanhecer ao pôr do sol, conservando o que restava dos salmões da temporada – preparando conservas, escamando peixes, cortando as tiras rosa e prateadas, tirando a pele escorregadia. Colocaram as tiras em vidros e os puseram na panela de pressão. Uma a uma, levaram as conservas para a despensa e as empilharam em prateleiras recém-
-construídas.

– Se há dez caras inteligentes e um maluco em uma sala, você pode adivinhar facilmente de quem seu pai vai gostar mais.

– Como assim? – perguntou Leni.

– Deixa pra lá.

A mãe se aproximou e parou perto de Leni. Lá fora, a noite caíra. A lua cheia projetava uma luz branco-azulada sobre tudo. Estrelas pontilhavam o céu. Ali, à noite, o céu era inacreditavelmente enorme e nunca ficava totalmente negro, permanecendo, em vez disso, de um azul-escuro aveludado. O mundo abaixo dele se reduzia a nada; um amontoado de luzes de lareiras, um reflexo branco e distorcido de luar sobre as ondas embaciadas.

O pai estava lá fora no escuro com Earl Maluco. Os dois homens, parados lado a lado diante de um fogo aceso dentro de um tonel de óleo, passavam um vidro de um para o outro. Fumaça preta subia do lixo que eles queimavam. Todos os demais que tinham aparecido para ajudar haviam voltado para casa horas antes.

Earl Maluco de repente sacou sua pistola e atirou nas árvores.

O pai morreu de rir com isso.

– Quanto tempo eles vão ficar lá fora? – perguntou Leni.

Na última vez que ela fora ao banheiro, ouvira fragmentos de sua conversa. *Arruinando o país... nos mantermos em segurança... a anarquia está chegando... nuclear.*

– Quem sabe?

A mãe parecia irritada. Tinha fritado bifes de alce que Earl Maluco trouxera; em seguida fizera batatas assadas e arrumara a mesa de carteado com seus pratos e utensílios de camping. Um dos romances de Leni tinha sido usado para apoiar a perna bamba da mesa.

Isso tinha sido horas antes. A carne agora provavelmente estava seca como uma bota velha.

– Já chega – disse a mãe por fim.

Ela saiu. Leni foi até a porta, empurrou-a e a abriu para poder ouvir. Cabras berraram com o som de passos.

– Ei, Cora – cumprimentou Earl Maluco com um sorriso descuidado.

Ele estava trôpego, mas de pé; balançou para a direita e cambaleou.

– Gostaria de ficar para o jantar, Earl? – perguntou a mãe.

– Não, mas obrigado – disse Earl Maluco cambaleando para o lado. – Minha filha vai arrancar meu couro se eu não chegar em casa. Ela está fazendo sopa de salmão.

– Fica para a próxima, então – replicou a mãe, voltando-se para a cabana. – Entre, Ernt. Leni está faminta.

Earl Maluco cambaleou até sua caminhonete e foi embora, parando e depois tornando a andar. Tocou a buzina.

O pai atravessou o quintal de um jeito demasiado cauteloso, que significava que estava bêbado. Leni tinha visto isso antes. Ele bateu a porta ao entrar, foi cambaleante até a mesa e meio que caiu em sua cadeira.

A mãe levou uma travessa de carne, batatas douradas no forno e um pão fermentado, que Telma lhes ensinara a fazer com a levedura que todo morador tinha à mão.

– Está ótimo – disse o pai, enfiando uma garfada de carne de alce na boca e mastigando ruidosamente. Ele ergueu os olhos turvos. – Vocês duas têm muito o que aprender. Earl e eu estávamos falando sobre isso. Quando a merda bater no ventilador, vocês duas seriam as primeiras baixas.

– Quando a merda bater no ventilador? Pelo amor de Deus, o que você está falando? – perguntou a mãe.

Leni lançou um olhar de alerta para a mãe. Cora sabia que não devia dizer nada quando ele estava bêbado.

– Quando a merda bater no ventilador. Você sabe. Lei marcial. Uma bomba nuclear. Ou uma pandemia.

Ele arrancou um naco de pão e o passou no molho da carne.

A mãe se recostou na cadeira. Acendeu um cigarro, olhando para ele.

Não faça isso, mãe, pensou Leni. *Não diga nada.*

– Não gosto de toda essa conversa sobre o fim do mundo, Ernt. E você precisa levar Leni em consideração. Ela...

O pai bateu o punho na mesa com tanta força que tudo chacoalhou.

– Droga, Cora, será que você *nunca* pode me apoiar?

Ele se levantou e foi até a fileira de parcas penduradas ao lado da porta da frente. Movia-se em espasmos. Leni achou tê-lo ouvido dizer *É muito burra*, e murmurar mais alguma coisa. Ele balançou a cabeça e flexionou e relaxou as mãos. Leni viu algo selvagem nele, uma emoção mal contida crescendo com força e depressa.

A mãe correu atrás dele e estendeu a mão em sua direção.

– Não me toque – ordenou ele, empurrando-a para o lado.

O pai pegou uma parca, calçou as botas e saiu, batendo a porta.

Leni captou o olhar da mãe e se fixou nele. Naqueles grandes olhos azuis que guardavam as nuances de sua expressão, ela viu a própria ansiedade refletida.

– Ele acredita nessa coisa de fim do mundo?

– Acho que sim – disse a mãe. – Ou talvez apenas queira que nós acreditemos, quem sabe? Mas isso não importa. É só conversa.

Leni sabia o que importava.

O tempo estava ficando pior.

E ele também.

– Como é de verdade? – perguntou Leni a Matthew no dia seguinte, no final da aula.

À volta deles as crianças recolhiam seus materiais para ir para casa.

– O quê?

– O inverno.

Matthew pensou um pouco.

– Terrível e bonito. É como você sabe se foi feito para ser um alasquiano. A maioria vai embora antes que termine.

– A grande solidão – murmurou Leni.

Era assim que Robert Service chamava o Alasca.

– Você vai conseguir – falou ele com sinceridade.

Ela assentiu, desejando poder dizer a ele que tinha começado a se preocupar com os perigos de dentro de casa tanto quanto com os de fora.

Leni podia contar muitas coisas a Matthew, mas não isso. Podia dizer que o pai bebia demais ou que gritava e perdia a calma, mas não que ele às vezes a assustava. Uma deslealdade assim seria além da conta.

Eles saíram juntos da escola, caminhando lado a lado.

Do lado de fora, a Kombi esperava por ela. O veículo tinha má aparência ultimamente, em mau estado e arranhado. O para-choque estava preso com fita adesiva. O silenciador havia caído em um buraco na pista, então agora o motor roncava como um carro de corrida. O pai e a mãe estavam no interior, esperando por ela.

– Tchau – disse Leni para Matthew e seguiu para o veículo.

Ela jogou a mochila na traseira da Kombi e subiu.

– Oi, pessoal – cumprimentou ela.

O pai engatou a ré na Kombi e fez a volta.

– Earl Maluco quer que eu ensine algumas coisas para a família dele – disse o pai, virando na estrada principal. – Conversamos sobre isso na outra noite.

Logo saíram da cidade, subiram o morro e pararam no complexo. O pai foi o primeiro a saltar da Kombi. Pegou seu rifle na traseira e o pendurou no ombro.

Earl Maluco, sentado em sua varanda, levantou-se imediatamente e acenou. Gritou algo que Leni não conseguiu ouvir, e as pessoas pararam de trabalhar. Abaixaram pás, machados e motosserras e foram para a clareira no centro do complexo.

A mãe abriu a porta e saiu. Leni seguiu atrás dela, suas botas afundando no chão molhado e esponjoso.

Uma caminhonete Ford amassada parou ao lado da Kombi e estacionou. Axle e as duas meninas, Agnes e Marthe, saltaram e seguiram para o grupo que se reunia em frente à varanda de Earl Maluco.

Earl Maluco estava parado na varanda carcomida e inclinada, suas pernas arqueadas afastadas um pouco mais do que parecia confortável. Seu cabelo branco pendia em torno de seu rosto de pele flácida, oleoso na raiz e com as pontas quebradas. Ele usava jeans sujo enfiado em botas de borracha marrons e uma camisa de trabalho de flanela que já tinha visto dias melhores. Fez um gesto envolvente com as mãos.

– Aproximem-se, aproximem-se. Ernt, venha aqui, filho.

Houve um murmúrio que tomou conta do grupo; cabeças se viraram.

O pai passou por Thelma e Ted, sorriu para Clyde e deu um tapinha em suas costas quando chegou aonde ele estava. Subiu na varanda ao lado de Earl Maluco. Ele parecia alto e longilíneo ao lado do velho diminuto. Superbonito, com todo aquele cabelo preto e o bigode farto.

– Estávamos conversando ontem à noite sobre a merda que está acontecendo fora daqui – disse Earl Maluco. – Nosso presidente é um comprovado vigarista, e uma bomba explodiu um jato da TWA no ar. Ninguém mais está seguro.

Leni se virou e olhou para a mãe, que deu de ombros.

– Meu filho Bo era o melhor de nós. Ele amava o Alasca e amava os Estados Unidos o suficiente para ser voluntário e lutar naquela guerra maldita. E nós o perdemos. Mas mesmo naquele buraco do inferno ele pensava em nós. Em sua família. Nossa segurança e proteção importavam para Bo. Por isso ele mandou seu amigo Ernt Allbright para ser um de nós. – Earl Maluco deu tapinhas nas costas de Ernt e meio que o empurrou para a frente. – Observei Ernt por todo o verão e agora eu sei. Ele quer o melhor para nós.

O pai pegou um jornal dobrado em seu bolso de trás e o ergueu. A manchete dizia: "Bomba no voo 841 da TWA mata 88".

– Nós podemos viver no mato, mas vamos a Homer, Sterling e Soldatna. Sabemos o que está acontecendo lá fora. Atentados a bomba do IRA, da OLP e dos Weathermen. Pessoas matando umas às outras, sequestros. Todas aquelas garotas desaparecidas no estado de Washington; agora alguém está matando meninas em Utah. O Exército Simbionês de Libertação. A Índia testando bombas nucleares. É só uma questão de tempo para o início da Terceira Guerra Mundial. Ela pode ser nuclear... ou biológica. E quando isso acontecer, a merda vai mesmo bater no ventilador.

Earl Maluco assentiu, murmurando sua concordância.

– Mãe? – sussurrou Leni. – Isso tudo é verdade?

A mãe acendeu um cigarro.

– Uma coisa pode ser verdade e não ser, fique quieta. Não queremos deixá-lo com raiva.

O pai era o centro das atenções, e estava saboreando o momento.

– Vocês todos fizeram um grande trabalho se preparando para a escassez. Vocês se superaram na autossuficiência de colonos. Têm um bom sistema de coleta de água e bons depósitos de alimentos. Examinaram as fontes de água e são ótimos caçadores. A horta podia ser maior, mas é bem cuidada. Vocês estão prontos para sobreviver a qualquer coisa. Exceto os efeitos da lei marcial.

– O que você quer dizer com isso? – perguntou Ted.

O pai parecia... diferente. Mais alto. Seus ombros estavam mais elevados e mais largos do que ela já vira.

– Guerra nuclear. Uma pandemia. Um pulso eletromagnético. Terremoto. Maremoto. Furacão. O monte Denali explodindo, ou o monte Rainer. Em 1908 houve uma explosão na Sibéria que foi mil vezes mais poderosa que a bomba jogada em Hiroshima. Há milhões de maneiras de este mundo doente e corrupto acabar.

Thelma franziu o cenho.

– Ora, vamos, Ernt, não há necessidade de assustar...

– Silêncio, Thelma! – repreendeu Earl Maluco.

– O que quer que seja, tragédia provocada pelo homem ou desastre natural, a primeira coisa que acontece é o colapso da lei e da ordem – disse o pai. – Pensem nisso: nenhuma energia. Nenhuma comunicação. Nenhum mercado. Nenhuma comida sem contaminação. Nenhuma água. Nenhuma civilização. Lei marcial.

O pai parou de falar e fez contato visual com cada pessoa, uma por uma.

– Pessoas como Tom Walker, com sua casa grande, barcos caros e sua escavadeira, vão ser pegas desprevenidas. O que sua boa vontade e toda aquela terra e riqueza vão fazer por ele quando ficar sem comida ou suprimentos médicos? Nada. E vocês sabem o que acontece quando pessoas como Tom Walker percebem que não estão preparadas?

– O quê?

Earl Maluco apenas olhava fixamente para o pai como se tivesse acabado de ver Deus.

– Ele vai vir *para cá*, bater a nossas portas, implorando por *nossa* ajuda, as pessoas a quem ele achava ser superior. – O pai fez uma pausa. – Precisamos saber como nos proteger e manter afastados os saqueadores que vão querer o que temos. Primeiro, precisamos preparar bolsas de emergência, mochilas com kits de sobrevivência. Precisamos ser capazes de desaparecer a qualquer instante, com tudo de que precisamos.

– Isso aí! – gritou alguém.

– Só que não é suficiente. Temos um bom começo, aqui. Mas a segurança é relaxada. Acho que Bo me deixou suas terras para que eu encontrasse meu caminho até o Alasca, até vocês, e lhes ensinasse que não é suficiente estar preparado para sobrevivência. Sei que todos vocês são caçadores, mas vamos precisar de mais que armas quando a merda bater no ventilador. Armas de impacto quebram ossos. Facas cortam artérias. Flechas perfuram. Antes da primeira neve, prometo a vocês, cada um de nós vai estar pronto para o pior, cada um de vocês, do mais novo ao mais velho, vai ser capaz de proteger a si e à sua família do perigo que está chegando.

Earl Maluco assentiu.

– Então, todo mundo em fila. Quero avaliar pessoalmente quanto cada um de vocês é bom com uma arma. Vamos começar por aí.

OITO

E m 1º de novembro, os dias começaram a ficar mais curtos. Leni sentia a perda de cada momento de luz. O amanhecer chegava relutante às nove horas, e a noite reivindicava o mundo por volta das cinco da tarde. Mal havia oito horas de luz, agora. Dezesseis horas de escuridão. A noite estendia-se como Leni nunca tinha visto, como a sombra alada de uma criatura grande e predatória demais para compreender.

Era impossível prever o tempo. Havia chovido, nevado e chovido de novo. Agora o céu do fim de tarde se derramava sobre eles, uma mistura congelante de chuva e neve. Água empoçava no chão e se transformava em lâminas de gelo sujo e cheio de ervas. Leni tinha que fazer suas tarefas na lama suja. Depois de alimentar as cabras e as galinhas, caminhava penosamente até a mata nos fundos da casa, carregando dois baldes vazios. Os choupos-do-canadá estavam nus; o outono os havia transformado em esqueletos. Tudo que tivesse um coração batendo estava encolhido em algum lugar, tentando se abrigar da chuva e da neve.

Enquanto ela subia a elevação na direção do rio, um vento frio soprou seu cabelo, zumbiu através de sua jaqueta. Ela curvou os ombros e manteve a cabeça baixa.

Foram necessárias cinco viagens para encher de água os barris de aço que eles mantinham ao lado da casa. A chuva ajudava, mas não era possível confiar nela. Água, como lenha, nunca podia ser deixada ao léu.

Ela estava suando muito, pegando um balde de água do riacho, que derramava sobre as botas, quando a noite caiu. E *caiu mesmo*; chegou rápido e com força, como uma tampa se fechando sobre um pote.

Quando Leni se virou na direção de casa, viu uma extensão negra infinita. Nada era distinguível, não havia nenhuma estrela acima, nada de lua para iluminar o caminho.

Pegou no interior no bolso da parca a lanterna de cabeça que seu pai lhe dera. Ajustou a correia e a acendeu. Tirou uma pistola do coldre e a enfiou na cintura.

Seu coração batia acelerado quando ela se abaixou e pegou os dois baldes que tinha enchido de água. As alças de metal machucavam muito suas mãos enluvadas.

A chuva gelada se transformou em neve, machucando suas bochechas e sua testa.

Inverno.

Os ursos ainda não estão hibernando, estão? Eles são mais perigosos agora, comendo com voracidade antes de irem dormir.

Viu olhos amarelos fitando-a na escuridão.

Não. Estava imaginando.

O chão sob seus pés cedeu. Ela tropeçou. Água espirrou dos baldes em suas luvas. *Nãoentreempâniconãoentreempâniconãoentreempânico.*

A lanterna revelou um tronco caído à sua frente. Respirando com dificuldade, passou por cima dele, ouviu o arrastar da casca contra seu jeans e seguiu adiante; subiu um morro, desceu outro, deu a volta em uma mata cerrada densa e escura. Finalmente viu um brilho.

Luz.

A cabana.

Ela quis correr. Estava *desesperada* para chegar em casa, sentir os braços da mãe ao seu redor, mas não era burra. Já tinha cometido um erro: perdera a noção do tempo.

Ao se aproximar da cabana, a noite se abriu um pouco. Viu contornos cor de carvão contra o negro: o brilho da chaminé de metal do fogão se projetando para cima através do telhado, uma janela lateral cheia de luz, a sombra de pessoas lá dentro. O ar cheirava a fumaça de madeira e boas-vindas.

Leni deu a volta correndo até a lateral da cabana, levantou a tampa improvisada do barril e derramou nele o que restava de seus baldes de água. A fração de segundo entre entornar o líquido e o som da água caindo informou a ela que o barril já estava cerca de três quartos cheio.

Leni estava tremendo tanto que precisou de duas tentativas para destravar a porta.

– Voltei – anunciou, entrando na cabana com o corpo todo tremendo.

– Cale a boca, Leni – repreendeu-a o pai.

A mãe estava na frente dele. Tinha um aspecto instável, vestida com uma calça de moletom esfarrapada e um suéter grande.

– Oi, filhota – disse ela. – Pendure a parca e tire as botas.

– Estou falando com você, Cora – interrompeu o pai.

Leni ouviu raiva em sua voz, viu a mãe se encolher.

– Você tem que devolver esse arroz. Diga a Marge Gorda que não podemos pagar por ele.

– Mas... você ainda não pegou um alce – argumentou a mãe. – Nós precisamos...

– É tudo minha culpa, não é? – gritou o pai.

– Você sabe que não foi isso que eu quis dizer. Mas o inverno está avançando. Precisamos de mais comida do que temos, e nosso dinheiro...

– Você acha que eu não sei que precisamos de dinheiro?

Ele bateu na cadeira à sua frente e a derrubou no chão com um barulho.

A selvageria repentina em seus olhos assustou Leni. Ela deu um passo para trás.

A mãe foi até ele e tocou seu rosto, tentando acalmá-lo com delicadeza.

– Ernt, querido, nós vamos dar um jeito.

Ele se afastou dela e se dirigiu à entrada. Pegou sua parca no gancho ao lado da janela, puxou e abriu a porta, deixou entrar o frio envolvente e cegante, e a fechou às suas costas. No momento seguinte, o motor da Kombi roncou e ganhou vida; faróis brilharam através da janela, deixando a mãe quase branca.

– É o clima – disse a mãe, acendendo um cigarro, vendo-o sair dirigindo.

A bela pele dela parecia quase feita de cera.

– Vai piorar – advertiu Leni. – Cada dia fica mais escuro e mais frio.

– É – concordou a mãe, parecendo tão assustada quanto Leni de repente se sentiu. – Eu sei.

O inverno se intensificou no Alasca. A vastidão da paisagem se reduziu aos confins de sua cabana. O sol nascia às 10h15 e se punha apenas quinze minutos depois do fim da aula. Menos de seis horas de luz por dia. A neve caía sem parar, cobrindo tudo. Empilhava-se em depósitos e tecia sua renda sobre os vidros das janelas, deixando-os com nada para ver além de si mesmos. Nas poucas horas de luz, o céu se estendia cinza; alguns dias havia apenas uma insinuação de luz em vez de qualquer brilho de verdade. O vento castigava a paisagem, gritava como se estivesse com dor. O mato congelou, transformado em intricadas esculturas de gelo que se projetavam da neve. Naquele frio, tudo emperrava – portas de carro congelavam, janelas rachavam, motores se recusavam a ligar. O rádio amador se enchia de alertas de tempo ruim e listava as mortes que eram tão comuns no inverno do Alasca quanto cílios congelados. As pessoas morriam pelo menor erro – chaves do carro caídas em um rio, um tanque de gasolina seco, uma motoneve quebrada, uma curva feita rápido demais. Leni não podia ir a lugar nenhum nem fazer nada sem avisar. O inverno já parecia durar uma eternidade. O gelo dominou a linha costeira, envolveu as conchas e as pedras até que a praia parecia um colar de lantejoulas prateadas. O vento roncava pela propriedade, como tinha feito durante todo o inverno, transformando a paisagem branca a cada sopro. Árvores se curvavam diante dele, animais construíam tocas, cavavam buracos e iam se esconder. Não muito diferente dos humanos, que se encolhiam nesse frio, tomavam cuidado especial.

A vida de Leni era menor do que jamais tinha sido. Em dias bons, quando a Kombi pegava e o tempo estava suportável, havia aula. Em dias ruins, havia apenas trabalho, realizado nesse frio vigoroso e desmoralizante. Leni se concentrava no que precisava ser feito – ir à escola, fazer o dever de casa, alimentar os animais, carregar água, quebrar gelo, cerzir meias, consertar roupas, cozinhar com a mãe, limpar a cabana, alimentar o fogão a lenha. A cada dia mais e mais lenha tinha que ser rachada, carregada e empilhada. Nesses dias encurtados não havia tempo para pensar em nada além das mecânicas da sobrevivência. Eles cultivavam mudas de verduras em copos de papel em uma mesa embaixo do mezanino. Até a prática de habilidades de sobrevivência no complexo dos Harlans nos fins de semana tinha sido suspensa.

Pior que o clima era o confinamento que ele causava.

À medida que o inverno reduzia suas vidas, os Allbrights foram deixados apenas uns com os outros. Passavam todas as noites juntos, horas e horas de escuridão, encolhidos em volta do fogão a lenha.

Estavam todos no limite. Seus pais discutiam por causa de dinheiro, das tarefas, do clima. Por nada.

Leni sabia quanto o pai estava ansioso em relação a seus suprimentos inadequados e seu dinheiro inexistente. Via como isso o consumia; via também como a mãe o observava de perto, como estava preocupada com sua ansiedade crescente.

Seu esforço para permanecer calmo era óbvio em uma dúzia de tiques e no jeito como às vezes ele parecia relutante em olhar para elas. Ele acordava muito antes do amanhecer e ficava do lado de fora trabalhando o máximo que podia, voltando bem depois de escurecer e coberto de neve, com o bigode e as sobrancelhas congelados, a ponta do nariz branca.

Era aparente o esforço que fazia para manter o humor sob controle. À medida que os dias encurtavam e as noites se estendiam, o pai começou a andar de um lado para outro depois do jantar, agitado e murmurando consigo mesmo. Nessas noites ruins, pegava as armadilhas que Earl Maluco lhe ensinara a usar e saía sozinho para montá-las nas profundezas da mata e voltava exausto, com aspecto intratável. Silencioso. Ele mesmo. Era frequente ele ter sucesso na caçada e voltar para casa com peles de raposa ou de vison para vender na cidade. Ganhava apenas dinheiro suficiente para que sobrevivessem, mas até Leni podia ver as prateleiras vazias em sua despensa. Nenhuma refeição jamais era farta o bastante para satisfazê-los. O dinheiro que a mãe pegara emprestado com a avó tinha acabado fazia muito tempo e não havia mais nenhum, por isso Leni parou de tirar fotos e a mãe praticamente não fumava. Marge Gorda às vezes lhes dava cigarros e filmes grátis – quando o pai não estava olhando –, mas eles não iam à cidade com frequência.

As intenções do pai eram boas, mas mesmo assim pareciam viver como um animal selvagem. Como aqueles hippies loucos dos quais os alasquianos falavam, que viviam com lobos e ursos e acabavam sendo mortos. O predador nato podia parecer domesticado, até amigável, podia lamber seu pescoço com carinho ou se esfregar em você para receber uma coçada nas costas. Mas você sabia, ou devia saber, que vivia com um animal selvagem, que uma coleira, uma guia e um pote de comida podiam domar as ações da fera, mas não podiam mudar a essência de sua natureza. Em uma fração de segundo, menos tempo do que levava uma expiração, aquele lobo podia retomar seu instinto e se voltar com dentes expostos.

Era exaustivo se preocupar o tempo todo, estudar cada movimento do pai e o tom de sua voz.

Isso obviamente tinha esgotado a mãe. A ansiedade apagou a luz de seus olhos e o brilho de sua pele. Ou talvez a palidez viesse de viver como cogumelos.

Em um dia especialmente frio no início de dezembro, Leni acordou com o som de gritos. Algo caiu no chão.

Soube na mesma hora o que estava acontecendo. O pai tivera um pesadelo. Seu terceiro naquela semana.

Ela rastejou para fora do saco de dormir, foi até a beirada do mezanino e olhou para baixo. A mãe estava parada ao lado da porta com contas de seu quarto, segurando alto uma lanterna. Em sua luz branca, ela parecia assustada, o cabelo desgrenhado, vestindo uma calça e um agasalho de moletom. O forno a lenha era um ponto laranja no escuro.

O pai era como um animal indomado, empurrando, vociferando, rosnando, dizendo palavras que ela não conseguia entender... Então ele começou a abrir caixas, procurando alguma coisa. A mãe se aproximou dele com cautela e pôs a mão em suas costas. Ele a empurrou para o lado com tanta força que ela bateu ruidosamente na parede de troncos e deu um grito.

O pai parou e ficou ereto, num movimento brusco. Suas narinas se dilataram. Ele apertava e relaxava a mão direita. Quando viu a mãe, tudo mudou. Seus ombros se curvaram, sua cabeça pendeu de vergonha.

– Meu Deus, Cora – sussurrou ele, arrasado. – Desculpe... eu não sei onde estava com a cabeça.

– Eu sei – disse ela com os olhos brilhando de lágrimas.

Ele foi até ela e a envolveu nos braços, segurou-a. Eles caíram de joelhos juntos, as testas se tocando. Leni podia ouvi-los falar, mas não conseguia entender as palavras.

Voltou para o saco de dormir e tentou pegar no sono de novo.

—∞—

– Leni. Levante. Vamos caçar. Preciso sair desta droga de casa.

Com um suspiro, ela se vestiu no escuro. Nos primeiros meses desse inverno alasquiano, aprendera a viver como um daqueles invertebrados fosforescentes que vagavam pelo fundo do oceano, sua vida intocada por nenhuma luz nem cor exceto aquelas que eles mesmo geravam.

Na sala, o fogão a lenha oferecia uma luz através de uma janela estreita na porta de metal preto. Ela podia identificar a silhueta de seus pais ao lado dele, podia ouvir sua respiração. Café gorgolejou em um bule de metal em cima do fogão, baforando seu aroma acolhedor na escuridão.

O pai acendeu uma lanterna e a ergueu. Em seu brilho laranja, parecia cansado, tenso. Um tique movia o canto de seu olho direito.

– Estão prontas?

A mãe parecia exausta. Vestida com uma parca enorme e calças com isolamento térmico, parecia frágil demais para o clima e cansada demais para andar qualquer grande distância. Em uma semana de pesadelos crescentes e gritos no meio da noite, ela não estava dormindo bem.

– Claro – respondeu a mãe. – Eu adoro caçar às seis horas de uma manhã de domingo.

Leni foi até os ganchos na parede, pegou a parca cinza, as calças com isolamento que ela encontrara no Exército de Salvação em Homer no mês anterior e as botas térmicas de segunda mão que Matthew lhe dera. Pegou as luvas de penas nos bolsos da parca.

– Bom – disse o pai. – Vamos.

O mundo antes do amanhecer era silencioso. Não havia vento, nenhum galho partido, apenas aquela neve sem fim, o branco se acumulando por toda parte. Leni caminhou com dificuldade na direção dos cercados dos animais. As cabras estavam amontoadas e berraram com sua chegada, batendo umas nas outras. Leni jogou um pouco de feno para elas, depois alimentou as galinhas e quebrou o gelo em seus bebedouros.

Quando ela chegou à Kombi, a mãe já estava lá dentro. Leni subiu no banco de trás. Naquele frio, a Kombi demorou muito tempo para pegar, e mais ainda para as janelas descongelarem. O veículo não era bom nesta parte do mundo;

eles aprenderam isso da pior forma. O pai pôs correntes nos pneus e jogou um saco de equipamento entre os bancos da frente. Leni se sentou atrás, de braços cruzados, tremendo, dormindo e acordando de modo intermitente.

Na estrada principal, o pai virou à direita, na direção da cidade, mas antes da pista de pouso fez uma curva à esquerda na estrada que levava à mina de cromo abandonada. Eles seguiram por quilômetros na neve compactada. A estrada era uma série de curvas fechadas em zigue-zague que parecia ter sido recortada na encosta. Embrenhados na floresta, no alto da montanha, ele parou de repente, com um pisão brusco no freio, e entregou a cada uma delas uma lanterna de cabeça e uma espingarda antes de pegar uma mochila e abrir a porta.

Vento, neve e frio envolveram a Kombi. A temperatura ali não devia chegar nem aos 20 graus negativos.

Ela prendeu a lanterna na cabeça, ajustou a correia e acendeu a luz, gerando um facho estreito à frente.

Não havia sequer estrelas. A neve caía forte e rápida. Um grande e constante negro cheio de árvores sussurrantes e predadores agachados, escondidos.

O pai saiu na frente, caminhando com dificuldade com seus sapatos de neve, forjando uma trilha. Leni deixou que a mãe o seguisse e foi atrás dela.

Eles caminharam por tanto tempo que as bochechas de Leni passaram de geladas a quentes e depois dormentes. Tanto tempo que seus cílios e os pelos de seu nariz congelaram e ela sentiu o suor se acumular por baixo de sua roupa íntima comprida, coçando. Em algum ponto ela começou a feder e se perguntou o que mais podia sentir seu cheiro. Era fácil passar de predador a presa ali fora.

Leni estava tão cansada, caminhando penosamente, de queixo baixo, ombros curvados, que mal percebeu que em algum momento começou a ver os próprios pés, suas botas, seus sapatos de neve. No início houve o brilho cinza de uma luz que não era exatamente real emanando da neve e depois o amanhecer, rosa como carne de salmão amanteigado.

Luz do dia.

Leni finalmente viu onde estava. Em um rio congelado. Ela ficou horrorizada ao perceber que tinha seguido o pai às cegas sobre sua superfície escorregadia. E se o gelo fosse fino demais? Um passo errado e alguém podia ter caído na água congelante e sido levado embora.

Abaixo dela, ouviu um estalo.

O pai andava à frente confiante, aparentemente sem se preocupar com o gelo sob seus pés. Na outra margem, ele abriu caminho através de arbustos baixos e densos cobertos de neve, olhou para baixo, inclinou a cabeça como se estivesse escutando. Acima da barba nevada, seu rosto estava vermelho por causa do frio.

Ela sabia que ele estava seguindo sinais – fezes, rastros. Lebres-americanas faziam a maior parte de sua alimentação e movimentos ao amanhecer e ao anoitecer.

Ele parou de repente.

– Tem uma lebre ali – disse para Leni. – No limite das árvores.

Leni olhou na direção que ele apontou. Tudo estava branco, até o céu. Era difícil distinguir formas nesse mundo todo branco.

Então, movimento: uma lebre branca e gorda saltou à frente.

– É – concordou ela. – Estou vendo.

– Está bem, Leni. Esta caçada é sua. Respire. Relaxe. Espere para atirar – orientou o pai.

Ela levantou a arma. Vinha atirando em alvos havia meses, então sabia o que fazer. Inspirou e expirou em vez de prender a respiração; concentrou-se na lebre, apontou. Esperou. O mundo foi desaparecendo pouco a pouco, tornando-se mais simples. Havia apenas ela e a lebre, predador e presa, conectados.

Leni apertou o gatilho.

Tudo pareceu acontecer simultaneamente: o tiro, o impacto, a morte, a lebre caindo de lado.

Um tiro bom e limpo.

– Excelente – disse o pai.

Leni pendurou a espingarda no ombro e os três foram em fila indiana até a linha das árvores e a caça de Leni.

Quando chegaram à lebre, Leni olhou para ela, o corpo branco e macio salpicado de sangue, deitado sobre uma poça vermelha.

Ela tinha matado algo. Alimentado sua família por mais uma noite.

Matado algo. Acabado com uma vida.

Não sabia como se sentir em relação a isso, ou talvez apenas sentisse duas emoções conflitantes ao mesmo tempo – orgulho e tristeza. Na verdade, quase teve vontade de chorar. Mas agora ela era alasquiana, essa era a sua vida. Sem caçar, não havia comida na mesa. E nada seria desperdiçado. Da pele seria feito um gorro, os ossos dariam caldo para sopa. Esta noite a mãe fritaria a carne em manteiga batida em casa feita de leite de cabra e temperada com cebolas e alho. Eles podiam até ostentar e assar algumas batatas.

Seu pai se ajoelhou na neve. Ela viu o tremor em suas mãos e pôde dizer pela tensão em sua voz que ele estava com dor de cabeça enquanto virava a lebre morta de costas.

Ele pôs a faca na cauda e fez um único corte abrangente para cima, através de pele e osso. No esterno da lebre, diminuiu a velocidade, posicionou um dedo ensanguentado embaixo da lâmina da faca e prosseguiu com cautela para evitar cortar qualquer órgão por acidente. Abriu o animal, enfiou a mão e tirou as entranhas, deixando em uma pilha fumegante vermelho-rosada sobre a neve.

Pegou o pequeno coração arredondado e o estendeu para Leni. Sangue escorria entre seus dedos.

– Você é a caçadora. Coma o coração.

– Ernt, por favor – repreendeu a mãe. – Não somos selvagens.

– É exatamente isso que somos – rebateu ele com uma voz fria como o vento em suas costas. – Coma.

O olhar de Leni correu para a mãe, que parecia tão horrorizada quanto a filha.

– Você vai me obrigar a falar de novo? – perguntou o pai.

A calma em sua voz era pior que gritos. Leni sentiu uma pontada de medo surgir e se espalhar por seu corpo. Ela estendeu o braço e pegou o pequeno órgão vermelho-azulado na mão. Ainda batia ou era ela que estava tremendo?

Com os olhos estreitados do pai firmes sobre ela, pôs o coração na boca e forçou seus lábios a se fecharem. Na mesma hora sentiu ânsia de vômito. O coração era escorregadio e gosmento; quando o mordeu, ele se rompeu em sua boca, com um gosto metálico. Sentiu sangue escorrer pelo canto da boca.

Leni engoliu, teve vontade de vomitar, limpou o sangue dos lábios, sentiu seu calor se espalhar pela bochecha.

Seu pai ergueu os olhos, apenas o bastante para fazer contato visual. Parecia arrasado, cansado, mas *presente*; em seus olhos, ela viu mais amor e tristeza do que deveria existir em um ser humano. Algo o dilacerava por dentro, mesmo agora. Era o outro homem, o homem mau que vivia dentro dele e tentava escapar na escuridão.

– Estou tentando torná-la autossuficiente.

Aquilo parecia um pedido de desculpas, mas por quê? Porque às vezes ficava louco ou por ensiná-la a caçar? Ou por fazê-la comer o coração pulsante da lebre? Ou pelos pesadelos que arruinavam o sono de todos eles?

Ou talvez ele estivesse se desculpando por algo que ainda não tinha feito mas que temia fazer.

Dezembro.

O pai estava nervoso, tenso; vivia bebendo demais e murmurando. Os pesadelos ficaram cada vez mais frequentes. Três por semana, toda semana.

Estava sempre inquieto, exigindo, forçando. Ele comia, dormia respirava e bebia sobrevivência. Tinha se tornado um soldado outra vez, ou era o que a mãe dizia, e Leni se viu com a língua presa perto dele, com medo de falar ou fazer a coisa errada.

Trabalhando duro depois da escola e nos fins de semana, Leni devia estar dormindo como pedra, mas não conseguia. Noite após noite, ficava deitada acordada, preocupada. Seu medo e sua ansiedade em relação ao mundo tinham sido aguçados como uma ponta de faca.

Esta noite, por mais exausta que estivesse, permaneceu acordada, ouvindo os gritos dele. Quando finalmente pegou no sono, sonhou com uma paisagem em chamas, um lugar cheio de perigo – um mundo em guerra, com animais sendo mortos, garotas sendo sequestradas, homens gritando e apontando armas. Ela gritava por Matthew, mas ninguém ouvia a voz de uma garota em um mundo desmoronando. Além disso, de que ele adiantaria? Ela não podia contar isso a Matthew. Não isso. Alguns medos você tem que carregar sozinho.

– Leni!

Ela ouviu seu nome ser chamado ao longe. De onde vinha? Era o meio da noite. Ainda estava sonhando?

Alguém a agarrou e a arrancou da cama. Dessa vez era real. A mão de alguém cobriu sua boca.

Leni reconheceu o cheiro.

– Pai – falou, por trás da mão dele.

– Venha – disse ele. – Agora.

Ela cambaleou até a escada, desceu atrás dele em completa escuridão.

Nenhum dos lampiões estava aceso lá embaixo, mas ela podia ouvir a respiração pesada da mãe.

O pai conduziu Leni até a mesa de carteado recém-consertada e firme e a guiou até uma cadeira.

– Ernt, sério... – começou a mãe.

– Cale a boca, Cora.

Algo bateu na mesa diante de Leni com um tinido e uma pancada metálica bem sonoros.

– O que é isto? – perguntou ele parado ao lado dela.

Ela estendeu o braço, seus dedos se arrastando pela superfície áspera da mesa de carteado.

Um rifle. Desmontado.

– Você precisa de um treinamento melhor, Leni. Quando a merda bater no ventilador, vamos precisar fazer as coisas de um jeito diferente. E se for inverno? Tudo vai estar escuro. Você vai estar desprevenida, confusa, sonolenta. Desculpas vão matá--la. Quero que você seja capaz de fazer tudo no escuro, quando estiver com medo.

– Ernt – disse a mãe, do escuro, com a voz irregular –, ela é só uma menina. Deixe que Leni volte para a cama.

– Quando homens estiverem famintos e nós tivermos comida, eles vão se importar que ela seja apenas uma menina?

Leni ouviu o clique de um cronômetro.

– Vá, Leni. Limpe a arma e monte-a outra vez.

Leni estendeu a mão, sentiu as peças frias do rifle e as puxou em sua direção. A escuridão a deixava nervosa e lenta. Ela viu um fósforo se acender no escuro, sentiu o cheiro de um cigarro sendo aceso.

– Pare – ordenou o pai. O facho de uma lanterna se acendeu, concentrado no rifle. – Inaceitável. Você está morta. Toda a nossa comida se foi. Talvez um deles esteja pensando em estuprá-la.

Ele pegou o rifle, desmontou-o e empurrou as peças para o centro da mesa. No clarão de luz, Leni viu as peças do rifle, além de um limpador, panos, um pouco de solvente e protetor contra ferrugem, algumas chaves de fenda. Ela tentou decorar onde tudo se encontrava.

O pai estava certo. Precisava aprender a fazer isso ou podia ser morta.

Concentre-se.

A luz se apagou com um clique. O cronômetro foi ligado com outro clique.

– Vá.

Leni estendeu a mão, tentando se lembrar do que tinha visto. Puxou as peças do rifle em sua direção, montou-o depressa, aparafusou a mira no lugar. Já ia pegar o pano de limpeza quando o cronômetro fez um clique e parou.

– Morta – disse o pai, contrariado. – Tente de novo.

No dia anterior, no segundo sábado de dezembro, eles se juntaram aos vizinhos para uma festa de corte de árvores. Todos eles foram caminhando para a floresta e escolheram árvores. O pai cortou um pinheiro, arrastou-o para seu trenó e o levou para a cabana, onde o puseram no canto embaixo do mezanino. Eles o decoraram com Polaroids da família e iscas de pesca artificiais. Alguns presentes embrulhados em páginas amareladas do *Anchorage Daily Times* estavam arrumados embaixo dos galhos verdes perfumados. Linhas desenhadas com marcador fingiam ser laços. Os lampiões a gás pendurados criavam um interior cálido, sua luz um forte contraste com a manhã ainda escura. O vento açoitava as abas do telhado; de vez em quando um galho de árvore batia com força na cabana.

Agora, na tarde de domingo, a mãe estava na cozinha fazendo pão de massa fermentada. O cheiro da levedura do pão assado preencheu a cabana. O tempo ruim mantinha todos eles ali dentro. O pai estava debruçado sobre o rádio amador, escutando vozes arranhadas, seus dedos mexendo constantemente nos botões. Leni ouviu a voz de Earl Maluco cheia de estática, sua risada chegando alta e nítida.

Leni estava encolhida no sofá, lendo o exemplar surrado de *Pergunte a Alice* que encontrara no lixo. O mundo ali parecia absurdamente pequeno; as cortinas estavam bem fechadas para prover calor e a porta, trancada contra o frio e os predadores.

– O que foi isso? Repita, câmbio – disse o pai. Ele estava debruçado sobre o rádio amador, escutando. – Marge, é você?

Leni ouviu a voz de Marge Gorda chegar pelo rádio, entrecortada, enfeitada de estática.

– Emergência. Perdidos... grupo de busca... depois da cabana dos Walkers... Vamos nos encontrar na estrada da mina. Câmbio e desligo.

Leni abaixou o livro e se endireitou.

– Quem está perdido? Neste clima?

– Marge Gorda – disse o pai. – Fale. Quem é? Quem está perdido? Earl, você está aí?

Estática.

O pai se virou.

– Vistam-se. Alguém precisa de ajuda.

A mãe tirou o pão parcialmente assado do forno, colocou-o sobre a bancada e o cobriu com um pano de prato. Leni vestiu as roupas mais quentes que tinha: calças com isolamento térmico, com a barra enrolada, parca, botas para frio extremo. Cinco minutos depois da chamada de Marge, Leni estava na parte de trás da Kombi esperando que o motor ligasse.

Ia demorar um pouco.

Por fim, o pai conseguiu raspar o para-brisa o suficiente para ver através dele. Depois verificou as correntes e subiu no banco do motorista.

– É um dia ruim para alguém se perder.

O pai manobrou lentamente na neve que ia até a altura do eixo, virou na direção de sua entrada de carros, que era uma camada grossa e ininterrupta de branco, sem rastro de pneus, ladeada por árvores cobertas de neve. Leni podia ver o vapor de sua respiração; estava frio assim dentro da Kombi. Neve se acumulava e desaparecia no para-brisa entre cada movimento das paletas do limpador.

Quando se aproximavam da cidade, veículos surgiram diante deles saídos da cortina de neve, faróis brilhando através da escuridão. Adiante, Leni viu luzes âmbar e marrons piscando. Devia ser Natalie e seu trator para remover neve, seguindo na frente em uma estrada praticamente inexistente que levava na direção da velha mina.

O pai tirou o pé do acelerador. Eles reduziram a velocidade, entraram atrás de uma picape grande que pertencia a Clyde Harlan e seguiram montanha acima.

Quando chegaram a uma clareira, Leni viu um monte de motoneves estacionadas em uma linha irregular. Pertenciam aos residentes que viviam na mata, sem estradas para suas casas. Todas estavam com os faróis acesos e os motores ligados. A neve que caía entrelaçava-se através dos fachos de luz e dava a tudo um aspecto assustador e sobrenatural.

O pai estacionou ao lado de uma motoneve. Leni saltou atrás dos pais para a neve e o vento uivante, para o tipo de frio que penetrava fundo. Eles viram Earl Maluco e Thelma e foram até onde estavam seus amigos.

– O que houve? – gritou o pai para ser ouvido acima do vento.

Antes que Earl Maluco ou Thelma pudessem responder, Leni ouviu o lamento agudo de um apito sendo soprado.

Um homem de parca e calça azuis pesadas e com isolamento térmico deu um passo à frente. Um chapéu de aba larga o identificava como policial.

– Eu sou Curt Ward. Obrigado por virem. Geneva e Matthew Walker estão desaparecidos. Deviam ter chegado à sua cabana de caça há uma hora. Este é seu caminho habitual. Se estiverem perdidos ou feridos, devemos encontrá-los entre aqui e a cabana.

Leni não percebeu que tinha gritado até sentir o toque reconfortante da mãe.

Matthew.

Ela olhou para Cora.

– Ele vai congelar aqui fora – falou. – Logo vai ser noite.

Antes que a mãe pudesse responder, o policial Ward ordenou:

– Espalhem-se a intervalos entre 6 e 7 metros.

Ele começou a distribuir lanternas.

Leni ligou a sua, olhou para o corredor de chão coberto de neve à sua frente. Todo o mundo se reduziu a uma única faixa de terra. Ela a enxergava em camadas – solo irregular coberto de neve, ar cheio de neve, árvores brancas apontadas para um céu cinza.

Onde está você, Matthew?

Leni se moveu devagar, obstinada e levemente consciente das outras pessoas no grupo de busca, outras luzes. Ouviu cachorros latirem e vozes se elevarem. Os fachos de luz das lanternas se cruzavam. O tempo passava de um jeito estranho e surreal; medido pela luz decrescente e pelas respirações exaladas.

Leni viu rastros de animal, uma pilha de ossos misturada com sangue fresco, folhas de abetos caídas. O vento havia esculpido a neve em picos e espirais com pontas de gelo vitrificadas e endurecidas. Os espaços protegidos da neve ao redor das árvores estavam negros com detritos, transformados pelos animais em tocas improvisadas que lhes davam um lugar para dormir ao abrigo do vento.

As árvores em volta dela se adensaram. A temperatura caiu de repente; ela sentiu uma onda de frio conforme o dia dava lugar à noite. Parou de nevar. O vento afastou as nuvens e deixou em seu rastro um céu azul-marinho inundado de torvelinhos de estrelas. Uma lua convexa brilhou, sua luz reluzente sobre a neve. Uma luz ambiente prateada deixou o mundo cintilante.

Ela viu alguma coisa. Braços, erguendo-se da neve, dedos magros estendidos, congelados. Disparou através da neve profunda.

– Estou indo, Matthew! – gritou por entre respirações ofegantes e dolorosas, sua luz balançando para cima e para baixo à frente.

Chifres. Uma galhada completa, perdida por um alce macho. Ou talvez debaixo daquela neve estivessem os ossos deixados por um caçador ilegal. Como tantos pecados, a neve cobria tudo. A verdade não seria revelada até a primavera. Se fosse.

O vento aumentou, atravessando ruidosamente as árvores, fazendo galhos voarem.

Ela caminhou adiante com esforço, uma luz em meio a dezenas espalhadas através da floresta cintilante azul, branca e preta, pontos amarelos procurando, procurando... Ouvia a voz do Sr. Walker chamar, berrando o nome de Matthew com tanta frequência que ele começou a ficar rouco.

– Ali! Em frente! – gritou alguém.

E o Sr. Walker berrou de volta:

– Eu estou vendo!

Leni precipitou-se, tentando correr através da neve funda.

Mais adiante, ela viu um volume sombreado... uma pessoa... ajoelhada ao lado de um rio congelado sob o luar, com a cabeça tombada para a frente.

Leni abriu caminho usando os cotovelos e chegou lá no momento em que o Sr. Walker se agachou ao lado do filho.

– Mattie? – gritou ele para ser ouvido e pôs a mão enluvada sobre as costas do garoto. – Eu estou aqui. Estou aqui. Onde está sua mãe?

Matthew virou a cabeça devagar. Seu rosto estava completamente branco, seus lábios rachados. Seus olhos verdes pareciam ter perdido a cor, assumido a tonalidade do gelo à sua volta. O gelo embaixo dele brilhava com o luar. Ele estava tremendo, descontrolado.

– Ela se foi – disse ele com a voz embargada. – Caiu.

O Sr. Walker levantou o filho. Por duas vezes Matthew quase desabou, mas o pai o manteve de pé.

Leni ouviu as pessoas falando em fragmentos.

– ...caiu através do gelo...

– ...não devia ter feito isso...

– ...meu Deus...

– Vamos – pediu o policial Ward. – Deixem-nos passar. Precisamos levar esse garoto para se aquecer.

NOVE

O inverno levara um deles; um que tinha nascido ali, que sabia sobreviver.

Leni não conseguia parar de pensar nisso, de se preocupar. Se Geneva Walker – *Gen, Genny, Gê, a Geradora, atendo por praticamente qualquer apelido* – podia se perder com tamanha facilidade, ninguém estava seguro.

– Meu Deus! – exclamou Thelma enquanto eles voltavam solenemente para seus veículos. – Genny não cometia erros no gelo.

– Todo mundo comete erros – rebateu Marge Gorda, seu rosto escuro enrugado de tristeza.

Natalie Watkins assentiu, solene.

– Eu atravessei aquele rio uma dúzia de vezes este mês. Meu Deus. Como ela pôde ter caído pelo gelo nessa época do ano?

Leni estava ouvindo e não ouvindo. Tudo em que conseguia pensar era em Matthew e pelo que ele devia estar passando naquele momento. Ele tinha visto a mãe cair através do gelo e morrer.

Como era possível superar uma coisa dessas? Toda vez que Matthew fechasse os olhos, não veria aquilo outra vez? Não ia acordar gritando com pesadelos pelo resto da vida? Como ela poderia ajudá-lo?

De volta em casa, tremendo de frio e com um medo novo – você podia perder seus pais ou sua vida em um domingo normal, apenas caminhando na neve... e pronto –, ela escreveu uma série de cartas para Matthew e rasgou todas, porque não eram corretas.

Ela ainda estava tentando escrever a carta perfeita dois dias depois, quando a cidade se reuniu para o funeral de Geneva.

Naquela noite congelante, dezenas de veículos estavam na cidade, estacionados onde quer que pudessem, ao lado da estrada, em terrenos desocupados. Um estava praticamente no meio da rua. Leni nunca vira tantas caminhonetes e motoneves na cidade ao mesmo tempo. Todo o comércio estava fechado, até a taberna Coice do Alce. Kaneq estava encolhida para o inverno, presa em neve e gelo, iluminada pelo brilho ambiente da luz do dia.

O mundo podia ruir, mudar radicalmente em dois dias com apenas uma pessoa a menos vivendo nele.

Eles estacionaram na Alpine Street e desceram da Kombi. Ela ouviu o zunido contínuo do motor de um gerador, resmungando alto, abastecendo as luzes da igreja na colina.

Em fila indiana, eles subiram o morro com dificuldade. Luz enchia as janelas empoeiradas da velha igreja; fumaça subia da chaminé.

À porta fechada, Leni parou por tempo suficiente apenas para tirar o capuz de seu rosto. Vira a igreja em toda ida à cidade, mas nunca havia entrado nela.

O interior era menor do que aparentava do lado de fora, com paredes de tábuas brancas lascadas e chão de pinho. Não havia bancos; as pessoas lotavam o espaço de lado a lado. Um homem vestindo calça de neve camuflada e um casaco de pele estava parado à frente, seu rosto praticamente oculto por bigode, barba e costeletas.

Todo mundo que Leni já tinha visto em Kaneq estava ali. Ela viu Marge Gorda, parada entre o Sr. Rhodes e Natalie; toda a família Harlan, apertados uns contra os outros. Até Pete Doido estava presente, com sua gansa sentada em seu colo.

Mas foi a primeira fileira que chamou sua atenção. O Sr. Walker estava parado ao lado de uma bela garota loura que devia ser Alyeska, de volta da faculdade, e de parentes que Leni não conhecia. À direita, parado junto deles, e ainda assim de algum modo sozinho, estava Matthew. Calhoun Malvey, o namorado de Geneva, não parava de se remexer, passando o peso de um pé para o outro, como se não soubesse o que fazer. Seus olhos estavam vermelhos.

Leni tentou chamar a atenção de Matthew, mas nem mesmo o abrir e fechar das portas duplas da igreja e a lufada de frio e neve que se seguiam o importunavam. Ele estava ali parado, com os ombros curvados, o queixo baixo, seu perfil coberto por cabelo que não parecia ser lavado havia uma semana.

Leni seguiu seus pais até um espaço vazio atrás da família de Earl Maluco e ficou parada ali. Earl Maluco imediatamente passou uma garrafinha para o pai.

Leni tinha o olhar fixo em Matthew, desejando que ele olhasse para ela. Não sabia o que ia dizer quando enfim conseguissem conversar, talvez não falasse nada, apenas segurasse sua mão.

O pastor – ou seria ele um reverendo, um ministro, um padre? Leni não tinha a menor ideia – começou a falar:

– Todos conhecíamos Geneva Walker. Ela não era membro desta igreja, mas era uma de nós, desde o momento em que Tom a trouxe de Fairbanks. Estava sempre disposta a ajudar e nunca desistia. Lembram quando Aly a convenceu a cantar o hino nacional nos Dias do Salmão e ela era tão ruim que os cachorros começaram a uivar e até Matilda se afastou? Depois que tudo acabou, Gen disse: "Bom, eu não canto nada, mas e daí? Era o que minha Aly queria." Ou quando Genny fisgou Tom pela bochecha no torneio de pesca e tentou reivindicar o prêmio do maior pescado? Ela tinha um coração tão grande quanto o Alasca. – Ele fez uma pausa e suspirou. – Nossa Gen era uma mulher que sabia amar. Não sabíamos exatamente de quem ela era mulher no fim, mas isso não importa. Nós todos a amávamos.

Risos baixos e tristes.

Leni se desconcentrou das palavras. Não sabia nem quanto tempo tinha se passado. Aquilo a fez pensar na própria mãe, e qual seria a sensação de perdê-la. Então ouviu pessoas começarem a se voltar para a porta, as botas pesadas, as tábuas do chão rangendo.

Tinha acabado.

Leni tentou abrir caminho até Matthew, mas foi impossível; todo mundo estava se empurrando na direção da porta.

Até onde Leni sabia, ninguém tinha falado nada sobre ir à taberna Coice do Alce depois, mas todos foram parar lá mesmo assim. Talvez fosse comportamento instintivo de adultos.

Ela seguiu os pais morro abaixo, atravessou a rua e entrou no local chamuscado e caindo aos pedaços. No instante em que passou pela porta, sentiu o cheiro acre e fuliginoso de madeira queimada. Ao que parecia, esse cheiro nunca ia embora. O interior era como uma caverna, com lampiões a gás balançando ruidosamente das vigas, projetando luz como correntes de água sobre os fregueses abaixo, postos em movimento pelo impacto do vento toda vez que a porta se abria.

O velho Jim estava atrás do balcão, servindo bebidas o mais rápido possível. Havia um pano cinza úmido pendurado em um de seus ombros que respingava manchas escuras na frente de sua camisa de flanela. Leni ouvira alguém dizer que ele trabalhava ali havia décadas. Ele tinha começado na época em que os poucos homens que viviam naquele lugar selvagem estavam fugindo da Segunda Guerra Mundial ou voltando dela. O pai pediu quatro doses de uma vez e as bebeu em rápida sucessão.

O chão de serragem exalava um cheiro poeirento como de celeiro e abafava os passos de tantas pessoas.

Todos falavam ao mesmo tempo, no tom de voz baixo do luto. Leni ouviu fragmentos de conversas, adjetivos.

– Linda... lhe daria a roupa do corpo... o melhor pão de urtiga... tragédia...

Ela viu como a morte impactava as pessoas, viu a expressão vidrada em seus olhos, a forma como balançavam a cabeça e como suas frases se interrompiam, como se eles não conseguissem decidir se o silêncio ou as palavras iam libertá-los da tristeza.

Leni nunca conhecera alguém que tinha morrido. Vira a morte na televisão e lera sobre ela em seus adorados livros (a morte de Johnny em *Vidas sem rumo – The Outsiders* a revirara do avesso), mas agora ela via como era na realidade. Na literatura, a morte era muitas coisas – uma mensagem, catarse, punição. Havia mortes que vinham de um coração que parava de pulsar e mortes de outro tipo, uma escolha, como Frodo indo para os Portos Cinzentos. A morte fazia você chorar, enchia você de tristeza, mas, nos seus melhores livros, havia paz também, redenção, uma sensação de história terminando como deveria.

Ela viu que na vida real não era assim. Era tristeza rasgando você por dentro, mudando como você via o mundo.

Isso a fez pensar em Deus e no que Ele oferecia em momentos como esse. Perguntou-se pela primeira vez em que seus pais acreditavam, no que ela acreditava, e viu como a ideia de Paraíso podia ser reconfortante.

Ela mal conseguia imaginar algo mais terrível que perder a mãe. Só pensar nisso fez Leni se sentir enjoada. A mãe era como a linha de uma pipa. Se a pessoa não era segura por ela com firmeza, podia simplesmente flutuar para longe, se perder em algum lugar em meio às nuvens.

Ela não queria pensar em uma perda dessas, em sua magnitude arrasadora, mas em momentos como esse não havia como desviar o olhar, e quando encarou a situação, sem piscar ou se virar, soube disto: se ela fosse Matthew, ia precisar de um amigo nesse momento. Quem sabia como o amigo podia ajudar, se era melhor oferecer companhia silenciosa ou um alarido de palavras? Ela teria que descobrir sozinha. Mas que era a amizade que ajudaria, disso ela tinha certeza.

Ela soube quando os Walkers entraram na taberna pelo silêncio que se instalou. As pessoas se viraram para olhar para a porta.

O Sr. Walker entrou primeiro; ele era tão alto e de ombros tão largos que teve que se abaixar para passar pela soleira. Cabelo louro comprido caía sobre seu rosto; ele o jogou para trás. Erguendo os olhos, viu que todo mundo o encarava, então parou e se aprumou. Seu olhar se moveu lentamente pelo ambiente, de rosto a rosto, seu sorriso desapareceu. A tristeza o envelhecia. A garota loura e bonita chegou atrás dele, com o rosto molhado de lágrimas. Ela estava com o braço em volta de Matthew, segurando-o como um agente do serviço secreto conduzindo um presidente impopular através de uma multidão raivosa. Os ombros de Matthew estavam curvados, seu corpo inclinado para a frente, o rosto para baixo. Cal vinha atrás deles, com olhos vidrados.

O Sr. Walker viu a mãe e se moveu primeiro na direção dela.

– Eu sinto muito, Tom – disse a mãe com o rosto virado para ele.

O Sr. Walker olhou para ela.

– Eu devia ter estado com eles.

– Ah, Tom...

Ela tocou seu braço.

– Obrigado – falou com voz rouca e baixa.

Ele engoliu em seco, parecendo se deter para não falar mais. Olhou para os amigos reunidos ao redor.

– Sei que funerais na igreja não são os nossos favoritos, mas está muito frio lá fora, e Geneva amava a ideia da igreja.

Houve um murmúrio de concordância, uma sensação de movimento impaciente contido, de alívio misturado com pesar.

– À Gen – disse Marge Gorda erguendo seu copinho de bebida.

– À Gen!

Enquanto os adultos tilintavam seus copos, tomavam suas bebidas e voltavam a atenção para o bar pedindo outra rodada, Leni observou a família Walker se mover entre a multidão, parando para cumprimentar todo mundo.

– Um funeral bem elegante – disse em voz alta Earl Maluco, bêbado.

Leni olhou de esguelha para ver se Tom Walker tinha ouvido, mas o Sr. Walker estava conversando com Marge e Natalie.

– O que você esperava? – perguntou o pai virando outro uísque. Seus olhos tinham o aspecto vidrado da embriaguez. – Estou surpreso que o governador não tenha voado até aqui para nos dizer como nos sentir. Soube que ele e Tom são companheiros de pescaria. Ele ama lembrar isso a nós, peões.

A mãe se aproximou.

– Ernt. É o dia do funeral da mulher dele. Será que não poderíamos...

– Não diga nada – chiou o pai. – Eu vi como você estava se oferecendo para ele...

Thelma chegou mais perto.

– Ah, pelo amor de Deus, Ernt. É um dia triste. Guarde seu ciúme por dez minutos.

– Você acha que tenho ciúme de Tom? – perguntou o pai, então olhou para a esposa. – Devia ter?

Leni deu as costas para eles, observou Alyeska conduzir Matthew através dos enlutados até um canto quieto nos fundos.

Leni foi atrás, passando pelo meio de pessoas que fediam a fumaça de madeira, suor e odor corporal. Tomar banho era um luxo no meio do inverno. Ninguém fazia isso com frequência suficiente.

Matthew estava parado sozinho, com o olhar vazio à frente, as costas na parede chamuscada preta e descascando. Fuligem salpicava suas mangas.

Ela ficou chocada com quanto ele parecia diferente. Ele não podia ter perdido tanto peso em tão pouco tempo, mas suas maçãs do rosto pareciam montanhas acima de suas bochechas emaciadas. Seus lábios estavam rachados e manchados de sangue. Uma faixa de pele estava branca em sua têmpora, a cor um forte contraste com suas bochechas queimadas pelo vento. Seu cabelo estava sujo e caía em fios retos e finos dos dois lados de seu rosto.

– Oi – cumprimentou ela.

– Oi – respondeu ele de maneira embotada.

E agora?

Não diga "eu sinto muito". É o que dizem os adultos e é estúpido. Claro que você sente muito. Como isso ajuda?

Mas o que então?

Ela caminhou adiante com cautela, tomando o cuidado de não tocá-lo, e foi até o lado dele, encostando-se na parede queimada. Dali ela podia ver tudo – os lampiões pendurados de vigas queimadas, paredes cobertas de sapatos de neve, redes e esquis antigos empoeirados, cinzeiros transbordando, fumaça nublando tudo – e todo mundo.

Seus pais estavam em um círculo com Earl Maluco, Clyde, Thelma e o resto da família Harlan. Mesmo através da nuvem de fumaça de cigarros, Leni podia ver como o rosto de seu pai estava vermelho (sinal de uísque demais), como seus olhos se estreitavam de raiva enquanto ele falava. A mãe parecia derrotada ao lado dele, com medo de se mexer, com medo de acrescentar algo à conversa ou de olhar para qualquer coisa além do marido.

– Ele me culpa.

Leni ficou tão surpresa por ouvir a voz de Matthew que levou um momento para processar o que ele tinha dito. Seu olhar seguiu o dele até o Sr. Walker e ela perguntou:

– Seu pai? – Leni se virou para ele. – Ele não pode fazer isso. Não é culpa de ninguém. Ela apenas... quero dizer, o gelo...

Matthew começou a chorar. Lágrimas escorriam por seu rosto enquanto estava ali parado, completamente imóvel, tão tenso que parecia estar vibrando. Nos olhos dele, Leni viu um mundo maior. Estar só, com medo, um pai raivoso e volátil; essas eram coisas ruins que lhe davam pesadelos.

Mas não eram nada comparados a ver sua mãe morrer. Qual seria a sensação disso? Como alguém conseguia superar?

E como ela, uma garota de 14 anos cheia de problemas, poderia ajudar?

– Eles a encontraram ontem – disse ele. – Você soube? Estava sem uma das pernas. E seu rosto...

Ela o tocou.

– Não pense...

Ao seu toque, ele soltou um uivo de dor que chamou a atenção de todo mundo. Ele rugiu assim outra vez, estremeceu. Leni congelou, sem saber o que fazer – será que ela devia se afastar ou se aproximar? Ela reagiu por instinto e o tomou nos braços. Matthew se desmanchou dentro dela, abraçou-a com tanta força que ela não conseguia respirar. Sentiu as lágrimas dele em seu pescoço, quentes e molhadas.

– É minha culpa. Não paro de ter esses pesadelos... E acordo com tanta raiva que não consigo aguentar.

Antes que Leni pudesse dizer qualquer coisa, a garota loura bonita chegou ao lado de Matthew, passou um braço ao seu redor e o afastou de Leni. Ele cambaleou até os braços da irmã, movendo-se sem firmeza, como se até andar fosse algo estranho.

– Você deve ser Leni – disse Alyeska.

Leni assentiu.

– Eu sou Aly. A irmã mais velha de Mattie. Ele me falou de você. – Ela estava se esforçando muito para sorrir; isso era óbvio. – Contou que vocês eram melhores amigos.

Leni quis chorar.

– Nós somos.

– Isso é uma sorte. Eu não tinha ninguém da minha idade na escola quando morava aqui – falou Aly, enfiando o cabelo atrás da orelha. – Acho que foi por isso que Fairbanks pareceu uma ideia tão boa. Quero dizer... Kaneq e a propriedade às vezes podem parecer tão pequenos quanto um ponto. Mas eu devia ter estado aqui...

– Não – disse Matthew para a irmã. – Por favor.

O sorriso de Aly vacilou. Leni não conhecia a garota, mas sua luta para manter a compostura e seu amor pelo irmão eram evidentes. Isso fez Leni se sentir estranhamente conectada a ela, como se tivessem essa coisa importante em comum.

– Fico feliz que ele tenha você. Ele está... sofrendo agora, não está, Mattie? – A voz de Aly embargou. – Mas vai ficar bem. Eu espero.

Leni de repente viu como a esperança podia quebrar alguém, como era uma isca reluzente para os incautos. O que acontecia se você esperasse muito pelo melhor e obtivesse o pior? Era melhor não ter nenhuma esperança, se preparar? Não era sempre essa a lição de seu pai, se preparar para o pior?

– É claro que vai – respondeu Leni, mas não acreditava nisso.

115

Ela sabia o que pesadelos podiam fazer com uma pessoa e como lembranças ruins podiam mudar a personalidade.

—⚜—

No caminho para casa, ninguém falou. Leni sentia a perda de cada segundo de luz enquanto a noite caía, sentia isso com tanta força quanto uma marreta atingindo osso. Imaginou que o pai podia ouvi-los, os segundos perdidos, descendo ruidosamente por uma parede de pedra, mergulhando em algum lugar em água negra e turva.

A mãe estava encolhida em seu banco, curvada. Não parava de olhar para o pai.

Ele estava bêbado e raivoso. Quicava em seu banco e batia com a mão no volante.

A mãe estendeu a mão e tocou o braço dele.

Ele se afastou dela bruscamente e disse:

– Você é boa nisso, não é? Tocar homens. Você acha que não vi. Acha que sou burro.

A mãe o fitou de olhos arregalados, com o medo estampado em seus traços delicados.

– Eu não acho isso.

– Eu vi como você olhou para ele. Eu vi.

Ele murmurou alguma coisa e se afastou dela. Leni achou que ele disse *Respire* em voz baixa, mas não podia ter certeza. Tudo o que sabia era que elas estavam com problemas.

– Eu vi você tocar a mão dele – continuou.

Isso era ruim.

O pai sempre tivera inveja do dinheiro de Tom Walker... mas isso era outra coisa.

Por todo o caminho para casa, ele murmurava baixo *puta, vaca, mentirosa* e tamborilava no volante. Na propriedade, ele saiu cambaleante da Kombi e ficou ali parado, balançando, olhando para a cabana. A mãe foi até ele. Olharam fixamente um para outro, os dois com a respiração irregular.

– Está me fazendo de bobo outra vez... não é?

A mãe tocou seu braço.

– Você não acha mesmo que eu quero Tom...

Ele agarrou a mãe pelo braço e a arrastou para dentro. Ela tentou se desvencilhar, cambaleou para a frente, pôs a mão sobre a dele em uma tentativa fraca de fazê-lo afrouxar a pegada.

– Ernt, por favor.

Leni correu atrás deles, dizendo:

– Pai, por favor, solte-a.

– Leni, vá... – começou a mãe.

O pai acertou a mãe com tanta força que ela voou para o lado, bateu a cabeça na parede de troncos e desmoronou no chão.

Leni gritou:

– Mãe!

A mãe ficou de joelhos e se levantou sem muito equilíbrio. Seu lábio estava cortado, sangrando.

O pai bateu nela outra vez, com mais força. Quando a mãe atingiu a parede, ele olhou para baixo, viu o sangue nos nós de seus dedos e o encarou.

Um uivo agudo e triste de dor irrompeu dele, ecoando nas paredes de troncos. O pai cambaleou para trás, afastando-se. Lançou para a mãe um olhar longo e desesperado de tristeza e ódio, em seguida saiu correndo da cabana, batendo a porta às suas costas.

Leni estava tão assustada, surpresa e horrorizada com o que tinha acabado de testemunhar que não fez nada.

Nada.

Ela devia ter se jogado sobre o pai, se postado entre eles, até buscado sua arma.

Ouviu a porta bater, e isso a tirou de sua paralisia.

A mãe estava sentada no chão diante do fogão a lenha com as mãos no colo e a cabeça tombada para a frente, o rosto escondido pelo cabelo.

– Mãe?

A mãe ergueu lentamente os olhos, prendeu o cabelo atrás da orelha. Uma mancha vermelha marcava sua têmpora. Seu lábio inferior estava aberto, escorrendo sangue em sua calça.

Faça alguma coisa.

Leni correu até a cozinha, molhou um pano com a água do balde, foi até onde estava a mãe e se ajoelhou ao lado dela. Com um sorriso cansado, a mãe pegou o pano e o apertou sobre o lábio sangrando.

– Desculpe, filhota – disse por trás do pano.

– Ele bateu em você – falou Leni, estupefata.

Essa era uma péssima situação que ela nunca tinha imaginado. Perder a calma, sim. Um punho? Sangue? Não...

Você devia se sentir em segurança em sua própria casa, com seus pais. Eles deviam protegê-lo dos perigos externos.

– Ele esteve agitado o dia inteiro. Eu não devia ter falado com Tom. – A mãe suspirou. – E agora imagino que ele tenha ido para o complexo beber uísque e remoer o ódio com Earl Maluco.

Leni olhou para o rosto espancado e machucado da mãe, o pano ficando vermelho com seu sangue.

– Você está dizendo que é culpa sua?

– Você é nova demais para entender. Ele não queria fazer isso. Ele apenas... me ama demais, às vezes.

Isso era verdade? O amor era assim quando você crescia?

– Ele queria, sim – disse Leni em voz baixa, sentindo uma onda fria de compreensão invadi-la.

Lembranças se encaixaram como peças de um quebra-cabeça. Os machucados da mãe, ela sempre dizendo: *Eu sou desastrada*. Ela tinha escondido essa verdade feia de Leni por anos. Seus pais tinham conseguido esconder isso dela com paredes e mentiras, mas ali, naquela cabana de um cômodo, não havia mais esconderijo.

– Ele já bateu em você antes.

– Não – respondeu a mãe. – Quase nunca.

Leni tentou juntar as peças em sua cabeça, fazer com que tivessem sentido, mas não conseguiu. Como isso podia ser amor? Como isso podia ser culpa da mãe?

– Temos que entender e perdoar – disse a mãe. – É assim que você ama alguém que está doente. Alguém que está lutando. É como se ele tivesse câncer. É assim que você tem que pensar nisso. Ele vai melhorar. Vai, sim. Ele nos ama muito.

Leni ouviu a mãe começar a chorar, e de algum modo isso piorou as coisas, como se suas lágrimas regassem o terror daquela situação, fazendo-o crescer. Leni puxou-a para seus braços, abraçou-a firme, acariciou suas costas, como a mãe tinha feito tantas vezes com ela.

Não sabia por quanto tempo estava sentada ali, segurando-a, relembrando várias vezes aquela cena horrível.

Então ouviu o pai voltar.

Escutou passos incertos no deque, ele tentando abrir o trinco da porta. A mãe também deve ter ouvido, porque começou a se pôr de pé com dificuldade, empurrou Leni para o lado e disse:

– Vá lá para cima.

Leni observou a mãe se levantar; ela largou o pano molhado e ensanguentado. Ele caiu no chão com um ruído úmido.

A porta se abriu. O frio entrou rapidamente.

– Você voltou – sussurrou a mãe.

O pai ficou parado à porta, seu rosto tomado pela agonia, os olhos cheios de lágrimas.

– Cora, meu Deus – disse ele, a voz arranhada e embargada. – Claro que voltei.

Eles caminharam um para o outro.

O pai caiu de joelhos na frente da mãe, batendo tão alto na madeira que Leni soube que haveria hematomas no dia seguinte.

A mãe se aproximou, passou as mãos no cabelo dele. Ele enfiou o rosto em sua barriga e começou a tremer e a chorar.

– Desculpe. É só que amo tanto você... que isso me deixa louco. Mais louco. – Ele ergueu os olhos, chorando mais forte. – Eu não tive a intenção.

– Eu sei, querido.

A mãe se ajoelhou, tomou-o nos braços e o balançou de um lado para outro.

Leni sentiu a repentina fragilidade de seu mundo, do próprio mundo. Ela mal se lembrava do Antes. Talvez não se lembrasse de nada, na verdade. Talvez as imagens que tinha na memória – o pai a levantando nos ombros, arrancando pétalas de uma margarida, segurando um ranúnculo-amarelo junto de seu queixo, lendo para ela uma história na cama – fossem imagens que ela tirara de filmes e imbuíra de uma vida imaginada.

Ela não sabia. Como poderia? A mãe queria que Leni olhasse para o outro lado com a mesma facilidade que ela. Perdoar mesmo quando as desculpas oferecidas eram tão finas quanto linha de pesca e tão frágeis quanto uma promessa de melhorar.

Por anos, por toda sua vida, Leni tinha feito exatamente isso. Ela amava seus pais, os dois. Sabia, sem que lhe dissessem, que a escuridão em seu pai era ruim e as coisas que ele fazia eram erradas, mas também acreditava nas explicações da mãe: que o pai estava doente e sentia muito, que, se elas o amassem o suficiente, ele ia melhorar e as coisas voltaria a ser como antes.

Só que Leni não acreditava mais nisso.

A verdade era que o inverno tinha apenas começado. O frio e a escuridão iam durar por muito, muito tempo, e elas estavam sozinhas ali, presas com o pai. Sem um número de emergência e ninguém para ligar e pedir ajuda. Durante todo esse tempo, o pai ensinara a Leni como o mundo exterior era perigoso.

A verdade era que o maior perigo de todos estava dentro de sua própria casa.

DEZ

— Vamos, dorminhoca! – chamou a mãe animada, bem cedo na manhã seguinte. – Hora de ir para a escola.

Aquilo pareceu muito comum, algo que toda mãe dizia para os filhos de 14 anos, mas Leni ouviu o que havia de verdade por trás das palavras, o *por favor vamos fingir* que estabelecia um pacto perigoso.

A mãe queria introduzir Leni em um clube terrível e silencioso ao qual a garota não queria pertencer. Ela não queria fingir que o que tinha acontecido era normal, mas o que ela – uma criança – podia fazer em relação a isso?

Leni se vestiu para a escola e desceu com cautela a escada do mezanino, com medo de ver o pai.

A mãe estava parada ao lado da mesa de carteado, segurando um prato de panquecas ladeadas por tiras crocantes de bacon. O lado direito de seu rosto estava inchado, e um hematoma se espalhava pela têmpora. Seu olho direito estava preto e ela mal conseguia abri-lo.

Leni sentiu uma onda de raiva; isso a preocupou e confundiu.

Medo e vergonha, ela entendia. O medo fazia você correr e se esconder, e a vergonha fazia você ficar quieto, mas essa raiva queria outra coisa. Ser liberada.

– Não – disse a mãe. – Por favor.

– Não o quê? – perguntou Leni.

– Você está me julgando.

Era verdade, percebeu Leni com surpresa. Ela *estava* julgando a mãe, e isso parecia desleal. Até mesmo cruel. Sabia que o pai era doente. Leni se agachou para recolocar a brochura embaixo da perna bamba da mesa.

– É mais complicado do que você pensa. Ele não tem a intenção de fazer isso. Honestamente. E às vezes eu o provoco. É sem querer. Sei que não devo fazer isso.

Leni suspirou ao ouvir isso e baixou a cabeça. Devagar, ficou de pé e se virou para olhar a mãe.

– Mas nós estamos no Alasca agora, mãe. Não temos como conseguir ajuda se precisarmos. Talvez devêssemos ir embora. – Ela não sabia que isso estava em sua cabeça até se ouvir dizer as palavras terríveis. – Tem muito mais inverno por vir.

– Eu o amo. Você o ama.

Isso era verdade, mas era a resposta certa?

– Além disso, não temos aonde ir nem dinheiro. Mesmo que eu quisesse voltar para casa com o rabo entre as pernas, como eu faria isso? Precisaríamos deixar tudo o que temos aqui, andar até a cidade, conseguir uma carona para Homer e então fazer com que meus pais enviassem dinheiro suficiente para uma passagem de avião.

– Será que eles nos ajudariam?

– Talvez. Mas a que preço? E... – A mãe fez uma pausa e respirou fundo. – Ele nunca me aceitaria de volta. Não se eu fizesse isso. Partiria seu coração. E ninguém nunca vai me amar como ele me ama. Ele está se esforçando muito. Você viu como ele se arrependeu.

Ali estava ela: a triste verdade. A mãe o amava demais para deixá-lo. Mesmo agora, com o rosto roxo e inchado. Talvez o que ela sempre dizia fosse verdade, talvez não conseguisse respirar sem ele, talvez fosse murchar como uma flor sem a luz do sol de sua adoração.

Antes que Leni pudesse perguntar *O amor é isso?*, a porta da cabana se abriu, trazendo uma lufada de ar gelado, um redemoinho de neve.

O pai entrou e fechou a porta às suas costas. Tirando as luvas e soprando as mãos nuas em concha, ele bateu a neve das botas de pele. Ela se acumulou a seus pés, branca por um instante antes de derreter em poças. Seu gorro pesado de lã estava branco de neve, assim como seu bigode e sua barba fartos. Ele parecia um homem da montanha. Seu jeans parecia quase congelado.

– Aí está minha pequena bibliotecária – falou, dando para ela um sorriso triste, quase desesperado. – Fiz suas tarefas esta manhã, alimentei as galinhas e as cabras. Sua mãe disse que você precisava dormir.

Leni *viu* seu amor por ela, brilhando em meio ao seu remorso. Isso corroeu sua raiva, fez com que ela questionasse tudo outra vez. Ele não queria machucar a mãe, não tinha a intenção. Estava doente...

– Você vai se atrasar para a escola – advertiu a mãe em voz baixa. – Aqui, leve seu café da manhã com você.

Leni pegou seus livros e sua lancheira do Ursinho Pooh e vestiu os agasalhos – botas, um gorro com forro de lã, suéter com padrão *cowichan* e luvas. Comeu uma panqueca enrolada com geleia enquanto seguia em direção à porta e saía para um mundo branco.

Sua respiração se condensava à sua frente; ela não via nada além de neve caindo e do homem respirando ao seu lado. A Kombi lentamente foi ganhando forma, já ligada.

Ela estendeu a mão enluvada e abriu a porta do passageiro. Foram necessárias algumas tentativas no frio, mas a velha porta de metal enfim rangeu e se abriu, e Leni jogou sua mochila e sua lancheira no chão e subiu no banco de vinil rasgado.

O pai subiu no banco do motorista e acionou o limpador de para-brisa. O rádio ligou, berrando alto. Era o programa matinal *Peninsula Pipeline*. Mensagens para pessoas que viviam no mato sem telefones ou serviço de correio.

– ...e para Maurice Lavoux em McCarthy, sua mãe manda você ligar para seu irmão, ele está se sentindo muito mal...

Durante todo o caminho até a escola, o pai não falou nada. Leni estava tão perdida em seus pensamentos que ficou surpresa quando ele disse:

– Chegamos.

Ela ergueu os olhos e viu a escola à sua frente. O limpador de para-brisa fazia com que o prédio aparecesse em um leque nublado e em seguida desaparecesse.

– Lenora?

Ela não queria olhar para ele. Queria ser forte como uma pioneira do Alasca sobrevivente do Armagedom, fazer com que ele soubesse que ela estava com raiva, deixar que isso fosse uma espada que ela pudesse brandir, mas então ele chamou seu nome outra vez, com a voz cheia de arrependimento.

Leni o encarou.

Ele tinha se virado de modo que suas costas estavam espremidas contra a porta. Com a neve e a neblina do lado de fora, ele parecia vibrante, seu cabelo preto, os olhos escuros, o bigode e a barba fartos.

– Estou doente, Ruiva. Você sabe disso. Os psiquiatras chamam de reação aguda ao estresse. São apenas um monte de palavras que não valem nada, mas os flashbacks e os pesadelos são reais. Não consigo tirar algumas coisas muito ruins da cabeça e isso me deixa louco. Ainda mais agora, com o dinheiro tão curto.

– Beber não ajuda – argumentou Leni, cruzando os braços.

– Não, não ajuda. Nem esse clima. E eu sinto muito. Sinto muito mesmo. Vou parar de beber. Isso nunca mais vai acontecer. Juro pelo tanto que amo vocês.

– Sério?

– Vou me esforçar mais, Ruiva. Prometo. Eu amo sua mãe como... – A voz dele se reduziu a um sussurro. – Ela é minha heroína. Você sabe disso.

Leni sabia que não era uma coisa boa, não era uma coisa *normal* de pai e mãe, comparar seu amor a uma droga que podia esvaziar seu corpo, acabar com seu cérebro e deixá-lo parecendo morto. Mas eles diziam isso um para o outro o tempo todo. Eles diziam isso do jeito que Ali McGraw, no filme *Love Story – Uma história de amor,* dizia que o amor significa não ter que pedir perdão, como se isso fosse uma verdade bíblica.

Ela queria que o arrependimento, a vergonha e a tristeza dele fossem suficientes para ela. Queria seguir a orientação da mãe como sempre tinha feito. Queria acreditar que a noite anterior tinha sido uma anomalia terrível e que aquilo não ia acontecer de novo.

O pai estendeu a mão e tocou sua bochecha fria.

– Você sabe quanto te amo.

– Sei – disse ela.

– Isso não vai acontecer de novo.

Leni tinha que acreditar nisso, acreditar nele. Como ficaria seu mundo sem isso? Ela assentiu e saltou da Kombi. Caminhou com dificuldade pela neve, subiu os degraus e entrou na escola quente.

O silêncio a recebeu.

Ninguém falava nada.

Os alunos estavam em seus lugares, e a Sra. Rhodes escrevia no quadro-negro: *Segunda Guerra Mundial. O Alasca foi o único estado invadido pelos japoneses.* O arranhar de seu giz no quadro era o único som na sala. Nenhuma das crianças conversava, ria ou empurrava umas às outras.

Matthew estava sentado em sua carteira.

Leni pendurou o suéter em um gancho ao lado da parca de alguém e bateu com os pés para tirar a neve de suas botas de frio extremo. Ninguém se virou para olhar para ela.

Em seguida guardou a lancheira e foi para sua carteira, tomando o assento ao lado de Matthew.

– Oi – falou.

Ele lhe lançou um sorriso quase inexistente e não fez contato visual.

– Oi.

A Sra. Rhodes se virou para olhar os alunos. Seu olhar parou em Matthew e suavizou-se. Ela pigarreou.

– Ok. Axle, Matthew e Leni, abram seus livros de história do estado na página 172. Na manhã de 6 de junho de 1942, quinhentos soldados japoneses invadiram a ilha Kiska, nas Aleutas. Foi a única batalha da guerra travada em solo americano. Muitas pessoas se esqueceram dela, mas...

Leni queria estender o braço por baixo da mesa e segurar a mão de Matthew, sentir o conforto do toque de um amigo, mas e se ele retirasse a mão? O que ela diria, então?

Não podia reclamar que sua família se revelara frágil e que não se sentia mais segura em casa, não depois do que ele tinha passado.

Ela podia ter dito isso antes – talvez – quando a vida parecia diferente para os dois, mas não agora, quando ele estava tão arrasado que não conseguia nem se sentar reto.

Leni quase disse *As coisas vão melhorar* para ele, mas então viu as lágrimas em seus olhos e fechou a boca. Nenhum deles precisava de lugares-comuns nesse momento.

Eles precisavam era de ajuda.

Em janeiro, o tempo piorou. O frio e a escuridão isolaram ainda mais a família Allbright. Alimentar o fogão a lenha se tornou prioridade, uma tarefa constante, dia e noite. Eles tinham que cortar, carregar e empilhar uma grande quantidade de lenha todo dia, apenas para sobreviver. E, como se isso tudo não fosse estressante o suficiente, em noites ruins – noites de pesadelos – o pai as acordava para arrumar e desarrumar suas bolsas de emergência, testar quanto estavam preparadas, desmontar e remontar suas armas.

Todos os dias, o sol se punha antes das cinco da tarde e não nascia até as dez da manhã, dando a eles menos de sete horas de luz por dia – e mais de dezessete horas de escuridão. Dentro da cabana, os copos de papel não exibiam nenhuma nova muda. O pai passava um bom tempo debruçado sobre seu rádio amador, falando com Earl Maluco e Clyde, mas o mundo exterior era cada vez mais extirpado. Nada era fácil – buscar água, cortar lenha, alimentar os animais ou ir para a escola.

O pior de tudo, porém, era a despensa que se esvaziava depressa. Eles não tinham mais legumes, nada de batatas, cebolas ou cenouras. Estavam quase no fim de seus estoques de peixe, e havia apenas um único quarto traseiro de caribu pendurado no depósito. Como não comiam quase nada além de proteína, sabiam que a carne não ia durar muito.

Seus pais brigavam constantemente por causa da falta de dinheiro e de suprimentos. A raiva do pai – contida a duras penas desde o funeral – aos poucos aumentava. Leni podia senti-la se desenrolar, ocupar espaço. Ela e a mãe se moviam com cautela, tentavam nunca irritá-lo.

Nesse dia, Leni acordou no escuro, tomou seu café da manhã, se vestiu para a escola no escuro e chegou à sala de aula no escuro. O sol de olhos turvos não apareceu até depois das dez horas, mas quando surgiu, irradiando débeis fachos de luz amarela para o interior da sala de aula sombria, iluminada por lampiões e um fogão a lenha, todo mundo se animou.

– É um dia de sol! O homem do tempo estava certo! – exclamou a Sra. Rhodes de seu lugar à frente da turma.

Leni estava no Alasca havia tempo suficiente para saber que um dia ensolarado e de céu azul em janeiro era algo notável.

– Acho que precisamos sair desta sala, botar um pouco de ar em nossos pulmões e um pouco de luz do sol em nossos rostos. Soprem as teias de aranha do inverno. Vamos fazer uma excursão!

Axle resmungou. Ele odiava tudo e qualquer coisa que tivesse a ver com a escola. Olhou através do ninho de ratos que era sua franja de cabelo negro que ele nunca lavava.

– Ah, qual é? Não podemos apenas ir para casa cedo? Eu poderia ir pescar no gelo.

A Sra. Rhodes ignorou o adolescente de cabelo imundo.

– Os mais velhos, Matthew, Axle e Leni, ajudem os pequenos a vestirem seus casacos e a pegarem suas mochilas.

– Eu não vou ajudar – disse Axle, direto. – Deixe que os pombinhos cuidem de tudo.

O rosto de Leni se inflamou com o comentário. Ela não olhou para Matthew.

– Certo. Tanto faz – respondeu a Sra. Rhodes. – Você pode ir para casa.

Axle não precisou de outro estímulo. Pegou sua parca e saiu apressado da escola.

Leni se levantou e foi ajudar Marthe e Agnes com suas parcas. Mais ninguém tinha aparecido na escola nesse dia; a viagem desde a enseada Bear devia ter se revelado dura demais.

Ela se virou, viu Matthew parado ao lado de sua carteira, com os ombros curvados, o cabelo sujo caindo na frente dos olhos. Foi até ele, estendeu a mão e tocou sua manga de flanela.

– Quer que eu pegue seu casaco?

Ele tentou sorrir.

– Sim. Obrigado.

Ela pegou a parca camuflada de Matthew e a entregou a ele.

– Está bem, pessoal, vamos – incitou a Sra. Rhodes.

A professora conduziu os alunos para fora da sala de aula, para o dia iluminado pelo sol. Eles caminharam através da cidade e desceram até a baía, onde um hidroavião Beaver estava atracado.

O avião tinha amassados e precisava de pintura. Ele balançava e rangia e puxava suas amarras a cada golpe da maré enchente. Com sua aproximação, a porta do avião se abriu e um homem magro com uma barba branca farta saltou na doca. Ele usava um boné velho de caminhoneiro e botas diferentes uma da outra. O sorriso que lançou para eles foi tão grande que inflou suas bochechas e transformou seus olhos em fendas.

– Crianças, este é Dieter Manse, de Homer. Ele costumava ser piloto da Pan Am. Subam a bordo – disse a Sra. Rhodes e, virando-se para Dieter, acrescentou: – Obrigada, cara. Eu agradeço por isso. – Ela olhou preocupada para Matthew. – Nós precisamos esvaziar um pouco a mente.

O velho assentiu.

– O prazer é meu, Tica.

Em sua vida passada, Leni não teria acreditado que esse homem fora capitão da Pan Am. Mas naquele lugar muita gente tinha sido alguma coisa fora dali e se tornado outra no Alasca. Marge Gorda costumava ser promotora pública na cidade grande e agora tomava banho na lavanderia automática e vendia chiclete, e Natalie tinha parado de dar aulas de economia em uma universidade para comandar seu próprio barco de pesca. O Alasca era cheio de pessoas inesperadas – como a mulher que morava em um ônibus escolar aos pedaços em Anchor Point e lia mãos. Segundo boatos, ela fora policial em Nova York. Agora circulava com um papagaio no ombro. Todo mundo ali tinha duas histórias: a vida de antes e a vida atual. Se você quisesse rezar para um deus esquisito, viver em um ônibus escolar ou se casar com uma gansa, ninguém no Alasca lhe diria nada. Ninguém se importava se você tinha um carro velho em seu deque, muito menos uma geladeira enferrujada. Qualquer vida que pudesse ser imaginada podia ser vivida ali.

Leni subiu no avião, inclinando-se para entrar. Lá dentro, se sentou na fileira do meio e afivelou o cinto de segurança. A Sra. Rhodes se sentou ao lado dela. Matthew passou por elas de cabeça baixa, sem fazer contato visual.

– Tom diz que ele não está falando muito – disse a Sra. Rhodes para Leni, inclinando-se para perto.

– Não sei do que ele precisa – confessou Leni, virando-se e observando Matthew se sentar e prender bem o cinto de segurança.

– Uma amiga – respondeu a Sra. Rhodes, mas era uma resposta estúpida. O tipo de coisa que adultos diziam. Óbvia. Mas o que essa amiga devia *dizer*?

O piloto subiu a bordo, prendeu o cinto e pôs um *headset*, em seguida ligou o motor. Leni ouviu Marthe e Agnes rindo em seus assentos atrás dela.

O motor do hidroavião zumbiu, o metal por toda sua volta chacoalhou. Ondas bateram nos flutuadores.

O piloto estava dizendo alguma coisa sobre o assento das poltronas e o que fazer em caso de um pouso imprevisto na água.

– Espere. Isso significa um acidente. Ele está falando sobre o que fazer se cairmos – disse ela sentindo o início do pânico.

– Vamos ficar bem – garantiu a Sra. Rhodes. – Você não pode ser alasquiano e ter medo de pequenos aviões. É assim que nos locomovemos.

Leni sabia que era verdade. Com tão pouco do estado acessível por estradas, barcos e aviões eram importantes ali. No inverno, a vastidão do Alasca era conectada por rios e lagos congelados. No verão, toda aquela água de movimento rápido os separava e isolava. Pequenos aviões os ajudavam a chegar aos lugares. Ainda assim, ela nunca tinha entrado em um avião e ele parecia incrivelmente instável e não confiável. Ela segurou e apertou os braços da poltrona. Tentou afastar o medo de sua mente enquanto o avião passava roncando pelo quebra-mar, chacoalhando muito, e começava a se alçar no céu. O avião oscilou de forma horrível e se estabilizou. Leni não abria os olhos. Se abrisse, sabia que ia ver coisas que a assustavam: parafusos que podiam se soltar, janelas que podiam rachar, montanhas nas quais eles podiam bater. Ela pensou naquele avião que tinha caído nos Andes alguns anos antes. Os sobreviventes tinham se tornado *canibais*.

Os dedos dela doíam, tamanha era a força com que se segurava.

– Abra os olhos – disse a Sra. Rhodes. – Confie em mim.

Ela abriu os olhos, afastou os cachos vibrantes do rosto.

Através de um círculo de acrílico, o mundo era algo que ela nunca tinha visto. Azul, preto, branco, roxo. Daquele ponto elevado, a história geográfica do Alasca ganhou vida para ela; Leni viu a violência de seu nascimento – vulcões como os montes Redoubt e Augustine em erupção; picos de montanhas impulsionados do mar para o alto e depois desgastados por geleiras azul-escuras; fiordes esculpidos por rios de gelo em movimento. Ela viu Homer, encolhida em uma faixa de terra entre penhascos altos de arenito, campos cobertos de neve e o Homer Spit apontando para a baía. Geleiras tinham formado toda aquela paisagem, recortado e triturado o que havia em frente, abrindo baías profundas, deixando montanhas dos dois lados.

As cores eram espetaculares, saturadas. Do outro lado da baía azul, as montanhas Kenai se erguiam como se saídas de um conto de fadas, lâminas serrilhadas brancas que se erguiam alto em direção ao céu azul. Em alguns lugares, as geleiras com suas laterais íngremes eram do azul-claro de ovos de pintarroxo.

As montanhas se expandiam, engoliam o horizonte. Picos brancos pontiagudos listrados com fendas negras e geleiras turquesa.

– Uau! – exclamou ela, se espremendo mais contra a janela.

Eles voaram perto de picos de montanhas.

Então começaram a descer, planando baixo sobre uma enseada. Neve cobria tudo, esparramava-se em faixas reluzentes na praia, transformada em gelo e lama perto da água. O hidroavião virou, inclinou-se de lado, subiu outra vez e passou voando por um grupo de árvores brancas. Ela viu um grande alce macho caminhando na direção da baía.

Eles estavam acima de uma baía e descendo rápido.

Ela apertou outra vez os braços da poltrona, fechou os olhos e se preparou.

Eles aterrissaram com um baque forte, e ondas bateram contra os pontões. O piloto desligou o motor, saltou do avião, pisou na água congelante, arrastou o hidroavião mais alto na praia e o amarrou a um tronco caído. Neve parcialmente derretida flutuava em torno de seus tornozelos.

Leni saltou do avião com cuidado (nada era mais perigoso ali do que se molhar no inverno), caminhou pelo flutuador e saltou sobre a praia com lama e neve. Matthew estava bem atrás dela.

A Sra. Rhodes reuniu os poucos estudantes na praia congelada.

– Está bem, crianças. Os pequenos e eu vamos dar um passeio até o cume. Matthew, você e Leni saiam para explorar. Divirtam-se um pouco.

Leni olhou ao redor. A beleza desse lugar, sua majestade, era impressionante. Havia uma paz profunda e constante ali; não ouvia vozes humanas, barulho de passos, riso nem motores em funcionamento. O mundo natural falava mais alto, a respiração da maré sobre as rochas, a batida da água nos pontões do hidroavião, o rugido distante de leões-marinhos amontoados em uma pedra, circundados por gaivotas barulhentas.

A água além do gelo na praia era de um azul-esverdeado impressionante, da cor que Leni imaginava que fosse o mar do Caribe, com uma linha costeira nevada decorada com enormes rochas negras cobertas de branco. Picos cobertos de neve forçavam sua presença. No alto, Leni viu pontos cor de marfim espalhados por encostas absurdamente íngremes – cabritos-monteses. Ela levou a mão ao bolso para pegar seu último e precioso filme.

Mal podia esperar para tirar algumas fotos, mas tinha que economizar.

Por onde começaria? As pedras na praia vitrificadas pelo gelo que pareciam pérolas? A folhagem congelada de samambaias crescendo em um tronco preto cercado de água? A água turquesa? Ela se virou para Matthew, ia dizer algo, mas ele havia desaparecido.

Ela se virou, sentiu a água congelante batendo em suas botas e viu Matthew parado na praia ao longe, sozinho, de braços cruzados. Ele tinha tirado sua parca, que jazia a centímetros das ondas. Seu cabelo se agitava à frente de seu rosto.

Ela chapinhou pela água na direção dele e estendeu a mão.

– Matthew, você precisa vestir seu casaco. Está frio...

Ele se afastou de seu toque e saiu aos tropeções.

– Afaste-se de mim – falou ele de modo grosseiro. – Eu não quero que você veja...

– Matthew?

Leni segurou seu braço e o forçou a olhar para ela. Seus olhos estavam vermelhos de choro.

Ele a empurrou para longe, fazendo-a cambalear para trás, tropeçar em um pedaço de madeira levada pela maré e cair com força.

Aconteceu rápido o bastante para fazê-la perder o fôlego. Leni ficou ali deitada, esparramada sobre as pedras congeladas, a água fria subindo em sua direção, e ergueu os olhos para ele, seu cotovelo com uma pontada de dor.

– Ah, meu Deus – disse ele. – Você está bem? Eu não quis fazer isso.

Leni ficou de pé e olhou para ele. *Eu não quis fazer isso*. As mesmas palavras que ela tinha ouvido o pai dizer.

– Tem alguma coisa errada comigo – falou Matthew com voz trêmula. – Meu pai me culpa e não consigo dormir de jeito nenhum e, sem minha mãe, a casa está tão silenciosa que tenho vontade de gritar.

Leni não sabia o que responder.

– Tenho pesadelos... com minha mãe. Vejo o rosto dela debaixo do gelo... gritando... Não sei o que fazer. Eu não queria que você soubesse.

– Por quê?

– Quero que você goste de mim. Às vezes você é... a única coisa... Ah, droga... Esqueça. – Ele balançou a cabeça e começou a chorar outra vez. – Sou um fracassado.

– Não. Você só precisa de ajuda. Quem não precisaria? Depois... do que você passou.

– Minha tia quer que eu vá morar com ela em Fairbanks. Ela acha que eu devia jogar hóquei, aprender a voar e me consultar com um psicólogo. Eu poderia ficar com Aly. A menos que... – Ele olhou para Leni.

– Então você vai para Fairbanks – disse ela baixinho.

Matthew deu um suspiro profundo. Ela achou que talvez isso já estivesse decidido e ele estivesse esperando todo esse tempo para lhe contar.

– Vou sentir sua falta.

Ele estava indo embora. Partindo.

Com isso, ela sentiu uma sensação dolorida de tristeza se expandir em seu peito. Também ia sentir muita falta dele, mas Matthew precisava de ajuda. Por causa de seu pai, ela sabia o que pesadelos, tristeza e falta de sono podiam fazer com uma pessoa, a combinação tóxica que isso podia ser. Que tipo de amiga seria caso se preocupasse mais consigo mesma do que com ele?

Vou sentir sua falta, queria dizer para ele, mas qual o sentido disso? Palavras não ajudavam.

Depois que Matthew se foi, janeiro ficou mais escuro. Mais frio.

– Leni, você poderia arrumar a mesa para o jantar? – perguntou a mãe em uma noite especialmente fria e tempestuosa, com o vento forçando para entrar, a neve em torvelinho.

Ela estava fritando um pouco de apresuntado em uma frigideira de ferro fundido, apertando-o com a espátula. Duas fatias de apresuntado para três pessoas, era tudo o que eles tinham.

Leni largou o livro de estudos sociais e foi para a cozinha, sem tirar os olhos do pai. Ele andava de um lado para outro junto da parede dos fundos, suas mãos abrindo e fechando, abrindo e fechando, os ombros curvados, murmurando consigo mesmo. Seus braços estavam fibrosos e magros, seu estômago côncavo por baixo de sua roupa térmica.

Ele bateu forte na testa com a base da mão, murmurando algo ininteligível.

Leni deu a volta na mesa e foi para a pequena cozinha.

Lançou à mãe um olhar preocupado.

– O que você disse? – perguntou o pai, se materializando atrás de Leni, avultante.

A mãe apertou a espátula sobre uma fatia de apresuntado. Uma bolha de gordura saltou e pousou na parte de trás de seu pulso.

– Ai! Droga!

– Vocês duas estão falando de mim? – indagou o pai.

Leni pegou o pai delicadamente pelo braço e o conduziu até a mesa.

– Sua mãe estava falando de mim, não estava? O que ela disse? Mencionou Tom?

Leni puxou uma cadeira e o acomodou nela.

– Ela estava falando sobre o jantar, pai. Só isso.

A garota começou a se afastar. Ele agarrou sua mão e a puxou com tanta força que ela tropeçou e caiu sobre ele.

– *Você* me ama, certo?

Leni não gostou da ênfase.

– Mamãe e eu amamos você.

A mãe pareceu perceber a deixa e apareceu, pôs o pratinho de apresuntado ao lado de uma tigela esmaltada com os feijões assados com açúcar mascavo de Thelma.

A mãe se abaixou, beijou a bochecha do pai e apertou a palma da mão em seu rosto.

Isso o acalmou, o toque. Ele suspirou e tentou sorrir.

– O cheiro está bom.

Leni se sentou em seu lugar e começou a servir.

A mãe se acomodou na sua frente e começou a mexer nos feijões, remexeu-os de um lado para outro em seu prato, observando o pai. Ele murmurou algo em voz baixa.

– Você precisa comer alguma coisa, Ernt.

– Eu não posso comer essa porcaria.

Ele empurrou o prato para o lado e o jogou no chão com um estrondo.

O pai se levantou, saiu andando da mesa, movendo-se depressa, pegou sua parca no gancho da parede e abriu a porta.

– Não há *paz* aqui, droga – resmungou ele, ao deixar a cabana e bater a porta às suas costas.

Momentos depois, elas ouviram a Kombi ligar, acelerar e ir embora.

Leni olhou para o outro lado da mesa.

– Coma – disse a mãe e se abaixou para pegar o prato e o copo caídos.

Depois do jantar, elas ficaram lado a lado lavando e secando a louça e a guardando nas prateleiras acima da bancada.

– Você quer jogar General? – perguntou Leni por fim.

Sua pergunta tinha tanto entusiasmo quanto a afirmativa triste que a mãe fez com a cabeça.

Elas se sentaram à mesa de carteado e jogaram pelo máximo de tempo que puderam aguentar o faz de conta.

Leni sabia que as duas estavam esperando ouvir a Kombi voltar ruidosamente para o quintal. Preocupadas. Perguntando-se o que era pior: ele estar ali ou não.

– Onde você acha que ele está? – perguntou Leni depois do que pareceram horas.

– Na casa do Earl Maluco, se é que conseguiu chegar lá. Ou na Coice do Alce, se as estradas estavam ruins demais.

– Bebendo – disse Leni.

– Bebendo.

– Talvez nós devêssemos...
– Não – interrompeu a mãe. – Apenas vá para a cama, está bem?
Ela se recostou e acendeu um de seus últimos cigarros preciosos.

Leni recolheu os dados, os cartões de pontuação e o pequeno copo marrom e amarelo de couro falso para jogar os dados e os guardou de volta na caixa vermelha.

Subiu a escada do mezanino e rastejou para dentro do saco de dormir sem se dar sequer ao trabalho de escovar os dentes. Lá embaixo, ouviu a mãe andando de um lado para outro.

Leni rolou para o lado para pegar papel e uma caneta. Desde que Matthew partira, ela lhe escrevia várias cartas, que Marge Gorda remetia para ela. Matthew respondia religiosamente, bilhetes curtos sobre seu novo time de hóquei e a sensação de estar em uma escola que tinha equipes esportivas de verdade. A letra dele era tão ruim que ela mal conseguia decifrá-la. Esperava, impaciente, cada carta e as abria imediatamente. Lia cada uma várias vezes, como uma detetive à procura de pistas e traços de emoção. Nem ela nem Matthew sabiam bem o que dizer, como usar algo tão impessoal quanto palavras para criar uma ponte entre suas vidas tão diferentes, mas continuavam a manter contato. Ela ainda não sabia como ele se sentia em relação a si mesmo, à mudança ou à perda da mãe, mas sabia que estava pensando nela. Isso, para começar, era mais que suficiente.

Querido Matthew,
Hoje na escola aprendemos mais sobre a corrida do ouro do Klondike. A Sra. Rhodes de fato mencionou sua avó como o tipo de mulher que partiu para o Norte sem nada e encontrou...

Ela ouviu um grito.

Leni saiu depressa do saco de dormir e praticamente escorregou pela escada.

– Tem alguma coisa lá fora – disse a mãe, saindo de seu quarto e segurando um lampião.

Sob aquela luz, ela parecia selvagem, pálida.

Um lobo uivou. O lamento ondulou pela escuridão.

Perto.

Outro lobo respondeu.

As cabras berraram em resposta, um berro terrível e triste que parecia humano.

Leni pegou o rifle no suporte e foi até a porta aberta.

– Não! – gritou a mãe, puxando-a de volta. – Não podemos ir lá fora. Eles podem nos atacar.

Elas afastaram a cortina e abriram a janela. O frio as açoitou com violência.

Uma lasca de luar brilhava sobre o jardim, fraco e insubstancial, mas suficiente para que pudessem ter vislumbres de movimento. Luz sobre pelo prateado, olhos amarelos, presas. Uma alcateia se movendo na direção do cercado das cabras.

– Saiam daqui! – gritou Leni.

Ela ergueu o rifle e apontou para alguma coisa em movimento, e atirou.

O disparo foi um estrondo. Um lobo ganiu, uivou.

Ela atirou de novo e de novo, ouviu as balas atingirem árvores e retinirem em metal.

Os gritos e berros das cabras prosseguiram sem parar.

Silêncio.

Leni abriu os olhos e viu que estava esparramada no sofá, com a mãe ao seu lado.

O fogo tinha se apagado.

Tremendo, Leni empurrou a pilha de cobertores de lã e pele e reacendeu o fogo.

– Mãe, acorde – chamou.

As duas usavam várias camadas de roupa, mas, quando enfim pegaram no sono, estavam tão exaustas que se esqueceram do fogo.

– Temos que dar uma olhada lá fora.

A mãe se sentou.

– Vamos quando houver luz – falou ela.

Leni olhou para o relógio. Seis da manhã.

Horas depois, quando o amanhecer finalmente projetou sua luz lenta e hesitante sobre a terra, Leni calçou suas botas brancas de frio extremo, pegou o rifle do suporte perto da porta e o carregou. Fechar a câmara fez um barulho alto.

– Não quero ir lá fora – disse a mãe. – E não. Você não vai sozinha, mocinha.

Com um sorriso fraco, ela calçou suas botas e vestiu a parca, levantando o capuz forrado de pele. Carregou um segundo rifle e parou ao lado de Leni.

Leni abriu a porta e saiu para o deque coberto de neve, segurando o rifle à sua frente.

O mundo era todo branco. Neve caindo. Embotado. Nenhum som.

Elas seguiram pelo deque e desceram os degraus.

Leni sentiu o cheiro da morte antes de vê-la.

Sangue manchava a terra perto do cercado de cabras destroçado. Mourões e portões tinham sido destruídos e jaziam quebrados. Havia fezes por toda parte, em pilhas escuras, misturadas com sangue, tecido e entranhas. Trilhas de tecido sangrento levavam à mata.

Destruído. Tudo. Os cercados, o terreiro das galinhas, o galinheiro. Todos os animais haviam desaparecido, não havia sequer pedaços.

Elas olharam fixamente para a destruição até que a mãe disse:

– Não podemos ficar aqui fora. O cheiro do sangue vai atrair predadores.

ONZE

Na estrada com a mãe, as duas andando de mãos dadas, Leni se sentiu como uma astronauta se movendo por uma paisagem branca e inóspita. Sua respiração e seus passos eram tudo o que ouvia. Tentou convencer a mãe a parar na propriedade dos Walkers ou na de Marge Gorda, mas ela não lhe deu ouvidos. Não queria admitir o que havia acontecido.

Na cidade, tudo tinha encolhido. O passadiço de madeira era uma faixa de gelo coberta de neve. Pingentes de gelo pendiam dos beirais dos telhados das construções, e neve cobria toda a superfície. A baía estava cheia de ondas encapeladas que jogavam os barcos de pesca de um lado para outro e puxavam suas amarras.

A Coice do Alce já estava – ou ainda estava – aberta. Luz saía pelas janelas cor de âmbar. Alguns veículos estavam estacionados em frente – caminhonetes, motoneves –, mas não muitos.

Leni cutucou a mãe com o cotovelo e apontou com a cabeça na direção da Kombi parada perto da taberna.

Nenhuma delas se mexeu.

– Ele não vai gostar de nos ver aqui – disse a mãe.

Um eufemismo, pensou Leni.

– Talvez devêssemos ir para casa – sugeriu Cora, tremendo.

Do outro lado da rua, a porta do armazém se abriu, e Leni ouviu o tilintar distante do sino.

Tom Walker saiu da loja carregando uma caixa grande de suprimentos. Ele as viu e parou.

Leni sabia muito bem qual era a aparência dela e da mãe, paradas com neve até os joelhos, o rosto rosa de frio, gorros brancos e congelados. Ninguém saía andando com um clima desses. O Sr. Walker botou a caixa de suprimentos na traseira da caminhonete e a empurrou até junto da cabine. Marge Gorda saiu da loja atrás dele. Leni viu os dois se entreolharem, franzirem a testa e em seguida caminharem na direção dela e de sua mãe.

– Oi, Cora – cumprimentou o Sr. Walker. – Vocês duas saíram em um dia ruim.

135

Um calafrio fez a mãe tremer; seus dentes batiam.

– Lobos estiveram em nossa propriedade ontem à noite. Não sei quantos. Eles mataram todas as cabras e galinhas e destruíram os cercados e o galinheiro.

– Ernt matou algum deles? Vocês precisam de ajuda para tirar a pele? As peles valem...

– N-não – respondeu a mãe. – Estava escuro. Eu só estou aqui... para fazer um pedido de mais galinhas. – Ela olhou para Marge. – Na próxima vez que você for a Homer, Marge. E mais arroz e feijão, mas... estamos sem dinheiro. Talvez eu possa lavar roupa. Ou cerzir. Sou boa com agulha e linha.

Leni viu como o rosto de Marge se retesou, ouviu o xingamento que ela murmurou.

– Ele as deixou sozinha e lobos atacaram sua propriedade. Vocês podiam ter sido mortas.

– Estamos bem. Não saímos – disse a mãe.

– Onde ele está? – perguntou baixinho o Sr. Walker.

– N-nós não sabemos – mentiu a mãe.

– Na Coice do Alce – emendou Marge. – Ali está a Kombi.

– Tom, não – implorou a mãe, mas era tarde demais.

O Sr. Walker estava se afastando delas, caminhando pela rua silenciosa, seus passos levantando neve.

As mulheres – e Leni – correram atrás dele, escorregando com a pressa.

– Não, Tom, sério – insistiu a mãe.

Ele escancarou a porta da taberna. Leni sentiu instantaneamente o cheiro de lã úmida, corpos sujos, cachorro molhado e madeira queimada.

Havia pelo menos cinco homens ali, sem contar o barman curvado e desdentado. Estava barulhento: mãos batendo em mesas de barril de uísque, um rádio de pilha berrando "Bad, Bad Leroy Brown", todos falando ao mesmo tempo.

– Sim, sim, sim – estava dizendo Earl Maluco com os olhos vidrados. – A primeira coisa que eles vão fazer é tomar os bancos.

– E se apropriar de nossa terra – emendou Clyde, suas palavras emboladas.

– Eles não vão levar a droga da minha terra. – Foi o pai dela quem disse isso. Ele estava parado embaixo de um dos lampiões pendurados, balançando trôpego, com os olhos injetados. – Ninguém toma o que é meu.

– Ernt Allbright, seu bosta – chiou o Sr. Walker.

O pai cambaleou e se virou. Seu olhar foi do Sr. Walker para Cora.

– Mas que diabos?

O Sr. Walker avançou, derrubando cadeiras para o lado. Earl Maluco se apressou a sair de seu caminho.

– Uma alcateia atacou sua propriedade ontem à noite, Allbright. *Lobos* – frisou.
O olhar do pai foi para a mãe.
– Lobos?
– Você vai matar sua família – acusou o Sr. Walker.
– Olhe aqui...
– Não. Olhe aqui *você* – disse o Sr. Walker. – Você não é o primeiro *cheechako* que chega aqui sem a menor ideia do que fazer. Nem é o mais estúpido, nem de longe. Mas um homem que não cuida da mulher...
– Você não tem o direito de dizer nada sobre manter uma mulher em segurança, tem, Tom? – interrompeu-o o pai.
O Sr. Walker pegou-o pela orelha e o puxou com tanta força que ele gemeu como uma criança. Ele arrastou o pai para fora do bar fedorento.
– Eu devia lhe dar uma surra – ameaçou o Sr. Walker com a voz dura.
– Tom – suplicou a mãe. – *Por favor*, não piore as coisas.
O Sr. Walker parou e se virou. Viu a mãe ali parada, aterrorizada, quase chorando, e Leni o viu retornar do limite da raiva. Ela nunca vira um homem fazer isso.
Ele ficou imóvel, franziu a testa, em seguida murmurou algo inaudível e puxou o pai para a Kombi. Abriu a porta, ergueu Ernt como se ele fosse uma criança e o enfiou no banco do carona.
– Você é uma desgraça.
Bateu a porta e foi até a mãe.
– Vocês vão ficar bem? – Leni o ouviu perguntar.
A mãe murmurou uma resposta que Leni não pôde ouvir, mas ela achou ter ouvido o Sr. Walker sussurrar *Mata ele*, e viu a mãe balançar a cabeça.
O Sr. Walker tocou o braço dela, rapidamente, apenas por um segundo, mas Leni viu.
A mãe lhe lançou um sorriso hesitante e disse sem tirar os olhos dele:
– Leni, entre na Kombi.
Leni obedeceu.
A mãe subiu no banco do motorista e ligou a Kombi.
Durante todo o caminho para casa, Leni pode ver a raiva de seu pai crescer, pelo jeito como suas narinas se dilatavam de vez em quando, como sua mão se contraía e relaxava, e pelas palavras que ele não dizia.
Ele era um homem que falava, sobretudo ultimamente, no inverno, e sempre tinha algo a dizer. Agora seus lábios estavam bem apertados.
Isso fez Leni sentir como se fosse um rolo de corda esticado em torno de um suporte com o vento a forçando, puxando, a corda rangendo em sua resistência,

escorregando. Se ela não estivesse perfeitamente amarrada, tudo ia se desfazer, ser arrebentado, talvez o vento em fúria arrancasse o suporte de seu lugar.

Ainda havia uma marca rosa forte na orelha dele, como uma queimadura, onde o Sr. Walker tinha segurado, puxado o pai para fora e o humilhado.

Leni nunca vira ninguém tratar o pai desse jeito e sabia que enfrentariam um inferno por causa disso.

A Kombi parou com um solavanco em frente à cabana e deslizou um pouco de lado sobre a neve.

A mãe desligou a ignição, e o silêncio se estendeu, tornando-se mais pesado sem o chacoalhar e o ronco do motor para esconder ao menos um pouco da gravidade da situação.

Leni e a mãe saíram rápido da Kombi, deixando o pai ali sentado, sozinho.

Ao se aproximarem da cabana, viram outra vez a destruição que os lobos haviam causado. A neve cobria tudo, em montes acima de estacas e tábuas. Tela de arame se erguia em montes emaranhados. Uma porta estava semiexposta. Aqui e ali, principalmente nos buracos sem neve embaixo das árvores, mas em pedaços de madeira, também, havia sangue transformado em gelo rosa e pedaços de tecido congelado. Dava para ver algumas penas coloridas.

A mãe pegou Leni pela mão e a levou pelo quintal até o interior da cabana. Fechou a porta com força quando entraram.

– Ele vai machucar você – disse Leni.

– Seu pai é um homem orgulhoso. Ser humilhado daquele jeito...

Segundos mais tarde, a porta se abriu bruscamente. O pai estava ali parado, com os olhos brilhando de álcool e fúria.

Ele chegou ao outro lado do cômodo em menos tempo que Leni levou para inspirar. Pegou a mãe pelo cabelo e lhe deu um soco tão forte no queixo que ela bateu contra a parede e desabou no chão.

Leni gritou e voou sobre ele, suas mãos se curvando em garras.

– Não, Leni! – gritou a mãe.

O pai agarrou Leni pelos ombros e a sacudiu com força. Segurando um punhado de seus cabelos, a arrastou pelo chão, com os pés tropeçando no tapete, e a empurrou para o frio lá fora.

Ele bateu a porta.

Leni se jogou contra a porta, golpeando-a com o corpo até não lhe restar mais nenhuma força. Caiu de joelhos abaixo da pequena saliência do telhado.

Lá dentro, ouviu um barulho alto, algo se quebrando e um grito. Ela queria sair correndo, buscar ajuda, mas isso só tornaria tudo pior. Não havia ajuda para elas.

Leni fechou os olhos e rezou para o Deus sobre o qual nunca lhe ensinaram. Ouviu a porta ser destrancada. Quanto tempo tinha se passado?

Leni não sabia.

Levantou-se cambaleando, congelada, e entrou na cabana.

Parecia uma zona de guerra. Uma cadeira quebrada, vidro estilhaçado pelo chão, sangue respingado no sofá.

A mãe parecia ainda pior.

Pela primeira vez, Leni pensou: *Ele poderia matá-la.*

Matá-la.

Elas precisavam ir embora. Agora.

Leni se aproximou da mãe com cautela, com medo que ela estivesse à beira de um colapso.

– Onde está papai?

– Apagado. Na cama. Ele queria... me castigar... – Ela se virou, envergonhada. – Você devia ir para a cama.

Leni foi até os ganchos ao lado da porta, pegou a parca e as botas da mãe.

– Aqui, agasalhe-se.

– Por quê?

– Apenas faça isso.

Leni se moveu em silêncio pela cabana e passou pela cortina de contas. Seu coração batia como um martelo em sua caixa torácica enquanto ela olhava ao redor e via o que tinha ido buscar.

Chaves. A bolsa da mãe. Não que houvesse algum dinheiro ali.

Ela pegou tudo, moveu-se para sair dali, então parou e se virou.

Olhou para o pai, esparramado de rosto para baixo na cama, nu, sua bunda coberta por um cobertor. Cicatrizes de queimaduras franziam e retorciam seus ombros e braços, a pele parecia azul-lavanda nas sombras. Sangue sujava o travesseiro.

Ela o deixou ali e voltou para a sala, onde a mãe estava parada sozinha, fumando um cigarro, parecendo ter sido espancada com um porrete.

– Vamos – disse Leni, pegando sua mão e dando um puxão delicado e insistente.

– Aonde estamos indo? – perguntou a mãe.

Leni abriu a porta, deu um pequeno empurrão na mãe, em seguida pegou uma das bolsas de emergência que sempre ficavam perto da porta, uma ode silenciosa ao pior que poderia acontecer, um lembrete de que pessoas inteligentes estavam preparadas.

Pendurando-a sobre um ombro, Leni encarou o vento e a neve e seguiu a mãe até a Kombi.

– Entre – falou ela com delicadeza.

A mãe subiu no assento do motorista, enfiou a chave na ignição e a girou. Enquanto a Kombi esquentava, perguntou de um jeito embotado:

– Aonde estamos indo?

Leni jogou a mochila grande na traseira da Kombi.

– Estamos indo embora, mãe.

– O quê?

Leni subiu no banco do carona.

– Nós o estamos deixando antes que ele mate você.

– Ah. Isso. Não. – A mãe balançou a cabeça. – Ele nunca faria isso. Ele me ama.

– Acho que seu nariz está quebrado.

A mãe ficou sentada ali por mais um minuto com o rosto abatido. Então, lentamente, engrenou a velha Kombi e virou na direção da entrada de carros. Os faróis apontavam para a saída.

Começou a chorar daquele seu jeito silencioso, como se Leni não percebesse nada. Enquanto dirigiam pelas árvores, ela não parava de olhar o espelho retrovisor, enxugando as lágrimas. Quando chegaram à estrada principal, um vento feroz atingiu a Kombi. A mãe apertava o acelerador com cuidado, tentando manter o veículo firme no solo coberto de neve.

Elas passaram pelo portão dos Walkers e seguiram em frente.

Na curva seguinte da estrada, uma lufada de vento atingiu a Kombi com tanta força que elas derraparam de lado. Um galho quebrado bateu no para-brisa, ficou preso por um segundo, foi jogado para cima e para baixo antes de ser levado e revelou um alce macho gigante na frente delas, atravessando a estrada sinuosa.

Leni gritou um alerta, mas sabia que era tarde demais. Ou batiam no alce ou viravam bruscamente, e atingir um animal daquele tamanho destruiria o veículo.

A mãe virou o volante e tirou o pé do acelerador.

A Kombi, que nunca foi boa na neve, começou uma pirueta longa e lenta.

Leni viu o alce quando passaram deslizando por ele – a cabeça enorme a centímetros de sua janela, as narinas se dilatando.

– Segure-se! – gritou a mãe.

Elas atingiram uma margem da estrada e capotaram; a Kombi deu uma cambalhota e mergulhou para fora da pista, parando com um rangido de metal.

Leni viu aquilo em partes – árvores de cabeça para baixo, uma encosta coberta de neve, galhos quebrados.

Ela bateu com a cabeça na janela.

Quando recobrou a consciência, a primeira coisa que percebeu foi o silêncio. Então a dor em sua cabeça e o gosto de sangue na boca. Sua mãe estava caída sobre ela. As duas estavam no banco do carona.

– Leni? Você está bem?

– Eu... acho que sim.

Ela ouviu um chiado, algo errado com o motor, e o rangido agudo de metal se ajustando.

– A Kombi está tombada de lado – disse a mãe. – Acho que estamos em solo firme, mas talvez haja mais para onde cair.

Outro jeito de morrer no Alasca.

– Será que alguém vai nos encontrar?

– Ninguém vai sair num clima desses.

– Mesmo que saíssem, não iam nos ver.

Movendo-se com cuidado, Leni procurou a mochila pesada e barulhenta, encontrou-a e remexeu nela buscando uma lanterna de cabeça. Ela a prendeu e a ligou. O brilho era amarelo demais, sobrenatural. A mãe parecia estranha, seu rosto machucado com aparência de cera derretida.

Foi quando Leni viu o sangue no colo da mãe e seu braço quebrado. Um osso se projetava de um rasgo na manga.

– Mãe! Seu braço. Seu braço! Ah, meu Deus...

– Respire fundo. Olhe para ele, parece bem. É um osso quebrado. E não é o meu primeiro.

Leni tentou aplacar seu pânico. Ela respirou fundo e o conteve.

– O que fazemos?

A mãe abriu a mochila e começou a retirar luvas e máscaras faciais de neoprene com a mão boa.

Leni não conseguia tirar os olhos do osso fraturado, do sangue que encharcava a manga de sua mãe.

– Está bem. Primeiro preciso que você amarre meu braço para conter o sangramento. Você aprendeu a fazer isso, lembra? Rasgue a parte de baixo de sua camisa.

– Não posso.

– Lenora – disse a mãe bruscamente. – Rasgue sua camisa.

As mãos de Leni estavam tremendo enquanto ela retirava a faca do cinto e a usava para abrir um talho no tecido. Quando tinha uma grande faixa de flanela, chegou cuidadosamente para o lado.

– Acima da parte quebrada. Amarre o mais forte possível.

Leni posicionou o tecido em torno do bíceps da mãe e ouviu o gemido de dor quando o apertou.

– Você está bem?

– Mais apertado.

Leni o apertou o máximo que pôde e o amarrou com um nó.

A mãe deu um suspiro trêmulo e subiu de volta para o banco do motorista.

– Veja o que nós vamos fazer. Eu vou quebrar minha janela. Você vai subir por cima de mim e sair.

– M-mas...

– Sem "mas", Leni. Preciso que você seja forte agora, está bem? Você *precisa* ser forte. Eu não posso sair e, se ficarmos aqui, vamos morrer congeladas. Você precisa ir buscar ajuda. Não vou conseguir sair da Kombi com esse braço.

– Não posso fazer isso.

– Você pode, Leni. – A mãe apertou com a mão ensanguentada o torniquete no braço. – Eu preciso que você faça isso.

– Você vai congelar enquanto eu não estiver aqui – disse ela.

– Sou mais durona do que pareço, lembra? Graças à fobia de seu pai do Armagedom, nós temos uma bolsa de emergência. Um cobertor de sobrevivência, comida e água.

Ela deu um sorriso fraco.

– Eu vou ficar bem. Você vai buscar ajuda. Certo?

– Certo.

Leni tentou não ficar com medo, mas todo seu corpo estava tremendo. Calçou as luvas, botou a máscara facial de neoprene e fechou o zíper da parca.

A mãe tirou um martelo de emergência de debaixo do banco.

– A casa dos Walkers é a mais perto. Deve ficar a menos de 500 metros daqui. Vá até lá. Você consegue?

– Consigo.

A Kombi fez um som embotado e rangente, ajustou-se um pouco e se moveu.

– Amo você, filhota.

Leni tentou não chorar.

– Espere um pouco. *Suba.*

A mãe bateu com o martelo na janela, forte, rápido.

O vidro rachou em um padrão de teia, cedeu. Por um instante ele permaneceu inteiro, em seguida, com um estalo, se partiu. Neve caiu dentro Kombi e as cobriu.

O frio era chocante.

Leni se projetou para a frente e subiu por cima da mãe, tentando não atingir seu braço, ouvindo-a gemer de dor, sentindo a mão boa da mãe subir através da neve para empurrá-la.

Leni saiu pela janela.

Um galho a atingiu no rosto. Ela continuou rastejando pela lateral da Kombi até chegar à encosta, que tinha sido escavada e arranhada pelo veículo ao cair; terra preta, galhos quebrados e raízes expostas.

Ela se jogou para a frente, tentou segurar um ponto de apoio mais alto e subiu a encosta.

Pareceu levar uma eternidade. Rastejar, agarrar-se, alçar-se, respirando com dificuldade, comendo neve. Enfim ela conseguiu. Ela se jogou por cima da borda e caiu de cara na neve, na estrada. Arfando, ficou de quatro e se levantou.

Havia tanta neve que ela não conseguia ver com clareza. Pôs a lanterna de cabeça, que projetou um brilho fino como navalha. O vento tentava empurrá-la para fora da estrada quando começou sua caminhada. Árvores estremeciam ao redor, vergavam-se e estalavam. Galhos passavam voando por ela, arranhando o solo machucado. Um a atingiu com força no flanco, quase a derrubou.

A luz era sua corda de salvação ali fora. Seu peito começou a doer por causa do ar gelado que ela estava inspirando, uma dor surgiu na lateral de seu corpo. Suor escorria por suas costas e deixou suas mãos úmidas dentro das luvas.

Ela não tinha ideia de por quanto tempo estava caminhando penosamente, tentando não parar, chorar nem gritar, quando viu o portão prateado à frente e a caveira de vaca sobre ele, usando um chapéu-coco de neve.

Leni arrastou o portão sobre o solo acidentado, abrindo-o, afastando neve para o lado como um trator.

Queria correr, gritar *Socorro!*, mas sabia que não devia fazer isso. Correr podia ser o erro número dois. Em vez disso, continuou caminhando lentamente com a neve na altura do joelho. A floresta à sua direita bloqueava parte do vento.

Levou pelo menos quinze minutos para chegar à casa dos Walkers. Ao se aproximar, viu luz nas janelas, sentiu a ardência das lágrimas – que congelaram no canto de seus olhos, doendo, turvando sua visão.

De repente, o vento parou; o mundo inspirou tranquilo, deixando um silêncio quase perfeito, quebrado apenas por sua respiração entrecortada e o ronronar distante de ondas em uma praia congelada.

Ela passou aos tropeções pelas pilhas de lixo cobertas de neve, pelos carros velhos e pelas colmeias. À sua aproximação, as vacas começaram a mugir, batendo os cascos ao se agruparem caso ela fosse um predador. Cabras berraram.

Leni subiu os degraus escorregadios de gelo e bateu à porta da frente.

O Sr. Walker atendeu depressa. Quando viu Leni, seu rosto mudou.

– Meu Deus.

Ele a puxou para dentro, passando pelo hall com casacos, chapéus e botas alinhados nas paredes, até o fogão a lenha.

Os dentes dela batiam tão forte que ela tinha medo de arrancar a língua com uma mordida se tentasse falar, mas tinha que fazer isso.

– N-n-nós s-sofremos um a-acidente c-com a K-Kombi. M-mamãe está presa.

– Onde?

Ela não conseguia mais conter as lágrimas nem seu tremor.

– Perto da c-curva na estrada antes da c-casa de Marge Gorda.

O Sr. Walker assentiu.

– Está bem.

Ele a deixou ali parada tremendo apenas o tempo suficiente para voltar com equipamento de neve, carregando um grande saco de tela pendurado em um ombro.

Foi até o rádio amador e encontrou uma frequência aberta. Som de estática crepitou, em seguida um guincho agudo.

– Marge Gorda – chamou em um microfone em sua mão. – Aqui é Tom Walker. Acidente de carro perto de minha casa na estrada principal. Preciso de ajuda. Estou a caminho. Câmbio.

Ele tirou o polegar do botão. Estática outra vez. Então repetiu a mensagem e pendurou o microfone.

– Vamos.

Será que o pai tinha ouvido? Estaria ouvindo ou ainda apagado?

Leni olhou preocupada para fora, meio que esperando que ele se materializasse.

O Sr. Walker pegou um cobertor de lã listrado de vermelho, amarelo e branco das costas do sofá e o jogou em torno de Leni.

– O braço dela está quebrado. Ela está sangrando.

O Sr. Walker assentiu. Pegando a mão enluvada de Leni, ele a puxou para fora da casa quente e de volta ao frio congelante.

Na garagem, sua caminhonete grande pegou imediatamente. O aquecimento ligou, envolvendo a cabine, fazendo Leni tremer mais. Ela não conseguia parar de tremer enquanto eles seguiam pela entrada de carros e viravam na estrada principal, onde o vento golpeava o para-brisa e assobiava através de cada fenda da estrutura de metal.

Tom tirou o pé do acelerador; a caminhonete reduziu a velocidade, resmungou e gemeu.

– Ali – disse ela, apontando para onde elas tinham saído da estrada.

Quando o Sr. Walker encostou de lado, faróis surgiram na frente deles.

Leni reconheceu a caminhonete de Marge Gorda.

– Fique na caminhonete – instruiu o Sr. Walker.

– Não!

– *Fique* aqui.

Ele pegou o saco de tela e saiu da caminhonete, batendo a porta às suas costas.

No brilho dos faróis, Leni viu o Sr. Walker encontrar Marge no meio da estrada. Ele largou o saco e pegou dentro dele um rolo de corda.

Leni se apertou contra a janela, seu hálito embaçando a vista. Impaciente, ela a limpou.

O Sr. Walker amarrou uma extremidade da corda em torno de uma árvore e a outra em sua cintura, em um sistema de segurança antiquado.

Com um aceno para Marge, desceu pelo barranco e desapareceu.

Leni empurrou e abriu a porta e enfrentou o vento, cega pela neve, para atravessar a estrada.

Marge estava parada na beira do barranco.

Leni espiou pela borda, viu árvores quebradas e o volume sombreado da Kombi. Apontou sua lanterna, mas não era luz suficiente. Ela ouviu o rangido de metal, uma batida e grito de uma mulher.

E então... o Sr. Walker ressurgiu sob o facho fraco de luz, com a mãe presa ao seu lado, amarrada a ele.

Marge pegou a corda nas mãos enluvadas e içou-os, uma mão atrás da outra, até que o Sr. Walker voltou aos tropeções para a estrada, com a mãe inerte ao seu lado, inconsciente, apoiada no braço dele.

– Ela está mal! – gritou o Sr. Walker para o vento. – Vou levá-la de barco para o hospital em Homer.

– E eu? – berrou Leni.

Eles pareciam ter esquecido que ela estava ali.

O Sr. Walker lançou para Leni um daqueles olhares de *pobre criança* que ela conhecia tão bem.

– Você vem comigo.

A sala de espera do pequeno hospital estava silenciosa.

Tom Walker estava sentado ao lado de Leni com a parca embolada no colo. Primeiro eles foram até a enseada Walker, onde o Sr. Walker carregara a mãe até a doca e a pusera com delicadeza no assento em seu barco de alumínio. Eles aceleraram em torno da linha costeira escarpada até Homer.

No hospital, o Sr. Walker carregou a mãe até a recepção. Leni foi correndo ao lado, tocando o tornozelo da mãe, seu pulso, o que quer que ela conseguisse alcançar.

Uma nativa com duas tranças compridas estava na recepção, datilografando em uma máquina de escrever.

Em instantes, uma dupla de enfermeiras apareceu para levar a mãe.

– E agora? – perguntou Leni.

– Agora nós esperamos.

Eles ficaram ali sentados, sem falar; cada respiração de Leni parecia difícil, como se seus pulmões tivessem mente própria e pudessem parar de funcionar. Havia muito a temer: os ferimentos, a possibilidade de perder a mãe ou o pai aparecer. *Não pense nisso, em como ele vai estar com raiva... no que vai fazer quando perceber que elas estavam indo embora.* E ainda tinha o futuro. Como elas iriam embora agora?

– Quer que eu pegue alguma coisa para você beber?

Leni estava tão fundo no poço de seu medo que levou um segundo para perceber que o Sr. Walker falava com ela.

Ela ergueu os olhos turvos.

– Isso vai ajudar?

– Não.

Ele estendeu o braço e segurou sua mão. Ela ficou tão surpresa com o contato inesperado que quase recuou, mas era uma sensação boa também, então segurou a mão dele em retribuição. Não conseguia deixar de se perguntar como sua vida teria sido diferente se Tom Walker fosse seu pai.

– Como está Matthew? – perguntou ela.

– Está melhorando, Leni. O irmão de Genny vai ensiná-lo a voar. Matthew está frequentando um terapeuta. Ele ama suas cartas. Obrigado por manter contato com ele.

Ela amava as cartas dele também. Às vezes parecia que ter notícias de Matthew era a melhor parte de sua vida.

– Eu sinto falta dele.

– É. Eu também.

– Ele vai voltar?

– Não sei. Há muita coisa por lá. Garotos da idade dele, cinemas, equipes esportivas. E conheço Mattie. Quando assumir o controle de um avião pela primeira vez, vai se apaixonar. É um garoto que ama aventura.

– Ele me falou que queria ser piloto.

– É. Eu gostaria de ter lhe dado um pouco mais de ouvidos – disse o Sr. Walker com um suspiro. – Só quero que ele seja feliz.

Um médico entrou na sala de espera e se aproximou deles. Era um homem corpulento com peito largo lutando para escapar do confinamento de seu uniforme cirúrgico azul. Ele tinha a expressão rude e de quem bebe muito, como tantos que viviam na mata, mas seu cabelo era curto e, exceto por um farto bigode grisalho, era bem barbeado.

– Eu sou o Dr. Irving. Você deve ser Leni – apresentou-se, tirando a touca cirúrgica.

Leni assentiu e se levantou.

– Como ela está?

– Ela vai ficar bem. O braço está engessado agora, por isso ela vai ter que reduzir suas atividades por aproximadamente seis semanas, mas não deve haver nenhum dano permanente. – Ele olhou para Leni. – Você a salvou, mocinha. Ela queria ter certeza de que eu lhe dissesse isso.

– Podemos vê-la? – perguntou a garota.

– É claro. Venham.

Leni e o Sr. Walker seguiram o Dr. Irving até uma sala. Ele empurrou e abriu a porta onde se lia RECUPERAÇÃO.

A mãe estava em um cubículo protegido por cortinas de pano. Estava recostada em uma cama estreita, usando uma bata de hospital; havia um cobertor quente em seu colo. Seu braço esquerdo estava dobrado em um ângulo de 90 graus, imobilizado por gesso branco. Algo não estava totalmente certo com seu nariz, e os olhos mostravam sinais de hematomas.

– Leni – disse ela com a cabeça pendendo um pouco para a direita sobre a pilha de travesseiros às suas costas. Tinha a expressão preguiçosa e desfocada de alguém que havia sido dopada. – Eu falei para você que era durona. – A voz dela estava um pouco engrolada. – Ah, filhota, não chore...

Leni não conseguiu evitar. Ao ver a mãe daquele jeito, sobrevivendo ao acidente, tudo em que podia pensar era em como ela era frágil e com que facilidade podia ser perdida. Isso a fez pensar repentina e intensamente em Matthew e em como a morte podia chegar de forma rápida e inesperada.

Ela ouviu o médico se despedir e deixar o quarto.

O Sr. Walker foi até a cabeceira da mãe.

– Você o estava deixando, não estava? Que outra razão haveria para sair com esse tempo?

– Não. – A mãe balançou a cabeça.

– Eu poderia ajudá-la – disse ele. – Nós poderíamos ajudá-la. Todos nós. Marge Gorda era promotora. Eu poderia chamar a polícia, dizer que ele machucou você. Ele faz isso, não faz? Você não quebrou o nariz no acidente, quebrou?

— A polícia não pode ajudar – rebateu a mãe. – Eu conheço o sistema. Meu pai é advogado.

— Eles o colocariam na cadeia.

— Por quanto tempo? Um dia? Dois? Ele ia voltar atrás de mim. Ou de você. Ou de Leni. Acha que eu viveria em paz colocando outras pessoas em risco? E... bem...

Leni ouviu as palavras não ditas pela mãe. *Eu o amo.*

O Sr. Walker olhou fixamente para a mãe, que estava tão machucada e com curativos que nem parecia ela mesma.

— Tudo o que você precisa fazer é pedir ajuda – disse ele em voz baixa. – Eu quero ajudá-la, Cora. Sem dúvida você sabe que eu...

— Você não me conhece, Tom. Se conhecesse...

Leni viu as lágrimas brotarem nos olhos da mãe.

— Tem alguma coisa errada comigo – continuou ela, devagar. – Às vezes parece uma força e às vezes uma fraqueza, mas não sei como deixar de amá-lo.

— Cora!

Leni ouviu a voz do pai e viu a mãe se encolher nos travesseiros às suas costas.

O Sr. Walker se afastou da cama.

O pai ignorou completamente o Sr. Walker e passou por ele.

— Ah, meu Deus, Cora. Você está bem?

A mãe pareceu derreter na frente dele.

— Sofremos um acidente com a Kombi.

— O que vocês estavam fazendo na rua com esse tempo? – perguntou, mas ele sabia. Havia um sulco profundo em seu rosto.

O Sr. Walker recuou até a porta, um homem grande tentando desaparecer. Ele lançou um olhar triste e compreensivo para Leni e deixou o quarto, fechando a porta em silêncio às suas costas.

— Precisávamos de comida – respondeu a mãe. – Eu queria lhe fazer um jantar especial.

O pai encostou as mãos calejadas pelo trabalho em seu rosto roxo e inchado, como se seu toque pudesse curá-la.

— Me perdoe, querida. Eu vou me matar se você não fizer isso.

— Não diga isso – pediu a mãe. – Nunca diga isso. Você sabe que eu amo você. Só você.

— Me perdoe – repetiu ele, então se virou. – E você também, Ruiva. Perdoe um homem estúpido que às vezes não consegue pensar direito, mas que ama vocês. E que vai melhorar.

— Eu te amo – disse a mãe, e agora estava chorando também.

E de repente Leni compreendeu a realidade de seu mundo, a verdade que o Alasca, com toda sua bela dureza, havia revelado. Eles estavam aprisionados pelo meio ambiente e pelas finanças, mas sobretudo pelo amor doentio e distorcido que unia seus pais.

A mãe nunca deixaria o pai. Não importava que tivesse chegado a pegar uma mochila, corrido até a Kombi e partido. Ela ia voltar sempre, porque o amava ou precisava dele. Ou tinha medo dele. Quem podia saber?

Leni não conseguia nem começar a entender as motivações do amor de seus pais. Tinha idade suficiente para ver a superfície turbulenta, mas era nova demais para saber o que havia por baixo dela.

A mãe nunca deixaria o pai, e Leni nunca deixaria a mãe. E o pai nunca as deixaria partir. Nesse nó terrível e tóxico que era sua família, não havia escapatória para nenhum deles.

Naquela noite, eles levaram a mãe do hospital para casa.

O pai a segurava como se ela fosse feita de vidro. Com muito cuidado, muita preocupação com seu bem-estar. Isso encheu Leni de uma fúria impotente.

Então ela captou um vislumbre dele com lágrimas nos olhos e a fúria se amansou e se transformou em algo semelhante ao perdão. Leni não sabia como controlar ou mudar qualquer uma dessas emoções; seu amor por ele estava todo emaranhado em ódio. Naquele momento sentia-se tomada pelas duas emoções, cada uma lutando pelo papel principal.

Ele instalou a mãe na cama e saiu imediatamente para cortar lenha. Nunca havia o suficiente na pilha, e Leni sabia que o cansaço físico de algum modo o ajudava. A garota se sentou ao lado da cama da mãe pelo máximo de tempo que conseguiu, segurando sua mão fria. Havia muitas perguntas que queria fazer, mas sabia que as palavras feias só iam levar a mãe às lágrimas, então não disse nada.

Na manhã seguinte, Leni estava descendo a escada quando ouviu a mãe chorar.

Leni foi até o quarto dela e a encontrou sentada na cama (apenas um colchão no chão), encostada na parede de troncos descascados, com o rosto inchado, os olhos pretos e azuis, o nariz ligeiramente torto para a esquerda.

– Não chore – pediu Leni.

– Você deve pensar o pior de mim – gemeu a mãe, tocando delicadamente o corte em seu lábio. – Eu o provoquei, não foi? Falei a coisa errada. Não falei?

Leni não sabia o que responder. Será que a mãe queria dizer que era sua culpa, que se ficasse quieta, apoiasse mais ou fosse mais agradável, o pai não explodiria? Não parecia verdade para Leni, não mesmo. Às vezes ele estourava e às vezes não, simples assim. A mãe assumir a culpa parecia errado. Até mesmo perigoso.

– Eu o amo – disse a mãe, olhando fixamente para seu braço engessado. – Eu não sei como parar. Mas também tenho que pensar em você. Ah, meu Deus... Eu não sei porque sou assim. Porque deixo que ele me trate desse jeito. Apenas não consigo me esquecer de quem ele era antes da guerra. Não paro de pensar que ele vai voltar, o homem com quem me casei.

– Você nunca vai deixá-lo – afirmou Leni baixinho.

Ela tentou fazer com que não parecesse uma acusação.

– Você ia mesmo querer isso? Achei que você amasse o Alasca – falou a mãe.

– Eu amo mais você. E... estou com medo.

– Dessa vez foi ruim, eu admito, mas isso o assustou. De verdade. Não vai acontecer de novo. Ele me prometeu.

Leni suspirou. A crença inabalável da mãe no pai não era diferente do medo dele do Armagedom. Os adultos apenas olhavam para o mundo e viam o que queriam ver, pensavam o que queriam pensar? As evidências e a experiência não significavam nada?

A mãe conseguiu abrir um sorriso.

– Você quer jogar oito maluco?

Então era assim que elas iam fazer, voltar à pista depois de um pneu furado. Conversariam sobre amenidades e fingiriam que nada tinha acontecido. Até a próxima vez.

Leni assentiu. Pegou as cartas na caixa de pau-rosa que guardava as coisas favoritas da mãe e se sentou no chão ao lado do colchão.

– Sou muito sortuda por ter você, Leni – disse a mãe, tentando organizar as cartas com apenas uma das mãos.

– Somos uma equipe – respondeu Leni.

– Unha e carne.

– Inseparáveis.

Palavras que elas diziam o tempo inteiro uma para a outra; palavras que agora pareciam um pouco vazias. Até mesmo tristes.

Estavam no meio da primeira partida quando Leni ouviu um veículo chegando. Jogou as cartas na cama e correu até a janela.

– É Marge Gorda! – gritou para a mãe. – E o Sr. Walker.

– Droga – disse a mãe. – Ajude-me a me vestir.

Leni correu ao quarto da mãe e a ajudou a tirar o pijama de flanela e a vestir um jeans desbotado e um suéter grande com capuz e mangas largas o suficiente para acomodar o gesso. Leni escovou o cabelo da mãe, ajudou-a a ir até a sala e a instalou no sofá em farrapos.

A porta da cabana se abriu. Neve entrou flutuando em uma onda de ar congelante e roçou o chão de compensado.

Marge parecia um urso-pardo em sua grande parca de pele e suas botas de esquimó, com um chapéu de texugo que parecia ter sido feito à mão. Usava brincos feitos de chifre pendurados nos lóbulos de suas orelhas. Bateu os pés para tirar a neve das botas e começou a dizer alguma coisa. Então viu o rosto machucado da mãe e murmurou:

– Filho da puta desgraçado. Eu devia dar uma boa surra nele.

O Sr. Walker se aproximou e parou atrás dela.

– Oi – disse a mãe sem olhar para ele direito. Ela não aguentou; talvez não fosse forte o bastante. – Vocês gostariam de...

O pai empurrou a porta, em seguida a bateu e fechou às suas costas.

– Eu sirvo café para eles, Cora. Não se mexa.

A tensão entre os adultos era insuportável. O que estava acontecendo ali? Alguma coisa, isso era certo.

Marge pegou o Sr. Walker pelo braço – uma pegada firme, de puxar peixes – e o conduziu até uma cadeira perto do fogão a lenha.

– Sente-se – ordenou, empurrando-o na cadeira quando ele não se moveu rápido o bastante.

Leni pegou um banco ao lado da mesa de carteado e o arrastou para a sala para que Marge se acomodasse.

– Essa coisinha? – perguntou Marge. – Minha bunda vai ficar igual a um cogumelo num palito de dentes.

Mesmo assim, ela se sentou. Plantando as mãos carnudas sobre as coxas, olhou para a mãe.

– É pior do que parece – falou a mãe em uma voz irregular. – Sofremos um acidente de carro, você sabe.

– É, eu sei – disse Marge Gorda.

O pai chegou à sala trazendo duas xícaras com manchas azuis cheias de café. Vapor erguia-se delas, perfumando o ar. Ele entregou uma xícara para Tom e outra para Marge.

– Então – começou ele, desconfortável. – Não temos convidados de inverno há um bom tempo.

– Sente-se, Ernt – instruiu Marge.

– Eu não...

– Sente-se ou vou derrubar você.

A mãe engasgou.

O pai se sentou no sofá ao lado da mãe.

– Isso não é jeito de falar com um homem em sua própria casa.

– Você não quer que eu comece a dizer o que é um homem de verdade, Ernt Allbright. Estou me controlando, mas posso perder a paciência. E você não quer ver uma mulher grande partir para cima de você. Confie em mim. Por isso cale a boca e escute. – Ela olhou para a mãe. – Vocês dois.

Leni sentiu o ar deixar a sala. Um silêncio pesado e assustador surgiu e caiu sobre eles.

Marge Gorda olhou para a mãe.

– Sei que você sabe que sou de Washington, e que era advogada. Uma procuradora de cidade grande. Usava terninhos de grife e salto alto. A parafernália toda. Eu amava isso. E amava minha irmã, que se casou com o homem de seus sonhos. Só que descobrimos que ele tinha alguns problemas. Algumas peculiaridades. Ele bebia demais e gostava de usar minha irmãzinha como saco de pancada. Tentei de tudo para fazer com que ela o largasse, mas ela se recusava. Talvez tivesse medo, talvez o amasse, talvez estivesse tão doente e avariada quanto ele. Não sei. Sei que quando chamei a polícia foi pior para ela, e ela implorou que eu não fizesse isso outra vez. Eu concordei. Foi o maior erro da minha vida. Ele foi atrás dela com um martelo. – Marge se encolheu. – Tivemos que fazer um funeral com o caixão fechado. Foi isso que ele fez com ela. Alegou ter tomado o martelo dela para se proteger. A lei não é simpática com mulheres espancadas. Ele ainda está por aí. Livre. Eu vim para cá para escapar de tudo isso. – Ela olhou para Ernt. – E aqui está você.

O pai começou a se levantar.

– Eu me sentaria se fosse você – advertiu o Sr. Walker.

O pai tornou a se sentar devagar. A ansiedade brilhava em seus olhos e se mostrava nas mãos, que ele abria e fechava. Suas botas batiam nervosamente no chão. Eles não tinham ideia do que aquela pequena reunião ia custar à mãe. Assim que saíssem, ele ia explodir.

– Vocês provavelmente têm boa intenção – falou Leni. – Mas...

– Não – interrompeu o Sr. Walker com voz simpática. – Não cabe a você resolver isso, Leni. Você é uma criança. Apenas escute.

– Tommy e eu conversamos sobre isso – disse Marge. – A situação de vocês aqui. Temos algumas soluções, mas, na verdade, Ernt, a nossa favorita é levar você lá para fora e matá-lo.

O pai riu uma vez, em seguida ficou em silêncio. Seus olhos se arregalaram quando percebeu que eles não estavam brincando.

– Essa, na verdade, é a minha escolha – confessou o Sr. Walker. – Marge tem um plano diferente.

– Ernt, você vai fazer suas malas e ir para North Slope – orientou Marge. – O oleoduto está contratando homens como você. É uma Sodoma e Gomorra aquilo lá, e eles precisam de mecânicos. Você vai ganhar um monte de dinheiro, que precisa, e vai ficar fora até a primavera.

– Não posso abandonar minha família até a primavera – objetou o pai.

– Como você é preocupado... – ironizou o Sr. Walker.

– Acha que vou simplesmente deixá-la para você? – perguntou o pai.

– Chega, rapazes – interveio Marge Gorda. – Vocês podem se matar depois. Por enquanto, Ernt vai embora e eu vou me mudar para cá. Vou passar o inverno com suas garotas, Ernt. Vou mantê-las protegidas de tudo e de todos. Você pode voltar na primavera. A essa altura, talvez perceba o que tem e trate sua mulher como ela merece.

– Vocês não podem me obrigar a ir – desafiou o pai.

– Essa não é a resposta certa – disse Marge. – Olhe, Ernt, o Alasca desperta o que há de melhor e pior em um homem. Talvez, se não tivesse vindo para cá, não haveria se transformado em quem é agora. Eu sei sobre o Vietnã e fico de coração partido pelo que vocês passaram, mas você não consegue lidar com a escuridão do inverno, consegue? Não há nada do que se envergonhar. A maioria das pessoas não consegue. Aceite isso e faça o que é melhor para a sua família. Você ama Cora e Leni, não ama?

A expressão do pai mudou quando ele olhou para a mãe. Tudo nele se suavizou; por um instante, Leni viu o pai de verdade, o homem que ele teria sido se a guerra não o houvesse arruinado. O homem de Antes.

– Amo – respondeu ele.

– Perfeito. Você as ama o suficiente para partir e ganhar o sustento delas. Arrume suas coisas e vá embora. A gente se vê de novo no degelo.

1978

DOZE

Aos 17 anos, Leni dirigia a motoneve com confiança sob a neve que caía. Ela estava completamente sozinha ali fora, na vastidão do inverno. Seguindo o brilho de seu farol na escuridão antes do amanhecer, ela virou na estrada da mina velha. Menos de 2 quilômetros depois, a estrada se transformava em uma trilha sinuosa que subia e descia. O trenó plástico atrás dela batia na neve, agora vazio, mas ela esperava que logo guardasse seu último abate. Se havia uma coisa sobre a qual seu pai estivera certo era que Leni de fato aprendera a caçar.

Ela passava depressa por cima de barrancos, em torno de árvores e sobre rios, às vezes saindo do chão com a motoneve, derrapando e perdendo o controle, gritando de alegria, de medo ou uma combinação dos dois. Ali fora ela estava completamente à vontade.

Com o aumento da elevação, as árvores se tornaram menos densas e mais finas. Ela começou a ver penhascos e afloramentos de granito cobertos de neve.

Continuou em frente: para cima, para baixo, ao redor, atravessando montes de neve, contornando árvores mortas. Era preciso tanta concentração que ela não conseguia pensar nem sentir mais nada.

Em uma colina, a motoneve deslizou para a esquerda, perdeu tração. Ela desacelerou, reduziu a velocidade. Parou.

Respirando com dificuldade através das fendas em sua máscara de neoprene, Leni olhou ao redor. Montanhas brancas pontiagudas, geleiras branco-azuladas, granito negro.

Ela desmontou, tremendo. Firmando-se contra o vento, desamarrou a mochila e calçou sapatos de neve, em seguida empurrou a motoneve para a escassa proteção proporcionada por uma árvore grande e a cobriu. O veículo só podia levá-la até ali.

O céu acima se iluminava aos poucos. A luz do dia se expandia a cada respiração.

A trilha subia numa curva e se estreitava. Ela viu as primeiras fezes de carneiro a menos de 1 quilômetro e seguiu as marcas de casco morro acima.

Pegou o binóculo e examinou a paisagem branca ao seu redor.

Ali. Um carneiro-de-dall com enormes chifres curvos, caminhando por uma saliência elevada, os cascos delicados sobre o terreno difícil e nevado.

Ela se moveu com cuidado, seguiu ao longo da elevação estreita e caminhou através das árvores. Ali ela achou rastros outra vez e os seguiu até um rio congelado.

Fezes frescas.

O carneiro tinha atravessado o rio ali, rompendo o gelo e chapinhando pela água. Grandes pedaços de gelo se projetavam para cima, balançando, mantidos no lugar pelo gelo sólido ao seu redor.

Havia uma árvore velha atravessada sobre o rio, com os galhos congelados estendidos e a água se movendo em faixas ao seu lado.

A neve caía em torvelinho sobre o gelo, acumulando-se de um lado do tronco, e era soprada em pequenos redemoinhos do outro lado. Aqui e ali, o vento tinha varrido toda a neve, deixando áreas reluzentes e rachadas de gelo prata-azulado. Ela sabia que não era seguro atravessar ali, mas qualquer outro lugar poderia lhe custar horas. E quem poderia saber se haveria de fato um bom ponto para atravessar? Ela não tinha chegado até ali para desistir.

Leni apertou a mochila e amarrou o rifle de caça, tirou os sapatos de neve e os amarrou à mochila, também.

Olhou fixamente para o tronco – que tinha cerca de 60 centímetros de diâmetro, com a casca soltando, congelado, coberto de neve e gelo –, respirou fundo e subiu nele de quatro.

O mundo se tornou estreito como o tronco, largo como rio. A casca áspera congelada machucava seus joelhos. O estalar do gelo era como disparos explodindo ao seu lado.

Fitou a extensão do tronco.

Ali. A outra margem. Era a única coisa em que pensaria. Não no gelo estalando nem na água gelada que corria por baixo. Sem dúvida não na ideia de cair.

Leni engatinhou adiante centímetro a centímetro, sendo açoitada pelo vento, salpicada de neve.

O gelo rachou. Com força. Alto. O tronco tombou inclinado e atravessou o gelo à frente dela. Água respingou, empoçou sobre o gelo e captou o pouco de luz que havia.

O tronco fez um som profundo de algo se quebrando, caiu mais fundo e atingiu alguma coisa.

Leni se levantou bruscamente, conseguiu se equilibrar e estendeu os braços. O tronco parecia estar respirando embaixo dela.

O gelo estalou de novo. Dessa vez, com um ronco.

Havia talvez 2 metros entre ela e a margem. Pensou na mãe de Matthew, cujo corpo tinha sido encontrado a quilômetros de onde caíra, atacado por animais. Ninguém queria cair através do gelo. Não havia como dizer onde o corpo seria encontrado; água corria por toda a parte no Alasca, revelava coisas que deviam permanecer escondidas.

Ela avançou pouco a pouco. Quando se aproximou da margem oposta, saltou, agitando os braços e as pernas como se pudesse levantar voo, e caiu nas pedras cobertas de neve do outro lado.

Sangue.

Ela o provou, quente e metálico em sua boca, sentiu-o escorrer por uma bochecha congelada.

De repente, estava tremendo, consciente da umidade de sua roupa, embora não soubesse se era por causa do suor ou das gotas de água em seus pulsos ou em suas botas. Suas luvas estavam molhadas, assim como as botas, mas as duas eram à prova d'água.

Leni ficou de pé e avaliou os danos. Tinha um corte superficial na testa e havia mordido a língua. Os punhos das mangas de sua parca estavam molhados, e ela achou que um pouco de água havia respingado por seu pescoço. Nada de mais.

Ajustando de novo a mochila e reposicionando o rifle, partiu outra vez, começando a caminhar para longe do rio enquanto o mantinha à vista. Ela seguiu os rastros e as fezes sempre para cima, passando por saliências protuberantes de rocha. Àquela altura, o mundo era completamente silencioso. Tudo era borrado pela neve que caía e por sua respiração.

Então, um som. Um galho quebrado, o barulho de cascos deslizando pela rocha. Ela sentiu o cheiro almiscarado de sua presa. Acomodou-se entre duas árvores e levantou a arma.

Espiou pela mira, encontrou o carneiro macho e apontou.

Ela respirava de modo regular.

Esperou.

Em seguida puxou o gatilho.

O carneiro não fez nenhum som. *Um tiro perfeito, bem no alvo.* Sem sofrimento. Ele caiu de joelhos, desabou, deslizou pela encosta rochosa e parou em uma saliência nevada.

Ela caminhou com dificuldade pela neve até sua presa. Queria limpar o animal e botar a carne em sua mochila o mais rápido possível. Esse era, tecnicamente, um abate ilegal – a temporada de caça de carneiros era no outono –, mas um freezer vazio era um freezer vazio. Leni achou que o animal devia render uns

45 quilos. Seria um caminho longo de volta até sua motoneve, carregando todo esse peso.

—⋅⊙⋅—

Leni manobrou a motoneve pela longa entrada de carros até a cabana. Mantinha a mão leve sobre o acelerador, movia-se devagar, consciente de cada declive e curva.

Nos últimos quatro anos, ela crescera como tudo crescia no Alasca: selvagem. Seu cabelo ia quase até a cintura, já que ela nunca vira nenhuma razão para cortá-lo, e se tornara de um vermelho-mogno. Seu rostinho rechonchudo de garota tinha emagrecido, suas sardas haviam desaparecido, deixando-a com uma compleição leitosa que valorizava o azul-esverdeado de seus olhos.

No mês seguinte, seu pai voltaria para a cabana. Nos últimos quatro anos, o pai cumprira as regras determinadas por Tom Walker e Marge Gorda. A contragosto e de mau humor, fazia como eles haviam "recomendado". Todo ano, depois do Dia de Ação de Graças (normalmente quando seus pesadelos recomeçavam e quando ele passava a murmurar sozinho e a arrumar brigas), partia para North Slope para trabalhar no oleoduto. Ganhava um bom dinheiro, que mandava para casa toda semana. Dinheiro que elas tinham usado para melhorar sua vida ali. Agora tinham cabras, galinhas, um bote de metal para pescar e uma horta que vicejava no interior de uma estufa abobadada. A Kombi tinha sido trocada por uma caminhonete razoavelmente boa e um velho eremita morava nela agora, na mata em torno de McCarthy.

O pai ainda era um homem de difícil convivência, volátil e mal-humorado. Odiava o Sr. Walker com uma intensidade perigosa, e a menor decepção (ou a combinação de uísque e Earl Maluco) ainda podia irritá-lo, mas ele não era burro. Sabia que Tom Walker e Marge Gorda estavam de olho nele.

A mãe ainda dizia: *Ele está melhor, você não acha?* E às vezes Leni acreditava nisso. Ou talvez elas tivessem se adaptado ao ambiente, como os lagópodes-brancos que ficavam brancos no inverno.

No mês anterior à sua partida para o oleoduto, quando a escuridão começava, e nos fins de semana de inverno quando ele ia para casa de visita, elas estudavam o estado de espírito do pai como cientistas, observando o menor tremor de um olho que podia significar que sua ansiedade estava aumentando. Leni aprendeu a neutralizar o mau humor do pai quando podia e a sair de seu caminho quando não podia. Sua interferência – ela aprendera do pior jeito – só tornava as coisas piores para a mãe.

Leni parou no quintal branco e notou a grande picape de Tom Walker estacionada ao lado da caminhonete de Marge Gorda.

Estacionando entre o galinheiro e a cabana, desceu da motoneve, afundando a bota na neve suja e com crosta. Ali, o clima estava mudando rápido: esquentando. Era fim de março. Logo os pingentes de gelo iam começar a pingar água dos beirais em um tamborilar constante, e a neve derretida das elevações ia descer as montanhas e transformar seu quintal em lama.

Ela desamarrou a carcaça limpa do trenó de plástico vermelho que a motoneve puxava. Ergueu a carne ensanguentada que estava dentro de um saco branco sobre o ombro, passou andando com dificuldade pelos animais – que cacarejavam e berravam com sua chegada –, subiu a escada nova e sólida e entrou na cabana.

Calor e luz imediatamente a envolveram. Sua respiração, que ela via apenas alguns segundos antes, desapareceu. Ela ouviu o zumbido do gerador que alimentava as luzes. O pequeno fogão a lenha preto – o que sempre estivera ali – bombeava calor.

Música tocava de um grande rádio portátil na nova mesa da sala de jantar. Uma canção disco cantada pelos Bee Gees soava alta. A cabana cheirava a pão no forno e a carne assando.

Sempre dava para saber quando o pai não estava. Tudo era mais fácil e mais relaxado em sua ausência.

Marge Gorda e o Sr. Walker estavam sentados a uma mesa de jantar grande e retangular que o pai construíra no verão anterior, jogando cartas.

– Ei, Leni, certifique-se de que eles não estão roubando! – gritou a mãe do canto da cozinha, que tinha sido redesenhada pouco a pouco ao longo dos anos: um fogão a gás tinha sido levado até lá, assim como uma geladeira.

O Sr. Walker azulejara a bancada e instalara uma pia seca melhor. Ainda não havia água corrente nem banheiro na cabana. Marge fizera um suporte para os pratos que eles compraram quando foram ao Exército de Salvação em Homer.

– Ah, eles estão roubando – avisou Leni com um sorriso.

– Eu, não – rebateu Marge, jogando um pedaço de linguiça de rena na boca. – Não preciso roubar para ganhar desses dois. Venha, Leni, quem sabe você não é um desafio maior.

Rindo, o Sr. Walker se levantou, arrastando a cadeira sobre o chão de madeira.

– Parece que alguém matou um carneiro.

Ele pegou um grande plástico branco embaixo da pia e o abriu no chão.

Leni pôs sua carga no plástico com um barulho e se ajoelhou ao lado dela.

– Matei. Perto do rio Porter.

Ela abriu o saco e tirou dele a carcaça que limpara.

O Sr. Walker afiou uma faca *ulu* e a entregou a Leni.

Ela se dedicou à tarefa de cortar o quarto traseiro em bifes e pedaços para assar e de remover tecido fibroso e prateado da carne. Antes parecia estranho cortar a carne dentro de casa, agora não mais. Assim era a vida nos meses de inverno.

A mãe saiu da cozinha sorrindo. No inverno, parecia que estava sempre sorrindo. Ela tinha desabrochado ali no Alasca, assim como Leni. Ironicamente, as duas se sentiam mais seguras durante o inverno, quando o mundo era menor e mais perigoso. Com o pai fora, podiam respirar com facilidade. Tinham a mesma altura agora, ela e Leni. Sua dieta rica em proteínas deixara as duas magras e ágeis como bailarinas.

A mãe tomou seu lugar à mesa e disse:

– Vou fazer o maior número de pontos possível desta vez. Só estou deixando que vocês combinem suas estratégias.

– O maior número? – perguntou o Sr. Walker. – Ou só vai chegar perto, como sempre?

A mãe riu.

– Você vai engolir essas palavras, Tom.

Ela começou a dar as cartas.

Leni fingia um pouco no inverno, assim como fazia no verão. Nesse momento, por exemplo, fingia não perceber como a mãe e o Sr. Walker trocavam olhares, o cuidado que tinham para nunca se tocarem. Como a mãe às vezes suspirava quando mencionava o nome dele.

Algumas coisas eram perigosas; todos eles sabiam disso.

Leni se dedicou à sua tarefa. Estava tão concentrada em seus cortes que demorou um momento para notar o som de um motor. Então viu o clarão de faróis através da janela, iluminando a cabana em uma explosão repentina.

Momentos depois, a porta se abriu.

O pai entrou. Usava um boné de caminhoneiro desbotado e esfarrapado enfiado até quase cobrir as sobrancelhas, com a barba comprida e o bigode descuidados. Depois de meses no oleoduto, ele tinha o aspecto magro e duro de um homem que bebia de mais e comia de menos. O clima duro do Alasca dera à sua pele uma aparência enrugada e curtida.

A mãe se levantou de um jeito brusco, parecendo imediatamente ansiosa.

– Ernt! Você voltou para casa mais cedo! Devia ter me dito que estava a caminho.

– É – disse ele, olhando para o Sr. Walker. – Entendo por que você gostaria de saber.

– É só um jogo de cartas com os vizinhos – defendeu-se o Sr. Walker, ficando de pé. – Vamos deixar vocês com seu reencontro.

Ele passou pelo pai – que não se moveu e forçou o Sr. Walker a se desviar –, pegou sua parca no gancho perto da porta e a vestiu.

– Obrigado, garotas.

Quando foi embora, a mãe encarou o pai com o rosto pálido, a boca levemente aberta. Ela tinha uma expressão ansiosa e preocupada.

Marge Gorda se levantou.

– Não consigo arrumar minhas coisas rápido o bastante, por isso vou ficar esta noite se você não se importa. Tenho certeza de que não.

O pai não lançou sequer um olhar para Marge. Só tinha olhos para a mãe.

– Quem sou eu para dizer a uma mulher gorda o que fazer...

Marge Gorda riu e saiu da mesa de jantar. Sentou-se no sofá que o pai trouxera de um hotel que estava fechando as portas em Anchorage e pôs os pés com chinelos sobre a nova mesa de centro.

A mãe foi até o pai, passou os braços ao redor dele e o puxou para perto.

– Ei – sussurrou, beijando seu pescoço. – Senti sua falta.

– Eles me demitiram, os filhos da mãe.

– Ah, não! – exclamou a mãe. – O que aconteceu? Por quê?

– Um mentiroso desgraçado disse que eu estava bebendo no trabalho. E meu chefe é um babaca. Não foi minha culpa.

– Pobre Ernt... – falou a mãe. – Você nunca tem trégua.

Ele tocou o rosto dela, ergueu seu queixo e a beijou com vontade.

– Meu Deus, eu senti sua falta – declarou contra os lábios dela.

Ela gemeu ao seu toque e moldou seu corpo ao dele.

Seguiram na direção do quarto, passaram pelas contas barulhentas, aparentemente sem notar que havia mais pessoas na cabana. Leni os ouviu caírem na cama, ouviu as molas velhas rangerem, ouviu suas respirações se acelerarem.

Ficou de cócoras. Por Deus. Ela nunca ia entender o relacionamento de seus pais. Isso a envergonhava; aquele amor inabalável que ela e a mãe tinham pelo pai lhe dava uma sensação ruim, deprimente. Havia algo errado com eles; ela sabia disso. Via isso no jeito como Marge às vezes olhava para a mãe.

– Isso não é normal, garota – disse Marge.

– O que é?

– Quem vai saber? Pete Doido é a pessoa casada mais feliz que conheço.

– Bom, Matilda não é uma gansa comum. Você está com fome?

Marge Gorda deu tapinhas em sua enorme barriga.

– Pode apostar. O guisado de sua mãe é meu favorito.

– Vou pegar um pouco para nós. Deus sabe que eles não vão sair do quarto por um bom tempo.

Leni embalou a carne que tinha cortado, em seguida lavou as mãos com a água do balde ao lado da pia. Na cozinha, ela aumentou o volume do rádio o máximo possível, mas não era suficiente para abafar o reencontro no quarto.

Degelo no Alasca. A estação de derretimento, movimento, barulho, quando a luz do sol voltava, hesitante, brilhava sobre neve suja e falhada. O mundo se movia, livrando-se do frio e emitindo um som como o de grandes engrenagens girando. Blocos de gelo do tamanho de casas se soltavam e flutuavam rio abaixo, atingindo qualquer coisa em seu caminho. Árvores gemiam e caíam quando o solo molhado e instável se movia embaixo delas. Neve se transformava em lama, em seguida em água que se acumulava em cada buraco e depressão na terra.

Coisas perdidas na neve eram reencontradas: um chapéu levado pelo vento, um rolo de corda; latas de cerveja que tinham sido jogadas em montes de neve flutuavam até a superfície enlameada da estrada. Folhas de abeto de tronco preto jaziam em poças lamacentas, galhos quebrados por tempestades flutuavam na água que corria morro abaixo de cada canto de sua terra. As cabras ficavam até os joelhos mergulhadas em areia movediça. Nenhuma quantidade de feno podia secá-la.

Água enchia os buracos nos pés das árvores, corria ao longo de estradas e se empoçava em toda parte, lembrando a todos que essa parte do Alasca era tecnicamente uma floresta úmida. Você podia ficar em qualquer lugar e ouvir gelo rachando e água escorrendo de galhos de árvores e beirais de telhados, ao longo dos lados da estrada, correndo em filetes por cada depressão no chão supersaturado.

Os animais saíam de seu esconderijo. Alces andavam pela cidade. Ninguém fazia curvas muito rápido. Patos marinhos voltavam grasnando em bandos e pousavam sobre as ondas na baía. Ursos saíam de suas tocas e desciam as encostas à procura de comida. A natureza fazia sua faxina de primavera, esfregando o gelo, o frio e a neve, limpando as janelas para deixar a luz entrar.

Nessa bela tarde, sob um céu azul, Leni calçou suas botas de borracha e saiu para alimentar os animais. Eles tinham sete cabras, treze galinhas e quatro patos. Caminhando com dificuldade pela lama na altura dos tornozelos, ao longo de sulcos de pneus cheios de água, ela ouviu vozes. Virou-se na direção do som, que vinha da enseada que era a ligação de sua família com o mundo exterior. Embora tivessem passado vários anos ali, a propriedade insistia em permanecer selvagem. Mesmo em seu próprio quintal, Leni tinha que tomar cuidado, mas em dias como aquele, quando a maré estava alta e ondas quebravam com suavidade sobre a praia cheia de conchas, ela ainda lhe tirava o fôlego.

Foi então que viu caiaques na água, uma flotilha de barcos de cores vivas que passavam deslizando.

Turistas. Provavelmente inadvertidos de quanto as coisas podiam mudar rápido no Alasca. A água embaixo deles estava calma, mas a pequena baía se enchia e se esvaziava duas vezes por dia em marés rápidas e precipitadas que podiam isolar ou afogar os incautos antes que eles reconhecessem o perigo.

A mãe chegou ao lado de Leni. Sentiu o cheiro familiar da combinação de fumaça de cigarro, sabonete de rosas e creme para as mãos de lavanda que sempre a faria se lembrar da mãe. Cora passou um braço sobre o ombro de Leni e bateu seu quadril no dela de brincadeira.

Elas observaram os caiaques deslizarem na baía, ouviram seu riso ecoar pela água. Leni se perguntou como eram as vidas deles, aqueles garotos de fora que iam para lá de férias, subiam encostas de montanha com mochilas, sonhavam em "viver da terra" e depois voltavam para suas casas nos subúrbios e suas vidas em constante mudança.

Atrás delas, a caminhonete vermelha roncou e ganhou vida.

– É hora de ir, garotas! – berrou o pai.

A mãe pegou a mão de Leni. Elas começaram a caminhar na direção do pai.

– Nós não devíamos ir à reunião – disse Leni quando chegaram aonde ele estava.

O pai olhou para ela. Em seus anos no Alasca, ele envelhecera, ficara magro e rijo. Rugas finas envolviam seus olhos, vincavam suas bochechas fundas.

– Por quê?

– Você vai se aborrecer.

– Você acha que eu fugiria de um Walker? Acha que eu sou um covarde?

– Pai...

– Esta é nossa comunidade também. Ninguém ama Kaneq mais que eu. Se Walker quer agir como um figurão e convocar uma reunião, nós vamos. Entrem na caminhonete.

Eles se apertaram no veículo velho.

Kaneq era uma cidade diferente de quando eles se mudaram para lá, e o pai dela odiava cada uma das mudanças. Odiava que agora houvesse uma barca de passageiros que levava turistas vindos de Homer. Odiava ter que diminuir a velocidade porque eles andavam no meio da estrada e perambulavam de olhos esbugalhados, apontando para cada águia, gavião e foca. Odiava que o novo negócio de fretamentos de barcos de pesca na cidade estivesse prosperando e que às vezes não houvesse um lugar vazio na lanchonete. Odiava pessoas que iam visitar – curiosos, como os chamava –, mas, sobretudo, odiava forasteiros que tinham se mudado para lá, construindo casas perto da cidade, domando seus lotes com cercas e construindo garagens.

Nessa noite quente, alguns turistas resistentes seguiam pela rua principal tirando fotos e falando alto o bastante para assustar os cachorros amarrados ao longo do acostamento. Eles se reuniram em frente à loja de petiscos e material de pesca.

Um letreiro na taberna Coice do Alce dizia: REUNIÃO DE MORADORES DOMINGO À NOITE ÀS 19H.

– O que nós somos? Seattle? – murmurou o pai.

– Nossa última reunião foi há dois anos – disse a mãe. – Quando Tom Walker doou a madeira para consertar o cais provisório.

– Você acha que eu não sei disso? – rebateu ele parando em uma vaga. – Acha que preciso que você me diga? Eu não consigo me esquecer de Tom Walker agindo como um figurão, esfregando seu dinheiro em nosso nariz.

Ele estacionou em frente à taberna incendiada. A porta do bar estava escancarada em boas-vindas.

Leni seguiu seus pais para dentro do estabelecimento.

Com todas as mudanças que tinham ocorrido na cidade, esse era o único lugar que permanecia igual. Ninguém em Kaneq ligava para as paredes enegrecidas nem para o cheiro de queimado enquanto a bebida corresse.

O lugar já estava lotado. Homens, em sua maioria, e mulheres de camisa de flanela estavam no balcão. Alguns cachorros magros estavam deitados, enrolados, debaixo dos bancos altos, fora do caminho. Todo mundo falava ao mesmo tempo, e música tocava ao fundo. Um cachorro gania junto com o som e uivou uma vez antes que uma bota o calasse.

Earl Maluco os viu e acenou.

O pai assentiu e foi até o bar.

O velho Jim servia no balcão, como fazia por décadas. Sem dentes e com olhos aquosos e uma barba tão escassa quanto seu vocabulário, ele era lento atrás do bar, mas amigável. Todo mundo sabia que o velho Jim lhes daria uma bebida a crédito ou aceitaria uma troca por carne de alce. Segundo rumores, era assim na Coice desde que o pai de Tom Walker construíra a taberna em 1942.

– Uísque duplo! – gritou o pai para Jim. – E uma cerveja Rainier para a patroa.

Ele botou um punhado de notas amassadas do oleoduto sobre a mesa.

Pegou sua bebida e a cerveja da mãe e seguiu para o canto, onde Earl Maluco,

Thelma, Ted, Clyde e o resto do clã Harlan tinha se instalado em cadeiras de plástico aglomeradas em torno de um barril invertido.

Thelma sorriu para a mãe e puxou uma cadeira de plástico para o lado dela. Cora se sentou e as duas mulheres imediatamente curvaram as cabeças para perto uma da outra e começaram a conversar. Nos últimos anos, tinham se tornado boas amigas. Thelma, Leni descobrira com o passar dos anos, era como a maioria das mulheres alasquianas que ousava viver na mata – dura, firme e extremamente honesta. Mas você não ia querer arrumar problema com ela.

– Oi, Leni – disse Boneca, sorrindo com sua boca banguela.

Seu moletom era muito grande, e a calça, curta demais, expondo pelo menos 5 centímetros de canelas finas acima de suas meias abaixadas e botas de cano curto.

Leni sorriu para a menina de 8 anos.

– Oi, Boneca.

– Axle estava em casa ontem. Quase atirei nele com minha flecha – disse ela com um sorriso torto. – Nossa, ele estava irritado.

Leni conteve um sorriso.

– Você tem fotos novas para me mostrar?

– Claro. Vou levá-las na próxima vez em que formos lá.

Leni se recostou na parede de troncos queimada. Boneca se aconchegou mais perto dela.

Na frente do bar, um sino tocou.

As conversas em torno do bar diminuíram mas não silenciaram. Reuniões de moradores podiam ser um costume bem aceito, mas você nunca conseguia calar completamente um lugar cheio de alasquianos.

Tom Walker foi para trás do balcão e sorriu.

– Oi, vizinhos. Obrigado por virem. Vejo muitos velhos amigos neste local e muitos rostos novos. Para nossos novos vizinhos, olá e sejam bem-vindos. Para os que não me conhecem, eu sou Tom Walker. Meu pai, Eckhart Walker, veio para o Alasca antes que a maioria de vocês tivesse nascido. Ele garimpou ouro, mas encontrou sua verdadeira riqueza na terra, aqui em Kaneq. Ele e minha mãe tomaram posse de 250 hectares e reivindicaram sua propriedade.

– Lá vamos nós – disse o pai, amargo. – Agora vamos ouvir tudo sobre seu amigo governador, e como eles iam pescar caranguejos quando eram crianças. Meu Deus...

– Três gerações de minha família viveram na mesma terra. Este lugar não é apenas onde moramos, é quem nós somos. Mas os tempos estão mudando. Vocês sabem do que estou falando. Novos rostos confirmam as mudanças. O

Alasca é a última fronteira. As pessoas estão ávidas para ver nosso estado antes que ele mude ainda mais.

– E daí? – gritou alguém.

– Turistas estão enchendo as margens do rio Kenai durante a temporada de salmão, estão navegando em nossas águas em caiaques, lotando o sistema de barcas marítimas e vindo aos montes para nossas docas. Navios de cruzeiro vão começar a trazer milhares de pessoas para cá, não apenas centenas. Sei que o negócio de fretamento de Ted dobrou nos últimos dois anos e você não consegue encontrar um lugar na lanchonete no verão. Dizem que a barca de passageiros entre nós, Seldovia e Homer poderia ficar cheia diariamente.

– Viemos para cá para nos livrar de tudo isso! – gritou o pai.

– Por que você está nos contando tudo isso, Tommy? – indagou Marge Gorda do canto.

– Que bom que você perguntou, Marge – disse o Sr. Walker. – Finalmente resolvi gastar algum dinheiro na Coice, consertar a velha taberna. Já é hora de termos um bar que não escureça nossas mãos nem os fundilhos de nossas calças.

Alguém deu um grito de concordância.

O pai ficou de pé.

– Você acha que precisamos de um bar de cidade, que precisamos dar as *boas-vindas* aos idiotas que vêm para cá de chinelo, com câmeras penduradas no pescoço?

As pessoas se viraram para olhá-lo.

– Não acho que um pouco de tinta e de gelo atrás do balcão vão nos fazer mal – respondeu o Sr. Walker tranquilamente.

Os presentes riram.

– Viemos para cá para escapar lá de fora e daquele mundo desordenado. Eu sugiro que digamos não para o senhor figurão *melhorar* esta taberna. Deixe que os *cheechakos* bebam no Salty Dawg Saloon.

– Não vou construir uma ponte para o continente, pelo amor de Deus – argumentou o Sr. Walker. – Meu pai construiu esta cidade, não se esqueça. Eu estava trabalhando na taberna quando você era criança fora daqui. É tudo meu. – Ele fez uma pausa. – Tudo. Você se esqueceu disso? E, pensando bem, acho melhor consertar a velha pousada também. As pessoas precisam de um lugar para dormir. Caramba, vou chamá-la de Geneva. Ela ia gostar disso.

Ele estava provocando o pai; Leni viu isso nos olhos do Sr. Walker. A animosidade entre os dois homens estava sempre presente. Ah, eles tentavam manter distância um do outro, mas ela continuava lá. Só que agora o Sr. Walker não estava se esquivando.

– Vocês acreditam nisso? – O pai se virou para Earl Maluco. – O que vem depois? Um cassino? Uma roda-gigante?

Earl Maluco franziu a testa e ficou de pé.

– Espere aí um segundo, Tom...

– São apenas dez quartos, Earl – disse o Sr. Walker. – A pousada já recebia hóspedes há cem anos, quando comerciantes de pele russos e missionários caminhavam por estas ruas. Minha mãe fez os vitrais da recepção. O lugar é parte de nossa história e agora está toda fechada com tábuas, como uma viúva enlutada. Eu vou fazê-la brilhar de novo. – Ele fez uma pausa, olhou direto para Ernt. – Ninguém pode me impedir de fazer melhorias nesta cidade.

– Só porque você é rico, não pode nos dar ordens! – gritou o pai.

– Ernt – disse Thelma. – Acho que você está exagerando.

Ernt lançou um olhar cortante para Thelma.

– Não queremos um bando de turistas montando em nós. Dizemos não a isso. Não, droga...

O Sr. Walker levou a mão ao sino acima do bar e o tocou.

– Bebidas por conta da casa – anunciou com um sorriso.

Houve um alvoroço imediato: pessoas aplaudindo, gritando e se dirigindo ao balcão.

– Não deixem que ele compre vocês com algumas bebidas grátis! – gritou Ernt. – A ideia dele é ruim. Se quiséssemos morar em uma cidade, estaríamos em outro lugar, caramba. E se ele não parar por aí?

Ninguém estava ouvindo. Até Earl Maluco estava se dirigindo ao bar para buscar sua bebida grátis.

– Você nunca soube quando calar a boca, Ernt – disse Marge Gorda chegando ao lado dele.

Ela usava um casaco de camurça na altura do joelho com contas presas à mão por cima de uma calça de pijama de flanela enfiada em botas de couro estilo esquimó.

– Alguém está obrigando você a tirar um alvará para consertar motores de barco nas docas? Não. Se Tom quer transformar este lugar na casa dos sonhos da Barbie, nenhum de nós pode impedi-lo. É *por isso* que estamos aqui. Para fazer o que quisermos, não para fazer o que você quer que façamos – concluiu ela.

– Aturei muita coisa de homens como ele durante toda a minha vida.

– É. Bom, talvez isso seja mais sobre você do que sobre ele – sugeriu Marge.

– Cale essa boca gorda – repreendeu o pai. – Venha, Leni.

Ele agarrou a mãe pelo braço e a puxou através das pessoas.

– Allbright!

Leni ouviu a voz poderosa do Sr. Walker atrás deles.

Quase à porta, o pai parou e se virou. Puxou a mãe para perto ao lado dele. Ela tropeçou, quase caiu.

O Sr. Walker caminhou na direção de Ernt, e as pessoas foram com ele, pararam perto, com as bebidas na mão. O Sr. Walker parecia tranquilo até você ver seus olhos e a forma como sua boca se comprimia quando ele olhava para a mãe de Leni. Ele estava com raiva.

– Vamos lá, Allbright. Não saia correndo. Seja um bom vizinho – provocou o Sr. Walker. – Há dinheiro para ser ganho, cara, e a mudança é natural. Inevitável.

– Não vou deixar que você mude nossa cidade – disse o pai. – Não me importa quanto dinheiro você tenha.

– Sim, você vai – rebateu o Sr. Walker. – Você não tem escolha. Por isso deixe isso pra lá com elegância. Tome uma bebida.

Com elegância?

O Sr. Walker ainda não sabia?

O pai não era do tipo que deixava as coisas pra lá.

TREZE

Durante todo o dia seguinte, o pai andou furioso de um lado para outro, falando exaltado sobre mudanças perigosas e o futuro. Ao meio-dia, foi para o rádio amador e convocou uma reunião no complexo da família Harlan.

O dia inteiro, Leni teve uma sensação ruim, um vazio no peito. As horas passaram devagar, mas ainda assim passaram. Depois do jantar, eles foram de carro até o complexo.

Agora estavam todos esperando impacientemente que a reunião começasse. Cadeiras tinham sido retiradas de cabanas, desempilhadas de barracões e dispostas de maneira aleatória no chão enlameado de frente para a varanda de Earl Maluco.

Thelma estava sentada em uma cadeira de plástico branco com Boneca esparramada desconfortavelmente sobre ela, grande demais para o colo da mãe. Ted estava parado atrás da mulher, fumando um cigarro. Cora se acomodara ao lado de Thelma em sua cadeira de madeira Adirondack de um braço só, e Leni estava ao lado dela, sentada em uma cadeira de armar de metal que tinha afundado na lama. Clyde e Donna estavam de pé como sentinelas dos dois lados de Marthe e Agnes, e as duas entalhavam pontas em pedaços de pau.

Todos os olhos estavam em Ernt, de pé na varanda ao lado de Earl Maluco. Não havia sinal de uísque entre eles, mas Leni sabia que tinham bebido.

Caía uma chuva sombria. Tudo estava cinza – céu cinza, chuva cinza, árvores cinza perdidas em uma névoa cinza. Cães latiam e mordiam a ponta de correntes enferrujadas. Vários estavam no telhado de suas casinhas e observavam o que acontecia no centro do complexo.

O pai olhou para as pessoas reunidas à sua frente, que nunca tinham sido em número menor. Nos anos anteriores, os jovens adultos haviam se aventurado fora da terra de seu avô em busca de suas próprias vidas. Alguns pescavam no mar de Bering, outros eram guardas no parque nacional. No ano anterior, Axle engravidara uma garota nativa e agora morava em um povoado yupik em algum lugar.

– Todos sabemos por que estamos aqui – disse o pai.

Seu cabelo comprido estava desgrenhado, sujo, e a barba, densa e descuidada.

Sua pele tinha uma palidez invernal. Um lenço vermelho cobria a maior parte de sua cabeça, mantendo o cabelo afastado do rosto. Ele deu tapinhas no ombro magro de Earl Maluco.

– Este homem viu o futuro muito antes do restante de nós. De algum modo, ele sabia que nosso governo ia falhar conosco, que a ganância e o crime iam destruir tudo o que amamos nos Estados Unidos. Ele veio para cá, trouxe vocês todos para cá, para viver uma vida melhor e mais simples, de volta à terra. Ele queria caçar sua comida, proteger sua família e ficar longe dos embustes que acontecem nas cidades. – O pai fez uma pausa e olhou para todas as pessoas reunidas diante de si. – Tudo funcionou. Até agora.

– Conte a eles, Ernt – disse Earl Maluco, inclinando-se para a frente, estendendo a mão para um garrafão a seus pés e tirando sua rolha com um estampido.

– Tom Walker é um babaca rico e arrogante – incitou o pai. – Todos conhecemos homens como ele. Ele não foi para o Vietnã, porque caras como ele tinham um milhão de maneiras de evitar a convocação. Ao contrário de mim, de Bo e de nossos amigos, que defendemos nosso país. Mas posso superar isso também. Posso superar sua atitude de superioridade moral e ele esfregar seu dinheiro na minha cara. Posso superar seus olhares de desejo para minha mulher. – O pai desceu a escada frágil da varanda e pisou na água lamacenta que se empoçava junto do degrau inferior. – Mas *não* vou deixar que ele destrua Kaneq e nosso estilo de vida. Este é nosso *lar*. Queremos que ele permaneça selvagem e livre.

– Ele vai reformar a taberna, Ernt, e não construir um centro de convenções – disse Thelma.

Quando ela ergueu a voz, Boneca se levantou e saiu andando, foi brincar com Marthe e Agnes.

– E um hotel – completou Earl Maluco. – Não se esqueça disso, moça.

Thelma olhou para o pai.

– Vamos, pai. Vocês dois estão fazendo tempestade em copo d'água. Não há estradas aqui, nenhuma infraestrutura, nem eletricidade. Toda essa reclamação é contraproducente. Apenas deixem isso pra lá.

– Eu não quero reclamar – corrigiu o pai. – Eu quero *fazer* alguma coisa, e por Deus, eu vou. Quem está comigo?

– Ele está certo – apoiou Earl Maluco, sua voz um pouco engrolada.

– Ele vai aumentar o preço das bebidas – reclamou Clyde. – Vocês vão ver.

– Eu não me mudei para o mato para ter um *hotel* por perto – disse Ernt.

Earl Maluco resmungou alguma coisa e tomou um grande gole.

Leni observou os homens se aproximarem. Cada um deles dando tapinhas nas costas do pai, como se ele tivesse acabado de compartilhar o plano mais perfeito.

Em instantes as mulheres foram deixadas sentadas sozinhas no centro enlameado do complexo.

– Ernt está bastante nervoso com uma pequena reforma da taberna – comentou Thelma, observando os homens. Dava para vê-los ingerindo raiva moralista, inflando-se com ela, passando o garrafão de um para outro. – Eu achei que ele fosse deixar pra lá.

A mãe acendeu um cigarro.

– Ele nunca deixa nada pra lá.

– Sei que vocês duas não têm muita influência sobre ele – continuou Thelma, olhando de Cora para Leni. – Mas ele pode começar uma grande crise por aqui. Tom Walker tem uma caminhonete nova e possui a melhor terra da península, mas é capaz de dar a roupa do corpo a quem precisa. Ano passado, Tom soube pela Marge que Boneca estava doente, apareceu aqui por conta própria e a levou de avião para Kenai.

– Eu sei – disse a mãe baixinho.

– Seu marido vai dividir esta cidade se não tomarmos cuidado.

A mãe deu um riso cansado. Leni entendeu. Você podia ser cuidadoso como um químico manipulando nitroglicerina. Isso não ia mudar nada. Cedo ou tarde ia explodir.

Mais uma vez, os pais de Leni ficaram tão bêbados que ela teve que dirigir até em casa. De volta à cabana, estacionou a caminhonete e ajudou a mãe a ir para o quarto, onde ela desabou na cama, rindo ao estender os braços na direção do pai.

Leni subiu para a própria cama, para o colchão que eles haviam resgatado do lixo e limpado com alvejante, deitou-se embaixo de seu cobertor de pele de vison e tentou dormir.

Mas o incidente na taberna e a reunião com os Harlans não saíam de sua cabeça. Algo naquilo era profundamente perturbador, embora não soubesse apontar um momento e dizer: *Pronto, foi isso que me incomodou*. Talvez fosse apenas uma sensação de instabilidade no pai que, se não era nova, tinha aumentado.

Mudança. Pequena, mas aparente.

Seu pai estava com raiva. Talvez furioso. Mas por quê?

Porque tinha sido demitido do oleoduto? Porque tinha visto a mãe e Tom Walker juntos em março, visto o Sr. Walker sentado à sua mesa?

Tinha que ser mais do que aparentava. Como alguns negócios na cidade podiam aborrecê-lo tanto? Deus sabia que ele gostava de beber uísque na Coice do Alce mais que a maioria dos homens.

Ela rolou até uma caixa junto de sua cama, a que continha as cartas de Matthew dos últimos anos. Não se passava um mês sem notícias dele. Ela havia decorado cada carta e podia ter acesso a elas à vontade. Algumas frases nunca a deixavam. *Estou melhorando... Pensei em você ontem à noite quando saí para jantar, aquela criança tinha uma câmera Polaroid gigante... Marquei meu primeiro gol ontem, queria que você estivesse aqui...* E suas favoritas, quando ele dizia coisas como: *Sinto sua falta, Leni* ou *Sei que parece piegas, mas sonhei com você. Você às vezes sonha comigo?*

Esta noite, porém, ela não queria pensar nele nem em como ele estava distante ou quanto se sentia solitária sem ele e sua amizade. Nos anos em que ele esteve fora, nenhum garoto ou garota novos se mudaram para Kaneq. Ela tinha aprendido a amar o Alasca, mas era muito solitária também. Em dias ruins – como aquele –, ela não queria ler suas cartas e se perguntar se algum dia ele voltaria, e tinha medo de que, se lhe escrevesse, dissesse sem querer o que de fato se passava em sua cabeça. *Eu estou com medo*, poderia dizer. *Estou solitária.*

Em vez disso, abriu seu último livro, *Pássaros feridos*, e se perdeu na história de um amor proibido em uma terra rude e hostil.

Leni ainda estava lendo bem depois da meia-noite, quando ouviu o barulho de contas. Esperou ouvir o ruído da porta do fogão a lenha se abrindo e fechando, mas tudo o que escutou foram passos pelo chão de madeira. Ela saiu da cama, rastejou até a beira do mezanino e olhou para baixo.

No escuro, apenas com o brilho do fogão como iluminação, levou um momento até que seus olhos se ajustassem.

O pai estava vestido todo de preto, com um boné de beisebol dos Alasca Aces enfiado na cabeça. Carregava uma grande bolsa de equipamentos que fazia barulho enquanto ele andava.

Ele abriu a porta da frente e saiu para a noite.

Leni desceu a escada do mezanino, foi em silêncio até a janela e olhou para fora. A lua cheia brilhava sobre o quintal enlameado; aqui e ali, áreas teimosas de neve endurecida captavam a luz. Havia pilhas de lixo por toda a volta: caixas de equipamento de pesca e suprimentos de camping, engradados de metal e dispositivos mecânicos enferrujados, um portão quebrado, outra bicicleta que o pai nunca conseguira consertar, uma pilha de pneus estourados.

O pai jogou o saco de equipamentos na caçamba da caminhonete, em seguida foi até o barracão de compensado onde guardavam suas ferramentas.

No momento seguinte, ele saiu carregando um machado sobre o ombro.

Subiu na caminhonete e foi embora.

Na manhã seguinte, o pai estava de bom humor. Tinha penteado seu cabelo preto desgrenhado em um coque samurai que caíra para um lado e parecia uma orelha de cachorrinho. Sua barba escura densa estava cheia de fiapos de lã, assim como seu bigode.

– Aí está nossa dorminhoca. Você ficou acordada lendo ontem à noite?

– Fiquei – disse Leni, olhando para ele desconfortavelmente.

Ele a puxou nos braços e dançou com ela até que Leni não conseguiu conter um sorriso.

A preocupação que ela sentia desde a noite anterior se esvaía pouco a pouco. Que alívio. E no primeiro sábado de abril; um de seus dias favoritos do ano.

Dias do Salmão. A cidade ia celebrar a temporada do salmão que se aproximava. As festividades tinham começado com outro nome, iniciadas pela tribo nativa que vivera ali antes; eles se reuniam para pedir uma boa temporada de pesca. Agora, porém, era apenas uma festa da cidade. Naquele dia, entre todos os outros, a sensação desagradável da noite anterior seria esquecida.

Um pouco depois das duas horas, após terminar todas as suas tarefas, Leni encheu os braços com recipientes de comida e saiu da cabana atrás dos pais. O céu azul se estendia até onde os olhos alcançavam; a praia de seixos parecia iridescente à luz do sol, com suas cascas de mariscos quebradas espalhadas como fragmentos de uma renda de casamento.

Eles carregaram comida, cobertores, um saco cheio de roupa de chuva e casacos extras na traseira da caminhonete – o tempo não era confiável nessa época do ano. Então se espremeram no banco inteiriço da cabine, e o pai saiu com o veículo.

Na cidade, estacionaram perto da ponte e caminharam até o armazém.

– O que está acontecendo? – perguntou a mãe quando viraram a esquina.

A rua principal estava cheia, mas não do jeito que deveria. Era para haver homens reunidos em torno de churrasqueiras, assando hambúrgueres de alce, linguiça de rena e mariscos frescos, trocando histórias de pescador e bebendo cerveja. As mulheres deveriam estar perto da lanchonete, ocupadas com mesas compridas arrumadas com comida – sanduíches de halibute, pratos de caranguejo, baldes de mariscos no vapor, recipientes de feijões assados.

Em vez disso, metade dos moradores estava parada no passeio de madeira no lado da cidade perto da água, e a outra metade, em frente à taberna. Era como uma estranha espécie de duelo.

Então Leni viu a taberna.

Cada uma das janelas estava quebrada, a porta tinha sido feita em pedaços, deixadas apenas lascas afiadas de madeira penduradas nas dobradiças de latão, e pichações com spray branco cobriam as paredes azuis. ISTO É UM ALERTA. FIQUE LONGE. BABACA ARROGANTE. NADA DE PROGRESSO.

Tom Walker estava diante da taberna arruinada, com Marge Gorda e Natalie de pé à sua esquerda, e a Sra. Rhodes e o marido, à direita. Leni reconheceu o restante das pessoas ali com ele: a maior parte dos comerciantes, pescadores e vendedores de equipamentos para atividades ao ar livre. Essas eram as pessoas que tinham ido para o Alasca *por* alguma coisa.

Do outro lado da rua, no passeio de madeira, estavam os que viviam mais longe da civilização: os excluídos, os solitários. Pessoas que moravam no mato, sem acesso à sua propriedade exceto pelo mar ou pelo ar e tinham ido para lá a fim de escapar de alguma coisa – credores, o governo, a lei, pensão alimentícia, a vida moderna. Como o pai dela, queriam que o Alasca permanecesse selvagem para sempre. Se as coisas corressem à sua maneira, nunca haveria eletricidade, turistas, telefones, estradas pavimentadas ou privadas com descarga.

O pai caminhou à frente, confiante. Leni e a mãe correram para acompanhá-lo.

Tom Walker andou para encontrar Ernt no meio da rua. Jogou uma lata de tinta spray no chão, aos pés dele. Ela fez barulho ao cair e rolou para o lado.

– Acha que não sei que foi você? Acha que todo mundo não sabe que foi você, seu babaca maluco?

Ernt sorriu.

– Aconteceu alguma coisa ontem à noite, Tom? Vandalismo? Que pena.

Leni percebeu como o Sr. Walker parecia poderoso ao lado de seu pai, como parecia firme. Não podia imaginar Tom Walker cambaleando de bêbado, falando sozinho ou acordando gritando e chorando.

– Você é pior do que um covarde, Allbright. Você é burro. Sair escondido no escuro para quebrar janelas e pichar palavras na madeira que vou demolir de qualquer jeito.

– Ele não faria isso, Tom – disse a mãe, tomando o cuidado de manter os olhos baixos. Ela sabia que não devia olhar direto para Tom, especialmente num momento como aquele. – Ele estava em casa ontem à noite.

O Sr. Walker deu um passo à frente.

– Escute bem, Ernt. Eu vou deixar isso passar como um erro. Mas o progresso está chegando a Kaneq. Se você fizer alguma coisa, *qualquer coisa*, para prejudicar meus negócios de agora em diante, não vou convocar uma reunião de moradores. Não vou chamar a polícia. Eu vou pegar *você*.

– Você não me assusta, riquinho.

Dessa vez, o Sr. Walker sorriu.

– Como eu falei: burro.

O Sr. Walker se voltou para as pessoas, muitas das quais tinham se aproximado para ouvir a discussão.

– Somos todos amigos aqui. Vizinhos. Algumas palavras pintadas na madeira não significam nada. Vamos começar a festa.

As pessoas reagiram imediatamente e se espalharam. Mulheres se dirigiram para a mesa de comida enquanto homens acendiam as churrasqueiras. Perto do fim da rua, a banda começou a tocar.

Lay down, Sally, and rest you in my arms...

O pai pegou a mãe pela mão e a levou pela rua, balançando a cabeça no ritmo da música.

Leni foi deixada sozinha, uma garota entre duas facções.

Sentiu o racha na cidade, a discordância que podia facilmente se transformar em uma luta pela alma do que Kaneq deveria ser.

Isso podia ficar feio.

Leni sabia o que o pai tinha feito e o vandalismo revelou um lado novo de sua raiva. Aterrorizou-a que ele tivesse feito algo tão público. Desde que o Sr. Walker e Marge Gorda tinham-no mandado para o oleoduto durante o inverno, ele se mantivera na defensiva. Nunca bateu no rosto da mãe ou em qualquer lugar em que os machucados pudessem ser vistos. Ele se esforçou muito, muito mesmo, para controlar seu temperamento. Mantinha uma distância grande e respeitosa do Sr. Walker.

Ao que parecia, não mais.

Leni não percebeu que Tom Walker tinha chegado ao seu lado até que ele falou:

– Você parece assustada.

– Essa história entre o senhor e meu pai pode destruir Kaneq – disse ela. – O senhor sabe disso, não é?

– Confie em mim, Leni. Não há nada com que você deva se preocupar.

Ela olhou para o Sr. Walker.

– O senhor está errado.

– Você se preocupa demais – disse Marge Gorda para Leni no dia seguinte, quando a garota apareceu para trabalhar.

No último ano, Leni trabalhava em meio expediente no armazém, arrumando prateleiras, tirando o pó de suprimentos, passando os produtos na velha caixa registradora. Ela ganhava o suficiente para se manter bem abastecida de filmes e livros. O pai tinha sido contra isso, é claro, mas dessa vez a mãe o enfrentara, afirmando que uma garota de 17 anos precisava de um emprego depois da aula.

– O vandalismo é uma coisa ruim – falou Leni, olhando fixamente pela janela, na direção da taberna em ruínas.

– Ah. Homens são estúpidos. Você já devia saber disso. Veja os alces machos. Eles investem um contra o outro a toda velocidade. A mesma coisa com os carneiros-de-dall. É muito barulho e fúria por nada.

Leni não concordou. Viu o que o vandalismo do pai tinha causado, os efeitos disso nas pessoas ao seu redor. Algumas palavras pintadas tinham se transformado em balas disparadas no coração da cidade. Embora a festa da noite anterior na rua principal tivesse transcorrido como sempre, fazendo barulho até o dia começar a escurecer, ela vira como os moradores da cidade tinham se dividido em times: um que acreditava em mudança e crescimento e outro que não. Quando a festa finalmente acabou, todo mundo seguiu seus caminhos separados.

Separados. Em uma cidade que se orgulhava de as pessoas serem unidas.

Em uma noite de domingo, Leni e seus pais foram até o complexo dos Harlans para um churrasco. Depois, como sempre, construíram uma grande fogueira na lama e ficaram ao redor, conversando e bebendo enquanto a noite caía à sua volta, transformando as pessoas em silhuetas violeta.

De seu lugar na varanda de Thelma, relendo a última carta de Matthew à luz de um lampião, Leni podia ver os adultos reunidos perto das chamas. Um garrafão que dali parecia uma vespa negra se movia de mão em mão. Ela ouviu as vozes dos homens acima das chamas crepitantes e sibilantes, um ruído de raiva crescente.

– ...tomar nossa cidade...

– ...babaca arrogante, acha que é nosso dono...

– ...depois disso ele vai querer trazer eletricidade e televisão... nos transformar em Las Vegas.

Faróis lançaram-se através da escuridão. Cachorros ficaram loucos no quintal, latiram e uivaram quando uma grande caminhonete branca chegou roncando pela lama e estacionou espirrando água.

O Sr. Walker desceu de seu carro novo e caro e caminhou com confiança na direção da fogueira, absolutamente calmo, como se pertencesse àquele lugar.

Oops.

Leni dobrou a carta, enfiou-a no bolso e desceu para a lama.

O rosto do pai estava laranja sob a luz do fogo. Seu coque tinha caído, agora pendia em um aglomerado de fios atrás de sua orelha esquerda.

– Parece que alguém se perdeu – disse ele, a voz alterada pela bebida. – Você não pertence a este lugar, Walker.

– Disse o *cheechako* – rebateu o Sr. Walker.

Seu sorriso largo tirou um pouco da provocação do insulto. Ou talvez a aumentara; Leni não tinha certeza.

– Estou aqui há quatro anos – afirmou o pai, sua boca se comprimindo até que seus lábios quase desaparecessem.

– Tudo isso? – indagou o Sr. Walker, cruzando os braços grandes sobre o peito. – Tenho botas que percorreram mais chão no Alasca do que você.

– Agora veja...

– Calma, garoto – falou o Sr. Walker com um sorriso torto, embora o sorriso não tivesse alcançado seus olhos. – Não estou aqui para falar com você. Estou aqui para falar com eles. – Ele ergueu o queixo para indicar Clyde e Donna, Thelma e Ted. – Conheço vocês por toda minha vida. Droga, ensinei Clyde a caçar patos, lembra, Clyde? E Thelma me deu um bom tapa quando me engracei para cima dela quando éramos crianças. Eu vim conversar com meus amigos.

O pai pareceu desconfortável. Irritado.

O Sr. Walker sorriu para Thelma, que retribuiu o sorriso.

– Nós bebemos nossas primeiras cervejas juntos, lembra? A Coice é *nosso* lugar. Nosso. Droga, Donna, vocês se casaram lá.

Donna olhou para o marido e deu um sorriso hesitante.

– O negócio é o seguinte: está na hora de consertar a velha garota. Nós merecemos um lugar onde possamos nos reunir, conversar e nos divertir sem cheirar a madeira queimada e ficar com fuligem por toda parte quando saímos. Mas vai dar muito trabalho. – O Sr. Walker fez uma pausa e seu olhar se moveu de um rosto para outro. – E vamos precisar de muitos trabalhadores. Posso contratar pessoas em Homer, pagar a eles 4 dólares por hora para reconstruir o lugar, mas eu preferiria manter meu dinheiro aqui, na cidade, com meus amigos e vizinhos. Todos sabemos como é bom ter algum dinheiro no bolso quando o inverno se aproxima.

– Quatro dólares por hora? Isso é muito – disse Ted, lançando um olhar para Thelma.

– Eu quero ser mais que justo – afirmou o Sr. Walker.

– Ah! – exclamou Ernt. – Ele está tentando manipular vocês. Comprar vocês. Não deem ouvidos a ele. Sabemos o que é bom para nossa cidade. E não é o seu dinheiro.

Thelma lançou um olhar irritado na direção de Ernt.

– Quanto tempo o trabalho vai durar, Tom?
Ele deu de ombros.
– Tem que estar pronto antes de o tempo mudar, Thelma.
– E de quantos trabalhadores você vai precisar?
– Quantos eu puder conseguir.
Thelma recuou, se virou para Ted e sussurrou algo para ele.
– Earl? – chamou Ernt. – Você vai deixar que ele faça isso?
O rosto pálido e enrugado de Earl Maluco estava abatido, parecendo uma escultura em maçã seca.
– O trabalho é escasso por aqui, Ernt.
Leni viu o efeito que essas poucas palavras tiveram sobre seu pai.
– Eu aceito um emprego – disse Clyde.
O Sr. Walker deu um sorriso triunfante. Leni viu seu olhar se dirigir ao pai e se manter ali.
– Ótimo. Mais alguém?
Quando Clyde se ofereceu, o pai fez um ruído como o de um pneu estourando, pegou a mãe pelo braço e a puxou através do complexo. Leni teve que correr pela lama para acompanhá-los. Todos subiram na caminhonete.
O pai pisou no acelerador com muita força e os pneus giraram na lama antes de encontrarem tração. Engrenou a ré, arrancou para trás, deu a volta e saiu correndo pelos portões abertos.
A mãe estendeu o braço e pegou a mão de Leni. As duas sabiam que não deviam dizer nada quando ele começou a falar sozinho, batendo a palma da mão com força no volante para pontuar seus pensamentos.
Malditos idiotas... deixando que ele ganhe... malditos homens ricos que se acham os donos do mundo.
Na cabana, ele parou e empurrou a alavanca de câmbio para o ponto morto.
Leni e a mãe ficaram ali sentadas, com medo de respirar muito alto.
Ele não se mexeu, apenas ficou olhando pelo para-brisa sujo de mosquitos esmagados para o defumador sombrio e o grupo de árvores negras. O céu estava de um roxo-amarronzado profundo, pontilhado de estrelas.
– Vão – disse ele com dentes cerrados. – Eu preciso pensar.
Leni abriu a porta, e ela e a mãe praticamente pularam da caminhonete em sua pressa para desaparecer. De mãos dadas, avançaram pela lama, subiram os degraus e abriram a porta, batendo-a e fechando-a às suas costas, desejando poder trancá-la, mas sabiam que não deviam fazer isso. Em um de seus acessos de fúria, ele podia queimar o lugar para pegar a mãe.
Leni foi até a janela, puxou a cortina de lado e olhou para fora.

A caminhonete estava ali, soltando fumaça na noite, seus faróis dois fachos brilhantes.

Ela podia ver a silhueta dele, falando sozinho.

– Ele fez aquilo – disse Leni. – Vandalizou a taberna.

– Não. Ele estava em casa. Na cama comigo. E isso não é o tipo de coisa que ele faria.

Parte de Leni queria esconder aquilo da mãe, para poupá-la da dor, mas a verdade queimava um buraco em sua alma. Dividi-la era o único meio de apagar as chamas. Elas eram uma equipe. Ela e a mãe. Juntas. Não guardavam segredos uma da outra.

– Depois que você dormiu, ele foi com a caminhonete até a cidade. Eu o vi sair. Com um machado.

A mãe acendeu um cigarro e exalou pesadamente.

– Pensei que desta vez...

Leni entendeu. Esperança. Uma coisa reluzente, uma isca para os incautos. Ela sabia quanto podia ser sedutora, e perigosa.

– O que vamos fazer?

– Fazer? Ele já estava irritado por ter perdido o emprego no oleoduto, e agora essa coisa com a taberna, com Tom, pode fazê-lo perder o controle.

Leni sentiu o medo da mãe, e também a vergonha, que era sua gêmea silenciosa.

– Vamos ter que ser muito cuidadosas. A situação pode se agravar.

CATORZE

Abril em Fairbanks era um mês não muito confiável. Naquele ano, um frio fora de época tomou a cidade, a neve caiu, os pássaros se esconderam, os rios permaneceram congelados. Até os antigos moradores começaram a reclamar, e eles tinham passado décadas naquela cidade, que era conhecida como a mais fria dos Estados Unidos.

Matthew saiu andando do rinque de patinação depois do treino, o taco de hóquei apoiado nos ombros. Ele sabia que parecia um garoto de 17 anos normal em um uniforme úmido de suor e botas, mas as aparências enganavam. Ele sabia disso, e eles sabiam disso, os garotos com quem estudara nos últimos anos. Ah, eles eram bastante amigáveis – ninguém julgava ninguém tão longe da civilização; você podia ser quem quisesse –, mas se mantinham distantes. Rumores de seu "colapso" tinham se espalhado mais rápido que um incêndio em Kenai. Antes que ele ocupasse uma cadeira em sua primeira aula no nono ano, já tinha certa reputação. Adolescentes, mesmo na região selvagem do Alasca, ainda eram animais de manada. Eles sentiam quando havia um membro fraco em seu meio.

Uma neblina gelada – uma névoa pesada e cinzenta salpicada de partículas minúsculas e congeladas de poluentes – transformava Fairbanks em um parque de diversões, onde nada era muito sólido, nenhuma linha definida. O lugar cheirava a escapamento contido, como uma pista de corrida.

Os prédios baixos e largos de dois andares do outro lado da rua pareciam estar segurando uns aos outros, abandonados na neblina. Como muitas das construções na cidade, pareciam temporários, construídos às pressas.

Através da escuridão, as pessoas eram desenhos a carvão, linhas e traços, os sem-teto que se encolhiam nas soleiras, os bêbados que às vezes saíam cambaleantes de bares à noite e morriam congelados. Nem todos esses que Matthew via agora iam sobreviver ao dia ou à semana, muito menos àquele frio inesperado em uma cidade onde o inverno durava de setembro a abril, e a noite se estendia pela terra por dezoito horas. Havia baixas todos os dias. As pessoas desapareciam o tempo inteiro.

Enquanto caminhava na direção de sua picape, a noite caiu. Rápido assim, num piscar de olhos. A iluminação dos postes produzia a única luz que havia – pontos aqui e ali –, além da eventual fileira de faróis e seu brilho. Ele usava uma parca. Por baixo dela, seu suéter de hóquei, ceroulas, sua calça de hóquei e botas de couro em estilo esquimó. Não estava tão frio, não pelos padrões de Fairbanks. Pouco abaixo de zero. Matthew não se deu ao trabalho de calçar luvas.

Não demorou muito para a caminhonete pegar, não nessa época do ano; não como no meio do inverno profundo, quando você deixava a caminhonete ligada quando estava numa loja ou resolvendo coisas rápidas, quando o termostato frequentemente caía para 30 graus negativos.

Ele subiu na picape grande de cabine dupla do tio e seguiu devagar pela cidade, alerta, sempre atento a animais, carros derrapando ou crianças brincando onde não deviam.

Um Dodge aos pedaços parou na frente dele. Tinha um adesivo no vidro traseiro que dizia: EM CASO DE ROUBO, ESTE CARRO FICARÁ DESGOVERNADO.

Havia muitos adesivos como aquele por ali, nas profundezas do interior selvagem do Alasca, longe dos destinos turísticos das costas ou da beleza majestosa do Denali. O Alasca era cheio de pessoas que acreditavam em coisas estranhas, rezavam para deuses excludentes e enchiam seus porões com a mesma quantidade de armas e Bíblias. Se você quisesse viver em um lugar onde ninguém lhe dissesse o que fazer e não se importasse se você estacionasse um trailer em seu quintal ou tivesse uma geladeira na varanda, o Alasca era ideal. A tia de Matthew dizia que era o romance da aventura que atraía tantos individualistas. Ele não sabia se concordava – na verdade, não dispendia muita energia pensando em coisas assim –, mas sabia que quanto mais longe estivesse da civilização, mais estranhas ficavam as coisas. A maioria das pessoas passava um inverno escuro e desolado de oito meses em Fairbanks e deixava o estado aos gritos. Os poucos que ficavam – desajustados, aventureiros, românticos, solitários – quase nunca iam embora.

Ele levou quase quinze minutos para chegar à estrada da propriedade, e mais cinco até a casa que chamava de lar pelos últimos anos. Duas décadas antes, quando a família da mãe tinha ido morar ali, a terra era remota; com o passar do tempo, a cidade se aproximara, espalhando-se. Fairbanks podia ficar no meio do nada, a pouco mais de 200 quilômetros do Círculo Polar Ártico; mas era a segunda maior cidade do estado e crescia depressa por causa do oleoduto.

Matthew seguiu pela entrada de carros longa, sinuosa e envolta por árvores, e estacionou na grande garagem/oficina com laterais de tábuas entre o quadriciclo e a motoneve do tio Rick.

Dentro da casa, as paredes eram tábuas cortadas de modo tão grosseiro que pareciam desmazeladas na combinação de luz e sombra. Seus tios sempre tiveram a intenção de forrá-las com gesso, mas nunca fizeram isso. A cozinha era delineada por bancadas de madeira polida em forma de L dispostas sobre armários verdes, que tinham ido parar ali vindos de uma casa abandonada em Anchorage. Era uma dessas casas de "sonho" construídas por forasteiros que não resistiam a seu primeiro inverno. Um bar com três banquetas a separava da área de jantar. Depois disso ficava a sala de estar; um grande sofá modulado xadrez (completo, com apoios móveis para os pés) e duas poltronas reclináveis davam para uma janela de onde se via o rio. Havia estantes por toda a parte, abarrotadas de livros; lampiões e lanternas decoravam quase toda a superfície para quando faltava luz, e faltava com frequência, com tantas árvores grandes e tempo ruim. A casa tinha eletricidade e água corrente e até uma televisão, mas não havia vasos sanitários com descarga. Na verdade, nenhum Walker jamais se importou com isso. Eles todos tinham sido criados com banheiros externos e estavam felizes em viver assim. As pessoas no Sul não tinham ideia de como um banheiro externo podia ser limpo se você cuidasse dele.

– Ei, você – disse Aly do sofá, erguendo os olhos.

Ela parecia estar fazendo o dever de casa.

Matthew largou sua bolsa de equipamento perto da porta e apoiou o taco de hóquei no vestíbulo – um corredor cheio de casacos e botas que separava o lado de fora do de dentro. Pendurou o casaco em um gancho e tirou as botas. Estava tão alto agora – quase 1,90 metro – que precisava se abaixar para entrar em casa.

– Ei.

Ele se sentou ao lado dela.

– Você fede como um bode – comentou ela, fechando o livro.

– Um bode que marcou dois gols.

Ele se recostou, apoiou a cabeça no encosto do sofá e olhou para as grandes vigas de madeira que atravessavam o teto. Não sabia por quê, mas se sentia nervoso, um pouco suscetível. Bateu os pés, tocou um arpejo no braço surrado do sofá com os dedos.

Aly o encarou. Como sempre, se maquiara de um jeito descuidado, como se tivesse perdido o interesse no meio do processo. Seu cabelo louro estava puxado para trás em um rabo de cavalo amarfanhado que pendia um pouco para a esquerda. Ele não tinha ideia se aquilo era intencional. Ela era bonita do jeito natural e rústico das garotas alasquianas, mais propensas a irem caçar nos fins de semana do que a um shopping ou ao cinema.

– Você está fazendo outra vez.

– O quê?

– Olhando de um jeito estranho. Como se achasse que eu vou explodir ou coisa assim.

– Não – disse ela tentando sorrir. – É só que... você sabe. Você está tendo um dia ruim?

Matthew fechou os olhos e suspirou. Sua irmã mais velha tinha sido sua salvação; não havia dúvida disso. Assim que se mudara, quando não conseguia lidar com a tristeza e era assolado por pesadelos terríveis, Aly foi seu esteio, a voz que conseguia chegar até ele. Embora isso tivesse demorado. Pelos primeiros três meses, ele não falou quase nada. O terapeuta com quem se consultava não ajudou. Ele soube desde a primeira sessão que não seria a mão de um estranho que ia segurar, ainda mais de um que falava com ele como se fosse uma criança.

Foi Aly quem o salvou. Ela nunca desistiu, nunca parou de perguntar como ele se sentia. Quando Matthew enfim encontrou as palavras para se expressar, sua tristeza se revelou infinita, aterrorizante.

Ele ainda estremecia por causa do jeito que tinha chorado.

Sua irmã o segurava quando ele chorava, o embalava como sua mãe teria feito. Com o passar dos anos, os dois desenvolveram um vocabulário para o sofrimento, aprenderam a falar de sua perda. Matthew e Aly conversaram sobre sua dor até não restarem mais palavras. Eles também passavam horas em silêncio, parados lado a lado no rio, pescando com iscas artificiais e caminhando por trilhas difíceis na cordilheira do Alasca. Com o tempo, seu sofrimento se transformou em raiva, depois pesar e, por fim, se estabeleceu em uma tristeza persistente que era parte dele, não o todo. Recentemente, tinham começado a falar sobre o futuro em vez do passado.

Essa era uma grande mudança, e eles sabiam disso. Aly tinha se escondido na escola, usando a sala de aula como escudo contra a realidade dura da vida de ser uma garota sem mãe, e ficara ali, em Fairbanks, para estar ao lado de Matthew. Antes da morte da mãe, Aly sonhara alto, em se mudar para Nova York ou Chicago, algum lugar que tivesse serviço de ônibus, teatros e óperas. Mas, assim como Matthew, a perda a reestruturou de dentro para fora. Agora ela sabia quanto a família importava e como era fundamental estar com as pessoas que você amava. Começara a falar sobre voltar para a propriedade com o pai, e talvez trabalhar com ele. Matthew sabia que sua presença ali estava detendo a irmã. A situação podia continuar assim se ele deixasse, e parte dele queria fazer isso. Mas ele tinha quase 18 anos. Se não abrisse caminho para fora do ninho, ela ia ficar ao lado dele para sempre.

– Eu quero terminar o ano letivo em Kaneq – disse ele em meio ao silêncio.

Ouviu a pergunta que ela não formulou e a respondeu: – Não posso me esconder para sempre.

Aly pareceu assustada. Vira o irmão durante os piores momentos, e Matthew sabia que ela estava aterrorizada que ele voltasse a entrar em depressão.

– Mas você ama hóquei e é bom nisso.

– A temporada termina em duas semanas. E começo na faculdade em setembro.

– Leni.

Matthew não ficou surpreso que ela entendesse. Ele e Aly conversavam sobre tudo, inclusive Leni e quanto suas cartas significavam.

– E se ela for embora para fazer faculdade em algum lugar? Eu quero vê-la. Posso não ter outra chance.

– Você tem certeza de que está pronto? Para todo lugar que olhar vai ver a mamãe.

E ali estava ela. A grande pergunta. A verdade era que ele não sabia se podia lidar com nada disso – voltar para Kaneq, ver o rio que engolira sua mãe, ver a tristeza do pai ao vivo, de perto –, mas ele sabia de uma coisa: as cartas de Leni tinham sido importantes para ele. Talvez o tivessem salvado tanto quanto Aly. Apesar de todos os quilômetros de distância, e com suas vidas diferentes, as cartas de Leni e as fotografias que ela lhe mandava o lembravam de quem ele tinha sido.

– Eu a vejo por toda parte *aqui*. Você não?

Aly assentiu devagar.

– Juro que a vejo pelo canto do olho o tempo todo. Eu falo com ela à noite.

Ele assentiu. Às vezes de manhã, quando acordava, por uma fração de segundo achava que o mundo estava direito, que ele era um garoto comum em uma casa comum e que sua mãe logo o estaria chamando para descer para o café. O silêncio em manhãs como aquelas era horrível.

– Você quer que eu vá com você?

Ele queria. Queria que ela estivesse ao seu lado, segurando sua mão, mantendo-o firme.

– Não. Suas aulas só terminam em junho – respondeu, ouvindo a hesitação em sua voz, ciente de que ela ouvia também. – Além disso, acho que tenho que fazer isso sozinho.

– Você sabe que papai te ama. Ele vai ficar feliz por ter você de volta.

Ele sabia disso. Também sabia que o amor podia congelar, transformar-se em uma espécie de gelo fino. Ele e o pai tiveram dificuldade para conversar nos anos anteriores. Tristeza e culpa os haviam mudado.

Aly estendeu o braço e pegou as mãos do irmão nas suas.

Ele a esperou falar, mas ela não disse nada. Os dois sabiam por quê: não havia nada a dizer. Às vezes é preciso retroceder para avançar. Essa verdade eles conheciam, por mais jovens que fossem. Mas havia outra verdade, uma que eles evitavam, uma da qual tentavam proteger um ao outro. Às vezes era perigoso voltar.

Talvez a tristeza estivesse esperando esse tempo todo pela volta de Matthew, esperando no escuro, no frio. Talvez em Kaneq ele fosse desfazer todo aquele progresso e desmoronar outra vez.

– Você está mais forte agora – afirmou Aly.

– Eu acho que vamos descobrir.

Duas semanas depois, Matthew pilotou o hidroavião do tio sobre Otter Point, virou à direita, desceu e pousou na água azul lisa lá embaixo. Desligou o motor e flutuou na direção do grande arco de madeira prateada que dizia ENSEADA WALKER.

Seu pai estava parado na ponta do cais com os braços pendendo ao lado do corpo.

Matthew saltou do pontão sobre o cais e amarrou o hidroavião. Permaneceu assim, abaixado, de costas para o pai, por um momento mais longo que o necessário, reunindo a força de que precisava para de fato estar ali.

Enfim se aprumou e virou.

Seu pai estava mais perto agora; puxou Matthew em um abraço esmagador que durou tanto tempo que Matthew teve dificuldade para respirar. O pai finalmente se afastou, olhou para ele, e o amor tomou forma no ar em torno deles, uma versão cheia de arrependimento e lembranças, talvez um pouco triste, mas ainda assim amor.

Fazia apenas alguns meses que eles não se viam. O pai fazia questão de ir a vários jogos de hóquei de Matthew e de visitá-los em Fairbanks sempre que o clima árduo e as tarefas na propriedade permitiam, mas eles na verdade nunca conversavam sobre nada importante.

O pai parecia mais velho, sua pele mais vincada e enrugada. Ele sorriu daquele seu jeito, do jeito que fazia tudo na vida, em alta velocidade, sem explicações, sem arrependimento, sem redes de segurança. Dava para conhecer Tom Walker com um olhar, porque ele o deixava entrar. Sabia instantaneamente que ele era um homem que sempre dizia a verdade como ele a via, as pessoas gostassem disso ou não, que tinha um conjunto de regras para guiar sua vida, e nenhuma outra regra importava. Ele ria mais forte que qualquer homem que Matthew tivesse conhecido, e o rapaz o vira chorar apenas uma vez. Naquele dia no gelo.

– Você está ainda mais alto que da última vez que o vi.

– Eu sou igual ao Hulk. Não paro de rasgar minhas roupas.

Tom pegou a mala de Matthew e o conduziu pelo cais, passando pelo barco de pesca que esticava suas amarras; aves marinhas piavam acima, ondas quebravam nas colunas. O cheiro de algas assando ao sol e jogadas pelas ondas o saudou.

No topo da escada, Matthew teve o primeiro vislumbre da grande casa de troncos com a fachada arqueada altiva e o deque à sua volta. Uma luz acolhedora iluminava os vasos pendurados nos beirais, ainda cheios com os gerânios mortos do ano anterior.

Os vasos da mãe.

Ele parou e recuperou o fôlego.

Não havia se dado conta de como o tempo podia estender os anos de sua vida diante dos seus olhos até, por um segundo, você ter 14 anos outra vez, gritando de um lugar tão profundo que parecia antecedê-lo, desesperado para ficar inteiro outra vez.

O pai seguiu na frente.

Matthew se forçou a se mover. Passou pela mesa de piquenique acinzentada pelo tempo e subiu os degraus de madeira até a porta da frente pintada de roxo. Ao lado havia a silhueta de uma orca recortada em metal que dizia SINTA-SE EM ORCASA! Tinha sido um presente de Matthew; e sempre fazia a mãe rir.

Isso fez lágrimas brotarem em seus olhos. Ele as secou, constrangido com a demonstração diante de seu pai impassível, e entrou.

A casa parecia a mesma de sempre. Um monte de móveis recuperados e antigos na sala, uma velha mesa de piquenique coberta com um tecido amarelo e com um vaso de flores azuis no centro. Uma coleção de velas erguia-se como uma aldeia medieval em torno das flores. O toque de sua mãe estava por toda parte. Ele quase podia ouvi-la.

No interior da casa, paredes de tronco com casca escurecida, janelas grandes o suficiente para capturar a vista, um par de sofás de couro marrom, um piano que a avó tinha mandado trazer de fora do Alasca. Ele caminhou até a janela, olhou para fora, viu a enseada e o cais através de um reflexo do próprio rosto.

Sentiu seu pai se aproximar às suas costas.

– Bem-vindo ao lar.

Lar. A palavra tinha camadas de significado. Um lugar. Uma emoção. Lembranças.

– Ela estava à minha frente – disse ele, ouvindo a hesitação em sua voz.

Ouviu o pai inspirar fundo. Será que ele ia deter Matthew, abortar essa conversa que nunca ousaram ter?

Houve um momento, uma pausa que levou menos tempo que uma inspiração; então o pai pôs a mão pesada no ombro de Matthew.

– Ninguém podia deter sua mãe – falou em voz baixa. – Não foi culpa sua.

Matthew não sabia como responder. Havia tanto a dizer, mas eles nunca tinham conversado sobre nada disso. Como podia começar uma conversa daquelas?

O pai puxou Matthew em um abraço forte.

– Estou muito feliz que você esteja de volta.

– É – disse Matthew com a voz rouca. – Eu também.

Meados de abril. O amanhecer derramava-se sobre a terra bem antes das sete da manhã. Quando Leni abriu os olhos, embora ainda estivesse escuro, sentiu a leveza que vinha com a mudança de estações. Como alasquiana, podia sentir a luz nascente, vê-la no esmaecimento do negro absoluto para um tom de carvão. Ela carregava uma sensação de esperança, da chegada da luz do dia, de que tudo então ficaria melhor. De que *ele* ficaria melhor.

Mas nada disso era verdade nessa primavera. Mesmo com a luz do sol voltando, o pai piorava. Raivoso e intenso. Com mais ciúme de Tom Walker.

Leni tinha uma sensação terrível e crescente de que alguma coisa ruim ia acontecer.

Durante todo o dia na escola, lutou contra uma dor de cabeça. Voltando para casa de bicicleta, começou a sentir dor de barriga. Tentou dizer a si mesma que era sua menstruação, mas sabia que não. Era estresse. Preocupação. Ela e a mãe tinham entrado em modo de alerta outra vez. Faziam contato visual constantemente, caminhavam com cuidado, tentavam ficar invisíveis.

Guiou a bicicleta com habilidade pela entrada de carros esburacada, tomando cuidado para permanecer no solo elevado entre as duas trilhas de pneu enlameadas.

Em seu quintal – um pântano de lama e água corrente –, viu que a caminhonete vermelha não estava, o que significava que o pai ou tinha ido caçar ou ver os Harlans.

Apoiou a bicicleta na cabana e fez suas tarefas – alimentou os animais, verificou a água, recolheu os lençóis secos do varal e os jogou em um cesto de vime. Segurando o cesto de roupa junto do quadril, ouviu o ruído agudo e elástico de um motor de barco, e olhou para a água, protegendo os olhos do sol com a mão. Maré alta.

Um bote de alumínio surgiu em sua enseada. O barulho entrecortado do motor era o único som por quilômetros. Leni jogou o cesto de roupa na varanda e se dirigiu para a escada da praia, que eles tinham reforçado ao longo dos anos. Quase todas as tábuas eram novas; só aqui e ali se podia ver o cinza esmaecido da escada original. Ela desceu os degraus em zigue-zague com suas botas enlameadas.

O barco avançou preguiçosamente, sua proa pontuda erguida com orgulho nas ondas. Havia um homem no controle. Ele guiou o barco adiante e o parou na praia.

Matthew.

Ele desligou o motor e saiu na água na altura dos tornozelos, segurando o cabo branco esfiapado do barco.

Leni tocou o cabelo, envergonhada. Não havia se dado ao trabalho de trançá-lo nem escová-lo naquela manhã. E estava usando exatamente a mesma roupa com que tinha ido à escola nesse dia e no dia anterior. Sua camisa de flanela devia cheirar a fumaça de madeira.

Ah, meu Deus.

Ele puxou o barco pela areia, largou a corda e caminhou na direção dela. Por anos Leni imaginara esse momento; em seus pensamentos, sempre sabia exatamente o que dizer. Na privacidade de sua imaginação, eles apenas começavam a conversar e retomavam sua amizade como se ele nunca tivesse ido embora.

Mas em sua cabeça, ele era Matthew, o garoto de 14 anos que tinha lhe mostrado ovos de sapo e filhotes de águia, o garoto que havia lhe escrito toda semana. *Querida Leni, está difícil nesta escola. Acho que ninguém gosta de mim...* e para quem ela escrevera em resposta *Eu sei muito sobre ser a garota nova na escola. É horrível. Deixe-me lhe dar algumas dicas...*

Esse... homem era outra pessoa, alguém que ela não conhecia. Alto, cabelo louro comprido, incrivelmente bonito. O que ela podia dizer para esse Matthew?

Ele enfiou a mão na mochila e pegou a versão surrada e amarelada de *O Senhor dos Anéis* que Leni lhe mandara em seu aniversário de 15 anos. Ela se lembrava da dedicatória que escrevera nele: *Amigos para sempre, como Sam e Frodo.*

Uma garota diferente tinha escrito aquilo. Uma que não conhecia a terrível verdade sobre sua família tóxica.

– Como Sam e Frodo – disse ele.

– Sam e Frodo – repetiu Leni.

Ela sabia que era loucura, mas parecia que eles estavam conversando sem dizer nada, falando de livros, amizades duráveis e vencer dificuldades insuperáveis. Talvez eles não estivessem falando sobre Sam e Frodo e, sim, sobre si mesmos e como de algum modo tinham crescido e permanecido crianças ao mesmo tempo.

Ele pegou um embrulho pequeno em sua mochila e entregou a ela.

– Isto é para você.

– Um presente? Não é meu aniversário.

Leni percebeu que suas mãos estavam tremendo enquanto rasgava o papel. Lá dentro, encontrou uma câmera Canon Canonet pesada e preta em um estojo de couro. Ergueu os olhos para ele, surpresa.

– Senti sua falta – disse ele.

– Também senti sua falta – respondeu ela em voz baixa, sabendo, mesmo ao dizer isso, que as coisas tinham mudado.

Eles não tinham mais 14 anos. Mais importante: o pai dela tinha mudado. Ser amiga do filho de Tom Walker logo ia causar problema.

Leni ficou preocupada com o fato de não se importar com isso.

No dia seguinte, na escola, Leni mal conseguia se concentrar. Não parava de olhar de esguelha para Matthew, como se quisesse se assegurar de que ele estava mesmo ali. A Sra. Rhodes teve que gritar com Leni várias vezes para chamar sua atenção.

Depois da aula, eles saíram caminhando juntos, emergiram lado a lado sob a luz do sol e desceram os degraus de madeira até o solo enlameado.

– Vou voltar para buscar meu quadriciclo – disse ele quando ela afastou sua bicicleta do alambrado que tinha sido erguido dois anos antes, depois que uma fêmea de javali com seus filhotes chegou até a porta da escola à procura de comida. – Vou andando com você até em casa. Se não se importar.

Leni assentiu. Ela parecia ter perdido a voz. Não lhe dirigia duas palavras o dia inteiro; estava com medo de passar vergonha. Eles não eram mais crianças, e ela não tinha ideia de como conversar com um garoto de sua idade, especialmente quando a opinião dele sobre ela importava tanto.

Leni segurava firme os punhos de plástico do guidão, com sua bicicleta reciclada encontrada no lixo fazendo um barulho metálico pela rua de cascalho ao lado dela. Contou algo sobre seu trabalho no armazém, só para quebrar o silêncio.

Ela estava fisicamente consciente dele, de um jeito que nunca tinha experimentado antes. Sua altura, a largura de seus ombros, o jeito seguro e fácil com que ele caminhava. Sentiu cheiro de chiclete de menta em seu hálito e os aromas complexos de xampu e sabonete comprados em loja em seu cabelo e sua pele. Estava sintonizada com ele, conectada daquele jeito estranho de predador e presa, uma conexão repentina e perigosa, típica do ciclo da vida, que não fazia sentido para ela.

Eles saíram da Alpine Street e caminharam pela cidade.

– A cidade com certeza mudou – comentou Matthew.

Ele parou na taberna, esfregou as mãos nos olhos, leu as pichações na fachada de madeira chamuscada.

– Acho que algumas pessoas não querem mudanças.

– Acho que não.

Ele olhou para ela.

– Meu pai disse que o seu pai vandalizou a taberna.

Leni olhou fixamente para ele, sentiu a vergonha retorcer suas entranhas. Quis mentir, mas não conseguiu. Tampouco conseguia dizer as palavras desleais em voz alta. As pessoas supunham que seu pai tinha vandalizado a taberna; só ela e a mãe tinham certeza.

Matthew começou a andar outra vez. Aliviada por ter passado pela prova da raiva de seu pai, ela o alcançou. Quando passaram pelo armazém, Marge Gorda saiu com um grito, seus grandes braços abertos. Ela deu um abraço em Matthew, depois lhe deu tapinhas nas costas. Quando se afastou, olhou para os dois.

– Cuidado, vocês dois. As coisas não estão boas entre seus pais.

Leni saiu andando. Matthew foi atrás dela.

Ela queria sorrir, mas a taberna vandalizada e o alerta de Marge tinham tirado o brilho do dia. Marge estava certa. Leni, nesse momento, estava brincando com fogo. Seu pai podia aparecer por aquela estrada a qualquer momento. Não seria bom ele vê-la andando para casa com Matthew Walker.

– Leni?

Ela percebeu que Matthew precisou correr para alcançá-la.

– Desculpe.

– Desculpá-la pelo quê?

Leni não sabia o que responder; ela se desculpava por coisas das quais ele não sabia, por um futuro para o qual ela provavelmente o estava arrastando e que sem dúvida ia dar errado. Leni disse alguma coisa boba sobre o último livro que tinha lido; pelo resto do caminho de casa eles conversaram sobre amenidades – o clima, os filmes que ele vira em Fairbanks, as últimas iscas para salmões-rei.

Parecia que não tinha se passado tempo nenhum, embora eles tivessem andado juntos por quase uma hora, quando Leni viu à frente o portão de metal com a caveira de vaca. O Sr. Walker estava parado ao lado de uma grande escavadeira amarela estacionada junto do portão que marcava a entrada de sua terra.

Leni parou.

– O que seu pai está fazendo?

– Limpando uma área para construir cabanas. E botando um arco sobre a entrada de carros para que os hóspedes saibam onde nos encontrar. Ele está chamando de Pousada de Aventura Enseada Walker. Ou algo assim.

– Uma pousada para turistas?

Leni sentiu o olhar de Matthew em seu rosto, tão forte quanto qualquer toque.

– Pode apostar. Podemos ganhar dinheiro com isso.

O Sr. Walker caminhou na direção deles, tirando o boné de caminhoneiro da cabeça, revelando uma faixa branca de pele ao longo da testa, coçando o cabelo úmido.

– Meu pai não vai gostar nada disso – disse Leni quando ele se aproximou.

– Seu pai não gosta de muita coisa – respondeu o Sr. Walker com um sorriso, secando o suor da testa com um lenço embolado. – E você ser amiga de meu Mattie vai estar no topo de sua lista de ódio. Você sabe disso, não sabe?

– Sei.

– Vamos, Leni – chamou Matthew.

Ele a segurou pelo cotovelo e a afastou de seu pai, com a bicicleta chacoalhando ao lado.

Quando chegaram à entrada de carros de Leni, ela parou e olhou para a pista coberta de árvores.

– É melhor você ir embora agora – falou, afastando-se.

– Quero andar com você até a porta da sua casa.

– Não.

– Por causa do seu pai?

Ela desejou que o mundo parasse, se abrisse e a engolisse. Assentiu.

– Ele não ia querer que eu fosse sua amiga.

– Que se dane ele – disse Matthew. – Ele não pode nos impedir de ser amigos. Ninguém pode. Meu pai me contou sobre essa rixa idiota que está acontecendo. Quem se importa? O que isso significa para nós?

– Mas...

– Você gosta de mim, Leni? Você quer que sejamos amigos?

Ela assentiu. O momento parecia solene. Sério. Um pacto sendo feito.

– E eu gosto de você. Então pronto. É isso. Nós somos amigos. Não há nada que ninguém possa fazer em relação a isso.

Leni sabia quanto ele estava sendo ingênuo, quanto estava errado. Matthew não sabia nada sobre raiva, pais irracionais, socos que quebravam narizes e o tipo de raiva que começava com vandalismo e podia chegar a lugares que ele nem imaginava.

– Meu pai é imprevisível – afirmou Leni.

Foi a única palavra duvidosa na qual ela conseguiu pensar.

– O que isso quer dizer?
– Ele poderia machucar você se descobrisse que gostamos um do outro.
– Eu poderia enfrentá-lo.

Leni sentiu uma onda de riso histérico surgir. A ideia de Matthew "enfrentando" seu pai era terrível demais para considerar.

Ela devia ir embora imediatamente, dizer a Matthew que eles não podiam ser amigos.

– Leni?

A expressão nos olhos dele foi sua ruína. Alguém *alguma vez* tinha olhado para ela assim? Leni sentiu um tremor de alguma coisa, anseio talvez, alívio ou mesmo desejo. Não sabia. Só sabia que não podia dar as costas para isso, não depois de tantos anos solitários, embora sentisse o perigo mergulhar silenciosamente na água e nadar em sua direção.

– Não podemos deixar meu pai saber que somos amigos. De jeito nenhum. Nunca.

– Claro – disse Matthew, mas ela podia ver que ele não entendia.

Talvez ele entendesse sobre dor e sofrimento; essa compreensão da escuridão estava em seus olhos. Mas não conhecia o medo. Ele achava que seus alertas eram melodramáticos.

– Estou falando sério, Matthew. Ele nunca pode saber.

QUINZE

Leni sonhou que estava chovendo. Estava parada na margem de um rio, ficando encharcada. A chuva molhava seu cabelo, turvava sua visão.

O rio subiu, fez um som explosivo e trovejante, e de repente houve a ruptura. Pedaços de gelo do tamanho de casas se soltaram da terra e deslizaram na direção do rio, levando tudo em seu caminho – árvores, barcos, casas.

Você precisa atravessar.

Leni não sabia se ouvira as palavras ou se as tinha dito. Tudo o que sabia era que precisava atravessar o rio antes que o gelo a levasse e a água entrasse em seus pulmões.

Mas não havia nenhum lugar por onde atravessar.

Ondas congelantes se arqueavam como paredes, o chão desabou e árvores caíram ruidosamente. Alguém gritou.

Foi ela. O rio a atingiu como uma pá na cabeça, derrubando-a de lado.

Ela agitou os braços, gritou, sentiu-se caindo, caindo.

Aqui!, berrou uma voz.

Matthew.

Ele podia salvá-la. Leni engasgou, tentou subir à superfície, mas algo prendia seus pés, arrastando-a para baixo, até que não conseguia mais respirar. Tudo ficou escuro.

Leni acordou ofegante e viu que estava segura em seu quarto, com sua pilha de livros, os cadernos cheios de fotos junto da parede e a caixa cheia de cartas de Matthew ao seu lado.

Um sonho ruim.

Já desaparecendo da memória. Algo sobre um rio, pensou. O degelo de primavera. Outro jeito de morrer no Alasca.

Ela se vestiu para a escola com um macacão jeans e uma camisa de flanela xadrez. Puxou o cabelo para trás, afastando-o do rosto, e o arrumou em uma trança embutida frouxa. Sem nenhum espelho em casa – o pai tinha quebrado todos ao longo dos anos –, não podia ver como estava. Leni tinha se acostumado a se ver em cacos de vidro. Ela aos pedaços. Não tinha se importado com isso até a volta de Matthew.

Lá embaixo, largou a pilha de livros sobre a mesa da cozinha e se sentou. A mãe pôs um prato com linguiça de rena, biscoitos e molho de carne na sua frente, ao lado de um pote cheio de blueberries que tinham colhido nos penhascos arenosos acima da baía de Kachemak no outono anterior.

Enquanto Leni tomava seu café da manhã, a mãe parou e a observou.

– Você carregou água por uma hora ontem à noite para poder tomar banho. E trançou o cabelo. Está bonito.

– Isso se chama higiene básica, mãe.

– Soube que Matthew Walker está de volta à cidade.

Leni devia saber que a mãe ia somar dois e dois. Às vezes, por causa do pai e tudo mais, se esquecia de quanto a mãe era inteligente. De quanto era observadora.

Ela continuou comendo, tomando cuidado para não olhá-la nos olhos. Sabia o que a mãe ia dizer sobre aquilo, então Leni não ia contar a ela. O Alasca era um lugar grande; havia muitos lugares onde esconder algo tão pequeno quanto uma amizade.

– É uma pena que seu pai odeie tanto o pai dele. E é uma pena que seu pai tenha um temperamento problemático.

– É assim que estamos chamando?

Leni sentiu a mãe olhando para ela, como uma águia observando as ondas esperando um brilho prateado. Era a primeira vez que escondia algo da mãe e era uma sensação desconfortável.

– Você tem quase 18 anos. Uma jovem mulher. E você e Matthew devem ter trocado umas cem cartas ao longo dos anos.

– O que isso tem a ver?

– Hormônios são como um motor. Basta o toque certo e você vai parar no espaço sideral.

– Como assim?

– Estou falando de amor, Lenora. Paixão.

– Amor? Meu Deus. Não sei por que você resolveu falar nisso. Não há nada com que se preocupar, mãe.

– Bom, fique esperta, filhota. Não cometa o mesmo erro que eu.

Leni enfim ergueu os olhos.

– Que erro? Papai? Ou eu? Você está...

A porta se abriu, e o pai entrou. Ele tinha lavado o cabelo aquela manhã e vestira calça de brim marrom e uma camiseta relativamente limpas. Chutou e fechou a porta às suas costas e disse:

– Tem alguma coisa cheirando bem, Cora. Bom dia, Ruiva. Você dormiu bem?
– Claro, pai.
Ele beijou o topo de sua cabeça.
– Está pronta para a escola? Eu levo você.
– Posso ir de bicicleta.
– Não posso sair com minha segunda garota favorita em um dia de sol?
– Claro.
Ela pegou os livros e a lancheira – ainda a do Ursinho Pooh; ela agora a adorava – e ficou de pé.
– Tome cuidado na escola – aconselhou a mãe.
Leni não olhou para trás. Seguiu o pai até a caminhonete e entrou.
Ele botou uma fita de oito canais no som e aumentou o volume. "Lyin' Eyes" fez os alto-falantes vibrarem.
O pai começou a cantar alto e, ao pegar a estrada principal e sair roncando na direção da cidade, disse:
– Cante comigo. – De repente, pisou nos freios. – *Filho da puta*.
Leni foi jogada para a frente.
– *Filho da puta* – repetiu o pai.
O Sr. Walker estava parado embaixo do arco de madeira bruta que ele erguera sobre sua entrada de carros. Entalhado na viga superior estavam as palavras POUSADA DE AVENTURA ENSEADA WALKER.
O pai botou a picape em ponto morto, desceu e saiu andando pela estrada esburacada, sem nem tentar evitar os buracos enlameados.
O Sr. Walker o viu se aproximar, parou de trabalhar e enfiou o martelo no cinto, de modo que ele ficou pendurado no couro, como uma arma.
Leni se inclinou para a frente, olhou atentamente através do para-brisa sujo.
O pai estava gritando com o Sr. Walker, que sorriu e cruzou os braços.
Aquilo lembrou a Leni um jack russel terrier agressivo esticando a extremidade de sua guia, latindo para um rottweiler.
Ele ainda estava gritando quando o Sr. Walker lhe deu as costas, andou na direção de seu arco e retomou o trabalho.
Ernt ficou ali parado por um minuto. Por fim, caminhou de volta para a caminhonete, entrou e bateu a porta, pisou no acelerador.
– Alguém precisa botar esse filho da puta no lugar dele. Conheci caras como ele no Vietnã. Oficiais de bosta e covardes que faziam com que homens melhores fossem mortos e recebiam medalhas por isso.
Leni sabia que era melhor não dizer nada. Por todo o caminho até a escola ele murmurou: *Filho da puta, babaca arrogante, ele acha que é melhor...* Leni

sabia que, dali, o pai ia direto para o complexo, para encontrar pessoas que se juntassem a ele em seus lamentos. Ou talvez conversar não fosse mais suficiente.

Ele parou na escola.

– Vou pegar a balsa para Homer hoje. Pego você no trabalho às cinco.

– Está bem.

Leni pegou seus livros e a lancheira e saltou da caminhonete. No caminho até a escola, não olhou para trás, e o pai não buzinou para se despedir. Ele saiu tão rápido que seus pneus levantaram cascalho.

Ela entrou na sala de aula e viu que todo mundo já estava sentado. A Sra. Rhodes escrevia no quadro-negro *pentâmetro iâmbico em Shakespeare*.

Matthew se virou em sua cadeira para olhar para ela. Seu sorriso era como a força gravitacional de um de seus romances de ficção científica; ela foi em sua direção e se sentou.

Ele a olhou fixamente. Era assim que o pai olhava para a mãe? Ela achava que sim. Às vezes. Isso a fez se sentir inquieta, meio ansiosa.

Matthew rasgou um pedaço de folha de caderno e escreveu um bilhete, que passou para ela: *Quer matar o trabalho hoje depois da aula? Nós podíamos fazer alguma coisa.*

Diga não, pensou ela. Mas o que respondeu foi:

– Meu pai vai me buscar às cinco.

– Então isso é um sim?

Ela não conseguiu conter o sorriso.

– Sim.

– Legal.

Pelo resto do dia, Leni se sentiu ao mesmo tempo nervosa e energizada. Ela mal conseguia ficar sentada quieta, achava difícil responder perguntas sobre *Hamlet*. Ainda assim, leu suas passagens em voz alta, tomou notas e tentou não demonstrar para Matthew nem para mais ninguém como se sentia estranha.

Quando a aula acabou, ela foi a primeira a levantar da cadeira. Saiu da escola, correu até o armazém, empurrou a porta estreita e gritou:

– Marge!

A mulher estava desembalando uma caixa de papel higiênico. Como todas as suas mercadorias, ela a comprava em Soldatna, botava um preço mais alto e a colocava à venda na prateleira.

– O que foi, menina?

– Não posso trabalhar hoje.

– Ah. Está bem.

– Você não quer saber por quê?

Marge sorriu, aprumou-se e levou a mão à base das costas, como se doesse quando se abaixava.

– Não.

O sino tocou outra vez. Matthew entrou na loja.

– Como eu falei – disse Marge. – Não quero saber.

Ela deu as costas para Leni e Matthew e saiu andando pelo corredor atulhado, desaparecendo atrás de uma pilha de armadilhas de caranguejo.

– Vamos – chamou Matthew. – Siga-me.

Eles saíram da loja, passaram correndo pelos trabalhadores na taberna Coice de Alce e subiram a colina ao lado da igreja ortodoxa russa. Ali estavam fora de vista.

Caminharam até a extremidade e encontraram uma clareira, onde as águas azuis da baía de Kachemak se estendiam à sua frente. Havia pelo menos uma dúzia de barquinhos na água.

Matthew pegou a grande faca serrilhada da bainha em seu cinto e cortou um monte de galhos. Ele os pôs no chão criando um espaço de folhagem verde fragrante.

– Aqui. Sente-se.

Leni se sentou; o verde estava fofo embaixo dela.

Ele se sentou ao lado da garota, posicionou os braços para aninhar a cabeça nas mãos e deitou.

– Olhe para cima.

Ela olhou.

– Não. Deite-se.

Leni seguiu sua instrução. Acima deles, nuvens brancas flutuavam no céu azul-claro.

– Você vê o poodle?

Leni viu a forma esculpida de nuvem que parecia um poodle tosado.

– Aquela parece um navio pirata.

Ela observou as nuvens se moverem lentamente pelo céu, mudarem de forma, transformarem-se em algo novo diante de seus olhos. Desejou que as mudanças fossem fáceis assim para pessoas.

– Como era Fairbanks?

– Cheia. Para mim, pelo menos. Acho que gosto do vazio e do silêncio. E era bruta. Cheia de trabalhadores do oleoduto que bebiam demais e começavam brigas. Mas meus tios eram ótimos, e era legal estar com Aly. Ela se preocupava muito comigo.

– Eu também.

– É. Eu sei. E eu queria pedir desculpas – disse ele.

– Por quê?

– No dia da excursão da escola quando empurrei você... Eu achava... que estava conseguindo segurar as pontas. Quero dizer, eu não estava, mas achava que sim.

– Eu entendi.

– Como poderia?

– Meu pai tem pesadelos por causa da guerra. Isso às vezes o deixa louco.

– Eu a vi. Minha mãe. Embaixo do gelo, flutuando sob meus pés. Seu cabelo estava todo espalhado. Ela arranhava o gelo com as mãos em busca de uma saída. Então desapareceu.

Ele soltou uma respiração irregular. Leni o sentiu deixá-la, viajar pela paisagem de memórias sombrias e dolorosas. Então sentiu-o voltar.

– Não sei se eu teria conseguido sem minha irmã e... suas cartas. Sei que parece estranho, mas é verdade.

Ao som dessas palavras, Leni sentiu como se o chão tivesse se aberto sob seus pés, como em seu sonho. Agora sabia de coisas que não sabia aos 14 anos – sobre gelo, perda e até medo. Não conseguia imaginar perder a mãe de jeito *nenhum*, mas aquilo, vê-la embaixo do gelo, incapaz de salvá-la...

Virou a cabeça, olhou fixamente para o perfil dele, a linha pronunciada de seu nariz, a sombra de uma barba loura raspada, a curva de seus lábios. Viu a pequena cicatriz que dividia sua sobrancelha e o sinal marrom que surgia na linha de seu cabelo.

– Você tem sorte por ter uma irmã como Alyeska.

– É. Ela queria trabalhar para a *Vogue* ou algo assim. Agora quer voltar para casa e ficar com papai. Eles vão construir uma pousada de aventura na propriedade. De modo que outra geração de Walkers possa morar no mesmo lugar.

– Você não gosta disso?

– Gosto – disse ele baixinho. – Quero ensinar a meus filhos as coisas que meu pai me ensinou.

Leni, então, afastou-se dele. Essa era a última coisa no mundo que ela queria. Voltou a atenção para o céu outra vez. Para o poodle que tinha se transformado em nave espacial.

– Eu li um livro legal, *O fim da infância*, sobre o último homem vivo na Terra. Fico me perguntando qual seria a sensação. Ou ser uma clarividente...

Quando ele tentou pegar sua mão, ela não a retirou. Segurar sua mão – tocá-lo – parecia a coisa mais natural do mundo.

Leni não levou muito tempo para saber que estava encrencada. Pensava constantemente em Matthew. Na escola, começou a estudar todos os movimentos dele; observava-o como faria com uma presa, tentando perceber sua intenção a partir da ação. A mão dele às vezes roçava a dela embaixo da carteira ou ele tocava seu ombro ao passar por ela na sala de aula. Leni não sabia se esses contatos rápidos eram intencionais ou se significavam alguma coisa, mas seu corpo respondia de um jeito instintivo a cada toque fugaz. Uma vez ela chegou a se erguer da cadeira e roçou seu ombro na mão dele como um gato em busca de atenção. Não foi planejado aquele gesto de se levantar, aquela necessidade desconhecida; apenas aconteceu. E às vezes, quando conversavam, Leni achava que ele olhava fixamente para seus lábios, assim como ela para os dele. Pegou-se mapeando em segredo seu rosto, memorizando cada traço, como se fosse uma exploradora, e ele, sua descoberta.

Não conseguia parar de pensar nele, nem na escola, quando devia estar lendo, nem em casa, quando devia estar trabalhando. Perdera a conta de quantas vezes a mãe tinha precisado levantar a voz para chamar sua atenção.

Ela podia ter conversado com a mãe, perguntado sobre aquela inquietação que sentia, os sonhos de tocar e beijar que a deixavam inquieta quando acordava, uma urgência que não sabia identificar, mas era óbvio que o pai estava piorando, e a cabana parecia carregada de energia ruim. A mãe não precisava de mais uma coisa com que se preocupar, por isso Leni mantinha seus anseios estranhos e inexplicáveis para si mesma e tentava dar sentido a eles sozinha.

Naquele dia, Leni, sua mãe e Thelma estavam à mesa de aço inoxidável externa no complexo dos Harlans, limpando peixe e cortando a carne em tiras. Elas iam mergulhar as tiras por vários dias em uma marinada, depois defumá-las por pelo menos 36 horas.

Ted estava consertando uma das casinhas de cachorro enquanto Clyde trabalhava em um couro de vaca, preparando-se para transformá-lo em cordas de couro cru. Mais à esquerda, Agnes, com 13 anos, treinava arremessar estrelas prateadas afiadas em árvores. Marthe descascava madeira para fazer um estilingue. Donna estava perto do varal, pendurando lençóis. O pai e Earl Maluco tinham ido a Homer.

Thelma derramou um balde de água com sabão sobre a mesa, fazendo as entranhas de peixe deslizarem para o chão enlameado, onde os cães brigaram por elas.

Sentada em uma cadeira de plástico, com Boneca no chão ao seu lado, falando sobre um ninho de passarinho que havia encontrado, Leni consertava uma armadilha de caranguejo.

Havia um desconforto no complexo. Desde que o Sr. Walker tinha aparecido e lembrado aos Harlans que seu lugar na vida deles tinha sido assegurado muito tempo atrás – e oferecido empregos bem-remunerados –, Leni via o jeito como os adultos olhavam uns para os outros. Ou, para ser mais precisa, não olhavam uns para os outros.

Uma ruptura acontecera. Não apenas na cidade, mas também ali, no complexo dos Harlans. Leni nem sempre sabia quem estava de que lado, mas os adultos, sim. Ela tinha quase certeza de que o pai não falava com Thelma ou Ted desde aquela noite.

Uma buzina tocou alto o suficiente para assustar Leni. Ela largou a armadilha de caranguejos, que caiu com força em seu tornozelo. Deu um gritinho e a chutou para o lado.

A caminhonete do pai chegou e estacionou ao lado do barracão de ferramentas. As duas portas se abriram ao mesmo tempo; o pai e Earl Maluco saltaram.

O pai foi até a traseira, pegou uma grande caixa de papelão e a ergueu nos braços. A caixa chacoalhava, fazendo barulhos metálicos, enquanto o pai a levava pelo complexo. Ele passou pelo terreno elevado perto das colmeias e olhou para as pessoas. Earl Maluco foi até lá e parou ao lado dele. O velho parecia cansado, ou mais cansado que o normal. Havia perdido a maior parte do cabelo no ano anterior e as rugas em sua testa pareciam ter sido entalhadas. Pelos brancos brotavam de seu queixo, seu nariz e suas orelhas.

– Aproximem-se – chamou Earl Maluco, gesticulando.

Thelma limpou as mãos na perna da calça suja e se juntou ao marido.

Leni foi para o lado da mãe.

– Eles parecem bêbados – comentou.

A mãe assentiu e acendeu um cigarro. Avançaram e pararam ao lado de Thelma.

No alto de uma elevação acima deles, como um sumo sacerdote, o pai sorriu para as pessoas ali reunidas.

Leni reconheceu seu sorriso de Grande Ideia. Ela o vira muitas vezes. Um começo; ele os amava.

O pai pôs a mão no ombro de Earl e deu um aperto cheio de significado.

– Earl recebeu a mim e à minha família neste lugar seguro e maravilhoso que vocês criaram. Quase nos sentimos como Harlans, porque vocês todos foram muito acolhedores. Sei quanto a amizade de Thelma é importante para Cora. Honestamente, nunca sentimos que pertencíamos a algum lugar até agora. – Ele pôs a caixa no chão com um som metálico e a empurrou para o lado com o bico da bota de borracha. – Bo quis que eu ficasse com sua cabana. Por quê? Para que eu pudesse trazer o que sei para vocês. Ele queria alguém aqui em quem confiasse para proteger sua família. Como todos sabem, levei essa responsabilidade a sério. Cada um de vocês é um exímio atirador. Também sabem usar um arco e flecha. Suas mochilas de emergência estão arrumadas e prontas para serem usadas a qualquer momento. Estamos prontos para a lei marcial, uma guerra nuclear ou uma pandemia. Pelo menos era o que eu pensava.

Leni viu Thelma franzir a testa.

– O que você quer dizer com isso? – perguntou Clyde, descruzando os braços gordos.

– Na semana passada, um inimigo entrou por esses portões com a maior facilidade. Ninguém o deteve. Nada o deteve. Ele entrou aqui e usou palavras, e subornos, para criar um racha entre nós. Vocês sabem que é verdade. Vocês sentiram a divisão. É tudo por causa de Tom Walker.

Thelma murmurou:

– Lá vamos nós.

– Ernt – disse Ted. – É só um trabalho. Precisamos do dinheiro.

O pai ergueu as mãos, sorrindo.

Leni conhecia aquele sorriso: não era sinal de felicidade.

– Não estou culpando ninguém. Eu entendo. Só estou apontando um perigo que vocês deixaram passar. Quando a merda bater no ventilador, nossos vizinhos vão ter histórias tristes para contar. Vão querer o que nós temos, e vocês vão querer lhes dar. Vocês os conhecem há muito tempo. Eu entendo. Por isso eu estou aqui para também protegê-los de vocês mesmos.

– Bo ia querer isso – justificou Earl Maluco.

Ele enrolou um cigarro e o acendeu, dando uma tragada tão profunda que Leni achou que ele pudesse morrer ao fazer isso.

– Conte a eles – incentivou Earl Maluco, enfim soltando a fumaça.

O pai se abaixou, abriu as abas da caixa de papelão e levou a mão a seu interior. Então voltou a ficar de pé, segurando uma ripa de madeira na qual centenas de pregos tinham sido presos, martelados um perto do outro para fazer o que parecia uma arma. Em sua outra mão, segurava uma granada.

– Ninguém mais vai simplesmente entrar neste lugar outra vez. Primeiro, vamos construir um muro e colocar arame farpado em cima. Depois vamos abrir um fosso em torno do perímetro, nos lugares por onde vão chegar os agressores. Vamos enchê-los com essas camas de pregos, vidros quebrados, estacas. Qualquer coisa em que pudermos pensar.

Thelma riu.

– Isso não é piada, senhorita – advertiu Earl Maluco.

– Você põe a granada em um vidro de conserva – disse o pai, radiante com sua esperteza. – Removemos o pino, botamos a granada no vidro e apertamos a trava de segurança. Então a enterramos. Quando alguém pisar sobre ela, o vidro quebra e *cabum*.

Ninguém falou. Eles apenas ficaram ali parados com os cachorros latindo ao fundo.

Earl Maluco deu tapinhas nas costas de Ernt.

– Uma grande ideia, Earl. Uma grande ideia.

– Não – disse Thelma. – Não. *Não*.

Com a risada de Earl Maluco a todo volume, levou um momento para que a voz mais baixa de Thelma fosse ouvida. Ela abriu caminho até a frente, deu mais um passo até estar parada sozinha.

– Não – repetiu.

– Não? – perguntou o pai dela, sua boca sem dentes fazendo um ruído molhado.

– Ele está louco, pai. Temos crianças aqui. E, vamos encarar os fatos, muitos bebedores. Não podemos botar armadilhas no perímetro de nossa *casa* com explosivos enterrados. Vamos acabar matando um de nós.

– A segurança não é o seu trabalho, Thelma – interveio Ernt. – É o meu.

– Não, Ernt. É minha tarefa manter minha família em segurança. Eu concordo em armazenar comida e criar um sistema de filtragem de água. Vou ensinar à minha filha habilidades úteis como atirar, caçar e preparar armadilhas. Até deixo que você e meu pai fiquem choramingando sobre guerra nuclear e pandemias, mas eu não vou me preocupar todos os dias de minha vida que possamos nos matar sem querer, a troco de nada.

– Choramingando? – repetiu o pai, sua voz ficando mais baixa.

Todo mundo começou a falar ao mesmo tempo, discutindo. Leni sentiu o racha entre eles aumentar, se abrir completamente; eles se dividiram em dois grupos. Aqueles que queriam ser uma família (a maioria) contra os que queriam ser capazes de matar qualquer um que se aproximasse (o pai, Earl Maluco e Clyde).

– Há crianças aqui – insistiu Thelma. – Vocês precisam se lembrar disso. Não podemos instalar bombas nem armadilhas.

– Mas eles podem entrar aqui com metralhadoras – disse o pai, à procura de apoio. – Podem nos matar e levar tudo o que temos.

Leni ouviu Boneca dizer:

– Eles podem fazer isso, mãe? Podem?

A discussão tornou a se inflamar. Os adultos se aglomeraram, ficaram frente a frente, com vozes elevadas e rostos vermelhos.

– Chega! – bradou Earl Maluco por fim, erguendo suas mãos esqueléticas. –

Não posso aceitar que isso aconteça com nossa família. E temos os pequenos.
– Ele se virou para Ernt. – Desculpe, Ernt. Tenho que ficar ao lado de Thelma.

Ernt deu um passo para trás, abrindo distância entre ele e o velho.

– Claro, Earl – falou, com a voz firme. – Como você quiser, cara.

E, desse jeito, a discussão terminou para os Harlans. Leni viu como eles se uniram como uma família, perdoaram uns aos outros, começaram a falar sobre outras coisas. Perguntou-se se algum deles tinha notado como o pai recuara, como olhava para eles, o jeito como sua boca se estreitara em uma expressão raivosa.

DEZESSEIS

Em maio, os maçaricos voltaram aos milhares, voando alto em um enxame de asas, tocando brevemente a baía antes de continuar sua jornada para o norte. Tantas aves voltavam para o Alasca nesse mês que o céu estava sempre movimentado e o ar ficava ruidoso com seu canto, pios e grasnidos.

Em geral, nessa época do ano, Leni se deitava na cama e ouvia os barulhos, identificando cada pássaro por seu canto, percebendo a passagem das estações por suas chegadas e partidas, aguardando o verão com ansiedade.

Esse ano foi diferente.

Restavam apenas duas semanas de aula.

– Você está terrivelmente quieta – disse o pai quando entrou com a caminhonete no estacionamento da escola.

Ele parou ao lado da picape de Matthew.

– Eu estou bem – rebateu ela, levando a mão à maçaneta da porta.

– É a segurança, não é?

Leni se virou para ele.

– O quê?

– Você e sua mãe andam meio tristes e abatidas desde a última vez em que fomos até os Harlans. Sei que vocês estão com medo.

Leni apenas olhou para ele, sem saber direito qual a resposta certa. O pai andava ainda mais tenso desde que fora contrariado na propriedade dos Harlans.

– Thelma é muito otimista. Uma dessas pessoas que apenas enfia a cabeça num buraco. Claro que ela não quer encarar a verdade. Porque a verdade é feia. Mas olhar para outro lado não é resposta. Precisamos nos preparar para o pior. Eu morreria antes de deixar que qualquer coisa acontecesse com você ou sua mãe. Você sabe disso, certo? Sabe quanto amo vocês duas. – Ele despenteou o cabelo dela. – Não se preocupe, Ruiva. Vou manter vocês em segurança.

Ela saiu da caminhonete e bateu a porta, em seguida pegou a bicicleta na caçamba. Pendurou a mochila em um ombro, apoiou a bicicleta na cerca e seguiu na direção da escola.

O pai buzinou e foi embora.

– Psiu! Leni!

Ela olhou para o lado.

Matthew estava escondido nas árvores em frente à escola. Acenou para que ela se aproximasse.

Leni esperou que a caminhonete do pai desaparecesse na esquina, em seguida correu até onde estava Matthew.

– O que está acontecendo?

– Vamos matar aula hoje e pegar o *Tusty* para Homer.

– Matar aula? Homer?

– Vamos! Vai ser divertido.

Leni conhecia todos os motivos para dizer não. Também sabia que aquele era um dia de maré muito baixa e que o pai estaria catando mariscos a manhã inteira.

– Não vamos ser pegos e, se formos, grande coisa. Estamos no último ano. É maio. Os alunos do último ano fora daqui não fazem isso o tempo todo?

Leni não achava uma boa ideia, pensava que podia ser até perigoso, mas não conseguia negar nada para Matthew.

Ouviu o apito baixo e triste da balsa ao se aproximar do cais.

Matthew pegou a mão de Leni e, quando ela se deu conta, os dois estavam correndo do estacionamento da escola. Subiram o morro, passaram pela igreja velha e embarcaram na balsa que esperava.

Leni ficou parada no convés, segurando a amurada enquanto o barco se afastava da terra.

Durante todo o verão, o confiável *Tustamena* levava alasquianos de um lado para outro – pescadores, aventureiros, trabalhadores, turistas, até equipes esportivas do ensino médio. O porão era cheio de carros e suprimentos; equipamento de construção, tratores, retroescavadeiras, vigas de aço. Para os poucos turistas ousados que usavam a balsa como um cruzeiro de baixo custo para destinos remotos, a travessia era um jeito bonito de passar o dia. Para os moradores locais, era apenas o caminho para a cidade.

Leni viajara nessa balsa centenas de vezes em sua vida, mas nunca sentira a sensação de liberdade que tinha agora. Ou de possibilidade. Como se talvez esse barco velho pudesse levá-la para um futuro novo em folha.

O vento despenteou seu cabelo. Gaivotas e aves costeiras piavam no céu, voando, mergulhando, pairando. A água do mar estava lisa e verde, com apenas algumas marolas na superfície provocadas por motores.

Matthew chegou por trás dela, passou os braços à sua volta e segurou na amurada. Ela não conseguiu evitar se encostar nele, deixando que seu corpo a aquecesse.

– Não acredito que estamos fazendo isso – disse ela.

Pela primeira vez sentia-se como uma adolescente comum. Era o mais perto que ela e Matthew podiam chegar de ser o tipo de adolescentes que iam ao cinema no sábado à noite e depois tomavam milk-shakes na lanchonete.

– Fui aceito na universidade em Anchorage – contou Matthew. – Vou jogar hóquei no time deles.

Leni se virou. Com ele ainda segurando a amurada, isso significava que ela estava em seus braços. O cabelo dela esvoaçou diante do rosto.

– Venha comigo.

Era como uma bela flor, essa ideia; ela floresceu e em seguida morreu na mão dela. A vida era diferente para Matthew. Ele era talentoso e rico. O Sr. Walker queria que o filho fosse para a faculdade.

– Não temos como pagar. Além do mais, eles precisam de mim para trabalhar na propriedade.

– Há bolsas de estudo.

– Não posso ir embora – falou ela baixinho.

– Sei que seu pai é estranho, mas por que você não pode ir?

– Não é ele que não posso deixar – respondeu Leni. – É minha mãe. Ela precisa de mim.

– Ela é adulta.

Leni não conseguiu encontrar as palavras que explicariam tudo.

Ele nunca entenderia por que Leni às vezes achava que era a única coisa que mantinha a mãe viva.

Matthew a puxou em seus braços e a abraçou. Perguntou-se se ele podia sentir como ela estava tremendo.

– Nossa, Len – sussurrou ele em seu cabelo.

Essa tinha sido sua intenção, encurtar seu nome, torná-lo de algum modo uma coisa nova em suas mãos?

– Eu iria se pudesse – disse ela.

Depois disso, eles ficaram em silêncio. Leni pensou em como seus mundos eram diferentes, e isso lhe mostrou como o mundo fora dali era grande; eles eram apenas dois garotos entre milhões.

Quando o barco chegou a Homer, eles desembarcaram com muitas pessoas. De mãos dadas, perderam-se entre a multidão de turistas de olhos brilhantes e moradores locais malvestidos. Comeram halibute com fritas no deque do restaurante na ponta do Homer Spit, jogando batatas salgadas e gordurosas para as aves que esperavam por perto. Matthew comprou para Leni um álbum de fotografias em uma loja de lembranças que vendia enfeites de Natal com temas do Alasca e camisetas com frases infames como JUBARTE DE VIVER e ADORO FOFOCA E BABALEIA.

Conversaram sobre tudo um pouco. Coisas inconsequentes. A beleza do Alasca, a loucura da maré, o aglomerado de carros e pessoas no Homer Spit.

Leni tirou uma foto de Matthew em frente ao Salty Dawg Saloon. Cem anos antes, o local tinha sido o correio e a mercearia para aquele ponto fora do caminho que até os alasquianos chamavam de Fim do Mundo. Agora o prédio velho era uma taberna escura e sinuosa onde nativos frequentemente se espremiam com turistas e as paredes eram decoradas com lembranças: Matthew escreveu LENI E MATTHEW em uma nota de um dólar e a prendeu à parede, onde ela se perdeu imediatamente em meio aos milhares de notas e pedaços de papel ao seu redor.

Foi o melhor dia da vida de Leni. Tanto que, quando acabou e eles estavam num táxi aquático, sentados em um banco na popa, seguindo para Kaneq, ela teve que combater uma onda de tristeza. No *Tusty* e na cidade, tinham sido dois adolescentes na multidão. Agora, eram apenas eles, o capitão do táxi aquático e muita água ao redor.

– Eu gostaria que não tivéssemos que voltar – disse ela.

Ele passou o braço ao redor dela e a puxou para perto. O barco subia e descia com as ondas, desequilibrando-os.

– Vamos fugir – falou ele.

Ela riu.

– Não, sério. Posso nos ver viajando pelo mundo, mochilando pela América Central, subindo até Machu Picchu. Nós nos estabeleceremos quando tivermos visto tudo. Eu vou ser piloto comercial ou paramédico. Você vai ser fotógrafa. Voltaremos para cá, onde é nosso lugar, nos casaremos e teremos filhos que não vão nos dar ouvidos.

Leni sabia que ele estava apenas brincando, sonhando acordado, mas suas palavras despertaram um anseio profundo nela; um que ela nunca soubera que existia. Ela teve que se esforçar para sorrir, para entrar na brincadeira como se não a tivesse atingido no coração.

– Eu sou uma fotógrafa, hein? Gosto dessa ideia. Acho que vou usar maquiagem e salto alto para receber meu Pulitzer. Talvez eu peça um martíni. Mas não tenho certeza sobre os filhos.

– Filhos. Sem dúvida. Quero uma filha de cabelo ruivo. Vou ensiná-la a jogar pedras para quicarem na água e a fisgar um salmão-rei.

Leni não respondeu. Era uma conversa muito boba, como podia partir seu coração? Ele devia saber que era melhor não sonhar tão alto nem dar voz a esses sonhos. Ele perdera a mãe, e ela tinha um pai perigoso. Famílias e futuro eram frágeis.

O táxi aquático reduziu a velocidade e deslizou de lado até o cais. Matthew saltou e amarrou um cabo em torno de uma haste de metal. Leni saiu para o cais enquanto Matthew jogava o cabo de volta a bordo.

– Estamos em casa – disse ele.

Leni olhou para as construções empoleiradas em palafitas cobertas de cracas e enlameadas acima da água.

Em casa.

De volta à vida real.

Na tarde seguinte, Leni cometeu um erro atrás do outro no trabalho. Ela identificou errado as caixas de pregos de 3 centímetros, colocou-as no lugar errado e, em seguida, ficou ali parada olhando para seu erro, pensando: *Eu podia ir para a faculdade? Seria possível?*

– Vá para casa – disse Marge Gorda, chegando atrás dela. – Sua cabeça hoje está em outro lugar.

– Estou bem – respondeu Leni.

– Não. Você não está. – Lançou para Leni um olhar astuto. – Vi você e Matthew caminhando pela cidade ontem. Você está brincando com fogo, garota.

– O que você quer dizer?

– Você sabe o que quero dizer. Quer conversar sobre isso?

– Não há nada sobre o que conversar.

– Você deve achar que eu nasci ontem. Cuidado, é tudo o que vou dizer.

Leni nem respondeu. As palavras estavam além dela, assim como o raciocínio lógico. Ela saiu da loja, pegou a bicicleta e foi para casa. Ao chegar lá, alimentou os animais, pegou água na fonte que eles haviam escavado alguns anos antes e abriu a porta da cabana. Sua mente estava tão tomada por pensamentos e emoções que, quando se deu conta, estava na cozinha com a mãe, mas não se lembrava de como tinha chegado ali.

A mãe estava sovando massa de pão. Ergueu os olhos quando a porta bateu e tirou suas mãos cobertas de farinha do monte de massa.

– Qual é o problema?

– Por quê? – perguntou Leni, mas ela sabia.

Ela estava à beira das lágrimas, embora não tivesse certeza do por quê. Tudo o que sabia era que Matthew tinha alterado a forma de seu mundo. Ele havia alterado sua visão das coisas, a abrira. De repente, tudo em que conseguia pensar era no fim das aulas e nele indo para a faculdade sem ela.

– Leni? – A mãe limpou as mãos em um pano e o jogou para o lado. – Você parece estar com o coração partido.

Antes que Leni pudesse responder, ouviu um veículo se aproximar. E viu uma picape branca reluzente parar em seu quintal.

A caminhonete dos Walkers.

– Ah, não.

A garota correu até a porta da cabana e a abriu.

Matthew saltou da caminhonete em seu quintal.

Leni atravessou o deque e desceu correndo os degraus.

– Você não devia ter vindo aqui.

– Você estava muito quieta na escola hoje, depois saiu correndo para o trabalho. Eu pensei... Fiz alguma coisa errada?

Ela estava feliz por vê-lo e assustada por ele estar ali. Sentia como se tudo o que tivesse feito fosse dizer não e adeus para ele, e ela queria muito, muito dizer sim.

O pai chegou dos fundos da cabana, segurando um machado. Estava corado pelo esforço, molhado de suor. Viu Matthew e parou de repente.

– Você não é bem-vindo nesta casa, Matthew Walker. Se você e seu pai querem poluir sua propriedade, não posso impedi-los, mas fique longe da minha terra e da minha filha. Entendeu? Vocês, Walkers, são uma praga em nossa paisagem, com suas melhorias na taberna, seu hotel e seus malditos planos para uma pousada de aventura. Vocês vão destruir Kaneq. Vão transformá-la numa maldita Disneylândia.

Matthew franziu a testa.

– O senhor disse "Disneylândia"?

– Dê o fora daqui antes que eu decida que você está invadindo a propriedade e atire em você.

– Estou indo.

Matthew não parecia com medo, mas isso era impossível. Era um garoto sendo ameaçado por um homem com um machado.

Vê-lo partir doeu mais do que Leni teria achado possível. Ela deu as costas ao pai, entrou em casa e só ficou lá parada, olhando para o nada, sentindo falta de Matthew de um jeito que afastava todas as outras coisas.

A mãe entrou um momento depois. Atravessou a sala e abriu os braços, dizendo:

– Ah, filhota...

Leni irrompeu em lágrimas. A mãe a abraçou mais forte, acariciou seu cabelo e a conduziu até o sofá, onde se sentaram.

– Você está atraída por ele. Como poderia não estar? Ele é lindo. E você está sozinha durante todos esses anos.

Ficou por conta da mãe pronunciar as palavras.

Leni *tinha* se sentido solitária por muito tempo.

– Eu entendo – disse a mãe.

Aquelas poucas palavras ajudaram muito, lembraram a Leni que, na vasta paisagem do Alasca, essa cabana onde morava era um mundo à parte. E que sua mãe compreendia.

– Mas é perigoso. Você entende isso, não é?

– Sim – respondeu Leni. – Eu entendo.

Pela primeira vez, Leni entendeu todos os livros que tinha lido sobre corações partidos e amor não correspondido. Era uma dor física. O jeito como sentia falta de Matthew era quase uma doença.

Quando acordou na manhã seguinte, depois de uma noite agitada, seus olhos estavam incomodando. Luz entrava pela claraboia, forte o suficiente para forçá-la a proteger a vista. Vestiu as mesmas roupas da véspera e desceu do mezanino. Sem se dar ao trabalho de tomar o café da manhã, saiu, alimentou os animais, pulou em sua bicicleta e partiu. Na cidade, acenou para Marge Gorda, que estava na frente da loja lavando janelas, passou pedalando por Pete Doido e entrou no estacionamento da escola. Deixou a bicicleta na grama alta ao lado do alambrado, agarrou a mochila junto ao peito e foi para a sala de aula.

A carteira de Matthew estava vazia.

– Faz sentido – murmurou ela. – Ele deve estar a meio caminho de Fairbanks depois de ver como meu pai é maluco.

– Oi, Leni – disse a Sra. Rhodes, animada. – Você pode dar aula hoje? Uma águia ferida precisa de ajuda no centro em Homer. Pensei em ir lá.

– Claro. Por que não?

– Eu sabia que você seria meu ás na manga. Boneca está treinando divisão, e Agnes e Marthe estão fazendo seus trabalhos de história. Você e Matthew deviam ler T.S. Elliot hoje.

Leni forçou um sorriso quando a Sra. Rhodes deixou a sala de aula. Olhou para o relógio, pensou *Talvez ele esteja atrasado*, então começou a ajudar as meninas com suas tarefas.

O dia se arrastou, enquanto Leni olhava para o relógio com frequência até que finalmente marcou três horas.

– É isso, meninas. A aula acabou.

Depois que as crianças foram embora e a sala ficou em silêncio, Leni guardou suas coisas e foi a última pessoa a deixar a escola.

Do lado de fora, pegou a bicicleta e pedalou devagar pelo centro da rua principal, sem pressa de chegar em casa. No céu, um pequeno avião roncava em um arco preguiçoso, dando a seus passageiros uma boa vista da cidadezinha empoleirada em um passeio de madeira ao longo da beira da água. Os pântanos atrás da cidade estavam em toda sua beleza, com montes de capim flutuando ao vento. O ar cheirava a poeira, a capim novo e água turva. Ao longe, um caiaque vermelho se movia em meio à vegetação rasteira densa em seu caminho para o mar. Ela ouviu marteladas na taberna, mas não havia nenhum trabalhador à vista do lado de fora.

Ela chegou à ponte. Normalmente, em um dia assim tão claro no início da temporada, o local estaria repleto de homens, mulheres e crianças parados lado a lado com as linhas na água, as crianças na ponta dos pés, olhando além da borda para o rio cristalino lá embaixo.

Agora havia apenas uma pessoa ali parada.

Matthew.

Leni deixou que a bicicleta rodasse até diminuir a velocidade e pôs um dos pés no chão, enquanto o outro permanecia no pedal.

– O que você está fazendo?

– Esperando.

– O quê?

– Você.

Leni desmontou da bicicleta e caminhou ao lado dele, que a conduziu de volta na direção da cidade. A bicicleta chacoalhava e batia pelo cascalho esburacado da rua principal. De vez em quando, a buzina emitia o som de um tilintar trêmulo.

Leni olhou nervosamente para a taberna quando passaram por ali, mas não viu Clyde nem Ted trabalhando. Não queria que ninguém contasse ao pai que a vira com Matthew.

Eles subiram o morro, passaram pela igreja e se esgueiraram em meio aos abetos. Leni deitou a bicicleta no chão e seguiu Matthew até a ponta que se projetava além de um penhasco de rocha negra.

– Eu não dormi ontem à noite – disse Matthew por fim.

– Nem eu.

– Eu estava pensando em você.

Ela podia ter dito a mesma coisa, mas não ousou.

Ele a tomou pela mão e a conduziu até o leito de galhos que tinha arrumado antes. Eles se sentaram e recostaram em um tronco caído coberto de musgo. Leni ouvia as ondas nas rochas lá embaixo. O solo tinha um cheiro fecundo e adocicado. A sombra se projetava em áreas em forma de estrela entre fachos de luz do sol.

– Conversei com meu pai sobre nós ontem à noite. Até fui à lanchonete para ligar para minha irmã.

Nós.

– E aí?

– Meu pai disse que eu estava brincando com fogo querendo você.

Querendo você.

– Aly me perguntou se eu já tinha te beijado. Quando respondi que não, ela disse: "Mas que droga, irmãozinho, vá em frente." Ela sabe quanto gosto de você. Então... Posso te beijar?

Ela mal assentiu, mas foi suficiente. Os lábios dele roçaram os dela, hesitantes. Era como toda história de amor que ela já tinha lido; esse primeiro beijo a mudou, a abriu para um mundo que nunca havia imaginado, um universo grande, brilhante e reluzente cheio de possibilidades inesperadas.

Quando ele se afastou, Leni o olhou fixamente.

– Nós. Isto. É perigoso.

– É, acho que sim. Mas isso não importa, importa?

– Não – disse Leni em voz baixa.

Ela sabia que estava tomando uma decisão da qual poderia se arrepender, mas parecia inevitável.

– Nada importa, exceto nós.

Venha para a faculdade comigo, Len. Por favor...

A Universidade do Alasca é bonita. Você ainda poderia entrar no outono. Nós podíamos ir juntos.

Juntos...

Em casa, ela guardou a bicicleta e alimentou os animais, mas estava tão distraída que deixou cair um balde inteiro de grãos. Então pegou água na fonte no alto do morro. Uma hora depois, quando tinha terminado as tarefas, viu os pais descerem até a praia e pararem ao lado do barco. Eles iam pescar.

Ficariam fora por horas.

Ela podia ir de bicicleta até a casa de Matthew, deixar que ele a beijasse outra vez. Seus pais não iam nem saber que ela havia saído.

Plano idiota. Ela veria Matthew no dia seguinte.

O dia seguinte parecia que ia demorar uma vida inteira.

Ela pegou a bicicleta, montou e saiu pedalando, passando pela canoa que o pai arrastara para casa do lixão na semana anterior e da casca enferrujada de uma bicicleta suja que ele não conseguira fazer funcionar outra vez. As sombras da entrada de carros a cercaram e a fizeram relaxar.

Ela pedalou até a estrada principal, de volta à luz do sol, e percorreu os 500 metros até a entrada de carros. Passou pelo portão aberto, pelo arco pintado, com seu salmão-prateado entalhado na madeira e seguiu em frente.

Isto é perigoso, pensou, mas não conseguia se forçar a se importar. Tudo em que podia pensar agora era em Matthew, e na sensação de quando ele a beijou, e quanto ela queria beijá-lo outra vez.

Ali, a estrada não era tão enlameada. Era evidente que alguém tinha se dado ao trabalho de renivelar a terra e botar cascalho. Era o tipo de coisa que seu pai nunca faria: alisar uma estrada para tornar a vida mais fácil.

Ela parou bruscamente e sem fôlego em frente à casa dos Walkers.

Matthew estava carregando um grande fardo de feno até o curral das vacas. Ele a viu, largou o fardo e foi até ela. Usava um suéter de hóquei grande demais, short e botas de borracha.

– Len? – Ela amava o jeito como ele a rebatizara, fizera dela outra pessoa, alguém que só ele conhecia. – Você está bem?

– Senti sua falta – disse ela.

Estúpida. Eles mal tinham ficado afastados.

– Eu gostaria... Precisamos de *tempo* juntos.

– Eu vou ver você amanhã à noite – afirmou ele, tomando-a nos braços.

Era onde ela queria estar.

– O que você quer dizer com isso?

– Vou encontrar com você escondido – respondeu ele, com tanta convicção que ela não soube o que dizer. – Amanhã à noite.

– Você não pode.

– À meia-noite, saia de casa para me encontrar.

– É perigoso demais.

– Vocês têm um banheiro externo, não têm? Então sair não é nada de mais. E alguma vez eles procuram você no mezanino no meio da noite?

Ela podia vestir uma roupa quente, sair e não voltar por um tempo. Eles podiam ter uma hora juntos, talvez mais. Sozinhos.

Se ela dissesse não nesse momento, isso provaria que podia viver uma vida sensata, com o tipo de amor que ninguém nunca ia comparar à heroína, e ela nunca ia chorar até dormir.

– Por favor? Preciso ver você.

– Leni!

Ela ouviu a voz do pai gritando para ela. Afastou Matthew, mas era tarde. O pai os vira juntos e agora estava caminhando a passos largos em sua direção, enquanto a mãe corria logo atrás dele.

– Que *diabos* você está fazendo aqui? – perguntou o pai.

– Eu... eu...

Ela não conseguiu responder. *Estúpidaestúpidaestúpida*. Ela não devia ter ido até ali.

– Achei que tinha dito para você se afastar da minha Lenora – disse o pai.

Ele agarrou Leni pelo braço e a puxou para seu lado.

Leni mordeu os lábios para não emitir nenhum som. Ela não queria que Matthew soubesse que seu pai a havia machucado.

– Leni – falou Matthew, franzindo o cenho.

– Não se mexa – pediu ela. – Por favor.

– Venha, Leni – ordenou o pai, puxando-a dali.

Leni foi aos tropeções ao lado do pai, caindo sobre ele e se movendo sobre o solo irregular. Se ela se afastava muito, ele a puxava de volta para seu lado. A mãe corria atrás, caminhando com a bicicleta de Leni.

De volta ao seu quintal, Leni soltou seu braço e quase caiu, avançou pelo capim enlameado e o encarou.

– Eu não fiz nada de errado! – gritou.

– Ernt – disse a mãe, tentando parecer razoável. – Eles são apenas amigos...

O pai se virou para a mãe.

– Então você sabia sobre eles?

– Você está exagerando – rebateu a mãe com tranquilidade. – Ele é da turma de Leni. Só isso.

– Você sabia – repetiu o pai.

– Não! – gritou Leni, de repente com medo.

– Eu a vi sair – declarou o pai. – Você também a viu, não viu, Cora? E sabia aonde ela estava indo.

A mãe balançou a cabeça.

– N-não. Achei que ela estivesse indo para o trabalho. Ou colher um pouco de bálsamo-da-judeia.

– Você está mentindo – acusou ele.

215

– Pai, por favor, a culpa é minha – disse Leni.
Ele não estava ouvindo. Seus olhos tinham aquela expressão louca, desesperada.
– Você sabe que não deve esconder as coisas de mim.
Ele agarrou a mãe e a arrastou para a cabana.
Leni os seguiu, tentou soltar a mãe.
O pai empurrou a mãe para dentro e afastou Leni do caminho.
A porta bateu. A trava desceu com força, com um tinido, e os trancou lá dentro.
Então, de trás da porta, um estrondo alto, um grito contido.
Leni se jogou contra a porta, socou-a, gritando para que a deixassem entrar.

DEZESSETE

Na manhã seguinte, o lado esquerdo do rosto da mãe estava inchado e roxo: um olho estava ficando escuro. Ela estava sentada sozinha à mesa com uma xícara de café à sua frente.
– O que você estava pensando? Ele a viu sair e seguiu o rastro do pneu na lama. Leni se sentou à mesa, com vergonha de si mesma.
– Eu não estava pensando.
– Hormônios. Eu lhe disse que são maus e perigosos. – A mãe se inclinou para a frente. – O negócio é o seguinte, filhota. Você está sobre gelo fino. Sabe disso. Eu sei. Você precisa ficar longe desse garoto ou alguma coisa ruim vai acontecer.
– Ele me beijou.
Ele quer que eu saia escondida para me encontrar com ele esta noite.
A mãe ficou ali sentada por um bom tempo. Em silêncio.
– Bem, um beijo pode mudar o mundo de uma garota. Eu não sei disso? Mas você não é uma garota comum nos subúrbios com um pai exemplar. Escolhas têm consequências, Leni. Não só para você. Para esse garoto. Para mim. – Ela tocou a maçã do rosto machucada e se encolheu. – Você precisa ficar longe dele.

Encontre-me. Meia-noite.
Leni pensou nisso o dia inteiro. Na escola, toda vez que olhava para Matthew, sabia no que ele estava pensando.
– Por favor – foi a última coisa que disse a ela.
Ela tinha dito não e falava sério, mas quando chegou em casa e começou sua longa lista de tarefas, se viu esperando impacientemente pelo pôr do sol.
O tempo não era algo em que ela costumasse prestar atenção. Na propriedade, o que importava era o quadro geral – o escurecer do céu, a baixa da maré, a mudança de cor das lebres-do-ártico, as aves voltando ou partindo para o sul. Era assim que eles marcavam a passagem do tempo, pelas temporadas de

cultivo, pela migração dos salmões e pela primeira neve. Em dias de aula, ela olhava o relógio, mas de um jeito relaxado. Ninguém se importava se você chegava à escola na hora, não no inverno, quando alguns dias fazia tanto frio que as caminhonetes não ligavam, nem na primavera e no outono, quando havia tantas tarefas a fazer.

Mas agora o tempo governava sua atenção. Lá embaixo na sala de estar, a mãe e o pai estavam abraçados no sofá, conversando em voz baixa. O pai não parava de tocar no rosto machucado da mãe e de murmurar pedidos de desculpa, dizendo a ela quanto a amava.

Pouco depois das dez horas, ela ouviu o pai dizer:

– Bom, Cora, estou prestes a apagar.

E a mãe respondeu:

– Eu também.

Os pais desligaram o gerador e alimentaram o fogo uma última vez. Depois Leni ouviu o chacoalhar da cortina de contas sendo afastada quando entraram no quarto.

Então, silêncio.

Ela ficou ali deitada, contando qualquer coisa que pudesse: suas respirações, seus batimentos cardíacos. Desejava que o tempo passasse mesmo que isso a assustasse.

Imaginou diferentes situações: ir se encontrar com Matthew, ficar na cama, não ser pega, ser pega.

Disse a si mesma repetidas vezes que não estava esperando pela meia-noite, que não era estúpida nem irresponsável a ponto de sair escondida.

A meia-noite chegou. Ela ouviu o último clique do ponteiro de seu relógio.

Ouviu um chamado de pássaro através da janela, um pequeno som trinado que não era exatamente real.

Matthew.

Saiu da cama e vestiu uma roupa quente.

Cada rangido da escada a aterrorizava, fazia com que ela congelasse no lugar. Cada passo no chão fazia a mesma coisa, de modo que ela levou uma eternidade para chegar à porta. Calçou as botas de borracha e vestiu um colete.

Prendendo a respiração, destravou o trinco, ergueu a tranca e abriu a porta.

O ar da noite entrou na casa para saudá-la.

Ela viu Matthew parado no alto do morro acima da praia, sua silhueta contra um céu rosa e ametista.

Leni fechou a porta e correu até ele. Pegou sua mão e, juntos, correram pelo quintal de capim molhado, desceram a elevação e pegaram a escada frágil para a praia, onde Matthew tinha aberto um cobertor e posto pedras grandes em cada uma de suas quatro pontas.

Ela se deitou. Ele também. Leni sentiu o calor de seu corpo junto do dela, e isso fez com que se sentisse segura, mesmo com todo o risco que estavam correndo. Adolescentes normais provavelmente estariam falando sem parar ou rindo. Alguma coisa. Talvez bebendo uma cerveja, fumando maconha ou se agarrando, mas Leni e Matthew sabiam que não eram adolescentes normais de quem era esperado sair às escondidas. A selvageria louca da raiva de seu pai pairava no ar entre eles.

Ela podia ouvir o mar rolando em sua direção e o ranger dos abetos no murmúrio de uma brisa de primavera. Uma luz ambiente pálida brilhava sobre tudo, iluminava o céu noturno lavanda. Matthew apontou para as constelações e contou a ela suas histórias.

O mundo em torno deles parecia diferente, mágico, um lugar de possibilidades infinitas em vez de perigos ocultos.

Ele virou de lado. Agora, estavam cara a cara; ela podia sentir sua respiração em seu rosto, sentir um fio de seu cabelo sobre a bochecha.

– Eu falei com a Sra. Rhodes – começou ele. – Ela falou que você ainda pode entrar na Universidade do Alasca. Pense nisso, Len. Podemos ficar juntos, longe disso tudo.

– É caro.

– Eles têm bolsas de estudos e empréstimos a juros baixos. Podemos conseguir.

Leni ousou – apenas por um segundo – imaginar aquilo. Uma vida. *Sua* vida.

– Eu poderia me inscrever – cedeu, mas, mesmo ao ouvir o sonho ser pronunciado, pensou no preço.

Seria a mãe quem iria pagar. Como Leni poderia viver com isso?

Mas ela devia ficar aprisionada para sempre pela escolha da mãe e a raiva de seu pai?

Ele pôs um colar em torno do pescoço dela, atrapalhou-se para fechá-lo no escuro.

– Eu o entalhei.

Leni o sentiu, um coração feito de osso, pendurado em uma corrente de metal fina como teia de aranha.

– Venha para a faculdade comigo, Len.

Ela tocou o rosto dele, sentiu como sua pele era diferente da dela, mais áspera, com pelos esparsos.

Ele apertou seu corpo contra o dela, quadril contra quadril. Eles se beijaram; ela sentiu a respiração dele ficar entrecortada.

Até então ela não sabia como o amor podia irromper e começar a existir como a teoria do Big Bang e mudar tudo em você e no mundo. De repente acreditou em Matthew, na possibilidade dele, deles, do mesmo modo que acreditava na gravidade ou que a Terra era redonda. Era loucura. *Loucura.* Quando ele a beijou, ela vislumbrou um mundo todo novo, uma nova Leni.

Ela se afastou. A profundidade desse novo sentimento era aterrorizante. O amor verdadeiro crescia devagar, não? Não podia ser assim tão rápido como uma colisão de planetas.

Nostálgica. Ela sabia qual era a sensação agora. *Nostálgica.* Uma palavra antiga, do mundo de Jane Eyre, e tão nova para Leni quanto aquele segundo.

– Leni! Leni!

A voz de seu pai. Gritando.

Leni se ergueu bruscamente. *Ah, meu Deus.*

– Fique aqui.

Ela ficou de pé e correu para os degraus desgastados. Subiu correndo sua trilha em zigue-zague, seu colete se abrindo, as botas fazendo barulho nos degraus cobertos de tela de arame.

– Estou aqui, pai! – gritou ela sem fôlego, agitando os braços.

– Graças a *Deus* – disse ele. – Eu me levantei para fazer xixi e vi que suas botas haviam desaparecido.

Botas. Esse foi seu erro. Uma coisa tão pequena.

Ela apontou para o céu. Será que ele tinha percebido como ela estava ofegante? Será que podia ouvir as batidas de seu coração?

– Olhe para o céu. Está muito bonito.

– Ah.

Ela ficou ao lado dele, tentando se acalmar. Ele passou um braço em volta dos ombros dela. Leni se sentiu reivindicada pelo abraço.

– O verão é mágico, não é?

A encosta coberta de grama escondia a praia de vista, graças a Deus. Leni não podia ver a curva de seixos e conchas quebradas, nem o cobertor que Matthew tinha levado até lá. Tampouco podia ver Matthew. Ele estava bem abaixo do alto do morro entre a cabana e a praia.

Ela segurou o coração de osso em seu pescoço, sentiu sua ponta afiada se enfiar na palma da mão.

– Não faça isso outra vez, Ruiva. Você sabe que não deve. Os ursos são perigosos nesta época do ano. Quase peguei minha arma e saí procurando você.

Declaração pessoal
por Lenora Allbright

"É uma estrada perigosa, Frodo, que sai de sua porta. Se você pisar nessa estrada e não tomar cuidado, não há como saber aonde vai ser levado."

Se os senhores me conhecessem, não ficariam nada surpresos por eu começar meu ensaio para a faculdade com uma citação de Tolkien. Livros são os marcos de minha vida. Algumas pessoas têm fotos de família ou filmes caseiros para registrar seu passado. Eu tenho livros. Personagens. Desde que me lembro os livros foram meu refúgio. Eu leio sobre lugares que mal consigo imaginar e me perco em viagens a terras estrangeiras para salvar garotas que não sabiam que na verdade eram princesas.

Só recentemente descobri por que preciso desses mundos distantes.

Meu pai me ensinou a ter medo do mundo, e algumas de suas lições se grudaram em mim. Eu li sobre o sequestro de Patty Hearst, o Assassino do Zodíaco, o massacre nas Olimpíadas de Munique e Charles Manson e soube que o mundo era um lugar aterrorizante. Ele dizia isso o tempo inteiro, lembrava-me que montanhas podiam explodir e matar pessoas enquanto dormiam. Governos eram corruptos. Uma gripe podia surgir do nada e matar milhões. Uma bomba nuclear podia cair a qualquer segundo, destruindo tudo.

Aprendi a atirar em movimento na cabeça de um alvo de papel. Tenho uma mochila de emergência cheia de suprimentos ao lado da porta. Posso acender um fogo com uma pederneira e montar uma arma de olhos vendados. Sei ajustar perfeitamente uma máscara de gás. Eu cresci me preparando para uma guerra, para a anarquia ou para uma tragédia mundial.

Mas nada disso é verdade. Ou é verdade, mas não a verdade, que é o tipo de distinção feita por adultos.

Meus pais deixaram o estado de Washington quando eu tinha 13 anos. Chegamos ao Alasca e construímos uma vida de subsistência na mata. Eu amo isso. Mesmo. Amo a beleza inóspita e descompromissada do Alasca. Amo principalmente as mulheres, mulheres como minha vizinha, Marge Gorda, que era advogada e agora tem um armazém. Amo como ela é forte e compassiva. Amo como minha mãe, que é frágil como a folhagem de uma samambaia, conseguiu sobreviver por aqui em um clima feito para destruí-la.

Eu amo tudo isso, e amo esta terra que me deu um lugar ao qual pertencer, um lar, mas é hora de deixar a propriedade e abrir meu próprio caminho, aprender sobre o mundo real.

É por isso que quero ir para a faculdade.

Nos dias depois daquela noite na praia, Leni se tornou uma gatuna, invisível quando queria ser. Era uma ilusão que ela praticara a vida toda e lhe servia bem agora que tinha se tornado uma ladra de tempo.

Ela também se tornou uma mentirosa. Mentia para o pai na cara dura, até sorrindo, para roubar o tempo de que precisava. Havia um teste que precisava ser feito mais cedo – pelo menos uma hora –, uma excursão que a prenderia até tarde na escola. Um projeto de pesquisa que exigia que ela pegasse o bote para ir à biblioteca em Seldovia. Ela encontrava Matthew na mata, entre as pilhas sombrias na loja de Marge Gorda ou na enlatadora abandonada. Na aula, eles estavam sempre se tocando por baixo da carteira. Comemoraram o aniversário dele juntos depois da aula, sentados no cais atrás de um velho barco de metal.

Era maravilhoso, empolgante. Ela aprendeu coisas que nenhum livro jamais lhe ensinara – como se apaixonar era uma aventura, como seu corpo parecia mudar ao toque dele, o jeito como suas axilas doíam depois de abraçá-lo apertado por uma hora, como seus lábios inchavam e rachavam devido a seus beijos e como sua barba por fazer áspera podia queimar sua pele.

O tempo roubado se transformou no motor que movia seu mundo; nos fins de semana, quando horas sem Matthew se estendiam à sua frente, ela sentia uma necessidade quase insuportável de sair da propriedade, correr até ele, encontrar um jeito de roubar só mais dez minutos.

O espectro do fim das aulas projetava uma sombra comprida. Nesse dia, quando Leni se sentou à sua carteira na escola, olhou para Matthew e quase começou a chorar.

Ele estendeu o braço sobre a mesa e pegou a mão dela.

– Você está bem?

Leni não conseguiu deixar de pensar em como eles eram pequenos nesse mundo grande e perigoso, apenas jovens que queriam se amar.

A Sra. Rhodes bateu palmas na frente da sala, pedindo atenção.

– Resta apenas uma semana de aula, e achei que seria um bom dia para um passeio de barco e uma caminhada. Então todo mundo pegue seu casaco e vamos.

A Sra. Rhodes conduziu seus alunos tagarelas para fora da sala e através da cidade até o cais. Todo mundo entrou no barco de pesca de alumínio da Sra. Rhodes.

Eles seguiram pela baía e aceleraram, oscilando sobre as ondas, a água respingando pelas laterais. A professora guiou o barco pelas águas do fiorde, com montanhas por toda a sua volta, percorrendo uma extensão de água atrás da outra, até que pararam de ver qualquer cabana ou barco. Ali a água era turquesa. Leni pôde ver uma fêmea de javali com dois filhotes pretos caminhando ao longo de uma costa isolada.

A Sra. Rhodes parou em um cais em uma enseada estreita. Matthew saltou sobre o cais envelhecido e amarrou o barco.

– Os avós de Matthew tomaram posse desta terra em 1932 – disse a Sra. Rhodes. – Foi a primeira propriedade de sua família. Quem quer ver uma caverna de piratas?

Pandemônio.

A Sra. Rhodes conduziu as crianças mais novas pela praia, caminhando pela areia dura e passando por cima de pedaços enormes de madeira trazidos pelas marés.

Quando eles fizeram a curva da baía e desapareceram, Matthew pegou Leni pela mão.

– Venha – disse ele. – Vou lhe mostrar uma coisa legal.

Ele a conduziu para as terras altas, com capim da altura do joelho, que terminava em uma floresta esparsa de árvores pequenas.

– Shhh – murmurou, colocando um dedo sobre os lábios.

Depois disso, Leni começou a notar cada graveto que se quebrava sob seus pés e cada sussurro do vento. De vez em quando, um avião pequeno voava pelo céu. Diante de uma parede verde, arbustos crescidos a um tamanho alasquiano devido a toda água que descia das montanhas, ele lhe mostrou uma trilha que ela não teria visto sozinha. Eles se esgueiraram por ela, caminharam curvados nas sombras frescas.

Uma pequena fresta de luz os atraiu para a frente. Os olhos de Leni se ajustaram lentamente.

Uma vista se abria no espaço entre as moitas: pântanos, até onde a vista alcançava. Mato alto e ondulante através do qual seguia sinuoso um rio preguiçoso e imóvel. Havia um aglomerado de montanhas, braços envolvendo os pântanos de forma protetora.

Leni contou quinze ursos-pardos nos pântanos, mascando o capim, tentando pegar peixes na água estagnada. Eram criaturas grandes e peludas – chamados de ursos-cinzentos pela maior parte do mundo – com cabeças gigantes. Eles se moviam de um jeito gingado, como se seus ossos fossem mantidos juntos por elásticos. As mães ursas mantinham seus filhotes por perto e longe dos machos.

Leni observou os animais majestosos se moverem pelo mato alto.

– Uau.

Um avião fez uma curva acima e começou sua descida.

– Meu avô me trouxe aqui quando eu criança – sussurrou Matthew. – Eu me lembro de lhe dizer que ele era louco por tomar posse de uma terra tão perto dos ursos, e ele disse *Isto é o Alasca*, como se essa fosse a única resposta que importasse. Meus avós confiavam nos cachorros para expulsar os ursos caso eles se aproximassem demais. O governo criou uma reserva nacional à nossa volta.

– Só aqui – falou Leni com uma risada.

Ela se encostou em Matthew. *Só aqui.*

Deus, ela amava aquele lugar; amava a ferocidade selvagem do Alasca, sua beleza majestosa. Ainda mais que a terra, ela amava as pessoas com as quais a terra falava. Até esse momento ela não se dera conta de quanto era profundo seu amor pelo Alasca.

– Matthew! Leni!

Eles ouviram a Sra. Rhodes gritando seus nomes.

Voltaram abaixados pelo meio dos arbustos e chegaram à praia. A Sra. Rhodes estava lá, com as meninas mais novas reunidas ao seu redor. À sua esquerda, um hidroavião estava parado na praia.

– Depressa! – disse ela, acenando com a mão. – Marthe, Agnes, entrem no avião. Temos que voltar para Kaneq. Earl Maluco teve um ataque cardíaco.

Earl Maluco morreu.

Leni não conseguia assimilar isso direito. No dia anterior, o velho estava vivo, vibrante, bebendo aguardente de fundo de quintal, contando histórias. O complexo era um lugar movimentado, uma colmeia de atividade: serras elétricas girando, aço sendo transformado em lâminas sobre chamas abertas, machados cortando madeira, cachorros latindo. Sem ele, o local caiu em silêncio.

Leni não chorou por Earl Maluco. Não era hipócrita, mas queria chorar pela perda que via nos rostos ao seu redor: Thelma, Ted, Boneca, Clyde e o resto das pessoas que viviam no complexo. O espaço vazio deixado por Earl Maluco ia machucá-los por um bom tempo.

Agora eles estavam todos na baía, perto da rampa de barcos abaixo da igreja russa.

Leni se sentou na canoa amassada de alumínio que seu pai resgatara alguns anos antes, com a mãe à sua frente. O pai estava atrás dela, mantendo-os estáveis na água.

Havia barcos por toda a sua volta, flutuando na calma do dia claro. Eles tinham se reunido para sua versão de um funeral. Era quase verão; era possível sentir isso no calor do sol. Centenas de gansos-da-neve tinham voltado para o fundo da baía. A linha costeira escarpada, vazia e coberta de gelo por todo o inverno, agora sustentava todos os tipos de vida. Em uma rocha no meio da água, uma torre de pedra preta e verde que se erguia das profundezas, leões-marinhos se amontoavam uns sobre os outros. Gaivotas sobrevoavam em arcos brancos preguiçosos, ganindo como terriers. Ela viu gaivotas no ninho e cormorões mergulhando. Focas, com rostos negros ou prateados de cocker spaniel, erguiam o focinho da água junto de lontras que boiavam preguiçosamente de costas, quebrando mariscos em patas que se moviam depressa.

A pouca distância, Matthew estava sentado com seu pai em um reluzente bote. Toda vez que ele olhava para Leni, ela afastava os olhos, com medo de revelar seus sentimentos em um lugar público.

– Meu pai amava este lugar – estava dizendo Thelma, suas palavras balançando ao ritmo da música feita por seu remo na água. – Ele vai fazer falta.

Leni observou Thelma derrubar uma torrente de cinzas de uma caixa de papelão. Elas flutuaram por um momento, espalharam-se, criando uma mancha turva, em seguida afundaram lentamente.

Fez-se silêncio.

A maior parte de Kaneq estava ali, ou era o que parecia. Os Harlans, Tom e Matthew Walker, Marge Gorda, Natalie, Calhoun Malvey e sua nova esposa, Tica Rhodes e o marido, e todos os comerciantes. Havia até um monte de veteranos, homens que viviam tão desconectados da civilização e tão fundo na mata que praticamente nunca eram vistos. Eles tinham poucos dentes, muito cabelo pegajoso e bochechas emaciadas. Vários possuíam cachorros nos barcos. Pete Doido e Matilda estavam na praia, lado a lado.

Um a um, os barcos flutuaram de volta à costa, onde foram postos na praia. O Sr. Walker carregou o caiaque de Thelma pela praia e o botou na traseira de uma picape enferrujada.

As pessoas olharam instintivamente para o Sr. Walker esperando que ele dissesse algo mais, para uni-los. Reuniram-se perto dele.

– Vou lhe dizer uma coisa, Thelma – começou o Sr. Walker. – Por que vocês todos não vêm à minha casa? Vou botar um pouco de salmão no fogo e pegar um engradado de cerveja gelada. Podemos fazer uma despedida que Earl Maluco ia adorar.

– O grande homem se oferecendo para receber o funeral de um homem que ele desprezava – desdenhou Ernt. – Não precisamos de sua caridade, Tom. Vamos nos despedir do nosso próprio jeito.

Leni não foi a única a se encolher diante da estridência da voz do pai. Viu choque nos rostos ao seu redor.

– Ernt – disse a mãe. – Agora não.

– Agora é o momento perfeito. Estamos nos despedindo de um homem que veio para cá porque queria um estilo de vida mais simples. A última coisa que ele ia querer que fizéssemos era celebrar bebendo com o homem que quer transformar Kaneq em Los Angeles.

O pai pareceu crescer enquanto estava ali parado, impulsionado pelo ódio, pela animosidade. Ele saiu andando e foi até Thelma, que parecia tão abatida quanto um palito de picolé usado, com cabelo sujo, ombros curvados, olhos marejados.

Ernt apertou o ombro de Thelma. Ela se encolheu, parecendo assustada.

– Vou assumir o lugar de Earl. Você não precisa se preocupar. Vou garantir que estejamos prontos para qualquer coisa. Vou ensinar Boneca...

– Você vai ensinar o que à minha filha? – perguntou Thelma com voz trêmula. – Do jeito que você ensina sua mulher? Você acha que não vemos o jeito como a trata?

A mãe congelou, um rubor tomou seu rosto.

– Estamos fartos de você! – explodiu Thelma, a voz ficando mais forte. – Você assusta as crianças, especialmente quando está bebendo. Meu pai aturava você pelo que fez por meu irmão, e sou grata por isso também, mas tem alguma coisa errada. Não quero cercar o exterior de nossa terra com explosivos, pelo amor de Deus, e nenhuma criança de 8 anos precisa botar uma máscara de gás às duas da madrugada e ir para o portão com sua bolsa de emergência. Meu pai fazia as coisas de um jeito. Eu vou fazer de outro.

Ela inspirou fundo. Seus olhos brilharam com lágrimas, mas Leni viu alívio também. Por quanto tempo Thelma quisera dizer tudo isso?

– E agora vou levar os velhos amigos de meu pai para a casa de Tom para celebrar sua vida. Conhecemos os Walkers há séculos. Nós éramos todos amigos, uma *comunidade*, antes de você aparecer. Se você puder vir e ser civilizado, venha. Se quiser apenas dividir esta cidade, fique em casa.

Leni viu o jeito como as pessoas se afastaram de seu pai. Até os homens de barbas fartas que viviam mais longe da civilização deram um passo para trás.

Thelma olhou para a mãe.

– Venha conosco, Cora.

– O quê? Mas...

A mãe balançou a cabeça.

Houve um longo momento. Ninguém se mexia nem falava. Então, lentamente, os Harlans começaram a ir embora.

O pai olhou ao redor e viu a facilidade com que o haviam excluído.

Leni observou seus amigos e vizinhos entrarem em seus veículos e partirem, com barcos batendo atrás deles em reboques ou em caçambas de picape. Matthew lançou um olhar longo e triste para Leni e por fim se virou.

Quando estavam sozinhos, só os três, Leni olhou para a mãe, que parecia tão preocupada e assustada quanto a garota se sentia. Elas não tinham nenhuma dúvida: aquilo ia fazer com que ele explodisse.

O pai estava imóvel, os olhos chamejando de raiva, olhando fixamente para a estrada vazia.

– Ernt – disse a mãe.

– Cale a boca – chiou ele. – Estou pensando.

Depois disso e por todo o caminho até a casa, ele não falou nada, o que devia ser melhor do que gritos, mas não era. Gritar era como uma bomba no canto: você a via, via o pavio queimar, sabia que ela ia explodir e precisava correr para buscar abrigo. Não falar era como um assassino em algum lugar de sua casa com uma arma, enquanto você dormia.

Dentro da cabana, ele andou sem parar de um lado para outro. Murmurava sozinho, balançava a cabeça como se estivesse ouvindo algo de que não gostasse.

Leni e a mãe ficaram fora do caminho.

Na hora do jantar, a mãe botou uma sobra de guisado de alce para esquentar no fogão, mas o aroma agradável não fez nada para aliviar a tensão.

Quando a mãe pôs o jantar na mesa, o pai parou de repente e ergueu o rosto; a luz em seus olhos era assustadora. Murmurando algo sobre ingratidão, vadias com atitudes ruins e babacas que achavam ser donos do mundo, saiu de casa irritado.

– Devíamos trancá-lo do lado de fora – sugeriu Leni.

– E deixar que ele quebre uma janela ou derrube uma parede para entrar?

Lá fora, ouviram uma motosserra ganhar vida.

– Podíamos fugir – disse Leni.

A mãe lançou para ela um sorriso débil.

– Claro. Ele não iria atrás de nós.

Elas sabiam que Leni conseguiria escapar e ter outra vida. Não a mãe. Ele a seguiria aonde quer que ela fosse.

Jantaram em silêncio, cada uma delas observando a porta com cuidado, tentando ouvir um sinal inicial de problemas.

Então a porta se abriu. O pai estava ali parado, de olhos loucos, coberto de serragem e segurando um machado.

A mãe ficou de pé bruscamente e recuou. Ele entrou, murmurando, puxou a mãe para si, levou-a para fora e a arrastou na direção da entrada de carros. Leni correu atrás deles. Ouviu a mãe conversando com ele naquela sua voz tranquilizadora.

Ele puxou a mãe na direção de troncos descascados que criavam uma grande barreira no fim de sua entrada de carros.

– Eu posso construir um muro. Botar farpas no alto, talvez arame farpado. Isso vai nos manter em segurança do lado de dentro. Não precisamos da droga do complexo. Que se danem os Harlans.

– M-mas, Ernt... Não podemos viver...

– Pense nisso – disse ele, puxando-a para perto, com uma machadinha pendurada em uma das mãos. – Nada mais a temer do mundo externo. Vamos ficar seguros aqui dentro. Só nós. Aquele filho da puta pode transformar Kaneq em Detroit que não vamos ligar. Eu vou protegê-la, Cora, de todos eles. Isso é quanto amo você.

Leni olhou horrorizada para os troncos, imaginando isso: aquele pedaço pequeno de terra murado ao redor, isolado do pouco de civilização que agora havia fora dali.

Não havia ninguém que fosse impedir o pai de construir um muro ou atirar nelas, nenhuma polícia ia protegê-las ou apareceria em uma emergência.

E quando ele terminasse, trancasse o portão, Leni – ou a mãe – conseguiria sair algum dia?

Leni olhou para seus pais: duas figuras magras inclinadas juntas, se tocando com lábios e dedos, murmurando sobre amor, a mãe tentando mantê-lo calmo, o pai tentando mantê-la perto. Eles sempre seriam do jeito que tinham sido, nada nunca ia mudar.

Na ingenuidade da juventude, seus pais pareciam presenças imponentes, onipotentes e oniscientes. Mas eles não eram isso; eram apenas duas pessoas problemáticas.

Ela podia deixá-los. Podia se libertar e seguir o próprio caminho, mas isso podia ser pior do que ficar, observar essa dança tóxica deles, permitindo que o mundo dos dois se tornasse seu mundo até não restar mais nada dela, até que ela se tornasse minúscula.

DEZOITO

Às dez horas da noite, no funeral de Earl Maluco, o céu acima da enseada Walker era uma camada de azul-escuro, desbotando para lavanda nas bordas. A fogueira da noite tinha queimado; troncos se transformaram em cinzas e desmoronaram uns sobre os outros.

Uma maré muito baixa tinha recuado o mar, revelando uma grande extensão de lama, um espelho cinza liso que refletia a cor do céu e as montanhas cobertas de neve que se erguiam na margem oposta. Aglomerados de mariscos negros reluzentes se agarravam a colunas expostas; o bote de alumínio estava enviesado sobre a lama, seu cabo amarrado à boia.

Houve horas de conversa. Histórias sobre Earl Maluco contadas em vozes hesitantes. Algumas os fizeram rir. A maioria os fez ficarem em silêncio, recordando. Earl Maluco nem sempre tinha sido o homem estranho e raivoso que se tornara na velhice. A morte do filho o abalara. Antes, tinha sido o melhor amigo do vovô Eckhart. O Alasca era duro com as pessoas, especialmente quando elas ficavam velhas.

Agora, silêncio. Havia apenas um estalo ocasional na fogueira, o barulho de um pedaço de madeira queimada caindo, as ondas da maré vazante.

Matthew se sentou em uma de suas velhas cadeiras de praia com as pernas esticadas, cruzadas nos tornozelos, observando uma águia jovem comendo uma carcaça de salmão na praia. Um par de gaivotas voava perto, esperando por restos.

Restavam apenas três deles. Seu pai, Marge Gorda e Matthew.

– Vamos falar sobre isso, Tom? – perguntou Marge depois de um silêncio tão longo que Matthew teve certeza de que eles iam apagar o fogo com os pés e subir a escada da praia. – Thelma basicamente baniu Ernt de sua propriedade.

– É – concordou Tom.

Matthew não gostou do jeito como seu pai olhou para Marge, com preocupação nos olhos.

– Do que vocês dois estão falando? – perguntou Matthew.

– Ernt Allbright é um homem raivoso – explicou o Sr. Walker. – Todos sabemos como ele vandalizou a taberna. Esta noite Thelma disse que ele estava tentando convencer os Harlans a instalar armadilhas com arames e explosivos para "protegê-los" em caso de guerra.

– É. Ele é louco como Earl Maluco, mas...

– Earl Maluco era inofensivo – interveio Marge. – Ernt não vai aceitar bem esse banimento. Isso vai deixá-lo com raiva. E quando fica com raiva, ele se torna cruel, e quando se torna cruel, ele machuca pessoas.

– Pessoas? – perguntou Matthew, sentindo um calafrio. – Você quer dizer Leni? Ele vai machucar Leni?

Matthew não esperou que eles respondessem. Subiu correndo a escada até o quintal onde pegou sua bicicleta e subiu nela. Pedalando com força sobre o chão molhado e esponjoso, chegou à estrada principal em menos de dez minutos.

Na entrada de carros dos Allbrights, parou tão depressa que sua bicicleta quase saiu de baixo dele. Dois troncos descascados bloqueavam a entrada estreita como um gargalo da propriedade. Eles eram da cor de carne de salmão recém-cortada, um rosa carnoso, marcado aqui e ali por fragmentos de casca.

Que droga era aquela?

Matthew olhou ao redor, não viu movimento, não ouviu nada. Pedalou em torno dos troncos e continuou em frente, mais devagar agora, o coração batendo no peito, a preocupação aumentando.

No fim da entrada de carros, ele desmontou, largou a bicicleta de lado. Um exame cauteloso da terra dos Allbrights não mostrou nenhum sinal de problema. A caminhonete de Ernt estava estacionada na frente da cabana.

Matthew avançou lentamente, se encolhendo cada vez que um graveto se quebrava sob seus pés ou ele pisava em algo – uma lata de cerveja, um pente que alguém deixara cair – que não conseguia ver nas sombras. As cabras berraram. As galinhas cacarejaram alarmadas.

Ele estava prestes a dar um passo quando ouviu um som.

A porta da cabana se abrindo.

Ele se jogou na grama alta e ficou imóvel.

Passos no deque. Rangidos.

Com medo de se mover e mais medo ainda de não fazê-lo, ele ergueu a cabeça e olhou por cima do mato.

Leni estava parada na beira da varanda enrolada em um cobertor de lã como uma capa listada de vermelho, branco e amarelo. Ela estava segurando um rolo de papel higiênico; o luar reluziu sobre ele.

– Leni – sussurrou ele.

Ela olhou e o viu. Preocupada, olhou de volta para a cabana, em seguida correu até Matthew.

Ele se levantou e a puxou em seus braços, segurou-a apertado.

– Você está bem?

– Ele vai construir um muro – disse Leni, olhando para trás.

– É para isso que servem aqueles troncos na estrada?

Leni assentiu.

– Estou com medo, Matthew.

Matthew ia dizer *Vai ficar tudo bem*, mas ouviu o barulho da tranca da cabana.

– *Vá* – sussurrou Leni, empurrando-o.

Matthew se jogou na cobertura de árvores no momento em que a porta se abriu. Viu Ernt Allbright sair na varanda vestindo uma camiseta esfarrapada e uma cueca samba-canção grande.

– Leni? – chamou ele.

Ela acenou.

– Estou aqui, pai. Só deixei cair o papel higiênico.

Leni deu um olhar desesperado para Matthew. Ele se escondeu atrás de uma árvore.

Leni foi até o banheiro e desapareceu dentro dele. Ernt esperou por ela na varanda e a conduziu para dentro assim que ela terminou. A tranca da porta se fechou com um clique atrás deles.

Matthew pegou a bicicleta e correu para casa o mais rápido possível. Encontrou Marge Gorda e o pai parados juntos no quintal, ao lado da caminhonete de Marge.

– Ele vai construir um muro – disse Matthew com a respiração ofegante.

Saltou da bicicleta e a largou no mato perto do defumador.

– O que você quer dizer com isso? – perguntou o pai.

– Ernt. Você sabe como a terra deles tem um gargalo e depois se abre sobre a água? Ele descascou dois troncos e os dispôs sobre a entrada de carros. Leni falou que ele vai construir um muro.

– Meu Deus – disse o pai. – Ele vai isolar as duas do mundo.

Leni acordou com o lamento agudo da motosserra e o barulho ocasional de uma machadinha cortando madeira. O pai estava acordado havia horas, durante todo o fim de semana, construindo seu muro.

A única coisa positiva foi que ela tinha sobrevivido ao fim de semana e agora era segunda-feira outra vez, um dia de aula.

Matthew.

A alegria afastou a sensação dolorosa e desesperançada de perda que o fim de semana tinha produzido. Ela se vestiu para a escola e desceu a escada.

A cabana estava silenciosa.

A mãe saiu do quarto vestindo uma blusa de gola rulê e jeans largos.

– Bom dia.

Leni foi até ela.

– Precisamos fazer alguma coisa antes que o muro fique pronto.

– Ele não vai fazer isso de verdade. Só estava enlouquecido. Ele vai cair em si.

– Você vai mesmo contar com isso?

Leni viu pela primeira vez como sua mãe parecia velha, como estava abatida e derrotada. Não havia mais luz em seus olhos, nenhum sorriso pronto.

– Vou pegar café para você.

Antes que Leni chegasse à cozinha, uma batida chacoalhou a porta da cabana. Quase ao mesmo tempo, a porta se abriu.

– Olá! Alguém em casa?

Marge Gorda entrou. Uma dúzia de pulseiras tilintavam em seus pulsos carnudos, brincos dançavam de um lado para outro como iscas artificiais, captando a luz. Seu cabelo estava crescendo outra vez. Ela o repartira ao meio e o amarrara em dois coques que se moviam quando ela andava.

O pai entrou atrás da mulher negra e pôs as mãos nos quadris ossudos.

– Eu disse que você não podia entrar, droga.

Marge deu um sorriso torto e entregou à mãe um vidro de loção. Ela a pôs em suas mãos e fechou as mãos grandes em torno das pequenas da mãe.

– Thelma fez isso com a lavanda que cresce nos fundos de seu quintal. Achou que você ia amar.

Leni pôde ver o que aquela pequena delicadeza significava para a mãe.

– Não queremos sua caridade! – bradou o pai. – Ela cheira muito bem sem usar essa porcaria.

– Amigas trocam presentes, Ernt. E Cora e eu somos amigas. Na verdade, é por isso que estou aqui. Achei que podia tomar café com minhas vizinhas.

– Você pega café para Marge, Leni? – pediu a mãe. – E talvez um pedaço de pão de cranberry.

O pai cruzou os braços, parado de costas para a porta.

Marge conduziu a mãe até o sofá, ajudou-a a se sentar, em seguida se acomodou ao lado dela. A almofada estalou sob seu peso.

– Na verdade, eu queria conversar com você sobre minha diarreia.

– Meu Deus – disse o pai.

– Ela anda intensa. Eu me pergunto se você não tem algum remédio caseiro. Meu Deus, as cólicas têm sido horríveis.

O pai murmurou uma coisa qualquer e deixou a cabana, batendo a porta ao sair.

Marge sorriu.

– É muito fácil ser mais esperta que homens. Então, agora somos apenas nós.

Leni serviu os cafés, em seguida se sentou na velha poltrona reclinável de couro sintético que tinham comprado em um brechó em Soldatna no ano anterior.

O olhar de Marge foi de Cora para Leni e voltou para Cora. Leni estava certa de que ele não deixava passar nada.

– Imagino que Ernt não tenha ficado satisfeito com a decisão de Thelma no funeral de Earl.

– Ah. Isso – disse a mãe.

– Eu vi os buracos para estacas que ele escavou perto da estrada principal. Parece que está construindo um muro em torno deste lugar.

A mãe balançou a cabeça.

– Ele não vai fazer isso.

– Você sabe o que muros fazem? – perguntou Marge. – Eles escondem o que acontece por trás deles. Prendem pessoas em seu interior. – Ela pôs a xícara na mesa de centro e se inclinou na direção da mãe. – Ele pode botar uma tranca naquele portão e guardar a chave, e como você ia escapar?

– E-ele não faria isso – falou a mãe.

– Ah, é mesmo? – questionou Marge. – Foi o que minha irmã disse na última vez que falei com ela. Eu faria qualquer coisa para voltar no tempo e mudar o que aconteceu. Ela enfim ia deixá-lo, mas foi tarde demais.

– Ela o deixou – disse a mãe baixinho. Pela primeira vez, ela não desviou o olhar. – Foi isso que fez com que fosse morta. Homens assim... Eles não param de procurar até encontrarem.

– Nós podemos protegê-la – garantiu Marge.

– Nós?

– Tom Walker e eu. Os Harlans. Tica. Todo mundo em Kaneq. Você é uma de nós, Cora, você e Leni. *Ele* é o forasteiro. Confie em nós. Nos deixe ajudar.

Leni pensou nisso de verdade, a sério; elas podiam deixá-lo.

Isso significaria sair de Kaneq e provavelmente do Alasca.

Deixar Matthew.

Elas teriam que fugir para sempre, se escondendo, mudando de nomes? Como isso ia funcionar? A mãe não tinha dinheiro, não tinha cartão de crédito. Não tinha nem uma carteira de motorista válida. Nenhuma delas tinha. No papel, será que ela e a mãe sequer existiam?

E se ele as encontrasse mesmo assim?

– Não posso – disse a mãe por fim, e Leni achou que foram as palavras mais tristes e patéticas que já ouvira.

Marge Gorda olhou fixamente para Cora por um bom tempo, com a decepção gravada nas rugas de seu rosto.

– Bem, essas coisas levam tempo. Saiba apenas que estamos aqui. Nós vamos ajudá-las. Tudo o que você precisa fazer é pedir. Não me importa se for no meio da noite em janeiro. Me procure, está bem? Não ligo para o que você fez ou para o que ele fez. Me procure, e eu ajudo.

Leni não conseguiu se segurar. Deu a volta na mesa de centro e se jogou nos braços de Marge. A mulher corpulenta a envolveu e confortou, fez com que se sentisse segura.

– Vamos – disse Marge. – Vou levar você para a escola. Não restam muitos dias antes que você se forme.

Leni pegou a mochila e a jogou sobre o ombro. Depois de um abraço caloroso na mãe e de um sussurrado *Precisamos conversar sobre isso*, saiu atrás de Marge. Elas estavam a meio caminho da caminhonete quando o pai apareceu, segurando um galão de 20 litros de gasolina.

– Vai embora tão rápido assim? – perguntou ele.

– Só uma xícara de café, Ernt. Vou levar Leni para a escola. Eu estou indo para a loja.

Ele largou o galão de plástico, que caiu ao seu lado, espirrando.

– Não.

Marge franziu a testa.

– Não o quê?

– Ninguém mais sai deste lugar sem mim. Não há nada lá fora para nós.

– Ela está a cinco dias de se formar. Claro que ela vai terminar.

– Sem chance, dona – disse o pai. – Eu preciso dela aqui na propriedade. Cinco dias não são nada. Você sabe disso. Eles vão dar a ela o maldito pedaço de papel de qualquer jeito.

– Você quer travar essa batalha? – Marge avançou, com as pulseiras chacoalhando. – Se essa moça perder um único dia de aula, vou chamar o Estado e entregar você, Ernt Allbright. Não pense nem por um segundo que eu não vou fazer isso. Você pode ser tão maluco e cruel quanto quiser, mas não vai impedir que essa garota bonita termine o ensino médio. Entendeu?

– O Estado não vai se importar.

– Ah. Eles vão. Pode acreditar em mim. Você quer que eu fale com as autoridades sobre o que está acontecendo aqui, Ernt?

– Você não sabe de nada.

– É, mas sou uma mulher grande com uma boca enorme. Você quer pagar para ver?

– Vá em frente. Leve-a para a escola se essa droga significa tanto para você. – Ele olhou para Leni. – Eu pego você às três. Não me deixe esperando.

Leni assentiu e subiu na velha caminhonete, com tecido vagabundo sobre os assentos. Elas seguiram pela entrada de carros esburacada, passaram pelas estacas de troncos recém-descascados. Na estrada principal, seguindo em meio a uma nuvem de fumaça, Leni percebeu que estava chorando.

Foi uma sensação repentinamente devastadora. Os riscos eram muito altos. E se a mãe fugisse e o pai a encontrasse e a matasse?

Marge parou em frente à escola e estacionou.

– Não é justo que você tenha que lidar com isso. Mas a vida não é justa, garota. Acho que sabe disso. Você podia chamar a polícia.

Leni se virou.

– E se eu fizer com que ela seja morta? Como fica minha vida depois disso?

Marge assentiu.

– Me procure se precisar de ajuda. Está bem? Promete?

– Claro – respondeu Leni, obediente.

Marge se inclinou na direção de Leni, abriu o porta-luvas que rangia, pegou um envelope grosso.

– Tenho uma coisa para você.

Leni estava acostumada com os presentes de Marge. Uma barra de chocolate, um romance, um pregador de cabelo brilhante. Marge sempre tinha alguma coisa para botar na palma da mão de Leni no fim do dia de trabalho na loja.

Leni olhou para o envelope. Era da Universidade do Alasca. Tinha sido enviado para Lenora Allbright, aos cuidados de Marge Birdsall no armazém de Kaneq.

Suas mãos estavam tremendo quando ela o abriu e leu a primeira linha. *Estamos felizes por oferecer a você...*

Leni olhou para Marge.

– Eu entrei.

– Parabéns, Leni.

Leni se sentiu entorpecida. Ela tinha sido *aceita*.

Na faculdade.

– E agora? – perguntou Leni.

– Você vai – disse Marge. – Conversei com Tom. Ele vai pagar. Tica e eu vamos comprar seus livros, e Thelma vai lhe dar dinheiro para as despesas. Você é uma de nós, e nós cuidamos de você. Sem desculpas, garota. Você vai embora deste lugar assim que puder. Corra muito, garota, e não olhe para trás. Mas, Leni...

– Sim?

– Tome muito cuidado até o dia de partir.

No último dia de aula, Leni achou que seu coração ia explodir. Talvez ela fosse cair de cara no chão e se tornar mais uma estatística alasquiana. A garota que morreu por amor.

Contemplar a ideia do verão, todos aqueles dias longos e quentes passados trabalhando do nascer ao pôr do sol, a deixava louca. Será que ia aguentar até setembro sem ver Matthew?

– Mal vamos nos ver – disse ela, sentindo-se triste. – Nós dois vamos trabalhar constantemente. Você sabe como é o verão.

A partir desse momento, a vida seriam tarefas.

Verão. A estação da migração dos salmões e de hortas que precisavam de cuidado constante, de frutas vermelhas amadurecendo nas encostas, de fazer conserva de frutas, hortaliças e peixe, de salmão que precisava ser cortado em tiras, marinado e defumado, de consertos que precisavam ser feitos enquanto o sol brilhava.

– Vamos sair escondidos.

Leni não podia imaginar correr esse risco, agora. O banimento dos Harlans tinha rompido o último fio de controle do pai. Ele derrubava árvores e descascava troncos todos os dias e acordava no meio da noite para andar de um lado para outro. Resmungava baixinho constantemente e martelava, martelava, martelava em seu muro.

– Vamos para a faculdade juntos em setembro – disse Matthew, porque ele sabia sonhar e acreditar.

– É – concordou ela, querendo isso mais do que jamais quisera qualquer coisa.

– Vamos ser adolescentes normais em Anchorage.

Era isso que diziam um para o outro o tempo inteiro.

Leni caminhou ao lado dele até a porta, murmurou uma despedida para a Sra. Rhodes, que lhe deu um abraço caloroso e disse:

– Não se esqueça da festa de formatura na taberna esta noite. Você e Mattie são os convidados de honra.

– Obrigada, Sra. Rhodes.

Lá fora, os pais de Leni estavam esperando por ela, segurando uma placa que dizia: FELIZ DIA DE FORMATURA! Ela cambaleou e parou.

Leni sentiu a mão de Matthew na parte inferior de suas costas. Teve quase certeza de que ele lhe deu um empurrão. Ela se moveu adiante, forçando um sorriso.

– Oi, gente – disse enquanto seus pais se precipitavam sobre ela. – Vocês não precisavam ter feito isso.

A mãe sorriu para ela.

– Você está brincando? Você se formou como a primeira da turma.

– Uma turma de dois – observou ela.

O pai passou um braço em volta dela e a puxou para perto.

– Eu nunca fui o número um em nada, Ruiva. Estou orgulhoso de você. E agora você pode deixar essa porcaria de escola para trás. *Sayonara*, bobagens.

Eles entraram na caminhonete e partiram. No céu, um avião voava baixo, fazendo um som embotado.

– Turistas. – O pai disse a palavra como se fosse um xingamento, alto o suficiente para as pessoas ouvirem. Em seguida sorriu. – Sua mãe fez seu bolo favorito e *akutaq* de morango.

Leni assentiu, deprimida demais para forçar um sorriso falso.

Rua abaixo, uma faixa estava pendurada em frente à taberna quase terminada, convidando: PARABÉNS, LENI E MATTHEW!!! FESTA DE FORMATURA SEXTA À NOITE! 21H. PRIMEIRA BEBIDA GRÁTIS.

– Leni, filhota, você está com uma cara péssima.

– Eu quero ir à festa de formatura na taberna – disse Leni.

A mãe se inclinou para a frente e olhou o marido.

– Ernt?

– Você quer que eu entre na droga da taberna de Tom Walker e veja todas as pessoas que estão destruindo esta cidade? – perguntou o pai.

– Pela Leni – pediu a mãe.

– De jeito nenhum.

Leni tentou ver além da raiva o homem que a mãe dizia que ele fora, antes que o Vietnã o tivesse mudado e os invernos do Alasca houvessem revelado sua própria escuridão. Tentou se lembrar de ser Ruiva, sua menina, a que montara em seu ombro pela orla de Hermosa Beach.

– Por favor, pai. *Por favor*. Quero comemorar a formatura do ensino médio na minha cidade. A cidade para a qual você me trouxe.

Quando o pai olhou para ela, Leni viu o que tão raramente via em seus olhos: amor. Desgastado, cansado, reduzido por decisões ruins, mas ainda assim amor. E arrependimento.

– Desculpe, Ruiva. Não posso fazer isso. Nem mesmo por você.

DEZENOVE

Fim de tarde.
O som de uma motosserra girando, engasgando, caindo em silêncio.
Leni estava parada à janela, olhando para o quintal. Eram sete da noite: hora do jantar, uma pausa no longo dia de trabalho da estação. A qualquer minuto o pai entraria na cabana, trazendo tensão com ele. Os restos da festa de formatura de Leni, para três convidados – bolo de cenoura e *akutaq*, uma espécie de sorvete feito de neve, gordura vegetal Crisco e fruta –, estavam sobre a mesa.

– Desculpe – disse a mãe chegando e parando ao lado dela. – Sei quanto você queria ir à festa. Tenho certeza de que considerou sair escondida. Eu teria pensando nisso, na sua idade.

Leni pegou uma colherada de *akutaq*. Normalmente adorava aquilo. Não essa noite.

– Planejei dezenas de jeitos de fazer isso.

– E...?

– Todos acabam do mesmo jeito: você sozinha em um cômodo sendo acariciada pelos punhos dele.

A mãe acendeu um cigarro e exalou fumaça.

– Este... muro dele. Ele não está desistindo. Vamos precisar tomar mais cuidado.

– Mais cuidado?

Leni se virou para ela.

– Pensamos em todas as coisas que dizemos. Desaparecemos em um instante. Fingimos não precisar de nada nem ninguém exceto ele e este lugar. E nada disso é suficiente, mãe. Não conseguimos ser boas o suficiente para impedir que ele perca o controle.

Leni viu como essa conversa era difícil para a mãe; desejou poder fazer o que sempre tinha feito. Fingir que ia melhorar, que ele ia ficar bem, fingir que não tinha sido de propósito ou que não ia acontecer de novo. Fingir.

Mas as coisas eram diferentes agora.

– Entrei na Universidade do Alasca em Anchorage, mãe.

– Ah, *meu Deus*, isso é ótimo – disse a mãe. Um sorriso iluminou seu rosto, em seguida desapareceu. – Mas nós não temos dinheiro...

– Tom Walker, Marge Gorda, Thelma e a Sra. Rhodes vão pagar.

– Dinheiro não é o único problema.

– Não – concordou Leni sem desviar o olhar. – Não é.

– Vamos ter que planejar isso com cuidado – disse a mãe. – Seu pai nunca poderá saber que Tom Walker está pagando. Nunca.

– Não importa. Papai não vai me deixar ir. Eu sei que não vai.

– Ele vai, sim – rebateu a mãe em uma voz mais firme do que Leni a ouvira usar em anos. – Eu vou convencê-lo.

Leni afastou o sonho, deixou que navegasse pela água azul e caísse nela. Faculdade. Matthew. Uma nova vida.

É. Certo.

– Você vai convencê-lo – falou, com a voz embotada.

– Entendo por que não acredita em mim.

O ressentimento de Leni diminuiu.

– Não é isso, mãe. Como posso deixá-la aqui sozinha com ele?

A mãe abriu um sorriso triste e cansado.

– Não quero saber disso. Não. Você é a filhote. Eu sou a mãe pássaro. Ou você levanta voo sozinha ou eu a empurro para fora do ninho. A escolha é sua. De qualquer jeito, você vai para a faculdade com seu garoto.

– Você acha que é possível?

Leni deixou que o sonho amorfo ficasse sólido o suficiente para que ela o segurasse em suas mãos e olhasse para ele de ângulos diferentes.

– Quando as aulas começam?

– No início de setembro.

A mãe assentiu.

– Está bem. Você vai ter que tomar cuidado. Ser esperta. Não arrisque tudo por um beijo. Esse é o tipo de coisa que eu teria feito. Vamos fazer o seguinte: você fica longe de Matthew e dos Walkers até setembro. Vou esconder dinheiro suficiente para lhe comprar uma passagem de ônibus para Anchorage. Vamos encher sua mochila de emergência com o que você precisa. Então, um dia, vou arranjar uma ida a Homer para todos nós. Você vai dizer que precisa usar o banheiro e fugir. Mais tarde, quando seu pai se acalmar, vou encontrar um bilhete que você deixou, dizendo que foi para a faculdade, sem dizer onde, e que promete voltar à propriedade para o verão. Vai funcionar. Você vai ver. Se formos cuidadosas, vai funcionar.

Não ver Matthew até setembro.

Sim. Era isso que ela ia precisar fazer.

Mas podia mesmo fazer isso? Seu amor por Matthew era um elemento da natureza, tão poderoso quanto a maré. Ninguém podia conter a maré.

Isso a lembrou de um filme ao qual tinha assistido com a mãe uma eternidade atrás. *Clamor do sexo*. Nele, Natalie Wood amava Warren Beatty de um jeito avassalador, mas ela o perdia e acabava em um hospício. Quando saía, ele estava casado e tinha um filho, mas você sabia que nenhum deles ia voltar a amar ninguém daquele jeito.

A mãe tinha chorado muito.

Leni na época não tinha entendido. Agora entendia. Via como o amor podia ser perigoso e fora de controle. Voraz. Leni tinha dentro de si a capacidade de amar como a mãe amava. Agora sabia disso.

– Sério, Leni – disse a mãe, parecendo preocupada. – Você vai precisar ser esperta.

Em junho, o pai trabalhou em seu muro todos os dias. No fim do mês, os pilares de tronco descascado estavam todos no lugar; eles se projetavam do chão a intervalos de 1 metro ao longo dos limites da propriedade, uma fronteira elíptica entre sua terra e a estrada principal.

Leni tentou afogar sua saudade de Matthew, mas era flutuante, com propensão a boiar. Às vezes, quando devia estar trabalhando, parava e puxava o colar secreto do bolso de trás da calça e o apertava com tanta força que a ponta afiada lhe tirava sangue. Fazia mentalmente listas de coisas que queria dizer a ele, tinha conversas inteiras sozinha, várias vezes. À noite, lia romances que tinha encontrado na caixa de GRÁTIS no armazém. Um atrás do outro. *O desejo do diabo, A chama e a flor, Loucura ao luar*: romances de época sobre mulheres que tinham que lutar por amor e, no fim, acabavam salvas por ele.

Ela sabia a diferença entre realidade e ficção, mas não conseguia abandonar suas histórias de amor. Elas a faziam sentir como se as mulheres pudessem estar no controle de seus destinos. Mesmo em um mundo escuro e cruel que testava mulheres até o limite de sua resistência, as heroínas desses romances podiam vencer e encontrar o verdadeiro amor. Davam a Leni esperança e um jeito de atravessar a solidão da noite.

Durante as infinitas horas de luz do dia, ela trabalhava: cuidava da horta, levava lixo para o barril de óleo e o queimava até virar cinzas, que ela usava para fertilizar a horta, fazer sabão e combater pragas nos canteiros. Carregava água, consertava armadilhas de caranguejo e desemaranhava meadas de redes de pesca. Alimentava os animais, recolhia ovos, consertava cercas e defumava os peixes que eles pegavam.

Durante todo o tempo, pensava: *Matthew*. Seu nome se tornou um mantra.

Repetidas vezes, pensava: *Setembro não está tão longe.*

Mas conforme junho cedeu lugar a julho, com Leni e a mãe aprisionadas na propriedade atrás do muro que seu pai estava construindo, ela começou a perder o controle sobre o bom senso. No Quatro de Julho, sabia que a cidade estava comemorando o feriado e desejou estar lá.

Noite após noite, semana após semana, ela ficava deitada na cama, sentindo saudade de Matthew. Seu amor por ele – um guerreiro, escalando montanhas, cruzando riachos – chegou às raias selvagens da obsessão.

Perto do fim de julho, ela começou a ter fantasias negativas – sobre ele encontrar outra pessoa, se apaixonar, decidir que Leni era problemática demais. Ela ansiava por seu toque, sonhava com seu beijo, falava consigo mesma na voz dele. Começou a ter a leve e desconfortável sensação de que sua saudade infinita tinha se combinado com medo para contaminá-la, que seu hálito tinha matado os tomates que nunca ficavam vermelhos, que pequenas gotas de seu suor tinham azedado a geleia de blueberry e que, no inverno seguinte, quando eles comessem toda aquela comida em que ela tocara, seus pais iam se perguntar o que tinha dado tão errado.

Em agosto, ela estava um caco. O muro estava quase terminado. Todo o limite da propriedade ao longo da estrada principal, de penhasco a penhasco, era um muro de tábuas recém-cortadas. Só uma abertura de 3 metros em frente à entrada de carros permitia que entrassem ou saíssem.

Mas o muro pouco preocupava Leni. Ela tinha perdido 2,5 quilos e mal dormia. Toda noite acordava às três ou quatro horas e saía para ficar parada no deque, pensando: *Ele está lá...*

Duas vezes calçou as botas; uma vez chegou até o fim da entrada de carros antes de voltar.

Leni tinha que pensar na segurança da mãe, e de Matthew.

Faltava menos de um mês para o início das aulas.

Ela só precisava esperar para ver Matthew em Anchorage, quando o tempo estaria ao lado deles.

Essa era a atitude inteligente. Mas ela não era inteligente no amor.

Tinha que vê-lo outra vez, assegurar-se de que ele ainda a amava.

Quando isso tinha se tornado algo mais que um desejo? Quando tinha se solidificado em um plano?

Eu preciso vê-lo.

Estar com ele.

Não faça isso, disse a velha Leni, a garota moldada pela violência do pai e o medo da mãe.

Só uma vez, foi a resposta da Leni reformada pela paixão.

Só uma vez.

Mas como?

No início de agosto, durante os dias de dezoito horas, estocar comida para o inverno era o mais importante. Eles colhiam a horta e faziam conserva com as hortaliças; colhiam frutas e faziam geleia; pescavam no oceano, nos rios e na baía. Defumavam salmão, truta e halibute.

Nesse dia, acordaram cedo e passaram o tempo inteiro no rio pegando salmão. Pescar era um negócio sério e ninguém falava muito. Depois, levaram o que pegaram para casa e começaram a trabalhar na preservação da carne. Outro em uma série de dias longos e exaustivos.

Finalmente fizeram uma pausa para jantar e foram para a cabana. À mesa, a mãe serviu o jantar com empadão de salmão e vagem preparada na gordura de bacon. Sorriu para Leni, tentando fingir que estava tudo bem.

– Leni, aposto que você está empolgada com o início da temporada de alces.

– É – disse ela, com a voz trêmula.

Tudo em que conseguia pensar era Matthew. Sentir sua falta a deixava fisicamente doente.

O pai enfiou o garfo na crosta farelenta, à procura de peixe.

– Cora, vamos a Sterling na sexta-feira. Tem uma motoneve à venda, e a nossa está uma porcaria. Também preciso de dobradiças para o portão. Leni, você vai ter que ficar aqui e cuidar dos animais.

Leni quase deixou o garfo cair. Será que ele estava falando sério?

Sterling ficava a pelo menos uma hora e meia pela estrada e, se o pai queria levar para casa uma motoneve, precisaria ir de caminhonete, o que significava tomar a balsa, que era uma viagem de meia hora em cada perna. Ir e voltar de Sterling ia tomar o dia todo.

O pai voltou a remexer em seu empadão. Quando seu peixe terminou, ele começou a procurar por batatas, depois cenouras e, finalmente, ervilhas.

A mãe olhou para Leni.

– Não acho que seja uma boa ideia, Ernt. Vamos todos. Não gosto da ideia de deixar Leni sozinha em casa.

Leni se sentiu suspensa no silêncio enquanto o pai passava um pedaço de pão pelo prato.

– É desconfortável para nós três ficarmos apertados na caminhonete por tanto tempo. Ela vai ficar bem.

O sábado finalmente chegou.

– Está bem, Leni – disse o pai com sua voz mais séria. – É verão. Você sabe o que isso significa. Ursos-negros. As armas estão carregadas. Mantenha a porta trancada se estiver do lado de dentro. Quando for buscar água, faça muito barulho, leve seu apito de urso. Devemos chegar em casa às cinco, mas, se nos atrasarmos, quero você na cabana com a porta fechada às oito. Não me importa quão claro esteja do lado de fora. Nada de pescar na praia. Está bem?

– Pai, tenho quase 18 anos. Eu sei tudo isso.

– É. É. Dezoito só parece velho para você. Faça isso por mim.

– Não vou sair da propriedade e vou trancar a porta – prometeu Leni.

– Boa garota.

O pai pegou uma caixa cheia de peles que ia vender para o peleteiro em Sterling e seguiu na direção da porta.

Quando ele saiu, a mãe disse:

– Por favor, Leni, não estrague as coisas. Você está muito perto de partir para a faculdade. Só algumas semanas. – Ela suspirou. – Você não está ouvindo.

– Estou ouvindo. Não vou fazer nada estúpido – mentiu Leni.

Do lado de fora, a buzina da caminhonete soou.

Leni abraçou a mãe e literalmente a empurrou na direção da porta.

Observou-os partir.

Então ela esperou, contou os minutos até a hora da partida da balsa.

Exatos 47 minutos depois que eles partiram, ela pulou na bicicleta e pedalou pela entrada de carros esburacada, passou pela abertura do muro de tábuas e então pegou a estrada principal. Tomou a estrada dos Walkers. Parou bruscamente diante da casa de troncos de dois andares, desceu da bicicleta e olhou ao redor com cautela. Ninguém estaria entre quatro paredes em um dia como esse, não com tantas tarefas a fazer. Ela viu o Sr. Walker à esquerda, ao longe, perto das árvores, dirigindo um trator, movendo pilhas de terra de um lado para outro.

Leni largou a bicicleta no mato, passou por cima do trecho gramado ao lado da entrada e olhou fixamente para os degraus cinza largos e desgastados que levavam à praia de seixos. Havia cascas de mariscos quebradas sobre as algas, a lama e as rochas.

Matthew estava parado na água mais rasa diante de uma mesa inclinada de metal cortando salmão prateado e vermelho em filés, espremendo sacos de ovas de um laranja brilhante, dispondo-os cuidadosamente para secar. Gaivotas piavam acima, mergulhando e voando, esperando pelos restos. Entranhas flutuavam na água e tocavam suas botas.

– Matthew! – gritou ela.

Ele ergueu os olhos.

– Meus pais estão na balsa. Indo para Sterling. Você pode ir comigo? Temos o dia inteiro juntos.

Ele baixou sua *ulu*.

– Caramba! Estarei lá em trinta minutos.

Leni voltou para sua bicicleta e montou nela.

Em casa, alimentou e deu água para os animais, em seguida começou a correr como louca tentando se aprontar para seu primeiro encontro de verdade. Encheu uma cesta de piquenique de comida e escovou os dentes – *de novo* –, raspou as pernas e botou um vestido *off-white* bonito que a mãe lhe dera em seu aniversário de 17 anos. Prendeu o cabelo na altura da cintura em uma trança da grossura de seu pulso e amarrou a ponta com um pedaço de gorgorão. Suas meias de lã esticadas e a bota de caminhada meio que arruinavam o efeito romântico, mas era o melhor que ela podia fazer.

Então esperou. Com a cesta de piquenique e o cobertor nas mãos, ficou parada no deque batendo o pé. À direita, as cabras e as galinhas pareciam agitadas. Provavelmente sentiam seu nervosismo. Acima, um céu que devia estar azul-claro escureceu. Nuvens se aproximaram, se estenderam, diminuíram a luz do sol.

Eles estavam na balsa agora, chegando a Homer; tinham que estar. *Por favor, não permita que eles voltem por algum motivo.*

Enquanto olhava fixamente para a entrada de carros sombreada, ela ouviu o barulho distante de um motor. Um barco de pesca. O som era tão comum ali no verão quanto o zumbido de mosquitos.

Ela correu até o limite da propriedade no momento em que um barco de pesca entrou em sua enseada fazendo barulho. Ao se aproximar da praia, o motor desligou, e o barco deslizou em silêncio e subiu pela praia de seixos. Matthew estava no comando, acenando.

Leni desceu correndo a escada até a praia.

Matthew saltou na água rasa e foi na direção dela, arrastando o barco para mais alto na praia atrás dele, hipnotizando-a com o sorriso, a confiança, o amor em seus olhos.

Em um instante, um olhar, a tensão que a dominara por meses sumiu. Ela se sentiu exultante, jovem. Apaixonada.

– Temos até as cinco – disse ela.

Ele a ergueu no ar e a beijou.

Rindo de pura *alegria*, Leni o pegou pela mão e o conduziu além das cavernas na praia para uma trilha que levava a uma área de terra coberta de mata que dava para o outro lado da baía. Penhascos se projetavam abaixo deles, lajes de pedra desafiadoras. Ali, o oceano batia contra a costa rochosa, levantava borrifos e caía como beijos molhados sobre sua pele.

– Ela abriu o cobertor que tinha levado e colocou sobre ele a cesta de piquenique.

– O que você trouxe? – perguntou Matthew, sentando-se.

Leni se ajoelhou no cobertor.

– Coisas simples. Sanduíches de halibute, salada de caranguejo, alguns feijões frescos, biscoitos de açúcar. – Ergueu os olhos, sorrindo. – Este é meu primeiro encontro.

– O meu também.

– Nós temos vidas estranhas.

– Talvez todo mundo tenha – disse ele sentando-se ao seu lado, em seguida se deitando e puxando-a em seus braços. Pela primeira vez em meses, ela conseguia respirar.

Eles se beijaram tão demoradamente que ela perdeu a noção do tempo, do medo, de tudo, exceto da maciez de sua língua tocando a dela e de seu gosto.

Matthew abriu um botão perolado de seu vestido, apenas o suficiente para enfiar a mão. Ela sentiu seus dedos ásperos, calejados pelo trabalho, passarem por sua pele; arrepios mudaram sua sensação. Ela o sentiu tocar seus seios, enfiar a mão por baixo do algodão surrado de seu sutiã para tocar seu mamilo.

O estrondo de um trovão.

Por um segundo, ela estava tão letárgica pelo desejo que achou que tivesse imaginado isso.

Então a chuva caiu. Forte, rápida, violenta.

Eles se levantaram depressa, rindo. Leni pegou a cesta de piquenique e, juntos, correram pela trilha sinuosa da praia e chegaram ao penhasco perto do banheiro externo.

Não pararam até estarem na cabana, frente a frente, olhando um para o outro. Leni sentiu gotas escorrendo pelo rosto, pingando de seu cabelo.

– Alasca no verão – disse Matthew.

Leni olhou fixamente para ele, percebendo de repente, *naquele momento*, em uma onda de arrepios, *como* o amava.

Não do jeito tóxico, carente e desesperado como a mãe amava seu pai.

Ela precisava de Matthew, mas não para salvá-la, completá-la ou reinventá-la.

Seu amor por ele era a emoção mais nítida e forte que já havia sentido. Era como abrir os olhos ou crescer, perceber que você tinha dentro de si mesma a capacidade de amar assim. Para sempre. Por todo o tempo. Ou por todo o tempo que você tivesse.

Ela começou a desabotoar o vestido molhado. A gola rendada caiu de seu ombro e revelou a alça do sutiã.

– Leni, você tem certeza...

Ela o silenciou com um beijo. Nunca tivera mais certeza de nada. Terminou de desabotoar o vestido, que caiu de seu corpo, aterrissando como um paraquedas de renda em torno das botas. Ela saiu dele e o chutou de lado.

Leni desamarrou as botas, tirou-as e as jogou para o lado. Uma atingiu a parede da cabana com um baque surdo. Apenas de sutiã e calcinha de algodão, ela disse "Venha" e o conduziu para seu quarto no mezanino, onde Matthew se despiu depressa e a puxou sobre o colchão coberto de peles.

Ele a despiu devagar. Suas mãos e sua boca exploraram seu corpo até que cada nervo dela se tensionou. Quando ele a tocou: música.

Ela se perdeu nele. Seu corpo era autônomo, movendo-se em algum ritmo instintivo e primitivo que devia conhecer desde sempre, sentindo um prazer tão intenso que era quase doloroso.

Leni era uma estrela, ardendo com tamanho brilho que se desfez, pedaços voando, luz se espalhando. Depois, ela caiu de volta na terra como uma garota diferente ou uma versão diferente de si mesma. Isso a assustava e ao mesmo tempo a alegrava. Será que alguma outra coisa na vida a transformaria tão profundamente? E agora que tivera isso, que tivera Matthew, como poderia deixá-lo? Algum dia poderia?

– Eu te amo – disse ele baixinho.

– Eu também te amo.

O mundo parecia muito pequeno, comum demais para conter toda essa emoção.

Ela se deitou contra ele, olhando fixamente para a claraboia, observando a chuva cair sobre o vidro. Sabia que se lembraria desse dia por toda a vida.

– Como você acha que vai ser a faculdade? – perguntou ela.

– Como você e eu. Vai ser assim o tempo inteiro. Você está pronta para ir?

Na verdade, ela estava com medo de que, quando chegasse a hora de partir, não fosse capaz de deixar a mãe. Mas se Leni ficasse, se abrisse mão desse sonho, jamais se recuperaria. Ela não podia encarar esse futuro cruel.

Ali, nos braços dele, com a possibilidade mágica do *tempo* entre os dois, ela não queria dizer nada. Não queria que as palavras se transformassem em muros que os separassem.

– Você quer falar sobre seu pai? – perguntou ele.

Por instinto, Leni quis dizer *não*, fazer o que sempre tinha feito: guardar o segredo. Mas que tipo de amor era esse?

– A guerra acabou com ele, acho.

– E agora ele bate em você.

– Em mim, não. Na minha mãe.

– Você e sua mãe precisam sair daqui, Len. Ouvi meu pai e Marge Gorda conversando sobre isso. Eles querem ajudar vocês, mas sua mãe não deixa.

– Não é tão fácil quanto as pessoas pensam – respondeu Leni.

– Se ele amasse vocês, não ia machucá-las.

Matthew fez aquilo parecer muito simples, como se fosse uma equação matemática. Mas a conexão entre dor e amor não era linear. Era um emaranhado.

– Como é? – perguntou ela. – Sentir-se seguro...

Ele tocou o cabelo dela.

– Você está sentindo isso agora?

Ela estava. Talvez pela primeira vez, mas isso era loucura. O último lugar em que Leni estava segura era ali, nos braços de um garoto que seu pai odiava.

– Ele odeia você, Matthew, e nem o conhece.

– Não vou deixar que ele a machuque.

– Vamos falar sobre outra coisa.

– Tipo... como eu penso em você o tempo inteiro? Isso faz eu me sentir maluco, o quanto penso em você.

Ele a puxou para um beijo. Eles ficaram agarrados por uma eternidade, o tempo desacelerando apenas para os dois; provando um ao outro, absorvendo-se. Às vezes eles falavam, sussurravam segredos ou faziam piadas, ou paravam de falar completamente e apenas se beijavam. Leni aprendeu a magia de conhecer outra pessoa pelo toque.

Seu corpo cedeu outra vez nos braços dele, mas fazer amor foi diferente na segunda vez. As palavras haviam mudado aquilo, a vida real tinha conseguido abrir caminho ali.

Ela teve medo de que isso fosse tudo o que eles poderiam ter. Apenas esse dia. Teve medo de nunca conseguir ir para a faculdade ou que o pai matasse a mãe em sua ausência. Teve medo até que esse amor que sentia por Matthew não fosse real, ou que fosse real e imperfeito, que talvez ela tivesse sido tão danificada pelos pais que não pudesse saber o que era o amor de verdade.

– Sim – disse para si mesma, para ele, para o universo. – Eu te amo, Matthew. Era a única coisa de que tinha certeza.

VINTE

A mão de alguém tapou a boca de Leni; uma voz sussurrou áspera:
— Len, acorde.
Ela abriu os olhos.
— Pegamos no sono. Tem alguém aqui.
Leni engoliu em seco contra a palma da mão de Matthew.
Tinha parado de chover. A luz do dia entrava pela claraboia.
Do lado de fora, ouviu um motor de caminhonete, ouviu o chacoalhar da caçamba de metal sobre o eixo enquanto o veículo andava.
— Ah, meu Deus — disse Leni.
Ela passou por cima de Matthew, pegou algumas roupas e se vestiu rápido. Estava quase na grade de proteção quando ouviu a porta se abrir.
O pai entrou, parou e olhou para baixo.
Ele estava parado em cima da pilha branca de seu vestido.
Merda.
Leni se jogou por cima da grade e desceu, deslizando pela escada do mezanino.
O pai se abaixou para pegar seu vestido molhado e o ergueu. Água escorria da barra rendada.
— Eu... fiquei presa numa tempestade — disse Leni.
Seu coração batia tão forte que ela estava sem fôlego. Tonta. Olhou ao redor à procura de qualquer coisa que pudesse entregá-los e viu as botas de Matthew.
Deixou escapar um gritinho.
O suporte à esquerda do pai estava cheio de armas, a prateleira abaixo dele coberta de caixas de munição. Ele mal tinha que se virar, estender a mão, e estaria armado.
Leni correu até ele e agarrou o vestido encharcado.
A mãe franziu a testa. Seu olhar seguiu o de Leni e parou nas botas. Seus olhos se arregalaram. Ela olhou para Leni, em seguida para o mezanino. Seu rosto ficou pálido.
— Por que você usou o vestido bonito? — perguntou o pai.

– Meninas são estranhas assim, Ernt – disse a mãe, chegando para o lado e bloqueando a visão do pai, para que não notasse as botas.

O pai olhou ao redor; suas narinas se dilataram. Leni se lembrou de um predador seguindo um cheiro.

– Tem um cheiro diferente aqui.

Leni pendurou o vestido em um gancho ao lado da porta.

– É o piquenique que preparei para nós – falou ela. – Eu... eu queria fazer uma surpresa para vocês.

O pai foi até a mesa, abriu a cesta de piquenique, olhou em seu interior.

– Só tem dois pratos.

– Fiquei com fome e já usei o meu. Isso é para vocês. Eu... eu achei que vocês iam gostar depois da ida a Sterling.

Um rangido do mezanino.

O pai franziu o cenho, olhou para cima e seguiu na direção da escada.

Fique parado, Matthew.

O pai tocou a escada do mezanino e voltou a olhar para cima. Franziu a testa. Leni o viu levantar um pé e botá-lo no degrau de baixo.

A mãe se abaixou, pegou as botas de Matthew e as jogou na grande caixa de papelão ao lado da porta. Fez isso com um único movimento fluido, em seguida seguiu o pai. Falou alto o suficiente para Matthew ouvir:

– Vamos mostrar a motoneve para Leni. Está ao lado do cercado das cabras.

O pai largou a escada do mezanino e se virou para elas. Havia uma expressão estranha em seus olhos. Será que desconfiava?

– Claro. Vamos.

Leni seguiu o pai até a porta. Quando ele a abriu, ela olhou para trás, para o mezanino.

Vá, Matthew, pensou. *Corra.*

A mãe segurava com força a mão de Leni enquanto caminhavam pelo deque e desciam para o mato, como se ela temesse que Leni pudesse se virar e correr.

Na enseada, o barco de Matthew capturava a luz do sol, brilhava prateado junto à praia. A luz brilhava em um milhão de gotas de água, em hastes de grama e flores silvestres.

Leni disse algo rapidamente – ela nem soube o quê, só algo para fazer com que seu pai se virasse para ela, para longe da praia.

– Ali está ela – falou o pai quando chegaram ao reboque enferrujado preso à caminhonete.

Havia uma motoneve com amassados ali, seu assento todo rasgado, faltando o farol.

– Uma boa fita vai consertar esse assento, portanto está praticamente nova.

Leni achou ter ouvido a porta da cabana se abrir com um estalido e o rangido de um passo no deque.

– Está *ótima*! – gritou. – Podemos usá-la para pescar no gelo e caçar caribus. Vai ser útil ter duas motoneves.

Ela ouviu o zunido distinto de um motor de popa ligando e o barulho dele acelerando e ganhando velocidade.

O pai empurrou Leni para o lado.

– Isso é um barco em nossa enseada?

Lá embaixo, o bote de alumínio se elevava, a proa pontuda se erguendo orgulhosamente da água, acelerando na direção do pontal.

Leni prendeu a respiração. Não havia dúvida de que era Matthew, seu cabelo louro, seu barco novo em folha. Será que o pai ia reconhecê-lo?

– Malditos turistas – disse ele por fim, virando-se. – Esses universitários ricos acham que são donos do estado no verão. Vou botar placas de ENTRADA PROIBIDA.

Eles tinham conseguido. Tinham se safado. *Nós conseguimos, Matthew.*

– Leni.

A voz de sua mãe. Dura. Ela parecia com raiva, ou talvez com medo.

Os pais olhavam fixamente para ela.

– O quê?

– Seu pai está falando com você.

Leni sorriu com facilidade.

– Opa. Desculpe.

– Acho que você estava sonhando acordada – falou ele –, como dizia meu pai.

Leni deu de ombros.

– Só pensando.

– No quê?

Leni ouviu o tom de voz dele mudar e isso a preocupou. Viu como ele a observava com atenção. Talvez eles não tivessem conseguido escapar, no fim das contas. Talvez ele soubesse... Talvez estivesse brincando com ela.

– Ah, você sabe como são os adolescentes – disse a mãe com voz agitada.

– Estou perguntando a Leni, não a você, Cora.

– Eu estava pensando que seria divertido sair, passar o dia juntos. Talvez tentar a sorte no Pedersen's Resort em Kenai. Sempre tivemos sorte lá.

– Bem pensado. – O pai se afastou da motoneve nova e olhou para a entrada de carros. – Bom, é verão. Tenho trabalho a fazer.

Ele as deixou ali sozinhas, foi até o barracão de ferramentas e pegou a motosserra. Carregando-a sobre o ombro, seguiu na direção da entrada e desapareceu entre as árvores.

Cora e Leni ficaram paradas, quase sem respirar, até que ouviram a motosserra ganhar vida.

A mãe se virou para Leni e sussurrou, dura:

– Burra. Burra. Burra. Você podia ter sido pega.

– Pegamos no sono.

– Erros fatais costumam parecer comuns. Venha – disse, conduzindo-a para dentro da cabana. – Sente-se perto do fogo. Vou pentear seu cabelo. Está uma bagunça. Você tem sorte por ele não perceber algo assim.

Leni pegou o banco de três pernas e o arrastou até o fogão a lenha. Sentou-se nele, prendendo os pés descalços sobre o degrau de baixo, soltando o cabelo enquanto esperava.

A mãe pegou um pente de dentes largos da lata azul de café em sua penteadeira improvisada e começou a pentear lentamente os emaranhados do cabelo comprido de Leni. Em seguida massageou o couro cabeludo da filha com óleo e passou em suas mãos ásperas um pouco do creme que tinham feito com botões de bálsamo-da-judeia.

– Você acha que conseguiu escapar desta vez e, por isso, quer ver Matthew de novo. Era nisso que estava pensando, certo?

Claro que a mãe sabia.

– Vou ser mais esperta da próxima vez – disse Leni.

– Não vai haver próxima vez, Leni. – A mãe a segurou pelos ombros e a girou no banco. – Você vai esperar até a faculdade, como nós conversamos. Vamos fazer como planejado. Em setembro você vai ver Matthew em Anchorage e começar sua vida.

– Eu vou morrer se não vê-lo.

– Não. Não vai. Por favor, Leni, pense em mim em vez de em você mesma.

Leni ficou envergonhada, constrangida por seu egoísmo.

– Desculpe, mãe. Você tem razão. Não sei o que passou pela minha cabeça.

– O sexo muda tudo – disse a mãe em voz baixa.

Alguns dias depois, enquanto a mãe e Leni comiam aveia no café da manhã, a porta da cabana se abriu. O pai entrou a passos largos, seu cabelo escuro e sua camisa de flanela cobertos de lascas de madeira.

– Venham comigo. As duas. Depressa!

Leni saiu da cabana atrás dos pais e seguiu na direção da entrada de carros. O pai estava andando rápido. A mãe ia aos tropeções ao seu lado, esforçando-se para acompanhá-lo no chão esponjoso.

Leni ouviu a mãe dizer em um sussurro:

– Ah, meu Deus.

Então ergueu os olhos.

O muro que o pai passara o verão inteiro construindo estava diante delas. Terminado. Tábua após tábua de madeira recém-cortada alinhada, com arame farpado no alto. Parecia algo saído de um *gulag*.

Mas isso não era o pior. Agora havia um portão na frente da entrada de carros; um pedaço de corrente de metal pesada mantinha o portão fechado. Um cadeado de metal pendia de elos da corrente. Leni viu a chave pendurada em uma corrente de metal no pescoço do pai.

Ernt estava sorrindo e puxou a mãe para seu lado. Ele se inclinou, falou baixinho algo no ouvido de Cora e beijou a pequena mancha roxa na base de seu pescoço.

– Agora somos só nós, aqui, isolados de toda essa droga de mundo traiçoeiro. Ficaremos em segurança.

O medo, Leni descobriu, não era o armário pequeno e escuro que ela sempre havia imaginado: paredes a apertando, um teto no qual você batia a cabeça, um chão frio ao toque.

Não.

O medo era uma mansão, um quarto depois do outro, conectados por corredores infinitos.

Nos dias após o fechamento do portão, com sua corrente barulhenta, Leni descobriu a sensação desses quartos. À noite em sua cama, ela ficava deitada no mezanino e tentava não dormir, porque o sono lhe trazia pesadelos. O medo contra o qual lutava enquanto havia a luz do dia a assombrava à noite. Ela sonhava com sua morte de uma centena de maneiras – se afogando, caindo através do gelo, rolando pela encosta de uma montanha, levando um tiro na cabeça.

Metáforas, todas elas. A morte de cada sonho que ela tivera e aqueles com que ainda sonharia.

O pai ficava perto delas o tempo todo, falando como se não houvesse nada de errado, de bom humor pela primeira vez desde seu banimento da propriedade dos Harlans. Ele brincava, ria, trabalhava ao lado delas. À noite Leni ficava ouvindo o som das vozes de seus pais, eles fazendo amor. A mãe era boa em fingir que tudo estava normal. Leni tinha perdido essa habilidade da infância.

O que ela pensava, repetidas vezes, era: *Precisamos fugir*.

— Temos que deixá-lo — disse Leni no sábado de manhã, uma semana depois do dia em que ele fechara e trancara o portão.

Era a primeira vez que o pai as deixava sozinhas.

A mãe fez uma pausa, as mãos se suavizando sobre a pilha de massa que estava sovando.

— Ele vai me matar — sussurrou ela.

— Você não entende, mãe? Ele vai matar você aqui. Mais cedo ou mais tarde. Pense no inverno. O escuro. O frio. E nós aqui, trancadas atrás daquele muro. Ele não vai trabalhar no oleoduto este verão. Seremos só nós e ele no escuro. Quem vai detê-lo ou nos ajudar?

A mãe olhou para a porta, nervosa.

— Para onde iríamos?

— Marge Gorda ofereceu ajuda. Os Walkers também.

— Tom, não. Isso só ia piorar as coisas.

— A faculdade começa em três semanas e meia, mãe. Tenho que partir assim que puder. Você vai comigo?

— Talvez você deva ir sem mim.

Leni sabia que isso ia acontecer. Tinha lutado contra isso e finalmente encontrara a resposta.

— Eu preciso ir, mãe. Não posso viver desse jeito, mas preciso de você. Tenho medo... de não conseguir deixá-la.

— Unha e carne — disse a mãe, parecendo triste. Mas ela entendia. Sempre tinham ficado juntas. — Você precisa ir. Eu quero que vá. Não me perdoaria se você não fizesse isso. Então qual é seu plano?

— Na primeira chance que tivermos, nós fugimos. Talvez ele vá caçar e nós peguemos o barco. Qualquer que seja a oportunidade, nós aproveitamos. Se ainda estivermos aqui quando a primeira folha cair, está tudo acabado.

— Então simplesmente fugimos. Sem nada.

— Com nossas vidas.

A mãe desviou os olhos. Passou-se muito, muito tempo antes que ela assentisse e dissesse:

— Vou tentar.

Não era a resposta que Leni queria, mas era o melhor que ia conseguir. Ela só rezou para que, quando chegasse a oportunidade de escapar, a mãe fosse com ela.

O clima começou a mudar. Aqui e ali, folhas verdes e vibrantes começaram a se tornar douradas, amareladas, vermelhas. Bétulas que tinham ficado invisíveis o ano inteiro, perdidas em meio às outras árvores, surgiam corajosamente em primeiro plano, sua casca branca como as asas de um pombo, as folhas como um milhão de chamas de velas.

A cada folha que mudava de cor, a tensão de Leni aumentava. Estavam quase no fim de agosto – cedo para a chegada do outono, mas o Alasca tinha esses caprichos.

Embora ela e a mãe nunca tivessem voltado a falar sobre o assunto, o plano de fuga vivia no ar entre as frases. Toda vez que o pai deixava a cabana, elas olhavam uma para a outra, e nesse olhar, uma pergunta: *Chegou a hora?*

Nesse dia, Leni e a mãe estavam fazendo xarope de blueberry quando o pai entrou em casa. Ele estava sujo e suado, com uma fina camada de poeira preta sobre seu rosto úmido. Pela primeira vez, Leni percebeu fios brancos em sua barba. Ele estava usando o cabelo em um rabo de cavalo baixo e desleixado e tinha amarrado um lenço do Bicentenário dos Estados Unidos sobre a testa. Entrou batendo forte com as botas de borracha no chão de compensado. Foi até a cozinha, viu o que a mãe estava preparando para o jantar.

– De novo? – perguntou ele olhando para os croquetes de salmão. – Nada de legumes?

– Estou fazendo conserva. Estamos sem farinha e com pouco arroz. Eu já lhe falei isso – disse a mãe, cansada. – Se você me deixasse ir até a cidade...

– Você devia ir a Homer, pai. Abastecer a casa para o inverno – sugeriu Leni, torcendo para parecer natural.

– Não acho que seja seguro deixar vocês duas sozinhas aqui.

– O muro nos mantém em segurança – afirmou Leni.

– Não completamente. Na maré cheia alguém poderia chegar de barco – disse o pai. – Quem sabe o que poderia acontecer quando eu não estivesse? Talvez todos devamos ir. Comprar o que precisamos daquela vadia na cidade.

A mãe olhou para Leni.

É isso, respondeu o olhar de Leni.

Cora balançou a cabeça. Seus olhos se arregalaram. Leni entendeu seu medo: elas tinham conversado sobre fugir quando ele não estivesse, não enquanto ele estava com elas, mas o clima estava mudando; as noites estavam ficando frias, o que significava que o inverno estava se aproximando. As aulas na Universidade do Alasca começavam em menos de uma semana. Essa era sua chance de fugir. Se elas planejassem direito...

– Vamos – disse o pai. – Agora mesmo.

Ele bateu palmas. Com o barulho alto, a mãe se encolheu.

Leni olhou para sua bolsa de emergência, cheia – como sempre – com tudo de que precisava para sobreviver na natureza. Não podia levá-la sem despertar suspeitas.

Teriam que fugir sem nada além das roupas do corpo.

O pai pegou uma espingarda no suporte ao lado da porta e a ergueu sobre um ombro.

Seria um alerta?

– Vamos.

Leni foi até a mãe, pôs a mão sobre seu pulso magro, sentiu como ela estava tremendo.

– Vamos, mãe – chamou com a voz firme.

Eles foram até a porta da cabana. Leni não conseguiu evitar parar, fazer a volta só por um segundo para olhar para o interior quente e aconchegante. Apesar de toda a dor, sofrimento e medo, esse era o único lar que havia conhecido.

Torceu para nunca voltar a vê-lo. Era triste que sua esperança tivesse uma sensação de perda.

Na caminhonete, sentada entre os pais no banco esfarrapado, Leni podia sentir o medo da mãe; emanava um cheiro azedo. Leni queria tranquilizá-la, dizer que ia dar tudo certo, que elas iam escapar e se mudar para Anchorage e tudo ia ficar bem, mas só ficou ali sentada com a respiração entrecortada, se segurando, torcendo para que, quando chegasse a hora de fugir, tudo fizesse seus pés se moverem.

O pai ligou a caminhonete e dirigiu até o portão.

Então ele parou, desceu, deixou sua porta aberta, foi até o portão e segurou o cadeado. Em seguida tirou a chave do pescoço, encaixou-a na fechadura e a girou com força.

– É isso – disse Leni para a mãe. – Na cidade nós vamos fugir. A balsa chega em quarenta minutos. Vamos dar um jeito de embarcar nela.

– Não vai funcionar. Ele vai nos pegar.

– Então vamos procurar Marge Gorda. Ela vai nos ajudar.

– Você arriscaria a vida dela também?

O grande cadeado abriu com um barulho metálico. O pai empurrou e abriu o portão da esquerda, por cima da terra esburacada coberta de matéria vegetal, em seguida empurrou e abriu o portão da direita. A estrada principal estava visível outra vez.

– Talvez só tenhamos uma chance – disse a mãe, mordendo o lábio inferior, preocupada. – É melhor ser a certa ou nós esperamos.

Leni sabia que era um bom conselho, mas não tinha certeza se podia esperar mais. Agora que tinha se permitido *realmente* pensar em liberdade, a ideia de voltar ao cativeiro parecia impossível.

– Não podemos esperar, mãe. As folhas estão caindo. O inverno pode chegar cedo este ano.

O pai entrou na cabine e fechou a porta. Eles seguiram adiante. Quando passaram pelo portão, Leni se virou no assento, olhou fixamente através das armas no suporte. Palavras em preto tinham sido pintadas com spray sobre a madeira recém-cortada.

MANTENHA DISTÂNCIA. PROIBIDA A ENTRADA.
INVASORES SERÃO BALEADOS.

Ela fez uma anotação mental de que ele não tinha fechado os portões às suas costas. Viraram na estrada principal, passaram ruidosamente pelo arco na entrada da terra dos Walkers e pela entrada de carros de Marge Birdsall.

Logo depois da pista de pouso, cascalho novo tinha sido espalhado e era triturado sob seus pneus. À frente ficava a ponte de madeira recém-pintada, onde algumas pessoas vestidas com capas de chuva coloridas estavam paradas na amurada, olhando para o rio lá embaixo, apontando para os salmões vermelho-vivo nadando pela água clara, em seu caminho para procriar e morrer.

O pai abriu sua janela e gritou quando passaram, cuspindo fumaça negra sobre eles:

– Voltem para a Califórnia!

Na cidade, havia uma barricada no meio da rua principal – uma coleção de cavaletes, baldes brancos e cones laranja mantinham turistas longe da retroescavadeira que cavava uma vala diante da lanchonete. Atrás dela, correndo pela extensão da rua, havia uma cicatriz aberta de solo recortado com terra empilhada dos lados.

O pai pisou no freio com tanta força que a caminhonete velha derrapou antes de parar no mato alto ao lado da rua. Dali eles podiam ver o operador da escavadeira: Tom Walker.

Ernt pôs a caminhonete em ponto morto e desligou o motor. Jogando o corpo contra a porta relutante, saltou da caminhonete e bateu a porta às suas costas.

– Fique comigo, mãe, segure minha mão.

No momento em que ela disse isso, o pai apareceu na porta do carona, abriu-a, pegou a mãe pelo pulso e a puxou da caminhonete.

Cora olhou para trás, com olhos ferozes. *Vá*, articulou com os lábios sem emitir som. O pai puxou o pulso da mãe e a fez cambalear para a frente para acompanhá-lo.

– Merda – disse Leni.

Ela viu seus pais seguindo em meio aos poucos turistas que estavam ali naquele dia claro de fim de agosto, Ernt abrindo caminho com os cotovelos usando mais força do que era necessário, empurrando pessoas.

Leni não conseguiu evitar: desceu da caminhonete e os seguiu. Talvez ainda houvesse um jeito de afastar a mãe dele. Elas não precisavam de muito tempo, apenas o suficiente para escapar. Droga, elas roubariam um barco se fosse preciso. Talvez aquela fosse a distração de que precisavam.

– Walker! – gritou o pai.

O Sr. Walker desligou a retroescavadeira e empurrou o boné de caminhoneiro para trás, tirando-o da testa suada.

– Ernt Allbright. Que surpresa agradável.

– Que *diabos* você está fazendo?

– Abrindo uma vala.

– Por quê?

– Eletricidade. Estou instalando um gerador.

– *O quê?*

O Sr. Walker repetiu, pronunciando *e-le-tri-ci-da-de* com cuidado, como se estivesse falando com uma pessoa que mal entendesse sua língua.

– E se nós não *quisermos* eletricidade em Kaneq?

– Comprei direito de passagem de todos os negócios desta cidade, Ernt. Paguei em dinheiro – explicou o Sr. Walker. – De pessoas que querem luz, geladeiras e aquecimento no inverno. Ah, e iluminação na rua. Não vai ser ótimo?

– Não vou deixar que você faça isso.

– O que você vai fazer? Pichar tudo outra vez? Eu não recomendaria isso. Não perdoaria uma segunda vez.

Leni chegou por trás da mãe, segurou sua manga e tentou afastá-la enquanto o pai estava concentrado em outra coisa.

– Leni!

A voz de Matthew ecoou. Ele estava parado em frente à taberna, segurando uma grande caixa de papelão.

– Ajuda a gente! – gritou ela.

O pai pegou Leni pelo braço e a puxou para perto dele.

– Você acha que precisa de ajuda? Para quê?

Ela balançou a cabeça e disse:

– Nada. Não foi o que eu quis dizer.

Leni olhou para Matthew, que tinha baixado a caixa e estava caminhando na direção deles, descendo do passeio de madeira.

– É melhor você dizer para aquele garoto parar, ou Deus me ajude...

O pai levou a mão à faca em sua cintura.

– Eu estou bem! – gritou ela para Matthew, mas pôde ver que ele não acreditou. Ele viu que ela estava chorando. – F-fique aí. Diga a seu pai que estamos bem.

Matthew disse o nome dela. Ela o viu se formar em seus lábios, mas não conseguiu ouvi-lo.

O pai segurou com mais força o braço de Leni até que parecia que alicates o estavam apertando. Ele conduziu Leni e a mãe de volta à caminhonete, empurrou-as para dentro e bateu a porta.

Tudo isso levou menos de dois minutos. A chegada à cidade, a cena, o grito pedindo ajuda e a volta à caminhonete.

Durante todo o caminho para casa, o pai murmurou. As únicas palavras que ela entendeu foram *mentiroso* e *Walker*.

A mãe segurou a mão de Leni enquanto eles quicavam pela estrada esburacada e viravam em sua terra. A garota tentou pensar em um jeito de acalmar o pai. O que a havia feito gritar daquele jeito? Ela sabia que não devia pedir ajuda.

Amor e medo.

As forças mais destrutivas da Terra. O medo a virara do avesso; o amor a tornara estúpida.

O pai entrou pelos portões abertos, ainda murmurando para si mesmo. Leni pensou *Quando ele sair para fechar o portão, vou pegar o volante, engrenar a ré e pisar no acelerador*, mas ele deixou os portões abertos às suas costas.

Abertos. Elas podiam fugir no meio da noite...

Na clareira, ele botou o câmbio em ponto morto e desligou o motor, em seguida segurou Leni e a puxou pela grama, pelos degraus e pelo deque. Empurrou-a para dentro da cabana com tanta força que ela tropeçou e caiu.

Cora surgiu atrás dele, movendo-se com cautela, o rosto deliberadamente calmo. Leni não sabia como ela conseguia fazer isso.

– Ernt, você está exagerando. Por favor, vamos conversar sobre isso.

Ela pôs a mão em seu ombro.

– Você acha que precisa de ajuda, Cora? – perguntou ele com uma voz estranhamente tensa.

– Ela é jovem. Não quis dizer nada com isso.

Leni viu a violência na respiração dele, no jeito como seus dedos se contraíam. Ele estava na ponta dos pés, energia emanando dele, a raiva o transformando.

– Você está mentindo para mim – falou.

A mãe balançou a cabeça.

– Não. Não estou. Nem sei do que você está falando.

– São sempre os Walkers – murmurou ele.

– Ernt, isso é loucura.

Ele a atingiu com tanta força que ela bateu contra a parede. Antes que a mãe pudesse ficar de pé, ele estava sobre ela outra vez, puxando seu cabelo, expondo a pele pálida de seu pescoço. Ele enrolou a mão em seu cabelo e golpeou com o punho para baixo, batendo o lado da cabeça dela contra o chão.

Leni se jogou sobre o pai e caiu de costas. Tentou arranhá-lo, puxou seu cabelo, gritou:

– Larga ela!

Ele se soltou e bateu a cabeça da mãe no chão.

Leni ouviu a porta se abrir às suas costas; segundos depois, foi puxada de cima do pai. Teve um vislumbre de Matthew, viu-o tirar o pai de cima da mãe, girá-lo e socá-lo com tanta força no queixo que ele cambaleou de lado e caiu de joelhos.

Leni correu até sua mãe e a ajudou a se levantar.

– Temos que ir. Agora.

– Vá você – disse a mãe, olhando nervosamente na direção do pai, que gemia de dor. – Vá.

O rosto dela estava ensanguentado; o lábio, cortado.

– Eu não vou deixar você aqui – retrucou Leni.

Lágrimas encheram os olhos da mãe e rolaram, se misturando com o sangue.

– Ele nunca vai me deixar ir. Vá você. *Vá.*

– Não – insistiu Leni. – Eu não vou deixar você aqui.

– Ela tem razão, Sra. Allbright – disse Matthew. – A senhora não pode ficar aqui.

A mãe suspirou.

– Está bem. Vou para a casa de Marge Gorda. Ela vai me proteger, mas, Leni, não quero que você chegue nem perto de mim, entendeu? Se ele vier atrás de mim, não vou querer você lá. – Ela olhou para Matthew. – Quero que ela *suma* por pelo menos 24 horas. Que se esconda em algum lugar onde ele não possa encontrá-la. Dessa vez eu vou à polícia. Prestar queixa.

Matthew assentiu solenemente.

– Não vou deixar que nada aconteça com ela, Sra. Allbright. Eu prometo.

O pai soltou um gemido, praguejou, tentou se levantar.

A mãe pegou a bolsa de emergência de Leni e entregou a ela.

– *Agora*, Leni. Precisamos correr.

Eles saíram correndo da cabana e para a luz clara do sol na direção da caminhonete de Matthew.

– Entrem! – gritou ele, em seguida correu até a caminhonete do pai.

Ele abriu o capô e fez alguma coisa com o motor.

Atrás deles, a porta da cabana rangeu e se abriu. O pai saiu cambaleante.

Leni ouviu o estalido de uma arma sendo engatilhada.

– Droga, Cora.

Ele estava no deque, com a testa sangrando muito, cego pelo sangue, com uma espingarda na mão.

– Onde está você?!

– Entrem! – gritou Matthew jogando algo no meio das árvores.

Ele pulou no assento do motorista e ligou sua caminhonete.

Após uma série de tiros de espingarda que fizeram barulhos no metal, Leni pulou no assento e a mãe se apertou ao lado dela. Matthew engrenou a marcha e pisou no acelerador. A caminhonete derrapou no mato alto antes de as rodas se firmarem. Ele desceu pela entrada de carros, passou pelos portões abertos e pegou a estrada principal.

Eles viraram outra vez na entrada de Marge Gorda e foram até o fim dela, tocando a buzina.

– Mantenha Leni em segurança e longe de mim – disse a mãe para Matthew, que assentiu.

Leni encarou a mãe. Todas as suas vidas – e todo seu amor – estavam nesse olhar.

– Você não vai voltar para ele – ordenou Leni. – Ligue para a polícia. Dê queixa. Vamos nos encontrar em 24 horas. Então vamos fugir. Você promete?

A mãe assentiu, abraçou-a apertado e a beijou até suas lágrimas pararem.

– Vá – disse com a voz aguda.

Depois que a mãe desceu da caminhonete e eles foram embora, Leni ficou ali sentada, repassando tudo em sua mente, chorando baixinho. Cada respiração doía, e ela teve que lutar contra a vontade de voltar, de ficar com sua mãe. Será que tinha feito a coisa errada ao deixá-la?

Matthew virou no portão dos Walkers e passou roncando pelo arco de boas-vindas.

– Não podemos ir para lá! Ele vai nos procurar aqui! – disse Leni. – Mamãe falou que precisávamos desaparecer por um dia.

Ele estacionou e desceu.

– Eu sei. Mas a maré está baixa. Não podemos usar os barcos nem o hidroavião. Eu só conheço um lugar onde desaparecer. Fique aqui.

Cinco minutos depois, Matthew estava de volta com uma mochila, que jogou na caçamba da caminhonete.

Leni não parava de olhar para trás, pela entrada de carros dos Walkers.

– Não se preocupe. Ele não vai encontrar a tampa do distribuidor por um bom tempo – disse Matthew.

E eles partiram outra vez, viraram na estrada principal, em seguida viraram à esquerda na direção da montanha.

Curvas. Estradas em zigue-zague. Travessia de rios. Eles seguiam sempre para cima.

Por fim, entraram em um estacionamento de terra e pararam abruptamente. Não havia outros veículos. Uma placa na trilha dizia:

ÁREA SELVAGEM BEAR CLAW
USOS PERMITIDOS: Caminhadas, camping, escalada.
DISTÂNCIA: 4,5 quilômetros.
DIFICULDADE: Desafiadora. Subidas íngremes.
ELEVAÇÃO: 790 metros.

Matthew ajudou Leni a sair da caminhonete. Ele se ajoelhou, verificou sua bota, tornou a amarrar os cadarços.

– Você está bem?

– E se ele...

– Ela escapou. Marge Gorda vai protegê-la. E ela queria que você ficasse em segurança.

– Eu sei. Vamos – disse ela de um jeito embotado.

– Temos uma longa caminhada à nossa frente. Você consegue?

Leni assentiu.

Eles seguiram pela trilha, com Matthew na frente e Leni atrás, esforçando-se para acompanhá-lo.

Subiram por horas, não viram ninguém. A trilha serpenteava ao longo de um penhasco íngreme de granito. Abaixo deles estava o mar, ondas quebrando nas pedras. O chão tremia com o impacto de cada onda, ou talvez fosse apenas impressão de Leni, porque a vida agora parecia muito instável. Nem o chão merecia confiança.

Finalmente, Matthew chegou ao que estava procurando: um grande campo coberto de mato, repleto de tremoceiros roxos. A neve branqueava os picos; abaixo havia dobras de granito, pontilhadas aqui e ali por manchas brancas que eram carneiros-de-dall.

Ele largou a mochila na grama e se virou para Leni. Deu a ela um sanduíche de salmão defumado e uma lata de Coca-Cola quente e, enquanto ela comia, montou uma barraca para duas pessoas.

Mais tarde, com uma fogueira crepitando na frente da barraca e as abas laranja presas abertas, Matthew se sentou na grama ao lado dela e passou um braço à sua volta. Ela se aconchegou junto dele.

– Você não tem que ser a única a protegê-la, sabia? – disse ele. – Nós todos vamos cuidar de vocês. Sempre foi assim em Kaneq.

Leni queria que isso fosse verdade. Queria acreditar que havia um lugar seguro para ela e a mãe, para refazerem suas vidas, um recomeço que não se erguesse das cinzas de um fim violento e terrível. Principalmente, não queria se sentir mais a única responsável pela segurança da mãe.

Ela se virou para Matthew, amando-o tanto, tão desesperadamente, que parecia estar sendo mantida embaixo d'água e precisar de oxigênio.

– Eu te amo.

– Eu também te amo – respondeu ele.

Ali, na vastidão do Alasca, as palavras pareciam irrisórias e pequenas. Um punho se agitando em desafio aos deuses.

VINTE E UM

S eu trabalho era mantê-la em segurança.
Leni era sua estrela-guia. Sabia que isso parecia estúpido, infantil e romântico, e que as pessoas iam dizer que ele era jovem demais para saber dessas coisas, mas não era. Quando sua mãe morria, você crescia.

Ele não tinha conseguido proteger a mãe, salvá-la.

Era mais forte agora.

Segurou Leni em seus braços a noite inteira, amou-a, sentiu-a se remexer com sonhos ruins, ouviu seu choro. Matthew sabia como era aquilo, tivera pesadelos como aqueles sobre sua mãe.

Finalmente, quando o primeiro cintilar de luz do dia pulsou através das laterais cor de laranja da barraca, ele se afastou de Leni, sorrindo com o som abafado do ronco dela. Ele vestiu as roupas da véspera, calçou as botas de caminhada e saiu.

Nuvens cinza abriam caminho pelo céu, baixas sobre a trilha. A brisa era mais um suspiro que qualquer coisa, mas era fim de agosto. As folhas estavam mudando de cor à noite. Os dois sabiam o que isso significava. A mudança ali chegava ainda mais rápido.

Matthew se ocupou acendendo uma fogueira sobre os restos negros das chamas da véspera. Sentado sobre uma pedra, debruçado para a frente, olhava fixamente para as chamas trêmulas. A brisa aumentou, atiçando o fogo.

Nesse momento, sentado sozinho junto ao fogo, admitiu para si mesmo que estava com medo de ter feito a coisa errada ao levar Leni para ali, com medo de ter feito a coisa errada ao deixar Cora em Kaneq. Com medo de virar para trás e ver Ernt chegar apressado pela trilha com um rifle em uma das mãos e uma garrafa de uísque na outra.

Acima de tudo, ele estava com medo por Leni, porque não importava como tudo aquilo acabasse, não importava se ela fizesse tudo perfeitamente, escapasse e salvasse a mãe, seu coração teria sempre um pedaço partido. Não importava como você perdia um pai ou se esse pai era ótimo ou horrível, uma criança sofria para sempre. Matthew chorava pela mãe que tivera. Ele imaginou se Leni ia chorar pelo pai que queria.

Ele pôs uma cafeteira de acampamento no fogo, direto nas chamas.

Atrás dele, ouviu um farfalhar, o silvo de náilon sendo mexido. Leni afastou as bordas da barraca e saiu para a manhã. Uma gota de chuva caiu em seu olho enquanto ela trançava o cabelo.

– Ei – disse ele, lhe oferecendo café.

Outra gota de chuva caiu na caneca de metal.

Ela pegou a caneca com as duas mãos, sentou-se ao seu lado e se inclinou contra ele. Outra gota de chuva caiu, retiniu no bule, ferveu e se transformou em vapor.

– Momento perfeito – comentou Leni. – Ela vai desabar sobre nós a qualquer segundo.

– Tem uma caverna na cordilheira Glacier.

Leni olhou para ele.

– Não posso ficar longe.

– Mas sua mãe disse...

– Estou com medo – declarou ela em voz baixa.

Ele ouviu a pontada de incerteza em sua voz, reconheceu que ela estava lhe perguntando alguma coisa, não apenas lhe dizendo que estava com medo.

Matthew entendeu.

Ela não sabia qual era a resposta certa e tinha medo de estar errada.

– Você acha que devo voltar para buscá-la? – perguntou ela.

– Acho que devemos ficar perto das pessoas que amamos.

Ele viu seu alívio. E seu amor.

– Posso não conseguir ir para a faculdade. Você sabe disso, não é? Quero dizer, se tivermos que fugir, vamos ter que ir para algum lugar onde ele não vá nos procurar.

– Eu irei com você – disse ele. – Aonde quer que você vá.

Ela inspirou e pareceu tão trêmula que ele achou que pudesse desmoronar.

– Você sabe o que mais amo em você, Matthew?

– O quê?

Leni se ajoelhou na grama molhada na frente dele, tomou seu rosto nas mãos frias e o beijou. Ele tinha gosto de café.

– Tudo.

Depois disso, parecia não haver muito a dizer. Matthew sabia que Leni estava distraída, que ela não conseguia pensar em nada além da mãe e que seus olhos não paravam de se encher de lágrimas enquanto ela escovava os dentes e enrolava o saco de dormir. Ele também sabia quanto ela estava aliviada por voltar.

Ele ia salvá-la.

Ia, sim. Ia encontrar um jeito. Ia chamar a polícia, a imprensa ou seu pai. Droga, talvez ele mesmo procurasse Ernt. Valentões eram sempre covardes que podiam ser obrigados a recuar.

Ia funcionar.

Eles iam separar Ernt de Leni e Cora e deixar que elas começassem uma vida nova. Leni *podia* ir para a faculdade com Matthew. Talvez não fosse em Anchorage. Talvez não fosse nem no Alasca, mas quem se importava? Tudo o que ele queria era estar com ela.

Em algum lugar no mundo, iam encontrar um novo começo.

Eles tomaram café da manhã, desmontaram o acampamento e percorreram cerca de 15 metros de trilha antes que a tempestade caísse de verdade. Estavam em um lugar tão estreito que tinham que caminhar um na frente do outro.

– Fique perto! – gritou Matthew acima da chuva forte e do vento estridente.

Seu casaco fazia um barulho como de cartas sendo embaralhadas. A chuva grudava o cabelo em seu rosto, cegando-o. Ele levou o braço às costas e pegou a mão de Leni. Ela escorregou e se soltou.

A chuva corria em filetes sobre a trilha de granito, deixando as rochas escorregadias. À sua esquerda, arbustos estremeciam e se achatavam, quebrados pelo vento e pela chuva.

A trilha escureceu; névoa caiu e tornou tudo obscuro. Matthew piscou, tentou ver.

A chuva caía com força sobre seu capuz de náilon. Seu rosto estava molhado, a água escorrendo pelas bochechas, penetrando por baixo da gola, formando gotas nos cílios.

Ele ouviu alguma coisa.

Um grito.

Virou-se e Leni não estava atrás dele. Matthew voltou, gritando seu nome. Um galho de árvore o atingiu no rosto. Com força. Então ele a viu. Leni estava a mais de 5 metros de distância, fora da trilha, muito à direita. Ele a viu cometer um erro. Ela escorregou, começou a cair.

Leni gritou, lutou para se equilibrar, tentou se aprumar, agarrar alguma coisa – qualquer coisa.

Não havia nada.

– Le...ni! – gritou ele.

Ela caiu.

Dor.

Leni acordou em uma escuridão fétida, esparramada na lama, sem conseguir se mover sem sentir dor. Ouviu o som da água pingando. Chuva caindo sobre pedra. O ar tinha um cheiro fétido, de coisas mortas e em decomposição.

Algo em seu peito estava quebrado, uma costela, talvez; tinha quase certeza. E talvez o braço esquerdo. Ou estava quebrado ou seu ombro tinha se deslocado.

Ela estava caída sobre a bolsa. Talvez aquilo tivesse salvado sua vida.

Irônico.

Removeu as alças dos ombros, ignorando a dor lancinante que vinha com o menor movimento. Levou uma eternidade para se soltar; quando conseguiu, ficou ali deitada de braços e pernas estendidos, arfando, com o estômago embrulhado.

Mexa-se, Leni.

Cerrou os dentes e rolou de lado, mergulhando em uma lama profunda e pegajosa.

Respirando com dificuldade, sentindo dor, tentando não chorar, ela ergueu a cabeça e olhou ao redor.

Escuridão.

Cheirava mal ali embaixo, a putrefação e o mofo. O chão era de lama profunda, e as paredes eram de rocha molhada e escorregadia. Por quanto tempo tinha ficado inconsciente?

Rastejou devagar para a frente, segurando o braço quebrado perto do corpo. Seguiu, agonizante e lentamente o caminho até uma nesga de luz que iluminava uma laje de granito esculpida em forma de prato pelo tempo e pela água.

Ela sentia tanta dor que vomitou, mas seguiu em frente.

Ouviu alguém gritando seu nome.

Rastejou até a laje côncava de pedra e olhou para cima. A chuva a cegava.

Bem acima dela, viu o borrão vermelho da jaqueta de Matthew.

– Lee...niii!

– Estou aqui! – tentou gritar, mas a dor em seu peito tornava isso impossível.

Ela acenou com o braço bom, mas sabia que ele não podia vê-la. A abertura na greta acima de sua cabeça era estreita, não mais larga que uma banheira. Através dela, a chuva caía forte, seu som percussivo era um ronco barulhento na caverna escura.

– Vá buscar ajuda! – gritou ela o máximo que pôde.

Matthew se debruçou sobre a borda escarpada, tentando alcançar uma árvore que crescia teimosamente da pedra.

Ele ia buscá-la.

– *Não!* – berrou ela.

Ele passou uma perna pela borda da rocha, começou a descer devagar, procurando algum lugar onde botar o pé. Fez uma pausa, talvez reavaliando.

Isso mesmo. Pare. É perigoso demais. Leni limpou os olhos, tentando focalizá-los sob o aguaceiro.

Matthew conseguiu um apoio, desceu pela borda e parou, suspenso na parede de pedra.

Ficou ali um bom tempo, um X vermelho e azul na parede cinza de pedra. Finalmente estendeu o braço à esquerda em busca da árvore, agarrou-a e a puxou para testar. Segurando-a se moveu para outro apoio, um pouco mais baixo.

Leni ouviu um chacoalhar de pedras e soube o que estava acontecendo, viu tudo numa espécie de câmera lenta atônita e aterrorizada.

A árvore se soltou da parede de pedra.

Matthew ainda estava agarrado a ela quando caiu.

Pedra, barro, lama, chuva e Matthew caíram, seu grito perdido na avalanche de rochas desabando. Ele despencou, seu corpo quebrou galhos, bateu em pedra e ricocheteou.

Ela jogou o braço na frente do rosto e virou a cabeça quando os detritos caíram sobre ela e pedras a atingiram; uma cortou sua bochecha.

– Matthew. *Matthew!*

Leni viu a última rocha que caía tarde demais para se esquivar.

Leni está na baía de Tutka com a mãe, na canoa resgatada pelo pai. A mãe está falando sobre seu filme favorito, Clamor do sexo. *A história de um amor jovem que dá errado.*

– Você sabe que Warren ama Natalie, mas isso não é suficiente.

Leni mal está escutando. As palavras não são o que importa. É o momento. Ela e a mãe estão matando trabalho, vivendo outra vida, ignorando a lista de tarefas que as aguarda na cabana.

É o que a mãe chama de dia de passarinho azul, só que a ave que Leni vê no céu azul cristalino é uma águia-de-cabeça-branca com uma envergadura de 1,80 metro planando acima. Não muito longe, em um afloramento irregular de rocha negra, focas estão deitadas juntas, latindo para a águia. Aves costeiras piam, mas se mantêm afastadas. Uma pequena coleira rosa de cachorro brilha nos galhos mais altos de uma árvore, perto de um enorme ninho de águia.

Um barco passa pela canoa fazendo barulho e agitando a água calma.

Turistas acenam, com câmeras erguidas.

– Parece até que eles nunca viram uma canoa – diz a mãe, em seguida pega o remo. – Bom, é melhor irmos para casa.
– Não quero que isso acabe – choraminga Leni.
O sorriso da mãe não é familiar. Algo não está certo.
– Você precisa ajudá-lo, filhota. Ajudar a si mesma.
De repente, a canoa vira tão bruscamente para o lado que tudo cai na água – garrafas térmicas, uma mochila com as coisas necessárias para o dia.
A mãe dá um salto mortal por cima de Leni e mergulha na água, desaparece.
A canoa se apruma.
Leni vai até a lateral, olha por cima, grita:
– Mãe!
Uma barbatana negra, afiada como a lâmina de uma faca, surge da água, erguendo-se, erguendo-se, até ficar quase tão alta quanto Leni. Uma orca.
A barbatana bloqueia o sol, escurece o céu de uma vez; tudo fica preto.
Leni escuta o deslizar da orca, os respingos de água quando ela emerge, o bafejo de ar através de seu respiradouro. Sente o cheiro de peixe em decomposição em seu hálito.
Leni abriu os olhos, respirando com dificuldade. Uma dor latejava em seu crânio e o gosto de sangue enchia sua boca.
O mundo *estava* escuro e tomado por um cheiro fétido. Pútrido.
Ela olhou para cima. Matthew estava pendurado na fenda acima dela, preso entre as duas paredes de pedra, suspenso, com os pés pendurados acima da cabeça, preso no lugar por sua mochila.
– Matthew? Matthew?
Ele não respondeu.
Talvez não pudesse. Talvez estivesse morto.
Algo pingou em seu rosto. Ela limpou, tinha gosto de sangue.
Leni se esforçou para se sentar. A dor era tão violenta que vomitou em cima de si mesma e desmaiou. Quando recobrou a consciência, quase vomitou outra vez com o cheiro do próprio vômito espalhado sobre o peito.
Pense. Ajude-o. Ela era alasquiana. Podia sobreviver, caramba! Era a única coisa que sabia fazer, a única coisa que o pai havia lhe ensinado.
– É uma fenda, Matthew, não uma caverna de urso. Então isso é bom.
Nenhum urso-pardo ia entrar à procura de um lugar para dormir. Ela se moveu centímetro a centímetro por todo o interior, suas mãos tateando as paredes de pedra molhadas. Nenhuma saída.
Ela rastejou de volta para a rocha em forma de prato e ergueu os olhos para Matthew.

– A única saída é para cima.

Sangue escorria pela perna dele e pingava na pedra ao seu lado.

Ela se levantou.

– Você está bloqueando a única saída. Por isso, preciso soltar você. A mochila é o problema. – O volume extra o havia prendido. – Se eu conseguir tirar a mochila de você, você vai cair.

Cair. Não parecia um grande plano, mas ela não conseguia pensar em nada melhor.

Está bem.

Como?

Ela se moveu com cautela, enfiou a mão dormente na cintura da calça. Deslizou da rocha em forma de prato, mergulhou na lama molhada. Sentiu uma dor aguda no peito que a fez engasgar. Procurou na bolsa de emergência e encontrou seu canivete. Com ele na boca, rastejou até um lugar bem abaixo dos pés de Matthew.

Agora tudo o que precisava fazer era chegar até ele e libertá-lo com o canivete.

Como? Ela não conseguia alcançar seus pés.

Suba. Como? Tinha apenas um braço bom e a parede de pedra estava escorregadia e molhada.

Pelas pedras.

Ela encontrou algumas pedras chatas grandes, arrastou-as até a parede e as empilhou da melhor maneira possível. Levou uma eternidade; ela estava quase certa de ter desmaiado, acordado e recomeçado duas vezes.

Depois de construir uma pilha de cerca de 50 centímetros de altura, respirou fundo e subiu nela.

Com seu peso, uma das pedras deslizou de baixo dela.

Leni caiu com força, bateu com o braço ruim em alguma coisa e gritou.

Tentou mais quatro vezes, caindo em todas. Não ia funcionar. As pedras eram escorregadias demais e instáveis quando empilhadas.

– Está bem.

Então ela não podia subir em pedras amontoadas. Talvez isso devesse ter sido óbvio.

Avançou pesadamente até a parede e estendeu a mão para tocar sua superfície fria e úmida. Usou a mão boa para delinear a pedra molhada, sentindo cada calombo, sulco e reentrância. Um pouco de luz vazava pelos lados de Matthew. Remexeu em sua bolsa, encontrou uma lanterna de cabeça e a botou. Com luz, viu diferenças na pedra – saliências, buracos, apoios.

Ela tateou para cima, para o lado, para fora, encontrou uma pequena borda de pedra para seu pé e pisou sobre ela. Firmou-se e, em seguida, procurou outra.

Caiu com força, ficou ali atônita, respirando com dificuldade, olhando fixamente para ele no alto.

– Está bem. Tente de novo.

A cada tentativa, ela memorizava uma nova saliência na parede da fenda. Da sexta vez, conseguiu subir até o alto, o suficiente para segurar a mochila dele para se firmar. Era difícil olhar para a perna dele – osso se projetando para fora da pele, carne rasgada, o pé quase virado para trás.

Ele estava pendurado inerte, sua cabeça pendendo para o lado, o sangue deixando seu rosto irreconhecível.

Leni não podia dizer se ele estava respirando.

– Eu estou aqui, Matthew. Espere. Vou soltar você.

Respirou fundo.

Usando a lâmina do canivete, começou a cortar as alças da mochila, no ombro e na cintura. Levou uma eternidade para fazer isso com uma das mãos, mas finalmente conseguiu.

Nada aconteceu.

Leni cortou todas as alças e ele não se moveu. Nada mudou.

Ela puxou sua perna boa com toda força possível.

Nada.

Puxou outra vez, perdeu o equilíbrio e caiu na lama e nas pedras.

– O quê? – gritou para a abertura. – O quê?

Metal se soltou. Algo fez um barulho metálico contra a rocha.

Matthew mergulhou, bateu contra a parede, caiu com um baque surdo na lama ao lado de Leni. A mochila aterrissou perto dela, respingando lama.

Leni correu até ele, puxou sua cabeça sobre seu colo e limpou seu rosto ensanguentado com a mão enlameada.

– Matthew? Matthew?

Ele respirou ruidosamente, tossiu. Leni quase irrompeu em lágrimas.

Ela retirou a lanterna de cabeça e o arrastou pela lama até a rocha em forma de prato. Ali, fez muito esforço para colocar o corpo dele sobre a superfície irregular de pedra.

– Eu estou aqui – disse ela, subindo ao lado dele. Nem percebeu que estava chorando até ver suas lágrimas respingando no rosto enlameado dele. – Eu te amo, Matthew. Nós vamos ficar bem. Você e eu. Você vai ver. Nós vamos...

Ela tentou continuar falando, queria, *precisava* fazer isso, mas tudo em que conseguia pensar era que ele estava ali por sua culpa. Sua culpa. Ele tinha caído tentando salvá-la.

—·◉·—

Leni gritou até sua garganta doer, mas não havia ninguém lá em cima para escutar, nenhuma ajuda a caminho. Ninguém sequer sabia que eles estavam na trilha, muito menos que tinham caído em uma greta.

Ela tinha caído.

Ele tentara salvá-la.

E ali estavam eles. Machucados. Sangrando. Aninhados juntos na pedra fria e chata.

Pense.

Matthew estava deitado ao lado dela, o rosto ensanguentado, inchado e irreconhecível. Uma grande área de pele tinha se soltado de seu rosto e pendia como uma orelha de cachorro ensanguentada, expondo o osso branco e vermelho por baixo.

Estava chovendo de novo. Chuva escorria pelas paredes de pedra, transformando a lama em uma poça viscosa. Havia água por toda a volta, girando na reentrância da pedra, respingando, gotejando, se acumulando. Na luz fraca do dia que descia com a chuva, ela viu que o sangue de Matthew a deixara rosa.

Ajudem-no. Ajudem-nos.

Ela rastejou por cima dele, desceu da pedra e procurou um encerado em sua bolsa. Levou muito tempo para prendê-lo com apenas uma mão boa, mas por fim conseguiu e criou um canal para recolher água da chuva em duas grandes garrafas térmicas. Quando uma estava cheia, posicionou a outra, em seguida tornou a subir na pedra.

Leni inclinou o queixo dele e o fez beber. Ele engoliu convulsivamente, engasgou, tossiu. Deixando a garrafa de lado, fixou o olhar na perna esquerda dele. Parecia uma pilha de carne de hambúrguer com um pedaço de osso se projetando dela.

Foi até as mochilas e resgatou o que podia. O kit de primeiros socorros estava bem abastecido. Havia antisséptico, gaze, aspirina e lenços absorventes. Leni tirou seu cinto.

– Isso não vai ser agradável. Que tal um poema? Adorávamos Robert Service, lembra? Quando éramos crianças, sabíamos recitar os melhores de cor.

Ela pôs o cinto em torno da coxa dele e o puxou tão apertado que ele gritou e se debateu. Chorando, sabendo quanto tinha que doer, ela o apertou outra vez, e ele perdeu a consciência.

Enrolou o ferimento com gaze e lenços absorventes e prendeu tudo no lugar com fita adesiva.

Então ela o segurou da melhor maneira que podia com o braço e a costela quebrados.

Por favor, não morra.

Talvez ele não conseguisse senti-la. Talvez estivesse com tanto frio quanto ela. Os dois estavam encharcados.

Leni tinha que fazer com que ele soubesse que ela estava ali.

Os poemas. Ela se inclinou para perto, sussurrou em seu ouvido com a voz rouca e fraca, acima do som de seus dentes batendo:

– *Você alguma vez esteve na grande solidão quando a lua estava terrivelmente clara...*

Ele ouve alguma coisa. Sons confusos que não significam nada, letras jogadas em uma poça, flutuando separadas.

Tenta se mexer. Não consegue.

Dormente. Formigamento em sua pele.

Dor. Excruciante. A cabeça explodindo, a perna em chamas.

Tenta se mexer outra vez, geme. Não consegue pensar.

Onde está?

A dor é a maior parte. Tudo o que existe. Tudo o que resta. Dor. Cega. Sozinho.

Não.

Ela.

O que isso significa?

– Matthewmatthewmatthew.

Ele ouve esse som. Significa algo para ele, mas o quê?

A dor aniquila todo o resto. Uma dor de cabeça tão forte que ele não consegue pensar. O cheiro de vômito, mofo e decomposição. Seus pulmões e suas narinas doem. Ele não consegue respirar sem ofegar.

Ele está começando a estudar sua dor, ver nuances. A pressão em sua cabeça aumenta, lateja, aperta; a perna é fogo e gelo agudamente penetrantes.

– Matthew.

Uma voz. A dela. Como a luz do sol em seu rosto.

– *Estouaqui. Estouaqui.*
Sem sentido.
– *Droga. Estouaqui. Voulhecontarumahistória. TalvezSamMcGee.*
Um toque.
Agonia. Ele acha que grita.
Mas talvez seja tudo mentira...

Morrendo. Ele pôde sentir a vida se esvaindo dele. Até a dor se foi.
Ele não é nada, apenas um amontoado em meio à água e ao frio, se mijando, vomitando, gritando. Às vezes sua respiração simplesmente para e ele tosse quando ela começa outra vez.
O cheiro é terrível. Mofo, lama, decomposição, mijo, vômito. Insetos estão rastejando sobre ele, zumbindo em seus ouvidos.
A única coisa que o mantém vivo é Ela.
Ela fala sem parar. Palavras rimadas familiares que quase fazem sentido. Ele pode ouvi-la respirando. Ele sabe quando ela está acordada e quando está dormindo. Ela lhe dá água, faz com que ele beba.
Ele está sangrando agora, pelo nariz. Pode sentir o gosto, a consistência viscosa.
Ela está molhando.
Não. Essa é a palavra errada.
Chorando.
Ele tenta se agarrar a isso, mas tudo se vai como o resto, com um borrão, rápido demais para compreender. Ele está flutuando outra vez.
Ela.
EuteamoMatthewnãomedeixe.
Ele perde a consciência. Luta por ela e mergulha novamente na escuridão fétida.

VINTE E DOIS

Depois de duas noites terríveis e congelantes, Matthew se mexeu pela primeira vez. Não acordou, não abriu os olhos, mas gemeu e fez um terrível som de estalo, como se estivesse sufocando.

Uma faixa de céu azul pairava acima deles. Finalmente havia parado de chover. Leni viu a face de pedra com clareza, todos os sulcos, reentrâncias e apoios.

Ele estava ardendo em febre. Leni o fez engolir mais aspirina, derramou o resto do antisséptico em sua ferida e a envolveu novamente com gaze e fita adesiva.

Ainda assim, podia sentir a vida se esvaindo dele. Não havia *ele* no corpo quebrado ao lado dela.

– Não me deixe, Matthew.

Um zumbido distante chegou a eles na escuridão, o barulho das hélices de um helicóptero.

Ela se soltou de Matthew e rastejou para a lama.

– Estamos aqui! – gritou, movendo-se devagar na direção da abertura na pedra onde o céu aparecia.

Leni se apertou contra a parede íngreme de pedra, acenou com o braço bom e gritou:

– Estamos aqui! Aqui embaixo!

Ouviu cães latindo, o ruído de vozes humanas.

Uma lanterna brilhou sobre ela.

– Lenora Allbright! – gritou um homem de uniforme marrom. – É você?

– Vamos tirar você primeiro, Lenora – disse alguém.

Ela não conseguia ver seu rosto na mistura de luz do sol e sombra.

– Não! Matthew primeiro. Ele está... pior.

A próxima coisa de que se deu conta era que estava sendo amarrada a uma gaiola e erguida pela parede íngreme de pedra. A gaiola bateu no granito, fez um barulho metálico. A dor ricocheteou em seu peito e desceu pelo braço.

A gaiola aterrissou no chão sólido fazendo barulho. A luz do sol a cegou. Havia homens de uniforme por toda parte, cães latindo loucamente. Apitos começaram a soar.

Ela fechou os olhos outra vez, sentiu-se ser transportada pela faixa de grama até a trilha, ouviu o barulho do helicóptero.

– Quero esperar Matthew! – gritou.

– Você vai ficar bem, moça – assegurou alguém de uniforme, seu rosto perto demais, seu nariz espalhado como um cogumelo no meio de seu rosto. – Vamos levá-la de helicóptero até o hospital em Anchorage.

– Matthew – disse ela, apertando a gola dele com a mão boa e o puxando para perto.

Ela viu o rosto dele mudar.

– O garoto? Ele está atrás de você. Nós o pegamos.

Não falou que Matthew ia ficar bem.

Leni abriu os olhos devagar e viu uma faixa de luz acima dela, uma linha de branco reluzente num teto de cerâmica. O quarto tinha um forte cheiro adocicado, cheio de arranjos de flores e balões. Suas costelas estavam enfaixadas tão apertado que doía respirar, e seu braço quebrado tinha sido engessado. A janela ao seu lado revelava um céu púrpura pálido.

– Aí está minha filhota – disse a mãe.

O lado esquerdo de seu rosto estava inchado, sua testa preta e azul. Roupas amassadas e sujas contavam a história da preocupação de uma mãe. Ela beijou a testa de Leni e afastou delicadamente seu cabelo dos olhos.

– Você está bem – falou Leni, aliviada.

– Eu estou bem, Leni. Era com você que estávamos preocupados.

– Como eles nos encontraram?

– Procuramos por toda parte. Eu estava louca de preocupação. Todo mundo estava. Por fim Tom se lembrou de um lugar onde sua mulher adorava acampar. Ele foi procurar e encontrou a caminhonete. O grupo de resgate encontrou alguns galhos quebrados em Bear Claw Ridge, onde vocês caíram. Graças a Deus.

– Matthew tentou me salvar.

– Eu sei. Você disse isso aos socorristas dezenas de vezes.

– Como ele está?

A mãe tocou o rosto machucado de Leni.

– Ele está mal. Não sabem se vai sobreviver à noite.

Leni se esforçou para se sentar. Cada respiração e movimento doíam. Havia uma agulha espetada nas costas de sua mão, e em torno dela uma tira de esparadrapo cor de pele sobre um hematoma roxo. Ela retirou a agulha e a jogou para o lado.

– O que você está fazendo? – perguntou a mãe. – Está com duas costelas quebradas.

– Eu preciso ver Matthew.

– Estamos no meio da noite.

– Não me importo.

Ela jogou as pernas nuas, machucadas e arranhadas pela beirada da cama e se levantou. A mãe se aproximou para apoiá-la. Juntas, se afastaram.

Na porta, a mãe ergueu a cortina e olhou pela janela, em seguida assentiu. Elas saíram. A mãe fechou a porta silenciosamente atrás delas. Leni caminhava devagar, sentindo dor, com os pés calçados com meias, seguindo a mãe de um corredor a outro até chegarem a uma área bastante iluminada, de aspecto frio e eficiente, chamada de unidade de tratamento intensivo.

– Espere aqui – disse a mãe.

Ela foi na frente, verificando os quartos. No último à direita, se virou e gesticulou para que Leni a seguisse.

Na porta atrás de sua mãe, Leni viu MATTHEW WALKER escrito em uma prancheta em um envelope de plástico transparente.

– Isso pode ser difícil – disse a mãe. – Ele não parece muito bem.

Leni abriu a porta e entrou.

Havia máquinas por toda parte, batendo e zunindo, fazendo um som como de respiração humana.

O garoto na cama não podia ser Matthew.

Sua cabeça estava raspada e coberta de bandagens; gaze cruzava seu rosto, o tecido branco tingido de rosa pelo sangue infiltrado. Um olho estava coberto por uma proteção; o outro, inchado e fechado. Sua perna estava elevada, suspensa mais de 20 centímetros acima da cama por uma tira de couro, e tão inchada que mais parecia um tronco de árvore que a perna de um garoto. Tudo o que ela podia ver eram seus dedos grandes e roxos se projetando das ataduras. Um tubo em sua boca inerte o conectava à máquina que subia e descia em respirações, inflando e desinflando seu peito. Respirando por ele.

Leni segurou sua mão quente e seca.

Ele estava ali, lutando pela vida por causa dela, porque ele a amava.

Ela se debruçou e sussurrou:

– Não me deixe, Matthew. Por favor. Eu te amo.

Depois disso, Leni não soube o que dizer.

Ficou parada ali pelo maior tempo que pôde, torcendo para que ele sentisse seu toque, ouvisse sua respiração, entendesse as palavras. Parecia que horas tinham se passado quando a mãe finalmente a afastou da cama e disse com firmeza:

– Sem discussão.

Então a levou de volta para seu quarto e a ajudou a voltar para a cama.

– Onde está papai? – perguntou Leni por fim.

– Ele está na cadeia, graças a Marge e a Tom.

– Que bom – disse Leni e viu a mãe se encolher.

Na manhã seguinte, Leni acordou devagar. Por uma fração de segundo, teve uma amnésia abençoada, em seguida a verdade a atingiu. Ela viu a mãe curvada em uma cadeira perto da porta.

– Ele está vivo? – perguntou Leni.

– Ele sobreviveu à noite.

Antes que Leni pudesse processar a informação, houve uma batida à porta.

A mãe se virou quando o Sr. Walker entrou. Ele parecia exausto, tão cansado e abalado quanto Leni se sentia.

– Oi, Leni.

Ele tirou o boné de caminhoneiro e o apertou nervosamente nas mãos grandes. Seu olhar se moveu para a mãe, mal aterrissando sobre ela antes de voltar para Leni. Uma conversa silenciosa se desenrolou entre eles, excluindo Leni.

– Marge Gorda, Thelma e Tica estão aqui. Clyde está cuidando de seus animais.

– Obrigada – disse a mãe.

– Como está Matthew? – perguntou Leni, esforçando-se para se sentar, respirando com dificuldade por causa da dor no peito.

– Ele está em coma induzido. Há um problema com seu cérebro, algo chamado ruptura, e pode ficar paralítico. Vão tentar acordá-lo. Ver se ele consegue respirar sozinho, mas não acham que vá conseguir.

– Eles acham que ele vai morrer quando o desconectarem?

O Sr. Walker assentiu.

– Ele ia gostar que você estivesse lá, acho.

– Ah, Tom – falou a mãe. – Não sei. Ela está machucada, e vai ser demais para ela ver.

– Não vou me esquivar disso, mãe – disse Leni e desceu da cama.

O Sr. Walker a tomou pelo braço e a firmou.

Leni olhou para ele.

– Eu sou a razão por ele estar machucado. Ele tentou me salvar. É minha culpa.

– Ele não podia fazer outra coisa, Leni. Não depois do que aconteceu com a mãe dele. Conheço meu filho. Mesmo que ele soubesse o preço, teria tentado resgatá-la.

Leni desejou que isso a fizesse se sentir melhor, mas não fez.

– Ele ama você, Leni. Fico feliz que ele tenha encontrado o amor.

O Sr. Walker já estava falando como se Matthew estivesse morto.

Ela deixou que ele a conduzisse para fora do quarto e pelo corredor. Sentiu a mãe às suas costas; de vez em quando, ela estendia a mão e passava as pontas dos dedos pela parte de baixo das costas de Leni.

Eles entraram no quarto de Matthew. Alyeska já estava lá, de costas para a parede.

– Oi, Len – cumprimentou ela.

Len.

Igual ao irmão.

Alyeska abraçou Leni. Elas não se conheciam bem, mas a tragédia criou uma espécie de elo entre as duas.

– Ele teria tentado salvar você em qualquer situação. É quem ele é.

Leni não conseguiu responder.

A porta se abriu e três pessoas entraram no quarto, arrastando equipamentos com elas. À frente estava um homem de jaleco branco; atrás dele vinham duas enfermeiras de uniforme laranja.

– Vocês precisam ficar ali – indicou o médico para Leni e a mãe. – Menos você, pai. Você pode ficar perto da cama.

Leni foi até a parede e se apoiou nela. Não havia quase nenhuma distância entre ela e Alyeska, mas parecia um oceano; em uma das margens, a irmã que o amava, na outra, a garota que tinha sido a causa de sua queda. Alyeska estendeu o braço e segurou a mão de Leni.

A equipe médica se movia com eficiência em torno da cama de Matthew, assentindo e falando uns com os outros, tomando notas, verificando máquinas, registrando sinais vitais.

Então o médico disse:

– Podemos?

O Sr. Walker se abaixou, sussurrou algo no ouvido de Matthew e beijou sua testa enfaixada, murmurou palavras que Leni não pôde ouvir. Quando se afastou, estava chorando. Virou-se para o médico e assentiu.

Lentamente, o tubo foi retirado da boca de Matthew.

Um alarme soou.

Leni ouviu Alyeska dizer:

– Vamos, Mattie. Você consegue.

Ela se afastou da parede, deu um passo à frente e levou Leni com ela.

– Você é um garoto forte. *Lute* – incentivou o Sr. Walker.

Um alarme tocou.

Bip. Bip. Bip.

As enfermeiras trocaram um olhar significativo.

Leni não devia falar, mas não havia como se conter.

– Não nos deixe, Matthew... Por favor...

O Sr. Walker lançou para Leni um olhar terrível e agoniado.

Matthew respirou fundo, engasgando, ofegando.

O alarme silenciou.

– Ele está respirando sozinho – declarou o médico.

Ele está de volta, pensou Leni com um alívio incrível. *Ele vai ficar bem.*

– Graças a Deus! – exclamou o Sr. Walker com um suspiro.

– Não criem muita esperança – falou o médico, e o quarto ficou em silêncio. – Matthew pode respirar sozinho, mas nunca acordar. Pode ficar em estado vegetativo. Se acordar, pode ter uma deficiência cognitiva importante. Respirar é uma coisa. Viver é outra.

– Não diga isso – disse Leni muito baixo para que qualquer um ouvisse. – Ele pode ouvi-lo.

– Ele *vai* ficar bem – murmurou Aly. – Ele vai acordar, sorrir e dizer que está com fome. Sempre está com fome. Vai querer um de seus livros.

– Ele é um guerreiro – acrescentou o Sr. Walker.

Leni não podia dizer nada. A onda que sentiu quando ele respirou pela primeira vez tinha passado. Era como chegar ao topo de uma montanha-russa: havia um nanossegundo de puro êxtase antes de mergulhar de cabeça no medo.

– Você vai ter alta hoje – disse a mãe enquanto Leni olhava para a televisão suspensa na parede em seu quarto de hospital, que passava uma série.

Leni apertou o botão de desligar. Passara anos desejando poder assistir à TV. Agora não podia se importar menos.

Na verdade, tinha dificuldade em se importar com qualquer coisa além de Matthew. Era impossível acessar suas emoções.

– Eu não quero ir.
– Eu sei – disse a mãe, acariciando seu cabelo. – Mas nós temos que ir.
– Para onde vamos?
– Para casa. Mas não se preocupe: seu pai está na cadeia.
Casa.
Quatro dias antes, quando estava naquela fenda com Matthew, aferrando-se à possibilidade de serem resgatados antes que ele morresse em seus braços, ela dissera a si mesma que eles iam ficar bem. Matthew ia ficar bom, eles iam para a faculdade juntos, e a mãe ia para Anchorage com eles, arrumaria um apartamento, talvez servisse bebidas no Chilkoot Charlie e ganharia boas gorjetas. Dois dias antes, quando ela os vira retirar o tubo da boca de Matthew e o vira respirar por conta própria, teve uma fração de segundo de esperança, então despencara nas pedras do *pode nunca acordar*.
Agora ela via a verdade.
Não haveria faculdade para ela e Matthew, nenhuma vida repaginada como um casal de jovens apaixonados comuns.
Não havia mais como mentir para si mesma nem sonhar com finais felizes. Tudo o que ela podia fazer era estar ali, ficar sempre ao lado de Matthew e continuar a amá-lo.
Acho que devemos ficar perto das pessoas que amamos. Foi o que ele disse, e era isso que ela ia fazer.
– Posso ver Matthew antes de ir?
– Não. Ele está com uma infecção na perna. Eles não deixam nem Tom chegar perto. Mas vamos voltar assim que pudermos.
– Está bem.
Leni não sentiu nada enquanto se vestia para ir para casa.
Nada.
Ela se arrastou pelo corredor ao lado da mãe, o braço engessado junto do corpo, meneando a cabeça para as enfermeiras que se despediam dela.
Leni sorriu em agradecimento? Achava que não. Mesmo uma coisa pequena assim estava além dela. A tristeza era diferente de qualquer emoção que já experimentara, sufocante, pesada. Tirava a cor de todas as coisas.
Elas encontraram o Sr. Walker na sala de espera principal, andando de um lado para outro, bebendo café preto em um copo de isopor. Alyeska estava sentada em uma cadeira ao lado dele, lendo uma revista. Quando elas entraram, os dois tentaram sorrir.
– Sinto muito – disse Leni para eles.
O Sr. Walker se aproximou. Tocou seu queixo e a forçou a olhar para cima.

– Chega disso. Nós alasquianos somos duros, certo? Nosso garoto vai sair dessa. Ele vai sobreviver. Você vai ver.

Mas não tinha sido o Alasca que quase o matara? Como um lugar podia ser tão vivo quanto o Alasca, tão belo e cruel?

Não. Não era culpa do Alasca. Era dela. Leni foi o segundo erro de Matthew. Alyeska chegou ao lado do pai.

– Não desista dele, Leni. Ele é um garoto durão. Ele superou a morte da mamãe. Vai passar por isso também.

– Como eu vou saber como ele está? – perguntou Leni.

– Vou fazer atualizações pelo rádio. *Peninsula Pipeline*. Transmissão das sete da noite. Ouça – disse o Sr. Walker. – Vamos levá-lo para casa assim que pudermos. Ele vai se recuperar melhor perto de nós.

Leni assentiu, entorpecida.

A mãe a levou para a caminhonete e as duas entraram.

Durante a longa viagem de volta para casa, a mãe tagarelou, nervosa. Apontou para a maré extremamente baixa em Turnagain Arm, os carros estacionados na Bird House Tavern no meio do dia e a multidão pescando no rio Russian – eles chamavam aquilo de pescaria de combate, pois as pessoas ficavam muito juntas. Leni costumava adorar essa viagem. Ela procurava nas montanhas pontos brancos – os carneiros-de-dall – e vasculhava a enseada à procura de belugas reluzentes e misteriosas que às vezes apareciam.

Agora, estava apenas sentada com a mão boa apoiada no colo.

Em Kaneq, elas saíram da balsa, seguiram pela rampa de metal texturizado e passaram pela velha igreja russa.

Leni tomou cuidado de não olhar para a taberna quando passaram. Mesmo assim, ela viu a placa de FECHADO na porta e as flores depositadas à sua frente. Nada mais tinha mudado. Elas seguiram de carro até o fim da estrada e entraram na propriedade pelo portão aberto. Ali, a mãe estacionou em frente à cabana e saiu. Ela deu a volta até a lateral de Leni e abriu a porta.

Leni deslizou para o lado, grata pela pegada firme da mãe enquanto caminhavam pela grama alta. As cabras berraram, amontoadas, e ficaram paradas em um aglomerado perto do portão de tela de arame.

Dentro da cabana, a luz amanteigada de agosto entrava pelas janelas sujas, densa com partículas de poeira.

A cabana estava impecável. Nenhum vidro quebrado, nenhuma lanterna caída no chão, nenhuma cadeira virada. Nenhum sinal do que havia acontecido ali.

E tinha um cheiro bom, de carne assando. Quase no instante em que Leni percebeu o cheiro, o pai saiu do quarto.

A mãe arfou.

Leni não sentiu nada, certamente não surpresa.

Ele estava parado ali diante delas, seu cabelo comprido preso em um rabo de cavalo torto. Seu rosto estava machucado, um pouco deformado. Um olho estava preto. Ele usava a mesma roupa com que Leni o vira pela última vez e havia marcas de sangue seco em seu pescoço.

– V-você saiu – disse a mãe.

– Você não prestou queixa – respondeu ele.

O rosto da mãe ficou vermelho. Ela não olhou para Leni.

Ele se moveu na direção de Cora.

– Porque me ama e sabia que eu não tinha a intenção de fazer nada daquilo. Você sabe quanto estou arrependido. Não vai acontecer de novo – prometeu ele enquanto estendia o braço em sua direção.

Leni não sabia se era medo, amor, hábito ou uma combinação venenosa de todos os três, mas a mãe estendeu a mão também. Seus dedos pálidos se entrelaçaram aos dele, sujos, e se curvaram para se segurarem.

O pai a puxou em seus braços, apertou-a com tanta firmeza que ele devia estar pensando que eles seriam levados, um sem o outro. Quando finalmente se afastaram, ele se voltou para Leni.

– Eu soube que ele vai morrer. Sinto muito.

Sinto muito.

Então Leni sentiu uma coisa, uma mudança sísmica em seu jeito de pensar; como o degelo de primavera, uma mudança na paisagem, uma ruptura violenta, imediata. Ela não tinha mais medo desse homem. Ou, se tivesse, o medo estava submerso fundo demais para ser notado. Tudo o que sentia era ódio.

– Leni? – chamou ele, franzindo a testa. – Sinto muito. Diga alguma coisa.

Ela viu o que seu silêncio fazia com ele, como destruía sua confiança, e naquele momento decidiu: nunca mais voltaria a falar com o pai. Que a mãe voltasse àquilo, que tornasse a se emaranhar na trama tóxica que era sua família. Leni só ia ficar pelo tempo que fosse preciso. Assim que Matthew melhorasse, iria partir. Se essa era a vida que a mãe tinha escolhido para si, que fosse. Leni ia embora.

Assim que Matthew estivesse melhor.

– Leni? – chamou a mãe com a voz incerta.

Ela também estava confusa e assustada com essa mudança em Leni. Sentiu uma perturbação que podia mover os continentes de seu passado.

Leni passou pelos dois, subiu desajeitadamente no mezanino e se enfiou na cama.

Querido Matthew,

Na verdade, nunca tinha sentido o peso da tristeza, como ela é desconfortável como um suéter velho e molhado. Cada minuto que se passa sem notícias suas, sem esperança de notícias suas, parece um dia, cada dia parece um mês. Quero acreditar que um dia você simplesmente vai se sentar e dizer que está com fome, que vai jogar as pernas para fora da cama, se vestir e vir me buscar, talvez me carregar para a cabana de caça de sua família, onde vamos nos enfiar embaixo de peles e nos amar outra vez. Esse é o grande sonho. Por mais estranho que pareça, não dói tanto quanto o pequeno sonho, que é apenas que você abra os olhos.

Sei que o que aconteceu conosco foi minha culpa. Me conhecer destruiu sua vida. Ninguém pode negar isso. Eu, com minha família problemática, com meu pai, que queria matá-lo por me amar e que bate em minha mãe por saber disso.

Meu ódio por ele é um veneno que me queima por dentro. Toda vez que olho para ele algo em meu interior endurece. Me assusta quanto eu o odeio. Não falo com ele desde que voltei. Sei que ele não gosta disso.

Honestamente, não sei o que fazer com todas essas emoções. Estou furiosa, estou desesperada, estou triste de um jeito que nunca soube que era possível.

Não há escape para meus sentimentos, nenhuma válvula para contê-los. Ouço o rádio toda noite às sete. Ontem seu pai transmitiu como você está. Sei que você saiu do coma e não está paralisado e tento fazer com que isso seja bom o suficiente, mas não é. Sei que você não pode andar nem falar, e seu cérebro deve ter sofrido danos irreparáveis. Foi isso que as enfermeiras disseram.

Nada disso muda como me sinto. Eu te amo.

Estou aqui. Esperando. Quero que você saiba disso. Vou esperar para sempre.

Leni

Leni estava sentada na proa do bote de pesca, debruçada, passando os dedos nus pela água fria, vendo-a ondular e se unir. O gesso em seu outro braço parecia muito branco contra seu jeans sujo. Suas costelas quebradas faziam com que ela tivesse consciência de cada respiração.

Ela podia ouvir os pais conversando baixinho; a mãe estava fechando o isopor, agora cheio de peixes prateados. O pai ligou o motor.

O barco a motor partiu; sua proa se elevou enquanto eles corriam para casa.

Em sua praia, o barco subiu triturando seixos e areia, fez um som como de linguiça fritando em uma frigideira de ferro fundido. Leni saltou na água na altura dos tornozelos, pegou o cabo puído com a mão boa e puxou o bote. Amarrou-o a um tronco grande e sem galhos levado pelas marés que estava angulado na praia e voltou para buscar a rede de metal gotejante.

– Foi um belo salmão-prateado que sua mãe pegou – disse o pai para ela. – Acho que ela é a grande vencedora do dia.

Leni o ignorou. Jogou a bolsa de equipamento sobre o ombro e subiu os degraus, seguindo lentamente seu caminho até terra seca.

Ao chegar lá, guardou o equipamento e seguiu na direção dos cercados dos animais para verificar se tinham água. Ela alimentou as cabras e as galinhas, ficou para virar a compostagem no latão, então começou a pegar água no rio. Levou mais tempo com apenas um braço forte. Ficou do lado de fora o máximo possível, mas por fim teve que entrar.

A mãe estava na cozinha fazendo o jantar: salmão recém-pescado frito, banhado com manteiga caseira de ervas, vagens fritas em gordura de alce preservada e uma salada de alface e tomates recém-colhidos.

Leni arrumou a mesa e se sentou.

O pai se acomodou à sua frente. Ela não ergueu os olhos, mas ouviu as batidas das pernas da cadeira na madeira, o rangido do assento quando ele se acomodou. Ela sentiu o cheiro da combinação familiar de transpiração, peixe e fumaça de cigarro.

– Eu estava pensando que podíamos ir à enseada Bear amanhã, colher blueberries. Sei quanto você gosta disso.

Leni não olhou para ele.

A mãe chegou ao lado dela, segurando uma travessa de latão com o peixe de pele crocante, com vagens verde-vivo arrumadas ao lado. Ela fez uma pausa, em seguida a pôs no meio da mesa ao lado de uma velha lata de sopa cheia de flores.

– Seu favorito – disse para a filha.

– Aham – murmurou a moça.

– Mas que droga, Leni! – exclamou o pai. – Não aguento essa sua depressão. Você fugiu. O garoto caiu. O que está feito está feito.

Leni o ignorou.

– Diga alguma coisa.

– Leni, por favor – pediu a mãe.

O pai empurrou a mesa para se levantar e saiu irritado da cabana, batendo a porta às suas costas.

A mãe se afundou em sua cadeira. Leni podia ver como ela estava cansada, como suas mãos tremiam.

– Você precisa parar com isso, Leni. Está aborrecendo seu pai.

– E daí?

– Leni... Você vai embora em breve. Ele agora vai deixá-la ir para a faculdade. Está se sentindo péssimo com o que aconteceu. Podemos fazer com que ele concorde. Você pode ir. Como queria. Tudo o que precisa fazer é...

– Não! – disse ela com mais força do que era sua intenção e viu o efeito que seu grito teve na mãe, como ela se contraiu instintivamente.

Leni queria se importar por estar assustando a mãe, mas não conseguia. A mãe decidira procurar um tesouro cavando a terra do amor tóxico e poroso do pai, mas não Leni. Não mais.

Ela sabia o que seu silêncio estava fazendo com ele, como isso o deixava com raiva. Cada hora que não lhe respondia, o pai ficava mais agitado e irascível. Mais perigoso. Ela não se importava.

– Ele te ama – disse a mãe.

– Aham.

– Você está acendendo um pavio, Leni. Sabe disso.

Leni não conseguia dizer à mãe quanto estava com raiva, os dentes pequeninos e afiados que a corroíam todo o tempo, arrancando um pouco mais dela cada vez que olhava para o pai. Ela se afastou da mesa e foi para o mezanino escrever para Matthew, tentando não pensar na mãe sentada ali embaixo completamente sozinha.

Querido Matthew,

Estou tentando não perder a esperança, mas você sabe quanto isso sempre foi difícil para mim. Esperança, quero dizer. Faz quatro dias desde que o vi pela última vez. Parece uma eternidade.

É estranho... Agora que a esperança se tornou tão evasiva e duvidosa, percebo que todos esses anos, quando eu era uma criança achando que não acreditava na esperança, na verdade estava vivendo dela. Minha mãe me alimentava com uma dieta constante de ele está tentando *e eu a devorava como um cachorro faminto. Todo dia eu acreditava nela. Quando ele sorria para mim, me dava um suéter ou perguntava como tinha sido meu dia, eu pensava: Viu? Ele se importa. Mesmo depois que eu o vi bater nela pela primeira vez, ainda deixei que ela definisse o mundo para mim.*

Agora tudo isso acabou.

Talvez ele seja doente. Talvez o Vietnã tenha acabado com ele. E talvez tudo isso sejam desculpas dispostas aos pés de um homem que está apenas apodrecendo por dentro.

Não sei mais e, por mais que eu tente, não consigo me importar.

Não me resta esperança por ele. A única esperança à qual posso me aferrar é por você. Por nós.

Ainda estou aqui.

VINTE E TRÊS

Caro diretor de admissões:
Universidade do Alasca, Anchorage

Sinto muito dizer que não conseguirei frequentar as aulas na universidade neste período.
Espero – embora tenha dúvidas – que no semestre de inverno haja uma mudança em minha condição.
Serei para sempre grata por minha aceitação e espero que outro estudante de sorte possa ocupar minha vaga.
Atenciosamente,
Lenora Allbright

Em setembro, ventos frios sopraram forte pela península. A escuridão começou sua marcha lenta e implacável. Em outubro, o período no Alasca que lembrava outono tinha passado. Toda noite às sete, Leni se sentava perto do rádio com o volume alto, com explosões de estática, tentando ouvir a voz do Sr. Walker, esperando notícias de Matthew. Mas, semana após semana, não houve melhora.

Em novembro, a precipitação se transformou em neve, leve no início, plumas flutuando do céu branco. O chão enlameado congelou, ficou duro como granito, escorregadio, mas logo havia uma camada de branco sobre tudo, uma espécie de novo começo, uma camuflagem de beleza sobre o que quer que houvesse escondido por baixo.

E Matthew ainda não era Matthew.

Em uma tarde congelante que se seguiu à primeira tempestade forte da estação, Leni terminou suas tarefas em uma escuridão negra como fuligem e voltou para a cabana. Lá dentro, ignorou os pais e parou em frente ao fogão a lenha, com as mãos estendidas diante do calor. Com cautela, flexionou os dedos da mão esquerda. O braço ainda estava fraco, de algum modo estranho, mas era um alívio estar sem o gesso.

Ela se virou e viu o próprio reflexo na janela. Um rosto pálido e magro com um queixo pontudo. Tinha perdido peso desde o acidente e raramente se dava ao trabalho de tomar banho. A tristeza perturbara tudo – seu apetite, seu estômago, seu sono. Ela parecia mal. Esgotada e exausta. Com bolsas sob os olhos.

Foi até o rádio exatamente às 18h55 e o ligou.

Através do alto falante, ouviu a voz do Sr. Walker, firme como uma traineira em mares calmos:

– Para Leni Allbright em Kaneq: estamos transferindo Matthew para um local de tratamento de longo prazo em Homer. Você pode visitá-lo na terça-feira à tarde. Chama-se Centro de Reabilitação Península.

– Eu vou vê-lo – disse Leni.

O pai estava amolando sua *ulu*. Ele parou.

– De jeito nenhum.

Leni não olhou para ele nem piscou.

– Mãe, diga a ele que, se quiser me impedir, vai ter que atirar em mim.

Ela ouviu a mãe respirar fundo.

Segundos se passaram. Leni sentiu a raiva e a incerteza do pai. Podia sentir sua batalha interna sendo travada. Ele queria explodir, impor sua vontade, bater em alguma coisa, mas ela estava falando a sério, e ele sabia disso.

Ele bateu no bule, jogando-o longe, e murmurou algo que elas não conseguiram ouvir direito. Então ele xingou, jogou as mãos para o alto e recuou, tudo em um único movimento brusco.

– Vá – falou. – Vá ver o garoto, mas termine suas tarefas primeiro. E você. – Ele se virou para a mãe, apontou um dedo para ela e o pressionou em seu peito. – Ela vai *sozinha*. Está me ouvindo?

– Estou ouvindo – respondeu a mãe.

A terça-feira enfim chegou.

– Ernt – disse a mãe depois do almoço. – Leni precisa de uma carona até a cidade.

– Diga a ela para pegar a motoneve velha, não a nova. E para estar de volta antes do jantar. – Ele olhou para Leni. – Estou falando sério. Não me faça ir procurar você.

Puxando suas armadilhas de animais dos ganchos na parede, ele saiu e bateu a porta às suas costas.

A mãe avançou, olhando desconfiada para trás. Pôs dois papéis dobrados na mão de Leni.

– Cartas. Para Thelma e Marge.

Leni pegou as cartas e assentiu.

– Não seja estúpida, Leni. Esteja de volta antes do jantar. Esses portões podem se fechar de novo a qualquer momento. Só estão abertos porque ele se sente mal pelo que fez e está tentando ser bom.

– Como se eu me importasse.

– *Eu* me importo. E você devia se importar por *mim*.

Leni sentiu a dor de seu egoísmo.

– É.

Do lado de fora, Leni se virou na direção do vento e caminhou penosamente pela neve.

Quando terminou de alimentar os animais, puxou a ignição na motoneve e subiu a bordo.

Na cidade, reduziu diante da entrada da doca da baía e estacionou. Um táxi aquático estava à espera dela. A mãe o chamara pelo rádio amador. O mar estava muito agitado para ir de bote.

Leni pendurou a mochila no ombro e desceu a rampa escorregadia e congelada até a doca.

O capitão do táxi aquático acenou para ela. Leni sabia que ele não ia lhe cobrar pela viagem. Era apaixonado pelo molho de cranberry da mãe. Todo ano ela preparava duas dúzias de vidros só para ele. Era isto que os moradores locais faziam: trocas.

Leni deu um vidro a ele e subiu a bordo. Ao se sentar no banco na traseira, olhando para a cidade empoleirada em palafitas sobre a lama, ela disse a si mesma para não ter nenhuma esperança nesse dia. Sabia da condição de Matthew, tinha ouvido as palavras com tanta frequência que haviam marcado um sulco em sua consciência: *Dano cerebral.*

Mesmo assim, à noite, depois de escrever sua carta diária para Matthew, ela muitas vezes pegava no sono e sonhava que era uma coisa tipo Bela Adormecida, um feitiço sombrio que o beijo do amor verdadeiro poderia desfazer. Ela podia se casar com ele e torcer para que seu amor o acordasse.

Quarenta minutos depois, após uma travessia acidentada e com muitos respingos da baía de Kachemak, o táxi aquático parou na doca e Leni saltou.

Nesse dia de inverno congelante, a neblina cobria a linha costeira do Homer

Spit. Havia apenas alguns moradores locais ao ar livre, e nenhum turista. A maioria dos negócios estava fechada para a estação.

Ela saiu da estrada e começou a subida até Homer propriamente dita. Tinham dito a ela que, se chegasse à casa com o barco rosa no quintal e decorações de Quatro de Julho ainda montadas, tinha ido longe demais na Wardell.

O centro de recuperação ficava nos limites da cidade, em um terreno cheio de mato com um estacionamento de cascalho.

Ela parou. Uma enorme águia-de-cabeça-branca estava empoleirada em um poste telefônico, observando-a, seus olhos dourados brilhando na penumbra.

Leni se forçou a avançar, entrou no prédio, falou com a recepcionista e seguiu suas instruções até o quarto no fim do corredor.

Ali, diante da porta fechada, parou, respirou fundo para se firmar e abriu a porta.

O Sr. Walker estava parado junto à cama. Com a entrada de Leni, ele se virou. Parecia outra pessoa. Três meses o haviam murchado; seu suéter e seu jeans estavam largos. Ele tinha deixado crescer uma barba que era metade branca.

– Oi, Leni.

– Oi.

Seu olhar foi direto para a cama.

Matthew estava deitado, preso com correias. Havia algo semelhante a uma gaiola em torno de sua cabeça careca, *preso* com parafusos; eles haviam perfurado seu crânio. Ele parecia esquelético e velho, como uma ave depenada. Pela primeira vez ela viu seu rosto, coberto de cicatrizes vermelhas. Uma dobra de pele franzida puxava um dos cantos de seu olho para baixo. Seu nariz estava achatado.

Ele jazia imóvel, de olhos abertos, a boca inerte. Um fio de baba escorria de seu lábio inferior.

Leni foi até a cama e parou ao lado do Sr. Walker.

– Achei que ele estivesse melhor.

– Ele está melhor. Às vezes juro que ele olha direto para mim.

Leni se debruçou sobre ele.

– O-oi, Matthew.

Matthew gemeu, balbuciou. Palavras que não eram palavras, apenas sons e grunhidos como os de um macaco. Leni recuou. Ele parecia sentir raiva.

O Sr. Walker pôs a mão sobre a de Matthew.

– É Leni, Matthew. Você conhece Leni.

Matthew gritou. Foi um som desolador que a lembrou um animal preso em uma armadilha. Seu olho direito girou na órbita.

– Uaaaaaa.

Leni olhou para ele. Isso não era *melhor*. Não era Matthew, não essa casca de pessoa que gritava e gemia.

– Blaaaaaa – gemeu Matthew e seu corpo se contorceu.

Um cheiro horrível se seguiu.

O Sr. Walker tomou Leni pelo braço e a tirou do quarto.

– Susannah – disse Tom para a enfermeira. – Ele precisa trocar a fralda.

Leni teria desmoronado se o Sr. Walker não a ajudasse a se manter de pé. Ele a conduziu a uma sala de espera com máquinas de bebidas e guloseimas e a pôs em uma cadeira. Sentou-se ao lado dela.

– Não se preocupe com os gritos. Ele faz isso o tempo todo. Os médicos dizem que é puramente físico, mas eu acho que é frustração. Matthew está ali dentro... em algum lugar. E está sofrendo. Vê-lo desse jeito e não conseguir ajudar está me matando.

– Eu poderia me casar com ele e cuidar dele.

Em seus sonhos, ela havia imaginado isso, estar casada, cuidando dele, seu amor o trazendo de volta.

– Isso é muito gentil, Leni, e me diz que Matthew ama a garota certa, mas ele pode nunca mais sair daquela cama nem conseguir dizer "Sim".

– Mas as pessoas se casam, pessoas feridas, que não conseguem falar e estão morrendo. Não casam?

– Não garotas de 18 anos com a vida inteira pela frente. Como está sua mãe? Ouvi dizer que ela aceitou seu pai de volta.

– Ela sempre o aceita de volta. Eles são como ímãs.

– Estamos todos preocupados com vocês duas.

– É. – Leni suspirou.

Que bem a preocupação lhe fizera? Só a mãe podia mudar a situação, e ela se recusava a fazer isso.

No silêncio que se seguiu a esse comentário sem resposta, o Sr. Walker levou a mão ao bolso e pegou um pequeno pacote embrulhado em jornal. FELIZ ANIVERSÁRIO, LENI estava escrito com caneta vermelha.

– Alyeska encontrou isso no quarto de Mattie. Acho que ele comprou para você... antes.

– Ah. – Foi tudo o que ela conseguiu dizer.

Seu aniversário tinha sido esquecido em meio a todo o drama desse ano. Ela pegou o presente e olhou fixamente para ele.

A enfermeira saiu do quarto de Matthew. Pela porta aberta, Leni ouviu Matthew gritando.

– Waaaa... Na... cher...

– A sequela é... grave, garota. Não vou mentir. Lamentei que você tenha decidido não ir para a faculdade.

Ela enfiou o presente no bolso de sua parca.

– Como eu poderia? Devíamos ser nós dois.

– Ele ia querer que você fosse. Você sabe disso.

– Não sabemos mais o que ele quer, sabemos?

Ela se levantou e voltou para o quarto de Matthew. Ele estava deitado rígido, os dedos flexionados. Os parafusos em sua cabeça e as cicatrizes em seu rosto lhe davam uma aparência de Frankenstein. Seu olho bom estava fixo à frente, embotado, sem se virar para ela.

Leni se inclinou e pegou-lhe a mão. Era um peso morto. Ela a beijou e disse:

– Eu te amo.

Ele não respondeu.

– Eu não vou a lugar nenhum – prometeu ela com a voz embargada. – Sempre estarei aqui. Esta sou eu, Matthew, descendo para salvar você. Como você fez por mim. Você fez isso, sabia? Você me salvou. Eu estou aqui, ao lado do cara que eu amo. Espero que você escute isso.

Ela ficou horas ao lado dele. De vez em quando, ele gritava e se debatia. Duas vezes, Matthew chorou. Por fim, pediram que ela saísse para darem banho nele.

Só mais tarde, depois de fazer sinal para o táxi aquático e subir a bordo, enquanto ouvia o casco do barco bater nas ondas encapeladas, com água respingando em seu rosto, ela percebeu que não tinha se despedido do Sr. Walker. Simplesmente atravessara o centro de tratamento e saíra, passara por um homem parado diante de um barraco mantido de pé com fita adesiva e forro de plástico, por um grupo de crianças jogando bola no pátio da escola, usando roupas de camuflagem ártica, por uma velha mulher nativa caminhando com dois huskies e um pato – todos na coleira.

Ela achou que havia chorado por Matthew, secado todas as lágrimas que tinha, mas agora via o deserto de sofrimento que havia à sua frente. Isso podia durar para sempre. O corpo humano era oitenta por cento água; isso significava que ela era literalmente feita de lágrimas.

Em Kaneq, quando ela desembarcou do táxi aquático, começou a nevar. A cidade emitia um leve zumbido: o som do grande gerador que agora abastecia as luzes novas. A neve caía como farinha peneirada sob o brilho da nova iluminação pública do Sr. Walker. Ela mal notou o frio enquanto caminhava na direção do armazém.

O sino tocou à sua entrada. Eram quatro e meia, tecnicamente ainda dia, mas a noite estava caindo depressa.

Marge Gorda vestia um casaco de camurça franjado até a coxa por cima de calças térmicas. Seu cabelo parecia pó de alumínio colado ao crânio. Em algumas partes, ela não tinha cabelo nenhum, áreas que raspara com demasiado zelo, expondo o couro cabeludo marrom, provavelmente porque não tinha espelho.

– Leni! Que surpresa agradável – disse ela com uma voz de buzina de neblina que teria espantado aves. – Sinto falta da melhor funcionária que já tive.

Leni viu compaixão em seus olhos escuros. Ela queria dizer *Vi Matthew*, mas, para seu horror, irrompeu em lágrimas.

Marge a conduziu até a caixa registradora, a sentou em um canapé antiquado e deu a ela um refrigerante.

– Acabei de ver Matthew – falou Leni, curvando-se para a frente.

Marge se sentou ao seu lado. O canapé rangeu raivosamente.

– É. Eu estive em Anchorage na semana passada. É difícil de ver. Isso está matando Tom e Aly também. Quanto sofrimento uma família pode suportar?

– Achei que um centro de reabilitação significasse que ele estava melhor. Pensei... – Ela suspirou. – Não sei o que pensei.

– Pelo que ouvi, ele não vai ficar melhor que isso. Pobre garoto.

– Ele estava tentando me salvar.

Marge ficou calada por um momento. No silêncio, Leni se perguntou se uma pessoa podia mesmo salvar outra ou se era o tipo de coisa que você tinha que fazer sozinho.

– Como está sua mãe? Ainda não acredito que ela deixou Ernt voltar.

– É. Os policiais não podem fazer nada se ela não fizer.

Leni não sabia mais o que dizer. Era impossível para alguém como Marge entender por que uma mulher como Cora ficava com um homem como Ernt. Devia ser fácil como uma equação de matemática primária: ele bate em você x ossos quebrados = deixá-lo.

– Tom e eu imploramos que sua mãe desse queixa. Acho que ela tem medo demais.

– É mais do que medo. – Leni estava prestes a dizer mais quando sentiu um embrulho no estômago. Achou que fosse vomitar. – Desculpe – disse quando a náusea passou. – Tenho me sentido péssima. Acho que a preocupação está me deixando fisicamente doente.

Marge ficou ali sentada por um bom tempo, em seguida se levantou.

– Espere aqui.

Ela deixou Leni sentada no canapé, respirando com cuidado. Caminhou na direção das prateleiras da loja, esbarrando em uma das armadilhas para animais penduradas na parede.

Leni não parava de repassar a cena com Matthew, ouvir seus gritos, ver seu olho girar na órbita. *Ele precisa trocar a fralda.*

Culpa dela. Tudo isso.

Marge voltou, com as botas de borracha rangendo no chão coberto de serragem.

– Acho que você pode precisar disso. Sempre guardo um no estoque.

Leni olhou para baixo e viu a caixa fina na palma da mão de Marge.

E, de repente, sua vida ficou ainda pior.

No escuro de uma noite que caíra cedo, Leni foi do banheiro externo para a cabana sob um céu de veludo azul iluminado por estrelas. Era uma daquelas noites alasquianas vibrantes e de céu límpido, que pareciam de outro mundo. O luar refletia na neve e fazia o mundo brilhar.

Dentro da cabana, ela trancou a porta às suas costas e parou diante da fileira de parcas, suéteres e capas de chuva, a caixa de luvas e gorros a seus pés; incapaz de se mexer, pensar, sentir.

Até esse momento, esse segundo, ela teria dito que azul era sua cor favorita. Um pensamento estúpido, mas ali estava ele. Azul. A cor da manhã, do crepúsculo, das geleiras e rios, da baía de Kachemak, dos olhos de sua mãe.

Agora azul era a cor de uma vida arruinada.

Ela não sabia o que fazer. Não havia uma boa resposta. Era esperta o suficiente para saber disso.

E burra o bastante para estar nessa situação.

– Leni?

Ela ouviu a voz da mãe, reconheceu o tom preocupado, mas não importava. Leni sentiu a distância se estender entre elas. Era assim que as mudanças aconteciam, supôs: no silêncio de coisas não ditas e verdades não reconhecidas.

– Como estava Matthew? – perguntou a mãe.

Cora foi até a filha, tirou a parca de Leni, pendurou-a e a conduziu até o sofá, mas nenhuma das duas se sentou.

– Ele nem é ele mesmo – respondeu a garota. – Não consegue pensar, falar nem andar. Não olhou para mim, só gritou.

– Mas ele não está paralítico. Isso é bom, certo?

Era o que Leni tinha pensado também. Mas qual a vantagem de conseguir se mover se você não conseguia pensar, ver ou falar? Talvez tivesse sido melhor se ele houvesse morrido lá embaixo. Mais generoso.

Só que o mundo nunca era generoso, sobretudo com os jovens.

– Sei que você acha que é o fim do mundo, mas você é jovem. Vai se apaixonar outra vez e... O que é isso na sua mão?

Leni estendeu o punho, abriu os dedos e revelou o frasco fino em sua mão.

A mãe o pegou e o estudou.

– O que é isto?

– Um teste de gravidez. Azul significa positivo.

Ela pensou na cadeia de decisões que a levara até ali. Um desvio de 10 graus em qualquer ponto do caminho e tudo seria diferente.

– Deve ter acontecido na noite em que fugimos. Ou antes? Como se sabe uma coisa dessas?

– Ah, Leni...

O que Leni precisava agora era de Matthew. Precisava que ele fosse *ele*, inteiro. Então estariam juntos nisso. Se Matthew fosse Matthew, eles se casariam e teriam um bebê. Era 1978, pelo amor de Deus; talvez eles nem precisassem se casar. A questão era que podiam cuidar disso. Eram muito jovens e a faculdade teria que esperar, mas não seria a tragédia que era agora.

Como ela ia fazer aquilo sem ele?

– Não é como no meu tempo quando mandavam você embora por vergonha e as freiras levavam seu bebê – disse a mãe. – Você agora tem escolhas. É legal...

– Eu vou ter o bebê de Matthew.

Até esse momento, ela nem sabia que tudo isso já tinha passado por sua mente e que já havia decidido.

– Você não pode criar um bebê sozinha. Aqui.

– Você quer dizer com papai.

E ali estava ela: a coisa que tornava aquilo ainda pior. Leni carregava um bebê da família Walker. Seu pai ia surtar quando descobrisse.

– Não quero que ele chegue nem perto deste bebê – disse Leni.

A mãe tomou Leni em seus braços e a abraçou forte.

– Vamos dar um jeito – falou, acariciando seu cabelo.

Leni percebeu que a mãe estava chorando, e isso fez com que ela se sentisse ainda pior.

– O que houve? – perguntou o pai, sua voz trovejando alto.

A mãe saltou para trás, parecendo culpada. Suas bochechas brilhavam com lágrimas, seu sorriso era vacilante.

– Ernt! Você voltou.

Leni enfiou o frasco no bolso.

O pai estava parado junto da porta e abriu o zíper de seu macacão com isolamento térmico.

– Como está o garoto? Ainda um vegetal?

Leni nunca sentira tanto ódio. Empurrou a mãe para o lado e foi até ele, viu sua surpresa ao se aproximar dele e disse:

– Eu estou grávida.

Ela não viu o golpe chegando. Em um minuto estava ali parada, olhando para o pai, e, no instante seguinte, o punho dele atingiu seu queixo com tanta força que ela sentiu gosto de sangue. A cabeça dela foi jogada para trás, ela cambaleou, perdeu o equilíbrio, desabou sobre uma mesinha e caiu no chão. Ao tombar, pensou, estranhamente: *Ele é muito rápido.*

– Ernt, não! – gritou a mãe.

O pai desafivelou o cinto, tirou-o e foi para cima de Leni.

Ela tentou se levantar, mas sua cabeça estava retinindo, e ela se sentia tonta. Sua visão estava embaçada.

O primeiro golpe de seu cinto a atingiu no rosto, abrindo a pele. Leni gritou e tentou se afastar.

Ele bateu nela outra vez.

A mãe se jogou sobre o pai, arranhando seu rosto. Ele a empurrou para longe e foi atrás de Leni outra vez.

Ernt a puxou de pé e deu um tapa em seu rosto com as costas da mão. Ela ouviu a cartilagem estalar, estourar. Sangue jorrou de seu nariz. Leni cambaleou para trás, protegendo instintivamente a barriga quando caiu de joelhos.

Uma arma disparou.

Leni ouviu o estampido alto e sentiu o cheiro de pólvora. Vidro se estilhaçou.

O pai estava ali parado, com as pernas bem afastadas, a mão ainda cerrada em um punho. Por um segundo, nada aconteceu; ninguém se mexeu. Então o pai caiu para a frente, na direção de Leni. Sangue jorrava de um ferimento em seu peito, manchando sua camisa. Ele pareceu confuso, surpreso.

– Cora? – disse ele, virando-se para ela.

A mãe estava parada atrás dele, com a arma ainda apontada.

– Não Leni – falou com voz firme. – Não a minha Leni.

Ela atirou nele outra vez.

VINTE E QUATRO

— $\mathcal{E}$le está morto – disse Leni.

Não que houvesse muita dúvida: a arma que a mãe escolhera podia matar um alce macho.

Leni percebeu que estava ajoelhada em uma poça gosmenta. Pedaços de osso e cartilagem pareciam larvas no sangue. Ar congelante entrava na sala através da janela quebrada.

A mãe largou a arma. Ela se moveu na direção do pai, com os olhos arregalados, a boca trêmula. Coçava nervosamente o pescoço, deixando a pele pálida marcada com riscos vermelhos.

Leni se levantou, desajeitada, e foi até a cozinha. Devia estar pensando *Estamos bem, ele se foi*, mas não sentia nada, nem mesmo alívio.

Seu rosto doía tanto que embrulhou seu estômago. O gosto de sangue lhe dava ânsia de vômito, e a cada respiração seu nariz emitia um som que lembrava um assobio. Ela molhou um pano, apertou-o sobre o rosto e limpou o sangue.

Como a mãe tinha suportado aquela dor tantas vezes?

Enxaguou o pano, torceu a água rosada e o umedeceu outra vez, em seguida voltou para a sala, que cheirava a fumaça do disparo, tecido e sangue.

A mãe estava ajoelhada no chão. Tinha puxado o pai para o seu colo e o balançava, chorando. Havia sangue por toda parte: em suas mãos, nos seus joelhos. Ela havia espalhado sangue até em seus olhos.

– Mãe?

Leni se abaixou e tocou seu ombro.

A mãe ergueu os olhos, piscando atordoada.

– Eu não sabia de que outra forma detê-lo.

– O que vamos fazer?

– Vá ao rádio amador. Chame a polícia – disse a mãe, com a voz sem vida.

A polícia. Finalmente. Depois de todos aqueles anos, elas iam obter alguma ajuda.

– Vamos ficar bem, mãe. Você vai ver.

– Não, não vamos, Leni.

Leni limpou sangue do rosto da mãe, como tinha feito tantas vezes antes. A mãe nem piscou.

– O que você quer dizer com isso?

– Eles vão dizer que foi assassinato.

– Assassinato? Mas ele estava nos batendo. Você salvou minha vida.

– Eu atirei nele pelas costas, Leni. Duas vezes. Júris e advogados de defesa não gostam de pessoas que atiram pelas costas. Está tudo bem. Eu não me importo. – Ela afastou o cabelo do rosto, deixando riscos de sangue. – Vá contar para a Marge Gorda. Ela é advogada, ou era. Vai cuidar disso. – A mãe parecia drogada; sua fala estava lenta. – Você vai ter seu novo começo. Vai criar seu bebê aqui no Alasca, entre nossos amigos. Tom vai ser como um pai para você. Eu sei disso. E Marge te adora. Talvez a faculdade ainda seja uma possibilidade. – Ela olhou para Leni. – Valeu a pena. Quero que saiba disso. Eu faria tudo por você outra vez.

– Espere. Você está falando de me *deixar*? De ser presa?

– Apenas vá chamar Marge.

– Você não vai para a prisão por matar um homem que todo mundo na cidade sabia que era abusivo.

– Eu não ligo. Você está em segurança. Isso é tudo o que importa.

– E se nos livrarmos dele?

A mãe piscou.

– Nos livrarmos dele?

– Podemos fingir que isso nunca aconteceu.

Leni ficou de pé. *Sim*. Essa era a resposta. Elas iam pensar em um jeito de apagar o que tinham feito. Então poderiam ficar ali, ela e a mãe, e viver entre seus amigos, naquele lugar que passaram a amar. O bebê seria amado por todos eles, e quando Matthew enfim melhorasse, Leni o estaria esperando.

– Isso não é tão fácil quanto parece, Leni.

– Aqui é o Alasca. Nada é fácil, mas somos duronas e, se você for para a prisão, vou ficar sozinha. Com um bebê para criar. Não posso fazer isso sem você. Eu *preciso* de você, mãe.

Após um momento, Cora disse:

– Teríamos que esconder o corpo, garantir que nunca fosse encontrado. O chão está muito congelado para enterrá-lo.

– É verdade.

– Mas, Leni – disse ela, o tom sem alteração –, você está falando de outro crime.

– Deixar que você seja chamada de assassina? *Isso* seria um crime. Você acha que vou confiar sua vida à lei? À *lei*? Você me falou que a lei não protege mulheres que sofrem abuso e estava certa. Ele não saiu da cadeia em poucos dias? A lei a protegeu dele? Não. *Nunca.*

– Tem certeza, Leni? Você vai ter que viver com isso.

– Eu posso viver com isso. Tenho certeza.

A mãe levou um tempo pensando, em seguida se soltou do corpo inerte e ensanguentado do marido e se levantou. Foi até seu quarto e saiu pouco depois vestindo calças com isolamento térmico e uma blusa de gola rulê. Jogou as roupas ensanguentadas em uma pilha ao lado do corpo dele.

– Eu volto o mais rápido que puder. Não abra a porta para ninguém além de mim.

– O que você quer dizer com isso?

– O primeiro passo é se livrar do corpo.

– E você acha que vou ficar aqui sentada enquanto você faz isso?

– *Eu* o matei. Eu vou fazer isso.

– E eu vou ajudar você a encobrir isso.

– Não temos tempo para discutir.

– Exatamente.

Leni tirou suas roupas ensanguentadas. Em instantes vestira a calça com isolamento térmico, a parca e as botas de frio, pronta para sair.

– Pegue as armadilhas dele – disse a mãe e saiu da cabana.

Leni pegou as armadilhas pesadas de seus ganchos na parede e as carregou para fora. A mãe já tinha prendido o grande trenó de plástico vermelho à motoneve. Era o que o pai usava para carregar madeira. Ele podia aguentar duas caixas de isopor grandes, muita madeira cortada e uma carcaça de alce.

– Ponha as armadilhas no trenó. Depois vá buscar a motosserra e a verruma.

Quando Leni voltou com as ferramentas, a mãe perguntou:

– Está pronta para a próxima parte?

Leni assentiu.

– Vamos buscá-lo.

Elas levaram trinta minutos para arrastar o corpo inerte do pai através do deque nevado, depois mais dez minutos para colocá-lo no trenó. Uma trilha de sangue na neve revelava seu caminho, mas em uma hora, com a neve caindo tão pesadamente, desapareceria. Com a chegada da primavera, as chuvas iriam lavá--la. A mãe cobriu o corpo com um encerado e o prendeu com cordas elásticas.

– Certo, então.

Leni e a mãe trocaram um olhar. Nele estava a verdade de que essa atitude, essa decisão, as mudaria para sempre. Sem palavras, a mãe deu a Leni uma chance de mudar de ideia.

Ela permaneceu firme. Iam se livrar do corpo, limpar a cabana e contar a todos que ele as havia deixado, que devia ter caído através do gelo enquanto caçava ou se perdido na neve. Ninguém ia questionar nem se importar. Todo mundo sabia que havia mil maneiras de desaparecer por ali.

Leni e a mãe iam finalmente – *finalmente* – viver sem medo.

– Certo, então.

A mãe puxou a corda para ligar a motoneve, em seguida assumiu seu lugar no assento para duas pessoas e acionou o acelerador. Encaixou uma máscara de neoprene sobre o rosto machucado e inchado e, com cuidado, botou o capacete. Leni fez o mesmo.

– Vai ser um inferno! – gritou a mãe acima do ronco do motor. – Vamos subir a montanha.

Leni subiu a bordo e passou os braços em torno da cintura da mãe.

Cora acelerou e elas partiram, seguindo pela neve virgem e passando pelos portões abertos. Viraram à direita na estrada principal e à esquerda na estrada que levava até a velha mina de cromo. A essa altura era noite profunda, nevava e fazia frio. O facho de luz do farol da motoneve indicava o caminho.

Com um clima daqueles, elas não precisavam se preocupar muito em serem vistas. Por mais de duas horas a mãe subiu a montanha. Onde a neve era profunda, seu toque no acelerador era leve. Elas subiram morros, desceram vales, atravessaram rios congelados e deram a volta em penhascos e rochas altivas. A mãe mantinha tão reduzida a velocidade da motoneve que era pouco mais rápido que caminhar; velocidade nesse momento não era seu objetivo. A invisibilidade, sim. E o trenó precisava permanecer estável.

Enfim chegaram a um pequeno lago no alto da montanha, margeado por árvores altas e penhascos de granito. Em algum momento na hora anterior, a neve tinha parado de cair e as nuvens haviam se afastado para revelar um céu noturno de veludo azul, coberto de redemoinhos de estrelas. A lua surgiu, como se para observar as duas mulheres em meio a toda aquela neve e gelo ou para prantear suas escolhas. Cheia e brilhante, reluzia sobre elas, sua luz refletida pela neve, parecendo se erguer na direção do céu, um brilho radiante iluminando a paisagem nevada.

Na claridade repentina da noite, elas agora estavam visíveis, duas mulheres na motoneve em um mundo prateado e branco brilhante com um cadáver em um trenó.

Na margem congelada do lago, a mãe deixou de acelerar e parou com um tremor. O zumbido de inseto do motor era o barulho mais alto ali. Abafava o som áspero da respiração de Leni através da máscara de neoprene e do capacete.

Será que o lago estava totalmente congelado? Não dava para ter certeza. Devia estar, em um ponto tão alto, mas também era cedo. Nem se passara metade do inverno. A neve se iluminava com o luar sobre o lago liso e congelado.

Leni se segurou mais firme.

A mãe mal acionou o acelerador, em seguida avançou devagar. Nesse escuro, as duas eram como astronautas, movendo-se por um mundo estranho e com uma iluminação incrível, como o espaço mais profundo, o som de gelo estalando em toda a sua volta. No centro do lago, a mãe desligou o motor. A motoneve deslizou e parou. A mãe desmontou. Os estalos estavam mais altos, insistentes, mas não o tipo de som que importava. Era apenas o gelo respirando; não quebrando.

A mãe tirou o capacete, pendurou-o no acelerador e removeu a máscara. Sua respiração saía em nuvens úmidas. Leni deixou seu capacete no assento.

Sob a luz prata, azul e branca da lua, cristais de gelo brilhavam pela superfície da neve, reluzindo como pedras preciosas.

Silêncio.

Apenas a respiração delas.

Juntas, puxaram o corpo do pai do trenó. Leni usou a pá de emergência para escavar um sulco na neve. Quando chegou ao gelo prateado vitrificado, guardou a pá e pegou a verruma e a motosserra. A mãe usou a verruma para abrir um buraco de 25 centímetros no gelo. Água com neve subiu e saltou pelo disco redondo.

Leni tirou a máscara e a enfiou no bolso, em seguida ligou a motosserra, um barulho excruciantemente alto ali.

Apontou a lâmina para baixo, enfiou-a no buraco e começou o longo e árduo processo de transformar o buraco em uma grande abertura quadrada no gelo.

Quando terminou, Leni estava suando muito. A mãe largou as armadilhas para animais ao lado do buraco, que caíram com um barulho metálico.

Então foi buscar o marido. Ela segurou suas mãos brancas e o arrastou até o buraco.

O corpo estava rígido e imóvel, o rosto branco e duro como uma escultura em marfim.

Pela primeira vez, Leni de fato pensou no que estavam fazendo. Na coisa ruim que haviam feito. Dali em diante, teriam que viver com o conhecimento de que eram capazes *disso*, de tudo isso. Matar, transportar um homem morto, encobrir um crime. Embora elas tivessem passado a vida encobrindo o que ele fazia, olhando para outro lado, fingindo, isso era diferente. Agora elas eram as criminosas, e o segredo que Leni tinha que proteger era dela também.

Uma pessoa boa sentiria vergonha. Em vez disso, ela estava com raiva. Com muita raiva.

Se ao menos tivessem ido embora anos antes, ou chamado a polícia, pedido ajuda. Qualquer pequena correção de curso por parte da mãe podia ter levado a um futuro em que não houvesse um homem morto sob o gelo entre elas.

A mãe separou as armadilhas e forçou as mandíbulas negras a se abrirem. Enfiou o antebraço do pai na boca. A armadilha se fechou com um ruído repentino de osso se quebrando. A mãe empalideceu, parecendo enjoada. Armadilhas quebraram as duas pernas do pai e se transformaram em pesos.

As luzes da aurora boreal surgiram no céu, cascatas de redemoinhos amarelos, verdes, vermelhos e roxos. Cores incríveis, mágicas; as luzes caíam como lenços de seda pelo céu, novelos amarelos, verde-néon, rosa-choque. A lua de brilho elétrico parecia assistir a tudo.

Leni baixou os olhos para o pai. Viu o homem que usava os punhos quando estava com raiva, viu o sangue em suas mãos e a posição ameaçadora de seu queixo. Mas viu também o outro homem, um que ela criara a partir de fotografias e de sua própria necessidade, o que as amava tanto quanto podia, e sua capacidade de amar fora destruída pela guerra. Leni pensou que talvez ele fosse assombrá-la. Não apenas ele, mas a ideia dele, a verdade triste e assustadora de que era possível amar e odiar a mesma pessoa ao mesmo tempo, que se podia sentir uma perda profunda e permanente, vergonha de suas próprias fraquezas, e ainda estar grata por essa coisa horrível ter sido feita.

A mãe caiu de joelhos ao lado dele e se debruçou.

– Nós te amávamos.

Ela olhou para a filha querendo – talvez precisando – que Leni dissesse a mesma coisa, que fizesse o que sempre tinha feito. Unha e carne.

Isso estava entre elas agora, os anos de gritos e surras, de medo... e sorrisos e risadas. O pai dizendo *Ei, Ruiva*, e implorando perdão.

– Adeus, pai! – Foi tudo o que Leni conseguiu dizer.

Talvez, com o tempo, essa não fosse sua última memória dele; talvez, com o tempo, ela se lembrasse da sensação de quando ele segurava sua mão ou caminhava pela praia com ela nos ombros.

A mãe o empurrou pelo gelo, para dentro do buraco aberto, as armadilhas fazendo um barulho metálico. Seu corpo mergulhou, jogando sua cabeça para trás.

Seu rosto olhou para elas, um camafeu na água escura e fria, pele branca ao luar, barba e bigode congelados. Bem devagar, ele afundou na água e desapareceu.

Não haveria traços dele no dia seguinte. O gelo ia se fechar muito antes de qualquer outra pessoa chegar até ali. Seu corpo ia congelar e ficar sólido e ser arrastado pelas armadilhas pesadas até o leito do lago. Com o tempo, ele ia descongelar, ser aquecido pela água e se tornar apenas ossos, e ossos podiam chegar à margem, mas os predadores provavelmente os encontrariam antes das autoridades. A essa altura, ninguém mais estaria procurando. Cinco em cada mil pessoas desapareciam no Alasca todo ano, se perdiam. Isso era um fato conhecido. Caíam em fendas, se perdiam em trilhas, se afogavam com a maré.

Alasca. A grande solidão.

– Você sabe o que isso nos torna – disse a mãe.

Leni estava parada ao seu lado, imaginando o corpo pálido e rígido do pai sendo arrastado pelo escuro. A coisa que ele mais odiava.

– Sobreviventes – respondeu Leni.

A ironia não passou despercebida. Era o que seu pai queria que elas fossem. *Sobreviventes.*

Leni não parava de repassar aquilo em sua mente, ver o último vislumbre do rosto do pai antes que ele fosse puxado pela água negra. A imagem ia assombrá-la pelo resto da vida.

Quando enfim voltaram à cabana, exaustas e congelando, Leni e a mãe tiveram que carregar lenha para alimentar o fogo. Leni jogou as luvas nas chamas. Em seguida ela e a mãe pararam em frente ao fogo, as mãos trêmulas esticadas na direção do calor. Por quanto tempo?

Quem podia saber? O tempo tinha perdido o significado.

Leni olhava de forma entorpecida para o chão. Havia uma lasca de osso perto de seu pé, outra na mesa de centro. Levaria a noite inteira para limpar aquilo, e ela temia que, mesmo que esfregassem todo o sangue, ele voltasse a brotar, borbulhando da madeira como se saído de uma história de terror. Mas tinham que começar.

– Precisamos limpar isso. Vamos dizer que ele desapareceu – instruiu Leni.

A mãe franziu a testa e mordiscou nervosamente o lábio inferior.

– Vá chamar Marge Gorda. Conte a ela o que eu fiz. – A mãe olhou para Leni. – Você me ouviu? Conte a ela o que *eu* fiz.

Leni assentiu e deixou a mãe sozinha para começar a limpeza.

Do lado de fora, nevava de leve outra vez, o mundo mais escuro, encoberto por nuvens. Leni caminhou com dificuldade até a motoneve e subiu a bordo. Flocos caíam como plumas, mudando de direção com o vento. Na propriedade de Marge, Leni virou à direita e mergulhou em um aglomerado denso de árvores, dirigiu por uma trilha sinuosa de marcas de pneu na neve.

Finalmente chegou a uma clareira: pequena, de formato oval, cercada por árvores brancas muito altas. A casa de Marge era uma iurta de lona e madeira. Como todos os moradores, Marge guardava tudo, por isso seu quintal era cheio de pilhas e montes de lixo cobertos de neve.

Leni estacionou em frente à iurta e saltou. Ela sabia que não precisava gritar uma saudação. O farol e o som da motoneve a haviam anunciado.

Como previsto, um minuto depois a porta da iurta se abriu. Marge saiu, usando um cobertor de lã como uma grande capa em torno do corpo. Ergueu a mão para encobrir os olhos da neve que caía.

– Leni? É você?

– Sou eu.

– Entre, entre – disse Marge, fazendo um gesto amplo com a mão.

Leni subiu os degraus e entrou.

Por dentro, a iurta era maior do que aparentava do lado de fora, e imaculadamente limpa. Lampiões emitiam uma luz amanteigada e o fogão a lenha despejava calor e soltava sua fumaça por um cano de metal que se projetava através de uma abertura construída com cuidado na coroa de lona da iurta.

As paredes eram construídas de ripas finas de madeira em um padrão entrelaçado intricado, com lona bem esticada por trás delas como uma elaborada anágua. O teto abobadado era sustentado por vigas. A cozinha tinha um tamanho médio e o quarto ficava acima, em uma área de mezanino de onde se via a sala de estar. Agora, no inverno, era aconchegante e reservada, mas no verão ela sabia que as janelas de lona tinham seus zíperes abertos para revelar telas que deixavam entrar enormes fachos de luz. Vento golpeava a lona.

Marge deu uma única olhada no rosto machucado e no nariz amassado de Leni, no sangue seco em suas bochechas, e disse:

– *Filho da puta.*

Ela puxou Leni em um abraço caloroso e a segurou ali.

– Esta noite foi ruim – falou Leni por fim, afastando-se.

A garota estava tremendo. Talvez a compreensão daquilo estivesse enfim chegando. Elas o haviam matado, quebrado seus ossos e o jogado na água...

– Cora está...?

– Ele está morto – contou Leni em voz baixa.

– Graças a Deus.

– Minha mãe...

– Não me conte nada. Onde ele está?

– Ele se foi.

– E Cora?

– Na cabana. Você disse que nos ajudaria. Acho que precisamos de ajuda agora para, você sabe, limpar. Mas não quero metê-la em encrenca.

– Não se preocupe. Vá para casa. Chegarei lá em dez minutos.

Marge já estava trocando de roupa quando Leni deixou a iurta.

De volta à cabana, ela encontrou a mãe parada perto da poça de sangue e tecido, olhando-a fixamente, seu rosto tomado por lágrimas, roendo a unha quebrada do polegar.

– Mãe? – chamou Leni, quase com medo de tocá-la.

– Ela vai nos ajudar?

Antes que Leni pudesse responder, viu um facho de luz pela janela, inundando-a, lançando a mãe na claridade. Leni percebeu a tristeza e o arrependimento da mãe bem evidentes.

Marge empurrou a porta da cabana e entrou. Vestida com um macacão com isolamento térmico, seu chapéu de carcaju e botas de esquimó de couro até a altura dos joelhos, ela deu uma rápida olhada ao redor, viu o sangue e o tecido e fragmentos de osso.

Foi até a mãe e a tocou com delicadeza no ombro.

– Ele partiu para cima de Leni – contou Cora. – Eu tive que atirar nele. Mas... eu atirei nele pelas costas, Marge. Duas vezes. Ele estava desarmado. Você sabe o que isso significa.

Marge deu um suspiro.

– Sei. Eles não dão a mínima para o que um homem faz ou quanto você está com medo.

– Nós o prendemos a pesos e o jogamos no lago, mas... Você sabe como as coisas são encontradas no Alasca. Todo tipo de coisa surge do chão durante o degelo.

Marge assentiu.

– Eles nunca vão encontrá-lo – interveio Leni. – Vamos dizer que ele fugiu.

– Leni, suba e arrume uma bolsa pequena – ordenou Marge. – Apenas o suficiente para passar a noite.

– Eu posso ajudar com a limpeza – disse a garota.

– Vá – insistiu Marge, séria.

Leni subiu para o mezanino. Às suas costas, ouviu a mãe e Marge conversando em voz baixa.

Escolheu levar o livro de poesia de Robert Service. Também pegou o álbum de fotografias que Matthew lhe dera, agora cheio de suas fotos favoritas.

Ela os enfiou fundo na mochila, junto com sua amada câmera, cobriu tudo com algumas roupas e depois desceu.

A mãe estava usando as botas de neve do pai enquanto caminhava pela poça de sangue e fazia rastros até a porta. Na janela, pressionou a mão ensanguentada no vidro.

– O que vocês estão fazendo? – perguntou Leni.

– Estamos nos assegurando de que as autoridades saibam que sua mãe e seu pai estavam aqui – respondeu Marge.

A mãe tirou as botas do pai, calçou as dela e fez mais rastros no sangue. Em seguida, pegou uma de suas camisas, rasgou-a e a largou no chão.

– Ah! – exclamou Leni.

– Assim eles vão saber que é uma cena de crime – explicou Marge.

– Mas vamos limpar tudo – rebateu Leni.

– Não, filhota. Precisamos desaparecer – disse a mãe. – Agora. Esta noite.

– Espere. O quê? Podemos dizer que ele nos deixou. As pessoas vão acreditar.

Marge e a mãe trocaram um olhar triste.

– As pessoas desaparecem no Alasca o tempo todo – insistiu Leni, elevando a voz.

– Achei que você tinha entendido – disse a mãe. – Não podemos ficar no Alasca depois disso.

– O quê?

– Não podemos ficar – repetiu a mãe, de um jeito delicado, porém firme. – Marge concorda. Mesmo que pudéssemos ter alegado legítima defesa, não podemos fazer isso agora. Encobrimos o crime.

– Prova de intenção – explicou Marge. – Não há defesa para mulheres espancadas que matam seus maridos. Com certeza devia haver. Você podia alegar defesa de terceiros, e talvez funcionasse. Podia ser absolvida, se o júri achasse que a força mortal foi razoável, mas quer mesmo correr esse risco? A lei não é boa com vítimas de abuso doméstico.

A mãe assentiu.

– Marge vai deixar a caminhonete estacionada em alguma estrada sem saída, com sangue espalhado na cabine. Em alguns dias, vai comunicar nosso desaparecimento e trazer a polícia até a cabana. Com sorte, vão concluir que ele matou nós duas e se escondeu. Marge e Tom vão contar à polícia que ele era violento.

– Sua mãe e seu pai têm o mesmo tipo sanguíneo – disse Marge. – Não há teste conclusivo que possa identificar de quem é o sangue. Pelo menos, espero que não haja.

– Quero dizer que ele fugiu – pediu Leni, teimosa. – Estou falando sério, mãe. *Por favor*. Matthew está aqui.

– Mesmo no mato, vão investigar o desaparecimento de um homem local, Leni – explicou Marge. – Você se lembra de como todo mundo se reuniu para procurar Geneva Walker? O primeiro lugar onde vão procurar é na cabana. E o que vocês vão dizer sobre o tiro na janela? Eu conheço Curt Ward. Ele é um policial correto. Pode até trazer um cachorro ou chamar um investigador de Anchorage. Por mais que limpemos, pode haver provas aqui. Um fragmento de osso humano. Algo que identifique seu pai. Se eles encontrarem, vão prender vocês duas por assassinato.

A mãe foi até Leni.

– Desculpe, filhota, mas você quis isso. Eu estava disposta a assumir a culpa sozinha, mas você não deixou, agora estamos nisso juntas.

Leni sentiu como se estivesse em queda livre. Em sua ingenuidade, achou que as duas podiam fazer essa coisa terrível e não pagar nenhum preço além do peso em suas almas, das lembranças e dos pesadelos.

Mas isso iria custar a Leni tudo o que ela amava. Matthew. Kaneq. O Alasca.

– Leni, agora não temos escolha.

– E quando nós tivemos?

Leni queria gritar, chorar e ser a criança que nunca tinha sido, mas se sua juventude e sua família tinham lhe ensinado alguma coisa era como sobreviver.

A mãe estava certa. Não havia como elas limparem esse sangue. E cães e a polícia iam farejar o crime. E se o pai tivesse um compromisso no dia seguinte que elas não soubessem e alguém ligasse para a polícia para comunicar seu desaparecimento antes que elas estivessem prontas? E se seu corpo se soltasse das correntes e flutuasse até a margem quando a água degelasse e um caçador o encontrasse?

Como sempre, Leni tinha que pensar nas pessoas que amava.

Cora suportara cada golpe para proteger Leni, e atirara no pai para salvá-la. Ela não podia deixar a mãe sozinha na fuga nem podia criar seu filho sozinha. Sentiu uma tristeza avassaladora, uma sensação sufocante de ter corrido uma maratona só para acabar no mesmo lugar.

Enfim elas iam ficar juntas, as duas, como sempre. E o bebê teria uma chance de algo melhor.

– Está bem. – Leni se virou para Marge. – O que precisamos fazer?

A hora seguinte foi passada cuidando dos detalhes finais: estacionaram a caminhonete na baía, com sangue espalhado na maçaneta da porta. Derrubaram móveis, deixaram uma garrafa de uísque vazia e Marge atirou duas vezes nas paredes de troncos. Elas deixaram a porta da cabana aberta para animais entrarem e destruírem ainda mais qualquer prova.

– Você está pronta? – perguntou a mãe por fim.

Leni queria dizer *Não, não estou pronta. Eu pertenço a este lugar*. Mas era tarde demais para salvar o que existia antes. Ela assentiu com amargura.

Marge abraçou as duas com força, beijou suas bochechas molhadas, pediu que elas fossem felizes.

– Vou comunicar seu desaparecimento – sussurrou ela no ouvido de Leni. – Nunca vou contar a ninguém sobre isto. Podem confiar em mim.

Quando Leni e a mãe desceram os degraus em zigue-zague até a praia pela última vez, sob neve ofuscante, Leni sentiu como se tivesse mil anos de idade.

Seguiu a mãe pela praia nevada e lodosa. O vento soprava cabelo nos olhos de Cora, abafava o volume de sua voz, chacoalhava a mochila em suas costas. Leni podia dizer que a mãe estava falando com ela, mas não conseguia ouvir as palavras e não ligava. Chapinhou através de ondas com gelo em direção ao bote. Jogou a mochila no barco, subiu a bordo e se sentou no assento de madeira. Na praia, a neve logo apagaria todos os indícios de seu caminho; seria como se elas nunca tivessem estado ali.

A mãe embarcou. Sem luzes para guiá-las, elas conduziram o barco ao longo da costa, segurando o leme com mãos enluvadas, o cabelo voando para todos os lados.

Acompanharam a curva enquanto um novo amanhecer reluzia e lhes mostrava o caminho.

Pararam na doca provisória em Homer.

– Eu preciso me despedir de Matthew – disse Leni.

Cora jogou um cabo para a filha.

– De jeito nenhum. Nós temos que ir e não podemos ser vistas hoje. Você sabe disso.

Leni amarrou o barco.

– Isso não foi uma pergunta.

A mãe se abaixou para pegar a mochila, ergueu-a e a botou nas costas. Com cuidado, Leni saiu do bote para o cais congelado. Os cabos rangeram.

Cora desligou o motor e saiu do barco. As duas pararam sob a neve que caía suavemente.

Leni pegou um cachecol na mochila e o enrolou no pescoço, cobrindo a parte inferior do rosto.

– Ninguém vai me ver, mãe, mas eu vou até lá.

– Esteja no balcão da Glass Lake em quarenta minutos – ordenou a mãe. – Nem um minuto a mais. Está bem?

– Nós vamos *voar*? Como?

– Apenas esteja lá.

Leni assentiu. Sinceramente, ela não ligava para os detalhes. Tudo em que conseguia pensar era Matthew. Ela ergueu a mochila e saiu, andando tão rápido quanto ousava sobre o cais congelado. Tão cedo em uma manhã fria e nevada de novembro, não havia ninguém do lado de fora para vê-la.

Ela chegou ao centro de reabilitação e reduziu o passo. Era ali que tinha que tomar cuidado. Não podia deixar que ninguém notasse sua presença.

As portas de vidro se abriram ruidosamente diante dela.

Lá dentro, sentiu cheiro de desinfetante e outra coisa, metálica, adstringente. Na recepção, havia uma mulher ao telefone. Ela nem ergueu os olhos quando as portas se abriram. Leni entrou, pensando *Seja invisível...* Os corredores estavam silenciosos tão cedo pela manhã, os quartos dos pacientes ainda fechados. Diante do quarto de Matthew ela fez uma pausa, empertigou-se e abriu a porta.

Seu quarto estava em silêncio. Escuro. Nenhuma máquina zunia ou batia. Nada o mantinha vivo exceto seu próprio coração.

Eles o haviam posicionado de modo que dormia sentado, a cabeça aprisionada naquela coisa que parecia um halo, presa a um colete para que ele não pudesse se mexer. Seu rosto com cicatrizes rosadas parecia ter sido remendado com uma máquina de costura. Como ele poderia viver desse jeito, costurado, preso com parafusos, incapaz de falar, pensar, tocar ou ser tocado? E como Leni podia deixá-lo passar por isso sem ela?

Ela largou a mochila no chão, aproximou-se da cama e pegou a mão dele. Sua pele, antes áspera de limpar peixes e consertar equipamentos de fazenda, agora estava macia. Não conseguiu evitar se lembrar de seus dias na escola, de mãos dadas sob a carteira, trocando bilhetes e pensando que o mundo podia ser deles.

– Podíamos ter conseguido, Matthew. Podíamos ter nos casado, tido um filho e continuado a nos amar.

Ela fechou os olhos imaginando isso, imaginando *os dois*. Podiam ter ficado juntos até a velhice, sido um casal de cabelos brancos em roupas fora de moda, sentados em uma varanda sob o sol da meia-noite.

Poderiam.

Palavra inútil. Tarde demais.

– Não posso deixar minha mãe sozinha. E você tem seu pai, sua família e o Alasca. – Sua voz fraquejou. – De qualquer modo, você não sabe quem eu sou, sabe?

Ela se abaixou e se aproximou mais. Sua mão se apertou em torno da dele. Lágrimas caíram no rosto dele e ficaram presas na protuberância rosada da cicatriz.

Sam Gamgee nunca deixaria Frodo desse jeito. Nenhum herói jamais faria isso. Mas livros eram apenas um reflexo da vida real, não a vida real em si. Eles não falavam de garotos que tinham os corpos queimados e os cérebros ceifados até o talo, que não podiam falar, se mexer nem dizer seu nome. Nem de mães e filhas que faziam escolhas terríveis e irrevogáveis. Ou de bebês que mereciam sorte melhor do que o caos em meio ao qual nasciam.

Leni pôs a mão na barriga outra vez. A vida ali era pequena como um ovo de sapo, pequena demais para sentir, e ainda assim jurou poder ouvir o eco de um segundo batimento cardíaco junto do seu. Tudo o que realmente sabia era isto: ela tinha que ser uma boa mãe para esse bebê e precisava cuidar de sua mãe. Ponto.

– Sei quanto você queria ter filhos – disse Leni em voz baixa. – E agora...

Devemos ficar perto das pessoas que amamos.

Os olhos de Matthew se abriram. Um estava fixo à frente. O outro girava loucamente na órbita. Aquele único olho fixo era a única parte dele que ela reconhecia. Ele se mexeu, abriu a boca e emitiu um gemido terrível de dor.

– Buááááá...

Ele se debateu, se contorceu como se estivesse tentando se soltar. O halo emitiu um som metálico quando atingiu a grade da cama. Sangue começou a se formar nos parafusos em sua têmpora. Um alarme soou.

– Hermmmmmmm...

– Não – disse ela. – Por favor.

A porta se abriu atrás dela. Uma enfermeira passou correndo por Leni ao entrar no quarto.

Leni cambaleou para trás, tremendo, tornou a puxar seu capuz. A enfermeira não vira seu rosto.

Ele estava berrando na cama, fazendo sons guturais e animalescos, se debatendo. A enfermeira injetou algo em seu tubo intravenoso.

– Está tudo bem, Matthew. Acalme-se. Seu pai logo vai estar aqui.

Leni queria dizer *eu te amo* uma última vez, em voz alta, para o mundo ouvir, mas não ousou.

Precisava ir, antes que a enfermeira se virasse.

Mas ficou ali parada, com olhos vidrados de lágrimas, a mão ainda pressionando a barriga. *Vou tentar ser uma boa mãe e vou contar ao bebê sobre nós. Sobre você...*

Leni se abaixou para pegar a mochila, agarrou-a e correu.

Deixou-o ali, com estranhos.
Uma escolha que sabia que ele nunca teria feito em relação a ela.

Ela.
Ela está aqui. Não está?
Ele não sabe mais o que é real.
Ele tem palavras que conhece, palavras que guardou como importantes, mas não sabe seu significado. Coma. Aparelho. Halo. Dano cerebral. Elas estão ali, vistas mas não vistas, como quadros em outra sala, vislumbrados através de vidro ondulado.

Às vezes ele sabe quem é e onde está. Às vezes, por segundos, ele sabe que esteve em coma e saiu dele; sabe que não pode se mover porque o prenderam com correias. Sabe que não pode mexer a cabeça porque enfiaram parafusos em seu crânio e o engaiolaram. Sabe que fica sentado assim o dia inteiro, apoiado, um monstro em um aparelho ortopédico, a perna projetada à sua frente e a dor corroendo-o constantemente. Sabe que as pessoas choram quando o veem.

Às vezes escuta coisas. Vê formas. Pessoas. Vozes. Luz. Tenta captá-las, se concentrar, mas é tudo vago e nebuloso.

Ela.
Ela está aqui agora, não está? Quem é ela?
Aquela por quem ele espera.
– Podíamosterconseguido, Matthew.
Matthew.
Ele é Matthew, certo? Ela está falando com ele?
– Vocênãosabequemeusou...
Ele tenta se virar, se soltar para que possa vê-la em vez do teto, que parece ondular de um lado para outro acima dele.

Grita por Ela, tenta se lembrar das palavras de que precisa, mas não há nada ali para encontrar. A frustração cresce, faz com que até a dor desapareça.

Não pode se mexer. Ele é um metal – não, essa não é a palavra certa –, amarrado bem apertado. Preso.

Outra pessoa agora. Uma voz diferente.
Ele sente tudo lhe escapar. Fica imóvel, incapaz de se lembrar até mesmo de um minuto antes.

Ela.
O que isso significa?

Ele para de lutar, encara a mulher de uniforme laranja, escuta sua voz tranquilizadora.

Seus olhos se fecham. Seu último pensamento é Ela. Não vá, mas ele nem sabe o que isso significa.

Ele escuta passos. Correndo.

São como as batidas de seu coração. Está ali, então some.

VINTE E CINCO

A neve que caía transformou Homer em uma paisagem borrada de cores desbotadas e céus lavados. As poucas pessoas que tinham saído para fazer alguma coisa ou viam o mundo através de para-brisas sujos ou olhavam para ele de baixo para cima com seus queixos encolhidos e protegidos. Ninguém notou uma garota com uma parca enorme, o capuz levantado, um cachecol enrolado em torno da metade inferior do rosto, descendo a encosta com dificuldade.

O rosto de Leni doía muito, seu nariz latejava, mas nada disso era pior que sua dor. Na estrada do aeroporto, a neve diminuiu um pouco. Ela se virou e seguiu para a pista de pouso. Na porta, parou e puxou a gola rulê por cima do lábio cortado.

O escritório era pequeno e construído com madeira e metal corrugado, com um telhado bastante inclinado. Parecia um galinheiro gigantesco. Atrás dele, ela viu um avião pequeno na pista de pouso, colocando seu motor em movimento. Faltavam duas letras no letreiro da Aviação Glass Lake, de modo que dizia AVIAÇÃO ASS LAKE. Era assim desde que Leni se lembrava. O dono dizia que tinha consertado uma vez e isso bastava. Supostamente estudantes tinham roubado as letras para que o nome da empresa significasse "Lago da Bunda".

Lá dentro, o lugar também parecia inacabado: um piso de placas de linóleo de fácil colocação que não combinavam, uma bancada de compensado, um pequeno mostruário de brochuras para turistas, um banheiro atrás de uma porta quebrada. Havia uma pilha de caixas perto dos fundos – suprimentos recém-entregues ou para serem transportados em breve.

A mãe estava sentada em uma cadeira de plástico branca, também com um cachecol enrolado na metade inferior do rosto e um gorro cobrindo o cabelo louro. Leni se sentou ao lado dela em uma poltrona reclinável de estofado florido que algum gato tinha transformado em fitas com as garras.

Diante delas, uma mesa de centro de fórmica estava coberta de revistas.

Leni estava cansada de chorar, de sentir essa tristeza que não parava de se abrir e fechar dentro dela, mas mesmo assim, sentiu as lágrimas arderem em seus olhos.

A mãe jogou seu cigarro na lata de Coca-Cola vazia na mesa em frente a ela. A guimba soltou fumaça, que flutuou para o nada. Ela se recostou, suspirando.

– Como ele estava?

– Igual.

Leni se encostou na mãe, precisando do calor de seu corpo. Levou a mão ao bolso e encontrou algo pontiagudo.

O presente de Matthew que o Sr. Walker lhe dera. Com tudo o que tinha acontecido, ela havia se esquecido. Pegou-o, olhou fixamente para o volume pequeno e fino, embrulhado em jornal, sobre o qual Matthew havia escrito: FELIZ ANIVERSÁRIO, LENI!

Seu aniversário de 18 anos tinha passado quase despercebido, mas Matthew estivera fazendo planos. Talvez tivesse tido uma ideia para comemorá-lo.

Ela abriu o jornal e o dobrou com cuidado, como algo que fosse guardar. Ele o tocara pensando nela. Encontrou uma caixa branca fina. Dentro dela, um pedaço de jornal amarelado e com as bordas rasgadas, cuidadosamente dobrado.

Era um artigo de jornal e uma velha fotografia em preto e branco de dois posseiros, de mãos dadas. Eles estavam cercados por cães de trenó, sentados em cadeiras diferentes, diante de uma cabana pequena com telhado coberto de musgo. Lixo decorava o quintal. Um menino louro estava sentado na terra. Leni reconheceu o quintal e o deque: aqueles eram os avós de Matthew.

No rodapé, Matthew havia escrito: PODIA SER NÓS DOIS.

Os olhos de Leni arderam. Ela aproximou a fotografia de seu coração e baixou os olhos para o artigo.

MEU ALASCA, por Lily Walker
4 de julho de 1972

Você acha que sabe o que significa selvagem. É uma palavra que você usou a vida toda – para descrever um animal, uma criança indisciplinada. No Alasca, você aprende o que selvagem realmente significa.

Meu marido, Eckhart, e eu viemos para este lugar separados, o que pode não parecer importante, mas de fato é. Cada um de nós tinha decidido por conta própria, e não quando éramos jovens, devo acrescentar, que a civilização não era para nós. Vivíamos a Grande Depressão. Eu morava em um barraco com meus pais e seis irmãos. Nunca havia o suficiente de nada – tempo, dinheiro, comida, amor.

O que me fez pensar no Alasca? Mesmo agora, não me lembro. Eu tinha 35 anos, era solteira, na época eles nos chamavam de encalhadas. Minha irmã mais nova tinha morrido – talvez de coração partido ou do desespero de ver seus próprios bebês sofrerem – e eu fui embora.

Simples assim. Eu tinha 10 dólares no bolso e nenhuma habilidade de verdade, e segui para o Oeste. Claro que fui para o Oeste, parecia muito romântico. Em Seattle, vi uma placa do Alasca. Eles estavam procurando mulheres para lavar a roupa de homens nas minas de ouro.

Eu pensei: "Eu sei lavar roupa", e fui.

Era trabalho duro, com homens assobiando e fazendo comentários o tempo todo, e minha pele endureceu até ficar como couro. Então conheci Eckhart. Ele era dez anos mais velho e, para ser honesta, não era grande coisa em termos de beleza.

Ele chamou minha atenção e me contou de seu sonho de tomar posse de uma terra na península Kenai. Quando me estendeu a mão, eu a peguei. Eu o amava? Não. Não na época. Não por anos, na verdade, embora, quando ele morreu, foi como se Deus tivesse estendido a mão e arrancado meu coração do peito.

Selvagem. É como descrevo tudo. Meu amor. Minha vida. O Alasca. Na verdade, é tudo a mesma coisa para mim. O Alasca não atrai muitas pessoas; a maioria é dócil demais para aguentar a vida por aqui. Mas, quando ele fisga você, se crava fundo e se prende, e você se torna dele. Selvagem. Um amante de beleza cruel e isolamento esplêndido. E, que Deus o ajude, você não consegue mais viver em nenhum outro lugar.

– O que você tem aí? – perguntou a mãe, exalando fumaça.

Leni dobrou cuidadosamente o artigo em quatro.

– Um artigo da avó de Matthew. Ela morreu alguns anos antes de virmos para o Alasca. – A fotografia dos avós de Matthew, datada de 1940, estava em seu colo. – Como vou parar de amá-lo, mãe? Eu vou... esquecer?

A mãe suspirou.

– Ah. Isso. O amor não desbota ou morre, filhota. As pessoas dizem que sim, mas isso não acontece. Se você o ama agora, vai amá-lo daqui a dez anos ou daqui a quarenta. De maneira diferente, talvez, uma versão esmaecida, mas ele é parte de você agora. E você é parte dele.

Leni não sabia se isso era reconfortante ou assustador. Se ela se sentisse assim para sempre, como se seu coração fosse uma ferida aberta, como poderia voltar a ser feliz?

– Mas o amor não aparece apenas uma vez na vida. Não se você tiver sorte.

– Não acho que nós, Allbrights, tenhamos sorte.

– Não sei. Você o encontrou uma vez, no meio do nada. Quais eram as chances de você conhecê-lo, de ele amá-la, de você amá-lo? Eu diria que você teve sorte.

– Então nós caímos em uma greta, ele teve dano cerebral e você matou o papai para me proteger.

– É. Bem. O copo pode estar meio cheio ou meio vazio.

Leni sabia que o copo estava quebrado.

– Aonde nós vamos? – perguntou.

– Você se importa mesmo?

– Não.

– Vamos voltar para Seattle. Foi tudo em que consegui pensar. Graças a Marge Gorda, vamos de avião, não de carona.

A porta se abriu, deixando entrar uma lufada de ar congelante. Uma mulher de parca marrom apareceu, com um gorro típico puxado sobre a testa.

– O avião está pronto para decolar. Voo para Anchorage.

A mãe imediatamente ergueu o cachecol até pouco abaixo dos olhos, enquanto Leni subiu o capuz de sua parca e puxou os cadarços para que ele se fechasse em torno de seu rosto.

– Vocês são nossas passageiras? – perguntou a mulher, olhando para uma folha de papel em suas mãos enluvadas.

Antes que a mãe pudesse responder, o telefone sobre a mesa tocou. A mulher se dirigiu até ele e atendeu:

– Aviação Glass Lake.

Cora e Leni saíram apressadas do pequeno escritório na direção da pista, onde seu avião esperava, com a hélice girando. No avião, Leni jogou sua mochila pesada na parte de trás, onde ela caiu em meio a caixas para serem entregues em algum lugar, e seguiu sua mãe para o interior sombrio.

Ela se sentou em seu lugar – havia apenas dois deles atrás do piloto – e apertou o cinto de segurança.

O avião pequeno roncou e partiu, chacoalhou com força, em seguida decolou, balançou e se nivelou. O barulho do motor lembrava o som de alguém embaralhando, o ruído contínuo dos dedos passando pelas cartas.

Leni olhou pela janela, para o lusco-fusco lá embaixo. Daquela altura, tudo parecia cinza-carvão e branco, um borrão de terra, mar e céu. Montanhas brancas pontiagudas, ondas raivosas com a crista branca em um mar cinzento. Cabanas e casas teimosamente agarradas a uma costa selvagem.

Aos poucos, Homer desapareceu de vista.

Seattle à noite sob a chuva.

Uma serpente de faróis no escuro. Letreiros de néon por toda parte, reflexos projetados em ruas molhadas. Sinais de trânsito mudando de cor. Buzinas tocando em alertas entrecortados.

Música transbordava de portas abertas, atacando a noite, diferente de qualquer música que Leni já ouvira. Tinha um som metálico, raivoso e algumas das pessoas paradas diante dos bares pareciam ter aterrissado de Marte – com alfinetes de fralda nas bochechas, moicanos azuis e roupas pretas que pareciam cortada em retalhos.

– Está tudo bem – disse a mãe, puxando Leni para perto quando passavam caminhando por um grupo de pessoas aparentando serem sem-teto, paradas em um parque, indiferentes ao mundo ao redor, cigarros circulando entre elas.

Leni viu a cidade em fragmentos, as pálpebras baixas, a visão turva pela chuva incessante. Viu mulheres com bebês encolhidas em soleiras e homens dormindo em sacos de dormir sob a estrada elevada nessa parte da cidade. Leni não podia imaginar por que as pessoas viviam desse jeito quando podiam ir para o Alasca, viver da terra e construir uma casa para morar. Não conseguia parar de pensar em todas aquelas garotas que tinham sido sequestradas em 1974 e encontradas mortas não longe dali. O maníaco Ted Bundy tinha sido preso, mas isso significava que as ruas agora estavam seguras?

A mãe encontrou um telefone público e chamou um táxi. Enquanto esperavam sua chegada, a chuva parou.

Um táxi amarelo parou junto do meio-fio sujo, espirrando água nelas. Leni entrou depois da mãe no banco traseiro, que tinha um cheiro agressivo de pinho. Dali em diante, viu as luzes da cidade através de uma janela. Com água por toda parte, em goteiras e poças, mas sem chuva caindo, o lugar tinha um aspecto confuso e multicolorido de parque de diversões.

Eles subiram o morro. A parte antiga de tijolos e construções baixas da cidade – Pioneer Square – era aparentemente o buraco de onde as pessoas saíam quando tinham dinheiro. O centro era um desfiladeiro de prédios comerciais, arranha-céus e lojas, construídos em ruas movimentadas com vitrines que pareciam cenários de cinema, habitadas por manequins vestindo ternos reluzentes com ombreiras exageradas e cinturas ajustadas. Do topo, a cidade dava lugar a uma vizinhança de casas majestosas.

– É ali – disse a mãe para o motorista, dando a ele o que restava de seu dinheiro emprestado.

A casa era maior do que Leni se lembrava. No escuro, parecia vagamente sinistra, com seu telhado íngreme e alto apontando para o céu noturno negro e janelas reluzentes com vidraças com painéis em forma de losango. Tudo isso era cercado por uma grade de ferro encimada por pontas de perfurar o coração.

– Você tem certeza? – perguntou Leni baixinho.

Leni sabia quanto aquilo tinha custado à sua mãe, voltar para casa em busca de ajuda. Via o impacto disso nos olhos dela, na curva de seus ombros, no jeito como suas mãos estavam cerradas. A mãe se sentia um fracasso voltando para lá.

– Isso só prova que eles estavam certos sobre ele o tempo todo.

– Podíamos desaparecer daqui também. Começar de novo por conta própria.

– Eu poderia fazer isso sozinha, filhota, mas não com você. Fui uma péssima mãe. Vou ser uma boa avó. Por favor. Não me mostre uma saída. – Ela respirou fundo. – Vamos.

Leni segurou a mão da mãe; elas subiram juntas o caminho de pedra, onde refletores brilhavam em arbustos esculpidos para parecerem animais e roseiras espinhosas podadas para o inverno. Pararam diante da porta ornamentada. Esperaram. Então a mãe bateu.

Momentos depois a porta se abriu e a avó apareceu.

Os anos a haviam mudado, marcado e repuxado seu rosto. Seu cabelo tinha ficado grisalho. Ou talvez sempre tivesse sido grisalho e ela apenas parara de pintá-lo.

– Ah, meu Deus – sussurrou ela, levando a mão magra à boca.

– Oi, mãe – disse Cora com a voz vacilante.

Leni ouviu passos.

A avó chegou para o lado; o avô surgiu ao lado dela. Ele era um homem grande – uma barriga gorda esticando um suéter de caxemira azul, grandes mandíbulas flácidas, cabelo branco penteado sobre a cabeça reluzente, os fios bem-cuidados. A calça de poliéster larga, bem apertada com um cinto, sugeria pernas finas como de passarinho. Ele parecia mais velho que seus 70 anos.

– Oi – cumprimentou a mãe.

Os avós as encararam, os olhos semicerrados, vendo os machucados nos rostos de Leni e da mãe, as bochechas inchadas, os olhos roxos.

– Filho da puta! – exclamou o avô.

– Precisamos de ajuda – disse a mãe, apertando a mão de Leni.

– Onde ele está? – perguntou o avô.

– Nós o deixamos – respondeu a mãe.

– Graças a Deus! – exclamou a avó.

– Precisamos nos preocupar que ele venha atrás de vocês e derrube a minha porta? – indagou o avô.

A mãe balançou a cabeça.

– Não. Nunca.

Os olhos do avô se estreitaram ainda mais. Ele tinha entendido o que ela quisera dizer? O que elas haviam feito?

– O que vocês...

– Eu estou grávida – contou Leni.

Ela e a mãe tinham conversado sobre isso e decidido não falar nada sobre a gravidez ainda, mas nesse momento, quando estavam ali, pedindo ajuda – implorando –, Leni não conseguiu fazer isso. Guardara segredos suficientes em sua vida. Não queria mais viver à sombra deles.

– A fruta não cai longe do pé – disse a mãe, tentando sorrir.

– Já passamos por isso antes – falou o avô. – Acho que me lembro de meu conselho a você.

– Você queria que eu abrisse mão dela, voltasse para casa e fingisse ser a garota que eu era antes. E eu queria que você dissesse que estava tudo bem e que me amava mesmo assim.

– O que nós dissemos – interveio a avó com delicadeza – era que havia mulheres em nossa igreja que não podiam ter filhos e teriam dado um bom lar para seu bebê.

– Eu vou ficar com meu bebê – afirmou Leni. – Se vocês não quiserem nos ajudar, tudo bem, mas vou ficar com o bebê.

A mãe apertou a mão dela.

Houve silêncio depois da declaração de Leni. Nesse momento, a menina vislumbrou a grandeza do mundo para ela e a mãe agora, o oceano de problemas que elas enfrentaram sozinhas, e isso a assustou, mas não tanto quanto a ideia do mundo que ela habitaria se abrisse mão desse bebê. Havia escolhas das quais você não se recuperava; tinha idade suficiente para saber disso.

Finalmente, depois do que pareceu uma eternidade, a avó se voltou para o marido.

– Cecil, quantas vezes conversamos sobre uma segunda chance? É esta.

– Você não vai fugir no meio da noite de novo, certo? – perguntou ele. – Sua mãe... mal sobreviveu àquilo.

Nessas poucas palavras, cuidadosamente escolhidas, Leni ouviu remorso. Havia mágoa entre aquelas pessoas e sua mãe, mágoa, arrependimento e falta de confiança, porém algo mais terno também.

– Não, senhor. Não vamos.

Por fim, o avô sorriu.

– Bem-vinda ao lar, Coraline. Lenora. Vamos pôr um pouco de gelo nesses hematomas. Vocês duas deviam ir a um médico.

Leni viu a relutância da mãe em entrar na casa. Pegou-a pelo braço e a encorajou.

– Não me solte – sussurrou a mãe.

Lá dentro, Leni notou o cheiro de flores. Havia vários arranjos posicionados de maneira engenhosa sobre mesas de madeira reluzente e espelhos de molduras douradas nas paredes.

Leni olhava dentro dos cômodos e examinava os corredores enquanto andavam. Viu uma sala de jantar com mesa para doze pessoas, uma biblioteca com estantes de livro do chão ao teto, uma sala de estar em que havia dois de tudo, sofás, cadeiras, janelas, luminárias. Uma escada com um tapete tão macio que era como caminhar sobre solo musgoso no verão, e que levava a um corredor no andar de cima, com painéis de mogno e decorado com lustres de latão nas paredes e pinturas de cães e cavalos em molduras douradas ornamentadas.

– Aqui – disse a avó, finalmente parando.

O avô ficou para trás, como se talvez distribuir quartos não fosse tarefa sua.

– Lenora, você vai dormir no antigo quarto de Coraline. Cora, venha por aqui.

Leni entrou em seu novo quarto.

No início, tudo o que viu foi renda. Não do tipo barato vazado que estava acostumada a ver no Alasca; essa era elegante, quase como teias de aranha presas juntas. Cortinas de renda marfim emolduravam as janelas. Havia mais rendas marfim na roupa de cama e nos abajures. No chão, carpete cor de aveia. Móveis marfim com bordas douradas. Uma pequena escrivaninha em forma de feijão tinha um banco estofado marfim enfiado embaixo.

O ar estava sufocante, estranho, banhado em aroma falso de lavanda.

Ela foi até a janela, ergueu a vidraça pesada e se inclinou para fora. A noite doce acolheu-a, acalmou-a. A chuva tinha parado, deixando uma noite negra cintilante em seu rastro. As luzes estavam acesas em todas as casas dos dois lados da rua.

Havia uma pequena área de telhado em frente a ela. Abaixo disso, o jardim bem cuidado, com um velho bordo ali perto, seus galhos em sua maioria nus, com apenas algumas folhas vermelhas e douradas ainda penduradas.

Árvore. Ar noturno. Silêncio.

Leni saiu para o telhado revestido de madeira abaixo de seu quarto. Embora houvesse luzes acesas na casa, e casas com luzes acesas do outro lado da rua, ela se sentiu mais segura ali fora. Sentiu cheiro de árvores, plantas e até um traço distante de mar.

O céu não era familiar. Negro. No Alasca, o céu noturno no inverno era de um azul-escuro aveludado e, quando a neve cobria o chão e envolvia as árvores, a luz ambiente criava um brilho mágico. E então, às vezes, a luz da aurora boreal dançava no céu. Ainda assim, ela reconheceu as estrelas; não estavam no mesmo lugar, mas eram as mesmas. O Grande Carro. O Cinturão de Orion. Constelações que Matthew lhe mostrara naquela noite em que se deitaram na praia.

Seus dedos se fecharam em torno do colar de coração em seu pescoço. Agora ela podia usá-lo abertamente, sem ter que se preocupar com o pai perguntando como o conseguira. Nunca mais ia tirá-lo.

– Quer um pouco de companhia?

– Claro – respondeu Leni, chegando para o lado.

A mãe saiu pela janela aberta e andou pelo telhado, em seguida se sentou ao lado de Leni e puxou os joelhos junto ao peito.

– Quando eu estava no ensino médio, costumava descer por aquela árvore e sair escondida nas noites de sábado, para ir com os garotos no Dick's Drive-In em Aurora. Eu só pensava em garotos.

Ela deu um suspiro e mergulhou o queixo entre seus joelhos.

Leni se encostou na mãe e olhou fixamente para a casa do outro lado da rua. Um clarão de luzes desnecessárias. Através das janelas, viu pelo menos três televisões piscando.

– Desculpe, Leni. Fiz um grande estrago em sua vida.

– *Nós* fizemos. Juntas. Agora precisamos viver com isso.

– Tem alguma coisa errada comigo – disse a mãe depois de uma pausa.

– Não – rebateu Leni com firmeza. – Havia alguma coisa errada com ele.

– Está ali, acredite em mim. Bem ali – disse a mãe, cinco dias depois, quando seus hematomas tinham melhorado o suficiente para serem cobertos com maquiagem.

As duas tinham passado quase uma semana recolhidas em casa, sem se aventurar na rua. Vinham ficando um pouco loucas com o confinamento.

Agora, com o cabelo da mãe cortado bem curto e pintado de castanho, finalmente saíram de casa e pegaram um ônibus para o movimentado centro de Seattle, onde se misturaram com a multidão eclética de turistas, consumidores e punks.

A mãe apontou para o céu azul sem nuvens.

Leni não ligou para A Montanha (era assim que eles chamavam o Rainier ali, A Montanha, como se fosse a única que importasse no mundo) nem para os outros pontos turísticos que a mãe apontou com tanto orgulho, como se Leni nunca os tivesse visto. O letreiro de néon de MERCADO PÚBLICO acima da barraca do mercado de peixes; a Agulha Espacial, que parecia uma espaçonave alienígena apoiada em varetas; o aquário novo que se projetava desafiadoramente nas águas da baía de Elliott.

Seattle estava bonita nesse dia ensolarado e quente de novembro; isso era verdade. Tão verde quanto ela se lembrava, e bordejada por água e coberta de asfalto e concreto.

As pessoas eram como formigas, andando por todos os lados. Muito barulho e movimento: buzinas tocando, gente atravessando a rua, ônibus soltando fumaça e forçando as marchas nos morros que erguiam a cidade. Como ela algum dia poderia se sentir em casa, ali, em meio a todas aquelas pessoas?

Não havia silêncio naquele lugar. Nas últimas noites, ela ficara deitada na cama nova que cheirava a amaciante de roupas e a sabão, tentando ficar confortável. Uma vez uma sirene de ambulância ou da polícia soou de repente e luz vermelha se projetou intermitentemente através da janela, pintando as rendas de vermelho-sangue.

Agora ela e a mãe estavam ao norte da cidade. Tinham pegado um ônibus que atravessava Seattle e encontraram assentos em meio aos viajantes de aspecto triste, tão cedo na rua, depois caminharam pela movimentada "Ave" e subiram o morro até a vasta Universidade de Washington.

Pararam no limiar de algo chamado Red Square. Até onde Leni podia ver, o chão tinha sido calçado com tijolos vermelhos. Um obelisco vermelho gigante apontava para o céu azul. Mais prédios novos de tijolos cercavam o perímetro.

Havia literalmente centenas de estudantes andando pela praça; eles iam e vinham em ondas de risos e conversas. À esquerda dela, um grupo vestido todo de preto estava carregando cartazes de protesto sobre energia nuclear e armas. Vários exigiam o fechamento de algo chamado Hanford.

Ela se lembrou dos universitários que vira em Homer todos os verões, grupos de jovens usando equipamento para a chuva e olhando os picos pontiagudos e cobertos de neve como se ouvissem Deus chamando seus nomes. Ouvia conversas sussurradas sobre como iam largar tudo, largar a civilização e levar vidas mais autênticas. *De volta à terra*, diziam eles, como se fosse um versículo bíblico. Como a famosa citação de John Muir: *As montanhas estão chamando e eu preciso ir*. As pessoas ouviam esse tipo de voz no Alasca, sonhavam novos sonhos. Grande parte deles nunca iria para lá, e dos poucos que iam, a maioria partia antes do fim de seu primeiro inverno, mas Leni sempre soubera que eles mudariam muito simplesmente pela magnitude do sonho e da possibilidade que vislumbravam a distância.

Leni foi levada pela multidão ao lado da mãe, agarrada à pequena mochila que tinha desde os 12 anos. Sua mochila do Alasca. Ela parecia um totem, o último vestígio durável de uma vida descartada. Desejou que tivesse levado sua lancheira do Ursinho Pooh.

Elas chegaram ao seu destino: uma construção gótica cor-de-rosa com arcos amplos, torres delicadas e janelas com padrões intricados em metal.

Lá dentro havia uma biblioteca diferente de tudo o que Leni já vira. Fileira após fileira de mesas de madeira, decoradas com abajures verdes, estavam posicionadas sob um teto em arco. Candelabros góticos pendiam acima das mesas. E os livros! Nunca tinha visto tantos. Eles lhe sussurravam sobre mundos inexplorados e amigos desconhecidos, e Leni percebeu que não estava sozinha nesse mundo novo. Seus amigos estavam ali, com as lombadas à mostra, esperando por ela como sempre tinham feito. *Se Matthew ao menos pudesse ver isso...*

Caminhava no ritmo da mãe, os saltos desajeitados de suas botas fazendo barulho no chão. Leni ainda esperava que as pessoas as olhassem e apontassem para elas como intrusas, mas os estudantes na sala de leitura da pós-graduação não ligavam para estranhos em seu meio.

Nem mesmo a bibliotecária pareceu fazer qualquer julgamento sobre elas enquanto ouvia suas perguntas e lhes dava instruções para ir a outra mesa, onde outra bibliotecária ouviu seu pedido.

– Aqui está – disse a segunda bibliotecária, entregando a elas uma coleção de jornais encadernados.

– Obrigada – falou a mãe, e se sentou.

Leni duvidou que a bibliotecária tivesse ouvido o tremor na voz da mãe, mas Leni ouviu.

Sentou-se no banco de madeira ao lado da mãe e chegou para perto.

Não levou muito tempo para encontrar o que estavam procurando.

DESAPARECIMENTO DE FAMÍLIA EM KANEQ LEVANTA SUSPEITA DE CRIME

Autoridades estaduais liberaram informações sobre uma família desaparecida em Kaneq. A vizinha Marge Birdsall chamou a polícia em 13 de novembro para comunicar o desaparecimento de suas vizinhas Cora Allbright e sua filha, Lenora.

– Elas deviam ter vindo me visitar ontem. Mas não apareceram. Logo me preocupei que Ernt as tivesse machucado – disse Marge.

Em 14 de novembro, Thomas Walker comunicou ter encontrado uma caminhonete abandonada perto de sua propriedade. O veículo, registrado em nome de Ernt Allbright, foi deixado no marco de 15 quilômetros na estrada de Kaneq. Autoridades relataram haver sangue no assento e no volante, assim como a bolsa de Cora Allbright.

– Estamos investigando o caso tanto como desaparecimento quanto como um possível homicídio – relatou o policial Curt Ward, de Homer.

Vizinhos disseram que Ernt Allbright tinha histórico de violência e temem que ele tenha matado a mulher e a filha e fugido.

Não há mais nenhuma informação, pois a investigação ainda está em andamento.

Pede-se que qualquer um que tenha notícias sobre os Allbrights ligue para o policial Ward.

A mãe se recostou, suspirando baixinho.

Leni viu a dor que a mãe carregava e que carregaria para sempre – por tudo, por ter ficado quando devia ter partido, por amá-lo, por matá-lo. O que vinha de uma dor como essa? Ela se dissipava lentamente ou congelava e se tornava venenosa?

– Meu pai diz que vão nos declarar mortas em algum momento, mas isso pode levar sete anos.

– Sete anos?

– Precisamos seguir em frente, aprender a ser felizes, senão para que serviu tudo isso?

Felizes.

A palavra não tinha nenhuma vitalidade para Leni, nenhum ânimo. Para ser honesta, ela não conseguia imaginar que um dia seria feliz de novo, não mesmo.

– É – disse Leni, tentando sorrir. – Agora vamos ser felizes.

VINTE E SEIS

Naquela noite, depois do jantar, Leni se sentou em sua cama de solteiro, lendo *A dança da morte*, de Stephen King. Desde que chegara a Seattle, tinha lido três livros dele e descoberto uma nova paixão. Adeus, ficção científica e fantasia. Olá, terror.

Achou que fosse um reflexo de sua vida interior. Sem dúvida preferia ter pesadelos com Randall Flagg, Carrie ou Jack Torrance do que com seu próprio passado.

Estava virando uma página quando ouviu vozes baixas passando pelo seu quarto.

Leni olhou para o relógio na mesa de cabeceira (um das dezenas na casa, todos tiquetaqueando ao mesmo tempo, como o batimento de um coração oculto). Quase nove da noite.

Normalmente seus avós estavam na cama a essa hora.

Leni pôs o livro de lado, marcando a página. Foi até a porta, entreabriu-a o suficiente apenas para olhar para fora.

As luzes lá embaixo estavam acesas.

Leni saiu do quarto. Seus pés descalços não faziam barulho no tapete grosso de lã. Com a mão deslizando pelo corrimão liso de mogno, ela desceu correndo a escada. No fim, encontrou o mármore preto e branco frio sob seus pés.

Cora estava na sala de estar com os pais. Leni avançou lentamente, apenas o suficiente para poder ver.

A mãe estava sentada em um sofá laranja-escuro, com os pais acomodados na frente dela, em poltronas iguais de lã com estampa de caxemira e encostos de cabeça. Entre eles, a mesa de centro de bordo estava decorada com uma floresta de bibelôs chineses ornamentados.

– Acham que ele nos matou – contou a mãe. – Li hoje os jornais locais.

– Ele podia muito bem ter feito isso – respondeu a avó. – Eu avisei, você se lembra, para não ir ao Alasca.

– Para não se casar com ele – emendou o avô.

– Vocês acham que eu preciso de todo esse "eu avisei"? – perguntou a mãe e suspirou fundo. – Eu o amava.

Leni ouviu a tristeza e o remorso que girava entre os três como um redemoinho. Não teria entendido esse tipo de remorso um ano antes. Nesse momento, entendia.

– Não sei o que fazer daqui para a frente – confessou a mãe. – Estraguei a vida de Leni e a minha e agora arrastei vocês dois para isso.

– Você está brincando? – disse a avó. – Claro que nos arrastou para isso. Nós somos seus pais.

– Isto é para você – falou o avô.

Leni queria espiar, mas não ousou. Ouviu o rangido de uma cadeira, em seguida saltos batendo pelo piso de madeira (o avô sempre usava sapatos formais, do café da manhã à hora de dormir), e por fim um som de papel amassando.

– É uma certidão de nascimento – disse a mãe depois de um momento. – De uma Evelyn Chesterfield, nascida em 4 de abril de 1939. Por que estão me dando isso?

Leni ouviu a cadeira ranger outra vez.

– E aqui está uma certidão de casamento falsa. Você se casou com um homem chamado Chad Grant. Com esses dois documentos, pode ir ao Departamento de Veículos e tirar uma carteira e um novo cartão de seguro social. Também tenho uma certidão de nascimento para Leni. Ela vai ser sua filha, Susan Grant. Vocês duas vão alugar uma casa perto daqui. Vamos dizer a todo mundo que você é uma parente ou nossa empregada. Alguma coisa. Qualquer coisa para mantê-las em segurança – explicou o avô, sua voz áspera de emoção.

– Como você conseguiu isso?

– Eu sou advogado. Conheço pessoas. Paguei a um cliente meu, um homem de... moral flexível.

– Isso não combina com você – disse a mãe em voz baixa.

Houve uma pausa, em seguida:

– Todos nós estamos mudados – falou o avô. – Aprendemos do jeito mais difícil, não foi? Cometendo erros. Devíamos ter ouvido você quando tinha 16 anos.

– E eu devia ter ouvido vocês.

A campainha tocou.

O som foi tão inesperado àquela hora da noite que Leni sentiu uma pontada de medo. Ouviu o barulho de passos, em seguida o farfalhar de persianas de madeira.

Escutou o avô dizer:

– Polícia.

A mãe saiu correndo da sala de estar e viu Leni.

– Vá lá para cima – ordenou o avô, saindo da sala de estar atrás da mãe.

A mãe pegou a mão de Leni e a conduziu escada acima.

– Por aqui. Silêncio.

Elas subiram a escada depressa e seguiram na ponta dos pés pelo corredor escuro até o quarto principal – um quarto enorme com janelas divididas ao meio e carpete verde-oliva. Uma cama de dossel estava coberta com renda que combinava perfeitamente com o carpete.

A mãe levou Leni até um duto de aquecimento no chão. Com cuidado, removeu a tampa do duto e a pôs de lado.

Cora se ajoelhou e gesticulou para que Leni fosse para o lado dela.

– Eu costumava ouvir as freiras quando elas vinham me expulsar.

Leni ouviu passos ecoarem através das palhetas de metal da ventilação.

Vozes de homens.

– Detetives Archer Madison e Keller Watt, Departamento de Polícia de Seattle.

– Há algum problema na vizinhança, policiais, a esta hora da noite? – perguntou o avô.

– Estamos aqui... – algo que elas não conseguiram ouvir – ...da parte da Polícia Estadual do Alasca. – Palavras se misturaram. – Sua filha, Cora Allbright... – mais alguma coisa – ...vista pela última vez... Lamento informar... provavelmente morta.

Leni ouviu sua avó gritar.

– Venha, senhora, deixe-nos ajudá-la a se sentar.

Uma pausa. Longa. Em seguida um som confuso, uma pasta sendo aberta, papéis retirados.

– A caminhonete encontrada... cabana cheia de sangue, janela quebrada, obviamente uma cena de crime, mas as provas foram destruídas por animais... testes inconclusivos... radiografias que mostravam um braço quebrado... nariz quebrado. Buscas estão sendo realizadas, mas... nesta época do ano... o clima. Deus sabe o que vamos encontrar quando a neve derreter... vamos mantê-los informados...

– Ele as matou – disse o avô, as palavras altas, raivosas. – Filho da mãe.

– Muitos relatos... violência.

Leni se virou para a mãe.

– Então conseguimos escapar?

– Bom, assassinato não prescreve. E tudo o que fizemos e vamos fazer no Departamento de Veículos será prova de culpa. Ele foi baleado pelas costas e nós nos livramos do corpo e fugimos. Se ele algum dia for encontrado, virão à nossa procura, e agora meus pais mentiram por nós. Outro crime. Por isso precisamos tomar cuidado.

– Por quanto tempo?
– Para sempre, filhota.

Querido Matthew,
Liguei para o centro de reabilitação todos os dias desta semana. Finjo ser sua prima. A resposta é sempre a mesma: nenhuma mudança. Toda vez isso parte um pouco mais meu coração.
Sei que nunca poderei enviar esta carta e, mesmo que eu pudesse, você não poderia lê-la nem ia entender o conteúdo. Mas preciso escrever para você, mesmo que as palavras se percam. Eu disse a mim mesma (e outros já me falaram isso repetidamente) que precisava seguir em frente com minha nova vida. E estou tentando fazer isso. Estou mesmo.
Mas você está dentro de mim, é parte de mim, talvez até a melhor parte. Não estou falando só do nosso bebê. Escuto sua voz em minha cabeça. Você fala tanto comigo em sonho que me acostumei a acordar com lágrimas no rosto.
Acho que minha mãe estava certa sobre o amor. Por mais ferrada que ela esteja, entende a durabilidade e a loucura dele. Você não pode se forçar a amar, imagino, e também não pode se forçar a deixar de amar.
Estou tentando me encaixar aqui. Me esforçando muito. Quero dizer, Susan Grant está tentando se encaixar. As ruas são cheias de carros e as calçadas são cheias de gente e praticamente ninguém olha para outra pessoa nem diz oi. Você, porém, estava certo sobre a beleza. Quando eu me permito vê-la, ela está presente. Eu a vejo no monte Rainier, que me lembra Iliamna e pode aparecer e desaparecer como que por mágica. Aqui, ele é chamado de A Montanha porque na verdade é a única que eles têm. Não é como em casa, onde as montanhas formam a espinha dorsal de nosso mundo.
Meus avós se preocupam com as coisas mais estranhas. Se a mesa está posta, a que horas vamos comer, se eu arrumo bem a cama, como tranço meu cabelo. Outro dia minha avó me deu uma pinça e me ensinou a fazer as sobrancelhas.
Mas alugamos uma casinha simpática perto deles e podemos visitá-los se tomarmos cuidado. Acho que mamãe está surpresa por descobrir que gosta de estar com seus pais. Temos bastante comida e roupas novas e, quando estamos todos sentados em torno da mesa de jantar, tentamos ficar mais unidos, mesmo com os erros e tudo mais.
Talvez o amor seja isso.

Querido Matthew,

O Natal aqui é como um evento olímpico. Nunca vi tanto brilho e comida. Meus avós me deram tantos presentes que foi constrangedor. Mas depois, quando eu estava sozinha em meu quarto, olhando pelas janelas para os vizinhos dos quais mantemos distância, olhando para casas decoradas com luzes cintilantes, pensei no inverno de verdade. Em você. Em nós.

Olhei a foto de seus avós e reli o artigo de jornal de sua avó.

Eu me pergunto qual a sensação para nosso bebê. Ele sente quanto estou insegura? A canção de meu coração partido toca para ele? Quero que ele seja feliz. Quero que seja filho do nosso amor, de quem nós éramos.

Acho que senti o bebê se mexer hoje...

Estou pensando nele como Lily. Em homenagem à sua avó.

Uma garota tem que ser forte neste mundo.

Querido Matthew,

Não acredito que é 1979. Liguei para o centro de reabilitação de novo hoje e ouvi o mesmo de sempre. Nenhuma mudança.

Infelizmente, minha mãe ouviu minha ligação. Ela ficou furiosa e disse que eu estava sendo estúpida. Ao que parece, a polícia pode rastrear a ligação até a casa dos meus avós se eles quiserem. Então não posso ligar mais. Não posso pôr todos nós em risco, mas como parar? É tudo que me resta de você. Sei que você não vai melhorar, mas toda vez que ligo, penso "talvez desta vez". Essa esperança é tudo que tenho, mesmo que seja inútil.

Mas isso é uma má notícia, e é fácil. Você quer boas notícias. É ano-novo.

Vou para a Universidade de Washington. Minha avó mexeu alguns pauzinhos e conseguiu que Susan Grant se matriculasse sem nenhuma comprovação de conclusão do ensino médio. A vida sem dúvida é diferente aqui fora. Ter dinheiro é o mais importante.

A faculdade não é o que eu esperava. Algumas garotas usam suéteres escoceses felpudos, saias xadrez e meias que vão até os joelhos. Acho que são garotas das irmandades. Elas riem e andam juntas como ovelhas, e os garotos que as seguem por aí são tão barulhentos que um urso poderia ouvi-los se aproximando a mais de 1 quilômetro de distância.

Na aula, finjo que você está do meu lado. Uma vez, acreditei tanto nisso que quase escrevi um bilhete para passar para você por baixo da carteira.

Sinto sua falta. Todos os dias e mais ainda à noite. Lily também. Ela começou a me acordar com seus chutes de vez em quando. Quando fica toda agitada, leio poemas de Robert Service para ela e falo sobre você.

Isso a acalma.

Querido Matthew,

A primavera aqui nada tem a ver com o degelo. Nenhuma terra desmorona, nenhum bloco de gelo do tamanho de uma casa se solta, nenhuma coisa perdida surge da lama.

São apenas cores por toda parte. Nunca vi tantas árvores floridas; flores rosa flutuam pelo campus.

Meu avô diz que a investigação ainda está em aberto, mas ninguém nos procura mais. Eles supõem que estamos mortas.

De certa forma, é verdade. Os Allbrights desapareceram no nada.

À noite falo com você e com Lily agora. Isso significa que estou louca ou apenas solitária? Imagino nós três aninhados na cama, com a aurora boreal dando seu espetáculo do lado de fora de nossa janela enquanto o vento bate no vidro. Digo para nossa bebê ser esperta e corajosa. Corajosa como seu pai. Tento dizer a ela para se proteger das escolhas terríveis que um dia pode ter que encarar. Tenho medo de que nós, mulheres Allbrights, sejamos amaldiçoadas no amor e torço para que ela seja um menino. Aí me lembro de você dizendo que queria ensinar a seu filho as coisas que tinha aprendido na propriedade e... bem, isso me deixa tão triste que entro na cama, puxo as cobertas sobre a cabeça e finjo estar no Alasca no inverno. Meus batimentos cardíacos se transformam no vento batendo no vidro.

Um menino precisa de um pai, e sou tudo o que Lily tem.

Pobre menina.

– Esse método Lamaze é um *embuste*! – gritou Leni quando a contração seguinte retorceu suas entranhas e a fez berrar. – Eu quero remédios.

– Você queria um parto natural. Agora é tarde demais para remédios – disse a mãe.

– Eu tenho 18 anos. Por que alguém daria ouvidos ao que eu quero? Eu não sei de nada – rebateu Leni.

A contração aliviou. A dor diminuiu.

Leni arfava. Suor escorria de sua testa, fazendo a pele pinicar.

A mãe pegou um pedaço de gelo no copo plástico na mesa ao lado da cama do hospital e o jogou na boca de Leni.

– Ponha morfina nele, mãe – implorou Leni. – Por favor. Não aguento mais. Foi um erro. Não estou preparada para ser mãe.

A mãe sorriu.

– Ninguém está preparada.

A dor começou a aumentar outra vez. Leni cerrou os dentes, concentrada em respirar – como se *isso* ajudasse –, e segurou a mão de Cora.

Apertou bem os olhos, arfando, até que a dor chegou ao auge. Quando começou – finalmente – a aliviar, ela caiu de volta na cama, exausta. Pensou: *Matthew devia estar aqui*, mas afastou essa ideia.

Outra contração a atingiu segundos depois. Dessa vez Leni mordeu a língua com tanta força que sangrou.

– Grite – disse a mãe.

A porta se abriu e sua médica entrou. Era uma mulher magra vestindo uniforme cirúrgico azul e uma touca. Suas sobrancelhas eram irregulares, o que lhe dava uma expressão um pouco enviesada.

– Srta. Grant, como estamos nos sentindo? – perguntou a médica.

– Tire-o de mim. Por favor.

A médica assentiu e calçou luvas.

– Vamos verificar, está bem?

Ela abriu os estribos.

Normalmente Leni não ficaria aliviada com uma relativa estranha sentada entre suas pernas abertas, mas nesse momento teria se aberto no terraço de observação da Agulha Espacial se isso acabasse com a dor.

– Parece que estamos tendo um bebê – disse a médica, em tom tranquilo.

– Não *diga*! – gritou Leni ao sentir outra contração.

– Está bem, Susan. Empurre. Com força. Mais forte.

Leni fez isso. Empurrou, gritou, suou, xingou.

Então, tão depressa quanto a dor havia começado, terminou.

Leni desabou na cama.

– Um menino – disse a médica virando-se para a mãe. – Vovó Eve, você quer cortar o cordão umbilical?

Como se fosse através de um nevoeiro, Leni observou sua mãe cortar o cordão e seguir a médica até uma área onde envolveram o recém-nascido em um cobertor térmico azul-claro. Leni tentou se sentar, mas não lhe restavam forças.

Um menino, Matthew. Seu filho.

Leni entrou em pânico e pensou: *Ele precisa de você, Matthew. Não posso fazer isso...*

A mãe ajudou Leni a se sentar e pôs a trouxinha em seus braços.

O *filho* dela. Ele era a menor coisa que ela já tinha visto, com um rosto de pêssego, olhos azuis turvos que se abriam e fechavam e a boca como um botão de rosa que fazia movimentos de sucção. Um punho rosado saiu do cobertor azul e Leni levou a mão até ele.

Os dedos minúsculos do bebê se fecharam em torno do dela.

Um amor abrasador, purificante e envolvente explodiu seu coração em um milhão de pedacinhos e lhe deu forma outra vez.

– Ah, meu Deus! – exclamou ela, surpresa.

– É – disse a mãe. – Você estava perguntando qual era a sensação.

– Matthew Denali Walker Júnior – declarou ela baixinho.

Um alasquiano de quarta geração que nunca conheceria o pai, nunca sentiria os braços fortes de Matthew ao seu redor nem ouviria sua voz tranquilizadora.

– Ei, você – falou para o bebê.

Ela agora sabia por que tinha fugido de seu crime. Não soubera antes, não havia entendido de verdade o que tinha a perder.

Essa criança. Seu filho.

Leni abriria mão de sua vida para protegê-lo. Faria toda e qualquer coisa para mantê-lo em segurança. Mesmo que isso significasse ouvir sua mãe e cortar a última conexão delicada com o Alasca e Matthew – as ligações para o centro de reabilitação. Não ligaria de novo. Só de pensar nisso seu coração ficava partido, mas o que mais podia fazer? Agora era mãe.

Ela estava chorando baixinho. Talvez a mãe tivesse ouvido e soubesse por que e soubesse que não havia nada a dizer; ou talvez todas as mães chorassem nesse momento.

– Matthew – sussurrou e acariciou seu rosto aveludado. – Vamos chamá-lo de MJ. Eles às vezes chamavam seu pai de Mattie, mas eu nunca fiz isso... e ele sabia voar... Ele teria amado muito você...

1986

VINTE E SETE

—N ão sei como lidar. Não sei como viver pensando no que eu fiz com a vida dela – disse Cora.
– Faz anos – falou sua mãe. – Olhe para ela. Está feliz. Por que continuamos a ter esta conversa?

Cora queria concordar. Era o que dizia a si mesma todos os dias. *Veja, ela está feliz.* Às vezes ela quase conseguia acreditar totalmente nisso. Então havia dias como esse. Não sabia o que causava a mudança. O clima, talvez. Velhos hábitos. O tipo de medo corrosivo que, quando chegava, perfurava seus ossos e ficava para sempre.

Sete anos tinham se passado desde que Cora arrastara Leni do Alasca e a levara para ali, para essa cidade à beira d'água.

Cora viu como Leni tentara criar raízes naquela terra rica e molhada, tentara florescer. Mas Seattle era uma cidade de centenas de milhares; nunca poderia falar a língua rústica da alma pioneira de Leni.

Cora acendeu um cigarro, inalou a fumaça em seus pulmões e deixou que ela permanecesse ali; o ato familiar a acalmou no mesmo instante. Exalou e ergueu o queixo, tentando ficar confortável na cadeira de acampamento. A parte inferior de suas costas doía de uma noite passada na pseudonatureza selvagem, dormindo em uma barraca; sua respiração estava irregular devido a um resfriado persistente.

Não longe dali, Leni estava parada à beira do rio com um menino de um lado e um senhor de idade do outro. Ela arremessou sua linha em um arco gracioso, fruto da prática, e a linha estalou e dançou no ar antes de cascatear na água calma. A luz do sol de fim de primavera pintava tudo de dourado; a água, as três figuras diferentes, as árvores próximas. Mesmo enquanto o sol brilhava sobre eles, começou a chover, pequenas gotículas saídas do ar úmido.

Eles estavam na floresta Hoh, um dos últimos refúgios puramente selvagens na populosa metade oeste do estado de Washington. Iam ali sempre que podiam e armavam suas barracas em áreas de camping que ofereciam tanto eletricidade quanto água. Ali, longe das multidões, podiam ser quem de fato eram. Não precisavam se preocupar em serem vistos juntos nem inventar histórias ou contar mentiras. Fazia anos que ninguém mencionava a família Allbright no Alasca nem procurava por qualquer um deles, mas ainda assim elas estavam sempre alertas.

Leni dizia que podia respirar naquela natureza, onde as árvores eram tão largas quanto um carro e cresciam alto o bastante para bloquear o sol recalcitrante. Dizia que tinha coisas a ensinar ao filho que eram parte de sua herança, lições que não podiam ser ensinadas onde o mundo era pavimentado e iluminado por luzes em postes. Coisas que o pai dele teria lhe ensinado.

Nos últimos anos, o pai de Cora havia se tornado um pescador ávido – ou talvez fosse apenas um avô ávido que fazia de tudo para fazer Leni e MJ sorrirem. Ele havia parado de advogar e tinha mais tempo livre em casa.

Então iam acampar ali sempre que podiam, independentemente da chuva que os recebia oito em cada dez vezes, mesmo no auge do verão. Pegavam peixes para o jantar e os fritavam em frigideiras de ferro fundido sobre chama aberta. À noite, enquanto estavam todos sentados em volta da fogueira, Leni recitava poemas e contava histórias ambientadas na natureza selvagem do Alasca.

Não era *diversão* para Leni. Era algo diferente. Vital. Um jeito de liberar a pressão que se acumulava a semana inteira enquanto caminhava em meio às hordas do amplo campus da Universidade de Washington, enquanto vendia livros para clientes em seu emprego de meio expediente na gigantesca livraria Shorey's na Primeira Avenida e fazia aulas de fotografia à noite.

Leni ia até a natureza para se reencontrar, para recuperar qualquer pequeno pedaço de sua alma alasquiana que conseguisse encontrar, para conectar seu filho com o pai que ele não conhecia e a vida que era seu direito de nascença. Alasca, a última fronteira, a terra que seria sempre um lar para Leni. O lugar ao qual ela pertencia.

– Você pode ouvi-lo rindo – disse a mãe dela.

Cora assentiu. Era verdade; mesmo o tamborilar percussivo da chuva que aumentava, com gotas aterrissando sobre barracas de náilon, coberturas plásticas e folhas do tamanho de pratos, ela podia ouvir o riso do neto.

MJ era uma criança muito feliz – um menino que fazia amigos com facilidade, seguia as regras e ainda segurava sua mão quando caminhava pela calçada na direção da escola. Ele se interessava pelas coisas costumeiras para um garoto de sua idade – bonecos, desenhos animados e picolés no verão. Ainda era muito jovem e não fazia muitas perguntas sobre o pai, mas essa fase ia chegar. Todos eles sabiam. Cora também sabia que, quando MJ olhava para o sorriso da mãe, não via nenhuma tristeza escondida por trás dele.

– Você acha que um dia ela vai me perdoar? – perguntou olhando para Leni.

– Ah, pelo amor de Deus. Por quê? Salvar sua vida? Essa garota ama você, Coraline.

Cora deu um longo trago em seu cigarro e soltou a fumaça.

– Eu sei que ela me ama. Nunca duvidei disso nem por um segundo. Mas eu a deixei crescer em uma zona de guerra. Deixei que ela visse o que nenhuma criança devia ver. Deixei que conhecesse o medo de um homem que devia amá-la e então o matei na frente dela. E fugi e fiz com que ela vivesse com um nome falso. Talvez, se eu tivesse sido mais forte, mais corajosa, pudesse ter mudado a lei, como Yvonne Wanrow.

– Levou anos para o caso dessa mulher chegar à Suprema Corte. E você estava no Alasca, não em Washington. Quem sabia que a lei ia finalmente reconhecer a defesa de uma mulher espancada? E seu pai ainda diz que quase nunca funciona. Você tem que esquecer tudo isso. *Ela* tem que esquecer. Olhe para ela, ali com o filho, ensinando a ele como pescar. Sua filha está bem, Cora. Bem. Ela perdoou você. É você quem precisa se perdoar.

– Ela precisa ir para casa.

– Para casa? Para a cabana sem água encanada nem eletricidade? Para o garoto com dano cerebral? Para uma acusação de cúmplice em um crime? Agora há esse novo teste sanguíneo. Alguma coisa sobre DNA. Então não seja ridícula, Cora. – Ela estendeu a mão e passou o braço em torno do ombro da filha. – Pense em tudo o que vocês encontraram aqui. Leni está estudando e se tornando uma fotógrafa maravilhosa. Você gosta de seu emprego na galeria de arte. Sua casa é sempre quente e você tem uma família com a qual pode contar.

O que ela tinha feito com a filha havia sido perdoado, era verdade, e o perdão de Leni era real e verdadeiro como a luz do sol. Mas Cora, por mais que tivesse tentado todos aqueles anos, não conseguia se perdoar. Não eram os tiros que a assombravam; ela sabia que cometeria o mesmo crime outra vez sob as mesmas circunstâncias.

Não conseguia se perdoar pelos anos que tinham vindo antes, pelo que tinha permitido e aceitado, pela definição de amor que havia passado à filha como um encantamento sombrio.

Por causa de Cora, Leni aprendera a ser feliz com meia vida, fingindo ser outra pessoa em outro lugar.

Por causa de Cora, Leni nunca poderia ver o homem que amava nem voltar para casa outra vez. Como ela poderia se perdoar por isso?

Sorria.
Você está feliz.

Leni não sabia por que tinha que se lembrar de sorrir e parecer feliz nesse dia claro de junho, quando eles estavam no parque para comemorar sua formatura na faculdade.

Ela *estava* feliz.

De verdade.

Sobretudo nesse dia. Estava orgulhosa de si mesma. A primeira mulher em sua família a se formar na faculdade.

Tinha demorado muito tempo.

Leni tinha 25 anos, era mãe solteira com – a partir desse dia – um diploma em artes visuais. Tinha uma família amorosa, o melhor filho do mundo e um lugar aconchegante para morar. Nunca passava fome, congelava nem temia pela vida da mãe. Seus únicos medos eram os de pais de crianças pequenas. Criancinhas atravessando a rua sozinhas, caindo de balanços, estranhos aparecendo do nada. Ela nunca ia dormir com o som de gritos ou choro e nunca acordava com o chão cheio de cacos de vidro.

Ela estava feliz.

Não importava que às vezes tivesse dias como esse, em que o passado surgia em sua visão, insistente.

Claro que ia pensar em Matthew nesse dia, um dia sobre o qual tinham conversado com tanta frequência. Quantas vezes uma conversa entre eles tinha começado com: *Quando terminarmos a faculdade...?*

Instintivamente, ela ergueu a câmera e minimizou sua visão do mundo. Era como administrava suas lembranças, como processava o universo. Em imagens. Com uma câmera, podia recortar e reenquadrar sua vida.

Feliz. Sorria.

A cada clique, era ela mesma outra vez. Podia ver o que importava.

Céu completamente azul, sem uma nuvem à vista. Pessoas por toda a volta.

A luz do sol falava com os moradores de Seattle em uma língua que eles entendiam, arrastava-os de suas casas nas encostas e os estimulava a calçar tênis caros e aproveitar as montanhas, os lagos e as estradas sinuosas nas florestas. Depois disso, eles paravam no mercado para comprar bifes embalados para seus churrascos de fim de semana.

A vida era tranquila ali em Seattle. Segura e contida. Cruzamentos, sinais de trânsito, capacetes, policiais a cavalo e bicicletas.

Como mãe, ela apreciava toda essa proteção e tinha tentado se estabelecer nessa vida confortável. Nunca contava a ninguém – nem mesmo a Cora – quanto sentia falta do uivo dos lobos, de um dia passado sozinha na motoneve ou dos ecos dos estalos do gelo no degelo de primavera. Ela comprava sua carne em vez de caçá-la; abria a torneira para obter água e puxava a descarga quando terminava de usar o banheiro. O salmão que ela grelhava no verão já vinha limpo, em filés e lavado, preso como tiras de prata e seda rosa por baixo de abóbadas de celofane.

Nesse dia, ao seu redor as pessoas estavam rindo, falando, cachorros latiam, saltavam para pegar frisbees, adolescentes jogavam bolas de futebol americano de um lado para outro.

– Olhe! – disse MJ apontando para o balão rosa com a inscrição *Parabéns, formanda!* balançando na ponta de uma fita amarela.

Ele tinha um cupcake parcialmente comido em uma das mãos e uma barba de glacê no queixo.

Leni sabia que ele estava crescendo rápido (já cursava o primeiro ano), então tinha que abraçá-lo e beijá-lo enquanto ele ainda deixava. Ela o envolveu nos braços. Deu nele um beijo doce de creme de manteiga e o abraçou daquele jeito dele, todo entregue, com os braços jogados em volta do pescoço dela como se estivesse se afogando sem ela. A verdade era que ela se afogaria sem ele.

– Quem está pronto para a sobremesa? – perguntou a vovó Golliher de seu lugar perto da mesa de piquenique.

Ela tinha acabado de servir a sobremesa favorita de Leni: *akutaq*. Sorvete esquimó feito de neve, gordura vegetal, blueberries e açúcar. A mãe tinha guardado montes de neve do inverno só para isso.

MJ se soltou, com as mãos erguidas em triunfo – as duas, só para ter certeza de que era visto.

– Eu! Eu quero *akutaq*!

A avó deu a volta na mesa e parou ao lado de Leni. Ela havia mudado muito nos últimos anos, tinha se suavizado – embora, mesmo em um piquenique, ainda se vestisse como se fosse ao country club.

– Estou muito orgulhosa de você, Leni.

– Eu também estou.

– Minha amiga Sondra do clube disse que há uma vaga de assistente de fotógrafo na revista *Sunset*. Quer que eu peça a ela para dar um telefonema em nome de Susan Grant?

– Sim – respondeu Leni. – Quero dizer, sim, por favor.

Leni nunca conseguia se ajustar direito ao jeito como as coisas eram ali. A vida parecia valorizar mais quem você conhecia do que o que você sabia fazer.

Uma coisa, porém, ela sabia: era amada. A avó e o avô os haviam acolhido desde o início. Nos últimos anos, Leni, a mãe e MJ tinham vivido em uma casinha alugada em Fremont e visitavam seus avós nos fins de semana. No início, eles ficavam em alerta constante, com medo de fazer amigos ou falar com estranhos, mas, com o tempo, a polícia do Alasca parou de procurar por elas e a ameaça de descoberta ficou em segundo plano em suas vidas.

MJ fazia tanto barulho e tinha tanta energia que a casa sisuda em Queen Anne Hill tinha se tornado um lugar turbulento. Em suas noites juntos, eles se reuniam em torno da televisão para assistir a programas que não faziam sentido para Leni. Em vez disso, ela lia; estava na terceira leitura consecutiva de *Entrevista com o vampiro*. Tudo girava em torno de MJ. O amor por ele os unia. Enquanto MJ estivesse feliz, eles estavam felizes. E ele era uma criança muito feliz. As pessoas comentavam isso o tempo inteiro.

Leni viu sua mãe parada sozinha à margem do parquinho, fumando, com uma das mãos espalmada na parte inferior das costas de um jeito que não parecia natural.

De perfil, Leni pôde ver como as maçãs do rosto da mãe estavam salientes, seus lábios sem cor, seu rosto magro. Como sempre, ela não usava maquiagem e estava quase translúcida. Tinha parado de pintar o cabelo um ano antes; agora ele estava muito claro, um louro cheio de fios brancos.

– Eu quero *akutaq*! – gritou MJ puxando a manga de Leni.

A voz dele estava morosa devido à congestão de seu último resfriado. Desde que havia começado na escola particular perto de casa, MJ – todos eles na verdade – vinha lutando contra resfriados.

– E como nós pedimos? – perguntou Leni.

– Por favooooor – disse MJ.

– Está bem. Vá chamar a vovó. Diga a ela para apagar a porcaria do cigarro e vir para a mesa.

Ele saiu como uma bala, as pernas brancas magrelas se movendo como batedores de ovos, seu cabelo louro escorrido para trás do rosto pálido e anguloso.

Leni o observou arrastar a mãe de volta à mesa de piquenique, o rosto dela corado pelo riso.

Leni olhou para o lado, desviando sua atenção por apenas um momento. Viu um homem parado perto do portão de entrada do parque público. Cabelo louro.

Era ele.

Ele a havia encontrado.

Não.

Ela suspirou. Não ligava para o centro de reabilitação havia anos. Pegara o telefone várias vezes, mas nunca discara. Não importava que a ameaça de descoberta houvesse diminuído; ela ainda existia. Além disso, quando ligara, tantos anos antes, sua condição sempre tinha sido a mesma. *Nenhuma mudança.*

Sabia que ele tinha sido lesionado pela queda e que o garoto que ela amava vivia apenas em seus sonhos. Às vezes, à noite, ele lhe sussurrava em seu sono, nem sempre, não com muita frequência, mas o suficiente para sustentá-la. Em seus sonhos, ele era o garoto ainda sorridente que tinha lhe dado uma câmera e ensinado que nem todo amor é assustador.

– Venha – chamou a avó, pegando Leni pelo braço.

– Isso é ótimo – disse Leni.

No princípio, as palavras pareceram duras. Mecânicas. Mas, quando MJ se levantou, começou a bater palmas e gritou "Ei, mãe!" naquela sua voz de Mickey, ela não conseguiu conter o sorriso.

As bordas escuras recuaram outra vez, retrocederam até restar apenas o aqui e agora. Um dia ensolarado, uma comemoração, uma família. A vida era assim; cheia de mudanças fortuitas. A alegria reaparecia tão inesperadamente quanto a luz do sol.

Ela estava feliz.

Ela *era* feliz.

– Conte sobre o Alasca, mamãe – pediu MJ enquanto deitava na cama e puxava o edredom.

Leni afastou os cachos finos e claros da testa do filho, pensando – outra vez – em quanto ele se parecia com o pai.

– Chegue para lá – disse ela.

Leni deitou na cama ao lado dele, que apoiou a cabeça em seu ombro.

O quarto estava quase totalmente escuro, iluminado apenas por um pequeno abajur de cabeceira de *Star Wars*. Diferente de Leni, seu filho crescia como uma criança dos verdadeiros Estados Unidos. Depois do piquenique no parque e de toda a diversão que eles tinham tido nesse dia, ela sabia que MJ estava exausto, mas o filho não ia dormir sem uma história.

– A garota que amava o Alasca...

Era a história favorita dele. Leni a começara anos antes e a expandira com o tempo. Imaginara uma sociedade vivendo nas águas turquesa e de frio glacial de um fiorde alasquiano, em construções que tinham sido derrubadas quando o poderoso monte Aku entrou em erupção. Essas pessoas – o clã do Corvo – queriam desesperadamente sair à luz outra vez, caminhar sob o sol, mas uma maldição lançada pelo filho mais velho do clã da Águia os condenara a permanecer na água congelante para sempre – até que um murmúrio pudesse chamá-los de volta. Katyaaq era a murmuradora. Uma garota estrangeira de coração puro e força silenciosa.

A história tinha se desenrolado semana a semana, com Leni contando apenas o suficiente em cada noite para ninar o filho. Ela criara Katyaaq de mitos alasquianos nativos que lera quando pequena e da própria terra dura e bela. Uki, o garoto que Katyaaq amava – o caminhante da terra – a chamara desde a costa.

Não havia nenhuma dúvida na cabeça de Leni sobre quem eram os amantes nem por que a história lhe parecia tão trágica.

– Katyaaq desafiou os deuses e ousou nadar até a praia. Ela não devia ser capaz de fazer isso, mas seu amor por Uki lhe deu um poder especial. Bateu pernas sem parar e finalmente conseguiu sair das ondas, sentiu os raios solares em seu rosto. Uki mergulhou na água congelante chamando seu nome. Ela viu seus olhos, tão verdes quanto as águas calmas da baía que antes tinha sido o lar de seu povo, seu cabelo da cor da luz do sol. "Kat", disse ele. "Segure minha mão."

Leni viu que MJ tinha dormido. Debruçou-se para beijá-lo e saiu da cama.

A pequena casa estava em silêncio. A mãe provavelmente se encontrava na sala de estar, assistindo a *Dinastia*. Leni caminhou pelo corredor estreito de sua casa alugada, as paredes de seus dois lados decoradas com as fotografias de Leni e os desenhos e as pinturas de MJ. A claustrofobia que antes a atacara naquele corredor mal iluminado de painéis de madeira falsos tinha desaparecido havia muito tempo.

Ela domara a natureza selvagem dentro de si com a mesma determinação com a qual antes havia domado a natureza selvagem exterior. Aprendera a andar em meio às multidões, a viver com paredes, a parar para o trânsito. Aprendera a observar pintarroxos em vez de águias, a comprar seu peixe no mercado e a pagar em dinheiro por roupas novas na loja de departamentos. Aprendera a secar e a tratar seu cabelo em camadas na altura do ombro e a se preocupar que suas roupas combinassem. Ela fazia as sobrancelhas e raspava as pernas e as axilas.

Camuflagem. Ela havia aprendido a se encaixar.

Leni entrou em seu quarto e acendeu a luz. Nos anos em que tinham morado ali, não mudara nada nesse quarto e não comprara praticamente nada para decorá-lo. Não via sentido nisso. Era vazio e comum, cheio dos móveis de vendas de garagem que haviam colecionado ao longo dos anos. O único verdadeiro traço de Leni era o equipamento fotográfico – lentes, câmeras e rolos de filme amarelo-vivo. Pilhas de fotografias e coleções de álbuns de fotos. Um único álbum era cheio com suas fotos de Matthew e do Alasca. O resto era mais comum. A foto dos avós de Matthew estava presa no canto do espelho da penteadeira. PODIA SER NÓS DOIS. Ao lado dela estava a primeira foto que ela tirara dele com sua Polaroid.

Ela abriu a porta que levava ao pequeno deque de tábuas de cedro e corria por toda a extensão da casa. No jardim dos fundos, a mãe havia cultivado uma grande horta. Leni saiu no deque e se sentou em uma das duas cadeiras Adirondack que já estavam ali quando elas se mudaram. Acima, o céu cheio de estrelas parecia infinito. Uma cerca sólida de cedro delineava seu pequeno terreno. Ela podia sentir o aroma distante dos primeiros churrascos de verão e ouvir o barulho de bicicletas de crianças sendo guardadas para a noite. Cachorros latiam. Um corvo repreendeu algo com um *crá-crá-crá*.

Leni se recostou na cadeira, olhou para cima e tentou se perder na vastidão do céu.

– Ei – disse a mãe de trás dela. – Você quer companhia?

– Claro.

A mãe se sentou na segunda cadeira, posicionada perto o bastante para que elas pudessem dar as mãos enquanto ficavam ali sentadas. Ali tinha se tornado seu lugar ao longo dos anos, um deque estreito que se projetava em uma dimensão que não era nem passado nem presente. Às vezes, em especial nessa época do ano, o ar cheirava a rosas.

– Eu daria qualquer coisa para ver a aurora boreal – disse Leni.

– É. Eu também.

Juntas elas olharam fixamente para o imenso céu noturno. Nenhuma das duas falava, não precisavam. Leni sabia que as duas estavam pensando nos amores que haviam tido.

– Mas temos MJ – declarou a mãe.

Leni segurou a mão dela.

MJ. Sua alegria, seu amor, sua salvação.

VINTE E OITO

Cora teve pneumonia. Não foi uma grande surpresa. Por semanas ela pegara todas as doenças que tinham passado pela escola de MJ.

Agora ela estava sentada em uma sala de espera estéril, irritada. Impaciente para ser liberada.

Aguardando.

Não via mal em fazer todos os exames que a médica de sua mãe tinha pedido só por garantia, mas só queria conseguir uma receita de antibiótico e sair dali. Logo MJ chegaria em casa da escola.

Cora folheava a última *People*. Tentou as palavras cruzadas no fim da revista, mas não conhecia cultura popular o suficiente para fazer muito progresso.

Mais de trinta minutos depois, a enfermeira de cabelo azulado voltou à sala de espera e conduziu Cora a um pequeno consultório com as paredes cobertas de diplomas, prêmios, coisas assim. Indicou-lhe uma cadeira preta dura.

Ela se sentou e, por instinto, cruzou as pernas nos tornozelos como tinha sido ensinada anos antes, em seus dias de country club. De repente lhe ocorreu, estupidamente, que isso era uma metáfora de tudo o que havia mudado para as mulheres ao longo de sua vida. Ninguém ligava mais para como uma mulher se sentava.

– Então, Evelyn... – disse a médica.

Era uma mulher de aparência séria com cabelo parecendo palha de aço e um óbvio gosto por rímel. Parecia viver de café e legumes crus, mas quem era Cora para julgar uma mulher por ser magra? Uma série de raios X estava presa sobre uma tela iluminada atrás dela.

– Onde está a pneumonia? – perguntou Cora, apontando o queixo na direção das imagens.

Um polvo devorando alguma coisa, era o que parecia.

A médica começou a falar, em seguida fez uma pausa.

– Doutora?

A Dra. Prasher apontou uma das imagens.

– Você está vendo essas áreas brancas grandes? Aqui, aqui e aqui? Está vendo essa curva branca? A sombra ao longo de sua coluna? Isso tudo é muito sugestivo de câncer no pulmão. Vamos precisar de mais exames para ter certeza, mas...
Espere. O quê?
Como isso podia estar acontecendo?
Ah, certo. Ela era fumante. Era câncer de pulmão. Por anos Leni importunara Cora em relação ao vício, a alertara exatamente sobre essa possibilidade. Ela tinha rido e dissera: "Ora, filhota, eu posso morrer atravessando a rua".
– A tomografia computadorizada mostra uma massa em seu fígado, que indica metástase – disse a Dra. Prasher e continuou falando.
As palavras se tornaram um emaranhado na mente de Cora: consoantes e vogais, uma série de inspirações e expirações.
A Dra. Prasher prosseguiu, usando palavras comuns em um contexto extraordinário e de impossível compreensão: *broncoscopia, tumor, agressivo...*
– Quanto tempo eu tenho? – perguntou Cora, percebendo com muito atraso ter interrompido a médica no meio de alguma coisa.
– Ninguém pode lhe dizer isso, Sra. Grant. Mas seu câncer parece agressivo. Câncer de pulmão em estágio 4 que já fez metástase. Sei que é algo difícil de ouvir.
– Quanto tempo eu tenho?
– Você é uma mulher relativamente jovem. Vamos tratar dele de forma agressiva.
– Aham.
– Sempre há esperança, Sra. Grant.
– Há? – perguntou Cora. – Também há o carma.
– Carma?
– Havia um veneno nele – explicou Cora para si mesma. – E eu o bebi.
A Dra. Prasher franziu a testa e se inclinou para a frente.
– Evelyn, isto é uma doença, não uma retaliação ou castigo por algum pecado. Esses são pensamentos da Idade das Trevas.
– Aham.
– Bem... – disse a Dra. Prasher, franzindo a testa. – Quero marcar uma broncoscopia para esta tarde. Ela deve confirmar o diagnóstico. Tem alguém para quem gostaria de ligar?
Cora ficou de pé, sentindo-se tão atordoada que precisou se segurar no espaldar da cadeira. A dor na base de sua coluna saltou outra vez, pior agora que ela sabia o que era.
Câncer.

Eu tenho câncer.

Não podia se imaginar dizendo isso em voz alta.

Fechou os olhos, expirou. Imaginou – lembrou – uma garotinha com cabelo ruivo desgrenhado, mãozinhas gorduchas e sardas como canela polvilhada, estendendo a mão em sua direção e dizendo *Mãe, eu te amo*.

Cora tinha passado por muita coisa. Vivido, quando podia ter morrido. Imaginara sua vida de cem jeitos diferentes, praticara mil maneiras de repará-la. Ela imaginara ficar velha, senil, rindo quando devia chorar, usando sal em vez de açúcar. Em seus sonhos, tinha visto Leni se apaixonar outra vez, se casar e ter outro bebê.

Sonhos.

Em um instante estonteante, a vida de Cora entrou bruscamente em foco, tornou-se pequena. Todos os seus medos, arrependimentos e decepções desapareceram. Havia apenas uma coisa que importava: como ela podia não saber disso desde o começo? Por que passara tanto tempo à procura de quem era? Ela devia ter sabido. Sempre. Desde o início.

Ela era uma mãe. Uma *mãe*. E agora...

Minha Leni.

Como ela poderia dizer adeus?

Leni estava parada em frente à porta do quarto de hospital de sua mãe, tentando acalmar sua respiração. Ouvia ruídos por toda a sua volta, dos dois lados do corredor, pessoas correndo com sapatos de sola de borracha, carrinhos sendo empurrados de quarto em quarto, anúncios saindo pelos alto-falantes.

Leni estendeu a mão para a maçaneta prateada da porta e a girou.

Entrou em um quarto grande, dividido em dois espaços menores por cortinas que corriam por trilhos de metal no teto.

A mãe estava sentada na cama, apoiada em uma pilha de travesseiros brancos. Parecia uma boneca antiga, a pele fina e frágil esticada demais sobre seu rosto delicadamente desenhado. Sua clavícula era visível acima da gola de sua bata hospitalar grande demais, a pele dos dois lados emaciada.

– Oi. – Ela se inclinou e beijou o rosto suave da mãe. – Você podia ter me dito que ia ao médico. Eu teria vindo com você. – Ela afastou o cabelo louro e leve como uma pluma dos olhos de Cora. – Você está com pneumonia?

– Tenho câncer de pulmão em estágio 4. Só que foi sorrateiro e invadiu minha coluna e meu fígado também. Está no meu sangue.

Leni literalmente deu um passo para trás. Quase ergueu as mãos para cobrir o rosto.

– O quê?

– Desculpe, filhota. A coisa não é boa. A médica não estava muito esperançosa.

Leni queria gritar: PARE!

Não conseguia respirar.

Câncer.

– V-você está sentindo dor?

Não. Não era isso que queria dizer. O que ela queria dizer?

– Ah – disse a mãe, fazendo um aceno de desdém com a mão cheia de veias. – Sou forte como o Alasca.

Cora estendeu a mão até as costas de Leni para pegar seus cigarros.

– Não tenho certeza se eles permitem isso aqui.

– Tenho quase certeza de que não – falou a mãe, com as mãos tremendo enquanto acendia. – Mas logo vou começar a quimioterapia. – Ela tentou sorrir. – Então posso esperar calvície e enjoos. Tenho certeza de que vai ser um bom visual.

Leni se aproximou.

– Você vai lutar, não vai? – perguntou, piscando para segurar lágrimas que não queria que a mãe visse.

– Claro. Vou acabar com esse desgraçado.

Leni assentiu e secou as lágrimas.

– Você vai ficar boa. Vovô vai conseguir para você o melhor cuidado na cidade. Ele tem aquele amigo que é da diretoria do Fred Hutch. Você vai ficar...

– Eu vou ficar bem, Leni.

Ela tocou a mão da filha, que permaneceu ali parada, conectada à mãe pela respiração, o toque e uma vida de amor. Queria dizer a coisa certa, mas o que seria isso, e como algumas palavras frágeis podiam importar em um mar de câncer?

– Não posso perder você – sussurrou Leni.

– É – disse a mãe. – Eu sei, filhota, eu sei.

Querido Matthew,

Faz apenas alguns dias desde que escrevi para você. É estranho como a vida pode mudar em uma semana.

Não é engraçado, com certeza.

Ontem à noite, quando estava deitada em minha cama confortável, em meu pijama chique, pensei em muitas coisas em que não queria pensar. Por isso encontrei meu caminho até você.

Acho que não falamos o suficiente sobre a morte de sua mãe. Talvez tenha sido porque éramos crianças ou talvez porque você estava muito traumatizado, mas devíamos ter falado sobre isso depois, quando éramos mais velhos. Eu devia ter dito a você que escutaria sua dor para sempre. Eu devia ter perguntado por suas lembranças.

Agora vejo como a tristeza se transforma em gelo fino. Ainda não perdi minha mãe, mas uma única palavra a empurrou para longe de mim, criou uma barreira entre nós que nunca existiu antes. Pela primeira vez, estamos mentindo uma para a outra. Posso sentir isso. Mentindo para proteger uma à outra.

Mas não há proteção, há?

Ela tem câncer no pulmão.

Deus. Eu queria que você estivesse aqui.

Leni largou a caneta. Dessa vez, escrever para Matthew não lhe deu nenhum conforto.

Na verdade, fez com que ela se sentisse pior. Mais sozinha.

Como era patético não ter ninguém com quem conversar sobre aquilo. Que seu melhor amigo não tivesse ideia de quem ela era.

Ela dobrou a carta e a colocou na caixa de sapato com todas as outras que escrevera ao longo dos anos e nunca enviara.

Nesse verão, Leni viu o câncer consumir sua mãe. A primeira coisa foi seu cabelo, depois suas sobrancelhas. Em seguida a linha firme de seus ombros; eles começaram a se curvar. Então ela perdeu a postura e o jeito de andar. Por fim, o câncer levou completamente seus movimentos.

No fim de julho, depois de a doença tê-la apagado tanto, a verdade foi revelada por sua última tomografia computadorizada. Nada do que eles tinham feito havia ajudado.

Leni estava sentada em silêncio ao lado da mãe, segurando sua mão, quando elas souberam que o tratamento havia falhado. O câncer estava por toda parte, um inimigo em movimento, atacando ossos, destruindo órgãos. Não houve discussão sobre tentar de novo ou combatê-lo.

Em vez disso, elas se mudaram de volta para a casa dos avós, instalaram um leito no solário, onde a luz entrava pela janela, e contrataram um cuidador particular.

A mãe lutara por sua vida, lutara com mais força do que por qualquer outra coisa, mas o câncer não se importava com esforço.

Cora nesse momento se ergueu lentamente na cama até uma posição sentada e curvada. Um cigarro apagado tremia em sua mão cheia de veias. Não podia mais fumar, é claro, mas gostava de segurá-los. Havia alguns fios de cabelo no travesseiro, correndo como veios de ouro no algodão branco. Havia um tanque de oxigênio ao lado da cama; tubos transparentes inseridos nas narinas da mãe a ajudavam a respirar.

Leni se levantou de seu lugar ao lado da cama e largou o livro que estava lendo em voz alta. Serviu um copo d'água e o ofereceu a ela. Cora estendeu a mão para o copo plástico. Tremia tanto que Leni pôs sua mão sobre a da mãe e a ajudou a segurá-lo. A mãe bebericou como um beija-flor e tossiu. Seus ombros magros como os de um passarinho se sacudiram tanto que Leni podia jurar ter ouvido os ossos chacoalharem por baixo da pele fina.

– Sonhei com o Alasca na noite passada – disse a mãe, tornando a se encostar nos travesseiros. Ela olhou para Leni. – Não era tão ruim, era?

Foi um choque para Leni ouvir a palavra ser mencionada de maneira tão natural. Por acordo tácito, havia anos que não falavam sobre o Alasca – nem sobre o pai, nem sobre Matthew –, mas talvez fosse inevitável que perto do fim elas fechassem o círculo.

– Muita coisa foi ótima – respondeu Leni. – Eu amava o Alasca. Eu amava Matthew. Eu amava você. Eu amava até o papai – admitiu em voz baixa.

– Havia alegria. Quero que você se lembre disso. E aventura. Quando você se lembra, sei que é fácil resgatar a parte ruim. A violência de seu pai. As desculpas que eu criava. Meu amor triste por ele. Mas também havia amor bom. Lembre-se disso. Seu pai amava você.

Isso doeu mais do que Leni podia suportar, mas ela viu quanto a mãe precisava dizer essas palavras.

– Eu sei.

– Você vai contar ao MJ tudo sobre mim, está bem? Conte a ele como eu nunca cantava uma letra de música certa e como eu usava short com sandálias e ficava linda, como aprendi a ser forte como o Alasca, mesmo não querendo, e como eu nunca deixei que as coisas ruins me matassem, como seguia em frente. Conte que amei você desde o momento em que a vi e que tenho orgulho da mãe que ele tem.

– Eu também te amo, mãe – disse Leni.

Não foi suficiente. Nem de longe o suficiente, mas tudo o que elas tinham agora eram palavras – palavras de mais e tempo de menos.

– Você é uma boa mãe, Leni, mesmo sendo jovem assim. Nunca fui uma mãe tão boa quanto você é.

– Mãe...

– Nada de mentiras, filhota. Eu não tenho tempo.

Leni se abaixou para tirar os poucos cabelos da testa da mãe. Eram finos como plumas de ganso, ralos. O fenecimento dela era insuportável. A cada respiração parecia que a mãe perdia um pouco mais de sua força vital.

A mãe levou a mão lentamente até a mesa de cabeceira. A gaveta de cima se abriu com o silêncio de um trabalho caro. Com a mão trêmula, pegou uma carta dobrada em três.

– Aqui.

Leni não queria pegá-la.

– Por favor.

Leni pegou a carta, desdobrou-a com cuidado e viu o que estava escrito na primeira página, em uma letra manuscrita praticamente ilegível. Dizia:

Eu, Coraline Margaret Golliher Allbright, atirei em meu marido, Ernt Allbright, quando ele estava me batendo.

Prendi armadilhas para animais como peso em seu corpo e o afundei no lago Glass. Fugi porque tive medo de ir para a prisão, embora eu acreditasse na época – e ainda acredite – ter salvado minha vida naquela noite. Meu marido tinha sido violento por anos. Muitos moradores de Kaneq desconfiaram das agressões e tentaram ajudar. Eu não permiti.

A morte dele está em minhas mãos e em minha consciência. A culpa se transformou em câncer e está me matando. Justiça divina.

Eu o matei e escondi o corpo. Fiz tudo sozinha. Minha filha não teve nada a ver com isso.

Atenciosamente,
Coraline Allbright

Abaixo da assinatura trêmula da mãe estava a assinatura de seu avô, como advogado e testemunha, e um selo de cartório.

A mãe tossiu em uma bola de lenço de papel. Inalou uma respiração catarrosa e olhou para Leni. Por um momento terrível e intenso, o tempo parou entre elas, o mundo prendeu a respiração.

– Está na hora, Leni. Você viveu a minha vida, filhota. É hora de viver a sua.

– Chamando você de assassina e fingindo ser inocente? É assim que você quer que eu comece a vida?

– Indo para casa. Meu pai diz que você pode botar a culpa de tudo em mim. Alegar que não sabia de nada. Você era uma criança. Eles vão acreditar em você. Tom e Marge vão apoiá-la.

Leni balançou a cabeça, tomada demais pela tristeza para falar qualquer coisa além de:

– Eu não vou deixar você.

– Ah, filhota... Quantas vezes você teve que dizer isso na vida?

A mãe deu um suspiro cansado e olhou para Leni através de olhos tristes e aquosos. Sua respiração estava ruidosa, difícil.

– Mas eu vou deixar você. Não podemos mais fugir disso. Por favor – sussurrou ela. – Faça isso por mim. Seja mais forte do que eu.

Dois dias depois, Leni estava parada diante do solário ouvindo a respiração difícil da mãe enquanto ela conversava com a avó.

Através da porta aberta, Leni ouviu a palavra *perdão* na voz trêmula da avó.

Uma palavra que Leni passara a desprezar. Sabia que nos últimos anos a mãe e a avó já tinham dito o que precisavam uma para a outra. Tinham falado sobre o passado de seu jeito entrecortado. Nunca tudo de uma vez, nunca um grande momento com lágrimas e abraços no final, mas uma atualização constante do passado, reexaminando ações, decisões e crenças, oferecendo desculpas, perdão. Tudo isso as havia aproximado de quem eram, de quem sempre tinham sido. Mãe e filha. Sua ligação essencial e imutável – frágil o suficiente para se romper diante de uma palavra dura muito tempo atrás, durável o bastante para sobreviver à própria morte.

– Mãe! Você está aí – disse MJ. – Eu te procurei *em toda parte*.

MJ deslizou até Leni, esbarrando nela com força. Ele estava segurando seu exemplar valioso de *Onde vivem os monstros*.

– Vovó falou que ia ler para mim.

– Não sei, garotinho...

– Ela prometeu. – Com isso, ele a empurrou, passou por ela e entrou no solário como um caubói querendo briga. – Sentiu minha falta, vovó?

Leni ouviu o riso baixo da mãe. Em seguida a batida metálica e o gritinho de MJ atingindo o tanque de oxigênio.

Momentos depois, a avó saiu do solário, viu Leni e parou.

– Ela está chamando você. Cecil já foi.

As duas sabiam o que isso significava. No dia anterior, a mãe ficara inconsciente por horas.

A avó estendeu o braço e apertou firme a mão de Leni, em seguida a soltou. Com um último olhar angustiantemente triste, a avó seguiu pelo corredor e subiu a escada até seu quarto, onde Leni imaginou que ela se permitiria chorar pela filha que estava perdendo. Todos se esforçavam muito para não chorar na frente de Cora.

Através da porta aberta do solário, Leni ouviu o "Leia para mim, vovó" agudo de MJ e a resposta inaudível da mãe.

Leni olhou para seu relógio. A mãe não conseguia aguentar mais que alguns poucos minutos com ele. MJ era um bom menino, mas era uma criança, o que significava pular, falar e se mexer sem parar.

A voz frágil da mãe flutuou pelo ar iluminado pelo som, levando com ela uma torrente de lembranças.

– *A noite em que Max usou sua roupa de lobo e fez todo tipo de travessuras...*

Leni foi atraída pela voz da mãe como sempre tinha sido, talvez ainda mais nesse instante, quando cada momento importava e cada respiração era uma dádiva. Ela tinha aprendido a submergir o medo, empurrá-lo para um lugar silencioso e cobri-lo com um sorriso, mas ele estava sempre ali, o pensamento: *Essa respiração é a última? É essa?*

Ali, no final, era impossível acreditar em um adiamento de última hora. E a mãe sentia tanta dor que até torcer para que ela sobrevivesse mais um dia, mais uma hora, parecia egoísmo.

Leni ouviu a mãe dizer:

– Fim.

E a palavra carregava um forte duplo sentido.

– Mais uma história, vovó.

Leni entrou no solário.

O leito da mãe tinha sido posicionado para tirar proveito da luz do sol que entrava pela janela. Quase parecia uma cama de conto de fadas no fundo da mata, iluminada pelo sol e cercada por flores de estufa.

A mãe era a Bela Adormecida ou a Branca de Neve, seus lábios o único lugar em que ainda havia alguma cor. O restante estava tão pequeno e pálido que ela parecia derreter nos lençóis brancos. Os tubos de plástico transparente saíam de seu nariz, passavam por trás de suas orelhas e seguiam até os aparelhos.

– Já chega, MJ – disse Leni. – Vovó precisa dormir um pouco.

– Ah, mas que droga vocês – reclamou ele, com os ombros se curvando.

A mãe riu. Isso se transformou em uma tosse.

– Que bela linguagem, MJ.

Sua voz era um sussurro.

– A tosse da vovó está sangrando outra vez – notou MJ.

Leni pegou um lenço de papel na caixa ao lado da cama da mãe e se abaixou para limpar o sangue de seu rosto.

– Dê um beijo na mão de sua avó e vá, MJ. O bisavô tem um novo avião para vocês montarem.

A mão da mãe ergueu-se trêmula da cama. As costas de sua mão inteira tinham hematomas de tubos intravenosos.

MJ se inclinou para perto, atingindo a cama com tanta força que sacudiu a mãe, e bateu ruidosamente um joelho no tanque de oxigênio. Beijou com cuidado a mão machucada.

Quando ele se foi, Cora deu um suspiro e tornou a se recostar nos travesseiros.

– O garoto é como um alce. Você devia botá-lo no balé ou na ginástica.

A voz dela estava quase baixa demais para ser ouvida. Leni teve que se aproximar.

– É. Como você está?

– Cansada, filhota.

– Eu sei.

– Estou muito cansada, mas... não posso deixá-la. Eu... não posso. Não sei como. Você é tudo para mim, sabe disso. O grande amor da minha vida.

– Unha e carne – sussurrou Leni.

– Inseparáveis. – A mãe tossiu. – A ideia de você ficar sozinha, sem mim...

Leni se abaixou e beijou a testa delicada da mãe. Sabia o que tinha que dizer nesse momento, do que a mãe precisava. Uma sempre sabia quando devia ser forte pela outra.

– Eu estou bem, mãe. Sei que você vai estar comigo.

– Sempre – sussurrou a mãe com a voz praticamente inaudível.

Ela ergueu a mão trêmula e tocou o rosto de Leni. Sua pele estava fria. O esforço necessário para fazer esse único movimento era evidente.

– Você pode ir – sussurrou Leni.

Cora deu um suspiro profundo. No som, Leni ouviu por quanto tempo e com quanta força a mãe estivera lutando contra esse momento. A mão dela caiu do rosto de Leni e bateu com um som surdo na cama. Abriu-se como uma flor, revelando um bolo de lenço de papel ensanguentado.

– Ah, Leni... você é o amor da minha vida... Eu me preocupo...

– Eu vou ficar bem – mentiu Leni. Lágrimas escorreram pelo seu rosto. – Eu te amo, mãe.

Não vá, mãe. Não posso ficar neste mundo sem você.
As pálpebras da mãe se fecharam.
– Amei... você... minha filhota.
Leni mal conseguiu ouvir essas últimas palavras sussurradas. Sentiu o último suspiro da mãe tão profundamente quanto se tivesse sido dado por ela mesma.

VINTE E NOVE

— Ela queria que você ficasse com isto.

A avó estava parada na porta aberta do velho quarto de Leni, toda vestida de preto. Conseguia fazer o luto parecer elegante. Esse era o tipo de coisa da qual a mãe teria zombado muito tempo antes – teria desprezado uma mulher preocupada com as aparências. Mas Leni sabia que às vezes você se agarrava ao que podia para se manter de pé. E talvez todo o preto fosse um escudo, um jeito de dizer às pessoas: *Não fale comigo, não se aproxime de mim, não faça suas perguntas triviais e cotidianas quando meu mundo ruiu.*

Leni, por outro lado, parecia alguma coisa trazida pela maré. Nas 24 horas desde a morte da mãe, não havia tomado banho, escovado os dentes nem trocado de roupa. Tudo o que fez foi ficar sentada em seu quarto, atrás da porta fechada. Faria um esforço às duas da tarde, quando buscaria MJ na escola. Na ausência dele, nadava sozinha em sua perda.

Afastou as cobertas. Movendo-se lentamente, como se seus músculos tivessem mudado na ausência da mãe, atravessou o quarto, pegou a caixa com sua avó e disse:

– Obrigada.

As duas se entreolharam, espelhos de tristeza. Então, sem dizer mais nada – para que serviam as palavras? –, a avó se virou e saiu andando pelo corredor, toda aprumada. Se Leni não a conhecesse, diria que a avó era uma rocha, uma mulher no controle perfeito, mas Leni a conhecia. Na escada, a avó fez uma pausa, pisou em falso em um degrau e sua mão se agarrou ao corrimão. O avô saiu do escritório, surgindo bem quando ela precisava dele, para oferecer um braço.

Os dois, com as cabeças baixas juntas, eram um retrato de dor.

Leni odiava que não houvesse nada que pudesse fazer para ajudar. Como três pessoas se afogando podiam salvar umas às outras?

Voltou para a cama. Ao subir nela, pôs a caixa de pau-rosa em seu colo. Ela a vira antes, claro. Era onde a mãe guardava seu baralho.

Quem quer que tivesse feito essa caixa a havia polido até que a superfície se parecesse mais com vidro que com madeira. Era um suvenir, talvez de uma viagem que tinham feito em outra vida, quando moravam em um trailer e foram até Tijuana. Leni era muito jovem para se lembrar da viagem – antes do Vietnã –, mas ouvira os pais falarem sobre ela.

Leni respirou fundo e abriu a tampa. Lá dentro, viu um emaranhado de coisas: uma pulseira barata com pingentes, um jogo de chaves em um chaveiro que dizia *Continue na estrada*, uma concha rosa de vieira, uma moedeira de camurça adornada com contas, um baralho, um entalhe nativo em marfim de um esquimó segurando uma lança.

Ela pegou os objetos um por um, tentando encaixá-los no contexto do que sabia da vida da mãe. A pulseira com pingentes parecia um presente que uma garota daria a outra no ensino médio e lembrou a Leni de todas as peças faltando na vida da mãe. Perguntas que Leni não tinha feito; histórias que a mãe não tivera tempo de contar. Tudo isso perdido. As chaves, Leni reconheceu – eram da casa que tinham alugado em uma rua sem saída perto de Seattle muitos anos antes. A concha de vieira mostrava o amor de sua mãe por catar coisas na praia, e a moedeira de camurça tinha provavelmente vindo da loja de lembranças da reserva.

Havia um copo de *shot* do Salty Dawg Saloon. Um pedaço de madeira levada pela maré no qual tinha sido entalhado *Cora e Ernt, 1973*. Três ágatas brancas. Uma fotografia do dia do casamento de seus pais, tirada no cartório. Nela, a mãe estava com um sorriso radiante, usando um vestido branco abaixo do joelho com uma saia em forma de sino e segurando uma única rosa branca nas mãos com luvas brancas. O pai a abraçava forte, seu sorriso um pouco rígido, vestindo um terno preto com gravata fina. Pareciam duas crianças brincando de se vestir de adulto.

A imagem seguinte era da Kombi com suas caixas e malas presas ao teto. A porta estava aberta e dava para ver toda a sua tralha empilhada no interior. A foto tinha sido tirada apenas alguns dias antes de partirem para o norte.

Os três estavam parados ao lado da Kombi. A mãe usava calças jeans boca de sino e um top que deixava a barriga de fora. Seu cabelo louro tinha sido preso em marias-chiquinhas e uma faixa decorada com contas circundava sua cabeça. O pai vestia uma calça de poliéster azul-clara e uma camisa combinando com as pontas das golas grandes demais. Leni estava na frente deles, com um vestido vermelho de gola Peter Pan e tênis Keds. Os dois tinham a mão pousada nos ombros da filha.

Ela estava com um sorriso largo. Feliz.

A fotografia ficou borrada, dançou na mão vacilante de Leni.

Algo azul, vermelho e dourado chamou a atenção de Leni. Ela baixou a foto e esfregou os olhos.

Uma medalha militar: uma fita vermelha, branca e azul com uma estrela de bronze afixada na extremidade pontuda. Ela virou a estrela e viu a inscrição: *Feito heroico ou meritório. Ernt A. Allbright.* Embaixo havia uma reportagem de jornal dobrada com o título "Prisioneiro de guerra de Seattle libertado" e uma foto de seu pai. Ele parecia um cadáver, seus olhos embotados fixos à frente. Praticamente não havia nenhuma semelhança com o homem na foto do casamento.

Gostaria que você se lembrasse dele de Antes... Com que frequência sua mãe tinha dito isso ao longo dos anos?

Ela apertou a foto e a medalha junto ao peito, como se pudesse gravá-las em sua alma. Essas eram lembranças que Leni queria guardar: o amor deles, seu heroísmo, a imagem deles rindo, a ideia da mãe catando coisas na praia.

Restavam duas coisas na caixa: um envelope e uma folha de caderno dobrada.

Leni deixou a medalha e a fotografia de lado, pegou o papel e o desdobrou devagar. Viu a letra bonita da mãe.

Para minha filhota linda:

É a hora de desfazer o que eu fiz. Você vive sob um nome falso porque eu matei um homem. Eu.

Você pode ainda não perceber isso, mas tem um lar, e um lar significa alguma coisa. Você tem a chance de uma vida diferente. Pode dar ao seu filho tudo o que eu não pude dar a você, mas é preciso coragem. E coragem é algo que você tem. Tudo o que precisa fazer é voltar ao Alasca e dar à polícia minha carta de confissão. Diga a eles que sou uma assassina e deixe que o crime enfim termine como devia ter terminado, com você livre dessa mácula. Eles vão fechar o caso e você vai estar livre. Recupere seu nome e sua vida.

Vá para casa. Espalhe minhas cinzas em nossa praia.

Estarei olhando por você. Sempre.

Você tem um filho, então sabe. Você é meu coração, filhota. Você é tudo o que eu fiz certo. E quero que saiba que eu faria tudo outra vez, cada segundo terrível e maravilhoso disso. Eu faria anos e anos disso outra vez por um minuto com você.

Dentro do envelope, encontrou duas passagens só de ida para o Alasca.

De alto a baixo da rua bem cuidada de Queen Anne Hill, a vida seguia ruidosamente nesse último sábado de julho. Os vizinhos de seus avós estavam reunidos em torno de churrasqueiras assando carne comprada em lojas e preparando margaritas em liquidificadores, com os filhos brincando em conjuntos de balanços que custavam tanto quanto um carro usado. Será que algum deles tinha percebido as persianas abaixadas na casa dos Gollihers? Será que podiam de algum modo sentir o sofrimento emanando através de pedra e vidro? Não era possível falar dessa tristeza em público. Como podiam expressar o pesar pela perda de uma mulher – Evelyn Grant – que na verdade nunca havia existido?

Leni saiu pela janela de seu quarto e se sentou no telhado, as telhas de madeira alisadas por anos de pessoas se sentando ali. Mais do que em qualquer lugar, sentia a mãe ao seu lado. Às vezes a sensação era tão forte que Leni achava que ouvia a mãe respirando, mas era apenas a brisa, sussurrando através das folhas da árvore de bordo em frente.

– Eu costumava pegar sua mãe aqui fora fumando quando ela tinha 13 anos – disse a avó em voz baixa. – Ela achava que uma janela fechada e hálito de hortelã podiam me enganar.

Leni não conteve um sorriso. Essas poucas palavras foram um encantamento que trouxeram a mãe de volta por um momento belo e intenso. Uma chama de cabelo louro, uma risada ao vento. Leni olhou para trás e viu a avó parada diante da janela aberta do quarto no segundo andar. Uma brisa noturna fresca agitava sua blusa preta, ondulava os enfeites no pescoço. Leni teve um pensamento fugaz e surpreendente de que a avó ia adotar o preto pelo resto da vida; talvez, se ela usasse um vestido verde, o remorso e a perda brotassem de seus poros e mudassem o tecido para preto.

– Posso me juntar a você?
– Eu vou entrar.
Leni começou a voltar.
A avó ficou parada no parapeito, o cabelo amassado contra o batente da janela.
– Sei que você acha que eu sou jurássica, mas consigo pular para um peitoril.
Leni chegou para o lado.
A avó passou pela abertura e se sentou, mantendo as costas eretas apoiadas na casa.

Leni chegou para trás para ficar no nível dela, carregando consigo a caixa de pau-rosa. Não havia parado de tocar sua superfície lisa desde que a abrira no dia anterior.

– Eu não quero que você vá.

– Eu sei.

– Seu avô diz que é uma péssima decisão, e ele deve saber o que diz. – Ela fez uma pausa. – Fique aqui. Não entregue aquela carta.

– Era o desejo dela antes de morrer.

– Ela se foi.

Leni não conseguiu conter o sorriso. Ela amava que sua avó fosse uma mistura complexa de otimismo e praticidade. O otimismo lhe permitira esperar quase duas décadas pelo retorno da filha; a praticidade lhe permitira esquecer toda a dor que o precedera. Ao longo dos anos, Leni sabia que a mãe tinha mais que perdoado seus pais; ela passara a entendê-los e a se arrepender da dureza com a qual os havia tratado. Talvez fosse uma estrada que toda criança no fim percorria.

– Eu já lhe disse quanto sou grata por vocês ter nos recebido, por amarem meu filho?

– E amar você.

– E me amarem.

– Explique isso, me faça entender, Leni. Estou com medo.

Leni tinha pensado nisso a noite inteira. Sabia que era loucura e talvez perigoso, mas também havia esperança.

Ela queria – precisava – ser Leni Allbright outra vez. Viver sua própria vida. Qualquer que fosse o custo.

– Sei que você considera o Alasca frio e inóspito, um lugar onde nos perdemos. A verdade é que também nos encontramos lá. Aquele lugar está em mim, vovó. Eu pertenço a ele. Todos esses anos longe me custaram alguma coisa. E tem o MJ. Ele não é mais um bebê. É um menino e está crescendo rápido. Precisa de um pai.

– Mas o pai dele está...

– Eu sei. Passei anos contando ao MJ o máximo de verdade possível sobre o pai dele. Ele sabe sobre o acidente e o centro de reabilitação. Mas contar histórias não basta. MJ precisa saber de onde veio, e não vai demorar muito antes que comece a fazer perguntas de verdade. Ele merece respostas. – Leni fez uma pausa. – Minha mãe estava errada em relação a muitas coisas, mas ela estava certa sobre a durabilidade do amor. Ele permanece. Contra todas as probabilidades, diante do ódio, ele permanece. Eu deixei o garoto que amava quando ele estava mal e doente, e me odeio por isso. Matthew é o pai de MJ, não importa se sabe o que isso significa ou não, se pode segurá-lo, falar com ele ou não. MJ merece conhecer sua família. Tom Walker é seu avô. Alyeska é sua tia. É imperdoável que eles não saibam sobre MJ. Eles iam amá-lo tanto quanto você o ama.

– Eles podem tentar tirá-lo de você. Custódia é uma coisa traiçoeira. Você não conseguiria sobreviver.

Isso era algo obscuro em que Leni não queria pensar.

– Não é sobre mim – falou Leni em voz baixa. – Eu tenho que fazer a coisa certa. Finalmente.

– É uma má ideia, Leni. Uma ideia terrível. Se você aprendeu alguma coisa com sua mãe e com o que aconteceu, é que a vida e a lei são duras com as mulheres. Às vezes fazer a coisa certa não ajuda em nada.

Verão no Alasca.

Leni nunca havia se esquecido da beleza exótica e de tirar o fôlego, e agora, em um aviãozinho, voando de Anchorage para Homer, sentiu uma grande abertura em sua alma. Pela primeira vez em anos, sentiu-se inteiramente ela mesma.

Eles voaram sobre os pântanos verdes em torno de Anchorage e a extensão prateada de Turnagain Arm, a maré baixa revelando o fundo cinza de areia, onde tantos pescadores incautos encalhavam e o encontro mágico das marés rolava com ondas grandes o suficiente para surfar.

E depois a enseada Cook, uma faixa azul pontilhada de barcos pesqueiros. O avião virou para a esquerda na direção das montanhas cobertas de neve e voou sobre o azul glacial da geleira Harding Icefield. Acima da baía de Kachemak, a terra ficava ricamente verde outra vez, uma série de corcovas esmeralda. Centenas de barcos pontilhavam a água, com faixas de água branca se agitando em seu rastro.

Em Homer aterrissaram aos solavancos na pista de pouso de cascalho, e MJ deu um gritinho de felicidade, apontando pela janela. Quando o avião parou, o piloto deu a volta, abriu a porta traseira e ajudou Leni com a mala de rodinhas. A mala não combinava com o Alasca, não tinha nem alças para ser carregada no ombro.

Ela segurou MJ com uma das mãos e arrastou a mala pela pista de pouso até o pequeno escritório da empresa de aviação. Um grande relógio na parede marcava 10h12 da manhã.

No balcão, obteve a atenção da recepcionista.

– Desculpe. Soube que há uma nova delegacia na cidade.

– Bom, não tão nova. Fica na Heath Street, depois dos correios. Quer que eu chame um táxi para você?

Se Leni não estivesse tão nervosa, teria rido da ideia de pegar um táxi em Homer.

– Ah. Sim. Por favor. Seria ótimo.

Enquanto esperava o táxi, Leni ficou parada no pequeno escritório da empresa de aviação, olhando assombrada para a parede inteira cheia de brochuras em quatro cores anunciando aventuras para turistas: o Great Alaska Adventure Lodge, em Sterling, e a Pousada de Aventura Enseada Walker, em Kaneq; pousadas aonde se ia de avião na cordilheira Brooks, guias de rios contratados por dia, excursões de caça em Fairbanks. Ao que parecia, o Alasca tinha se tornado a meca turística que Tom Walker imaginara. Leni sabia que navios de passageiros paravam em Seward toda semana no verão, descarregando milhares de pessoas.

Momentos depois de o táxi chegar, ela e MJ estavam na delegacia, um prédio comprido, baixo e de telhado plano localizado em uma esquina.

Por dentro, a delegacia era bem iluminada, recém-pintada. Leni lutou com sua mala de rodinhas, esforçando-se para fazer com que passasse pelo batente da porta. A única pessoa no local era uma mulher uniformizada sentada a um balcão. Leni seguiu adiante, decidida, apertando a mão de MJ com tanta força que ele se remexia e choramingava, tentando se soltar.

– Olá – disse ela para a mulher. – Eu gostaria de falar com o chefe de polícia.

– Por quê?

– É sobre uma... morte.

– De um humano?

Só no Alasca essa pergunta seria feita.

– Tenho informação sobre um crime.

– Siga-me.

A mulher uniformizada conduziu Leni. Elas passaram por uma cela vazia e chegaram a uma porta fechada com uma placa onde se lia: CHEFE CURT WARD.

A mulher bateu com força. Duas vezes. Depois de um "Entre" abafado, abriu a porta.

– Chefe, esta moça diz que tem informação sobre um crime.

O chefe de polícia se levantou devagar. Leni se lembrou dele do grupo de busca de Geneva Walker. Seu cabelo estava cortado à escovinha. Um bigode ruivo grosso se destacava contra a barba por fazer acobreada que tinha obviamente crescido desde que ele se barbeara de manhã. Ele parecia um antigo jogador de hóquei empolgado transformado em policial de cidade pequena.

– Lenora Allbright – disse Leni, se apresentando. – Meu pai era Ernt Allbright. Nós morávamos em Kaneq.

– Minha nossa. Achávamos que você estivesse morta. Grupos de busca saíram por dias à procura de você e de sua mãe. Isso foi há seis, sete anos? Por que você não entrou em contato com a polícia?

Leni botou MJ em uma cadeira confortável e abriu um livro para ele. Lembrou-se do conselho de seu avô: *É uma péssima ideia, Leni, mas, se vai fazer isso, precisa ser cuidadosa, mais inteligente que sua mãe foi. Não diga nada. Apenas entregue a carta. Diga-lhe que você nem sabia que seu pai estava morto até sua mãe lhe entregar essa carta. Diga que vocês estavam fugindo de violência doméstica, escondidas para que ele não as encontrasse. Tudo o que você fez – a mudança de identidade, a cidade nova, o silêncio –, tudo se encaixa com uma família fugindo de um homem perigoso.*

– Quero ir embora, mãe – falou MJ quicando na cadeira. – Quero ver meu pai.

– Em breve, filho.

Leni beijou sua testa e em seguida voltou para a mesa do chefe. Entre eles havia uma grande faixa de metal cinza decorada com fotos de família, coberta de pilhas bagunçadas de mensagens rosa de "enquanto você esteve fora do escritório" e repleta de revistas de pesca. Uma carretilha com uma linha impossivelmente emaranhada estava sendo usada como peso de papel.

Ela tirou a carta de sua bolsa. Sua mão tremia quando entregou a confissão de sua mãe.

O chefe Ward leu a carta. Sentou-se. Ergueu os olhos.

– Você sabe o que diz aqui?

Leni puxou uma cadeira e se sentou de frente para ele. Estava com medo de que suas pernas não a sustentassem.

– Sei.

– Então sua mãe atirou em seu pai, se livrou do corpo e vocês duas fugiram?

– O senhor tem a carta.

– E onde está sua mãe?

– Morreu na semana passada. Ela me deu a carta em seu leito de morte e pediu que eu a entregasse à polícia. Foi a primeira vez que ouvi falar disso. Da... morte, quero dizer. Achei que estivéssemos fugindo do meu pai. Ele... era violento. Bateu muito nela uma noite e nós fugimos enquanto ele dormia.

– Sinto muito pela morte dela.

O chefe Ward encarou Leni por um bom tempo com os olhos semicerrados. A intensidade de seu olhar era perturbadora. Ela se esforçou para não começar a se remexer. Por fim ele se levantou, foi até um arquivo no fundo da sala, mexeu em uma gaveta e retirou uma pasta. Largou-a em sua mesa, sentou-se e a abriu.

– Então sua mãe, Cora Allbright, tinha 1,67 metro. As pessoas a descreviam como leve, frágil, magra. E seu pai tinha 1,80 metro.

– Sim. Isso mesmo.

– Mas ela atirou nele, arrastou seu corpo de casa e o prendeu a uma motoneve, foi até o lago Glass no inverno e abriu um buraco no gelo, prendeu-o com armadilhas de ferro e o jogou na água? Sozinha? Onde você estava?

Leni permanecia sentada imóvel, com as mãos entrelaçadas no colo.

– Não sei. Não sei quando isso aconteceu.

Ela sentiu necessidade de prosseguir, de acrescentar palavras para solidificar a mentira, mas o avô a instruíra a dizer o mínimo possível.

O chefe Ward apoiou os cotovelos na mesa e uniu as pontas dos dedos erguidas.

– Você podia ter enviado esta carta.

– Podia.

– Mas isso não combina com você, não é, Lenora? Você é uma boa garota. Uma pessoa honesta. Tenho relatórios entusiasmados sobre você neste arquivo. – Ele se debruçou para a frente. – O que aconteceu na noite em que vocês fugiram? O que o fez perder a cabeça?

– Eu... descobri que estava grávida – contou ela.

– Matthew Walker – disse ele, olhando para o arquivo. – As pessoas falaram que vocês dois estavam apaixonados.

– Aham.

– Muito triste o que aconteceu com ele. Com vocês dois. Mas você melhorou, e ele... – O chefe Ward deixou a frase no ar. Leni sentiu sua vergonha se agarrar ao que não foi dito. – Eu soube que seu pai odiava os Walkers.

– Mais que os odiava.

– E então seu pai descobriu que você estava grávida?

– Ele ficou louco, começou a me bater com os punhos, com o cinto...

As memórias que ela passara anos escondendo se soltaram.

– Pelo que eu soube, ele era um filho da mãe violento.

– Às vezes.

Leni virou o rosto. Pelo canto do olho, viu MJ lendo seu livro, sua boca se movendo enquanto ele se esforçava para pronunciar as palavras. Ela esperava que o que dizia não encontrasse abrigo em algum canto escuro de seu subconsciente, capazes de se erguerem um dia.

O chefe Ward puxou alguns papéis na direção dela. Leni viu *Allbright, Coraline* no canto.

– Tenho declarações assinadas de Marge Birdsall, Natalie Watkins, Tica Rhodes, Thelma Schill e Tom Walker. Todos eles testemunharam ter visto machucados em sua mãe ao longo dos anos. Houve muitas lágrimas quando peguei os depoimentos, posso lhe dizer isso, muita gente desejando ter feito as coisas de um jeito diferente. Thelma disse que desejava ela mesmo ter atirado em seu pai.

– Mamãe nunca deixou que ninguém a ajudasse. Ainda não sei por quê.
– Ela alguma vez contou a alguém que ele batia nela?
– Não que eu saiba.
– Você precisa contar a verdade se quer mesmo ajuda – falou o chefe Ward.
Leni o encarou.
– Vamos, Leni. Você e eu sabemos o que aconteceu naquela noite. Sua mãe não fez isso sozinha. Você era uma criança. Não foi sua culpa. Você fez o que sua mãe pediu que fizesse, e quem não faria? Não há ninguém no planeta que não entenderia. Ele estava batendo em você, pelo amor de Deus. A lei vai entender.
Ele estava certo. Ela *era* uma criança, mas uma criança de 18 anos, amedrontada e grávida.
– Deixe-me ajudá-la. Você pode se livrar deste fardo terrível.
Leni sabia o que sua mãe e seus avós queriam que ela fizesse agora: continuar a mentir, dizer que não havia testemunhado o assassinato, nem a viagem até o lago Glass ou o pai afundando na água.
Que dissesse: não fui eu.
Podia botar toda a culpa na mãe e se ater a essa história.
E ser para sempre uma mulher com esse segredo sombrio e terrível. Uma mentirosa.
A mãe queria que Leni voltasse para casa, mas sua casa não era apenas uma cabana em uma mata profunda que dava para uma enseada plácida. Sua casa era um estado mental, a paz que vinha de ser quem era e levar uma vida honesta. Não havia como voltar para casa pela metade. Não podia construir uma vida nova sobre a fundação decrépita de uma mentira. Não outra vez. Não para ter seu lar.
– A verdade vai libertá-la, Leni. Não é isso que você quer? Por que está aqui? Conte-me o que realmente aconteceu naquela noite.
– Ele me bateu quando descobriu sobre o bebê, com força suficiente para fraturar meu rosto e meu nariz. Eu... eu não me lembro de tudo, só dele me batendo. Então ouvi minha mãe dizer *Não minha Leni*, e um disparo. Eu... vi sangue brotar em sua camisa. Ela atirou nele duas vezes pelas costas. Para impedi-lo de me matar.
– E você a ajudou a se livrar do corpo?
Leni hesitou. A compaixão nos olhos dele a fez confessar em voz baixa:
– E eu a ajudei a se livrar do corpo.
O chefe Ward ficou ali sentado por um momento, olhando para os registros à sua frente. Parecia pronto para dizer algo, em seguida mudou de ideia. Abriu a gaveta da mesa, que emitiu um rangido, e pegou uma folha de papel e uma caneta.

– Você pode escrever isso?
– Eu já lhe contei tudo.
– Preciso disso no papel. Então estará acabado. Não perca a disposição agora, Leni. Você está muito perto do fim. Quer deixar isso tudo para trás, certo?

Leni pegou a caneta e puxou o papel em sua direção. Primeiro apenas olhou fixamente para a página em branco.

– Talvez eu devesse chamar um advogado? Meu avô recomendaria isso. Ele é advogado.

– Você pode fazer isso – respondeu ele. – É o que pessoas culpadas fazem. – Ele levou a mão ao telefone. – Quer que eu chame um?

– O senhor acredita em mim, certo? Eu não o matei, e minha mãe não queria fazer isso. A lei agora sabe sobre mulheres espancadas.

– É claro. Além disso, você já me contou a verdade.

– Então só preciso escrever no papel e acabou? Posso ir para Kaneq?

Ele assentiu.

Que diferença fazia escrever? Ela começou devagar, palavra por palavra, reconstruindo a cena daquela noite terrível. Os punhos, o cinto, o sangue, o tecido humano. A trilha congelada até o lago. A última imagem do rosto de seu pai, marfim sob o luar, afundando na água. O som de gelo e água se agitando na borda do buraco.

A única omissão foi sobre a ajuda de Marge Gorda. Não mencionou nada sobre ela. Tampouco mencionou os avós, nem para onde ela e a mãe tinham ido depois de deixarem o Alasca.

Ela terminou com: *Então voamos de Homer para Anchorage e depois deixamos o Alasca.*

Empurrou o papel sobre a mesa.

O chefe Ward pegou um par de óculos de leitura do bolso aberto de seu uniforme e olhou para sua confissão.

– Terminei de ler, mãe – disse MJ.

Ela acenou para que ele se aproximasse.

MJ fechou o livro com um barulho, praticamente correu pela sala e subiu em seu colo como um macaco. Embora fosse muito grande, ela o segurou, deixou que ficasse, suas pernas magras penduradas enquanto chutava a mesa de metal com a ponta do tênis.

O chefe Ward olhou para ela.

– Você está presa.

Leni sentiu o mundo ruir sob seus pés.

– Mas... o senhor disse que teríamos terminado se eu escrevesse.

– Você e eu terminamos. Agora é com outra pessoa. – Ele passou uma das mãos pelo cabelo. – Eu gostaria que você não tivesse vindo aqui.

Todos os alertas ao longo dos anos. Como ela havia esquecido? Deixara sua necessidade de perdão e redenção passar por cima do bom senso.

– O que o senhor quer dizer com isso?

– Isso está fora do meu controle, Leni. Tudo agora depende do juiz. Vou ter que prender você, pelo menos até sua audiência. Se não puder pagar um advogado...

– Mãe? – disse MJ, franzindo a testa.

O chefe leu para Leni seus direitos, em seguida concluiu:

– A menos que você conheça alguém que possa ficar com seu filho, ele vai ter que ir para o serviço social. Vão tomar conta dele direito. Eu prometo.

Leni não conseguia acreditar que fora tão estúpida e ingênua. Como não tinha visto que isso ia acontecer? Ela havia sido *alertada*. E ainda assim acreditara na polícia. Sabia como a lei podia ser impiedosa com mulheres.

Ela queria atacar, gritar, chorar e revirar os móveis, mas era tarde demais para isso. Tinha cometido um erro terrível. Não podia cometer outro.

– Tom Walker – disse ela.

– Tom? – O chefe Ward franziu a testa. – Por que eu ligaria para ele?

– Apenas ligue para ele. Diga que preciso de ajuda. Ele virá.

– Você precisa é de um advogado.

– Sim. Diga isso a ele também.

TRINTA

𝒫rocessada.
 Antes desse dia, Leni associava esta palavra a comida que tinha sido deformada até ficar irreconhecível e se transformar em algo ruim para você. Como queijo em spray.
 Agora tinha um significado completamente novo.
 Impressões digitais. Fotografias de identificação. *Vire para a direita, por favor.* Mãos revistando-a.
 – Isso é divertido! – disse MJ batendo as mãos pela grade da cela, correndo de um lado para outro. – Parece o barulho de um helicóptero. Escuta só!
 Ele correu outra vez, tão rápido quanto podia, com as mãos batendo na grade.
 Leni não conseguia sorrir. Não conseguia olhar para ele nem desviar os olhos. Foram necessárias súplicas infinitas de sua parte para que MJ pudesse ficar ali dentro com ela. Graças a Deus ela estava em Homer, não em Anchorage, onde tinha quase certeza de que as leis seriam aplicadas com mais rigor. Aparentemente ainda não havia muito crime na área. Em geral, a cela era usada para abrigar bêbados nos fins de semana.
 Ouviu som de passos.
 – MJ! – chamou Leni bruscamente.
 Só quando viu seu rosto, os olhos verdes preocupados e a boca aberta, percebeu que havia gritado.
 – Desculpe – falou. – Venha aqui, filho.
 Os humores de MJ eram como o mar; um olhar lhe dizia tudo o que você precisava saber. Ela o havia magoado, talvez até o assustado com sua explosão.
 Mais uma coisa com a qual se sentir mal.
 MJ deslizou pela cela pequena, arrastando propositalmente seus tênis de sola de borracha.
 – Estou patinando no gelo.
 Leni conseguiu dar um sorriso enquanto dava tapinhas no lugar vazio ao seu lado no banco de cimento. Ele se sentou. A cela era tão pequena que a privada

sem tampa praticamente tocava seu joelho. Através das barras de metal, Leni podia ver a maior parte da delegacia – a recepção, a área de espera. A porta para o escritório do chefe Ward.

Teve que se esforçar para não tomar MJ nos braços e o abraçar com mais força do que o necessário.

– Eu preciso conversar com você – disse ela. – Sabe como sempre falamos sobre seu pai?

– Ele tem dano cerebral, mas ia me amar mesmo assim. Essa privada é nojenta.

– E ele vive em um centro de reabilitação onde tomam conta de pessoas como ele. É por isso que não pode nos visitar.

MJ assentiu.

– Ele não pode falar mesmo. Caiu em um buraco e quebrou a cabeça.

– Aham. E ele mora aqui. No Alasca. Onde a mamãe cresceu.

– Sei disso, sua boba. É por isso que estamos aqui. Ele pode andar?

– Acho que não. Mas... você também tem um avô que mora aqui. E uma tia chamada Alyeska.

MJ finalmente parou de bater seu tricerátops no banco e olhou para ela.

– Outro avô? Jason tem três avôs.

– E você agora tem dois, apesar de um ser bisavô. – Ela riu. – Não é legal?

Leni ouviu a porta da delegacia se abrir. Através dela, o som de uma caminhonete passando roncou do lado de fora, pneus trituraram o cascalho. Uma buzina tocou.

E ali estava Tom Walker, entrando a passos largos na delegacia. Ele usava jeans desbotado enfiado nas botas e uma camiseta preta que tinha uma logomarca colorida da Pousada de Aventura Enseada Walker. Um boné de caminhoneiro sujo estava enfiado sobre sua testa larga.

Parou no meio da delegacia e olhou ao redor.

Ele a viu.

Leni não podia ter permanecido sentada mesmo que tivesse tentado, coisa que não fez. Afastou-se de MJ e ficou de pé.

Sentiu uma onda de energia que era uma mescla de ansiedade e alegria. Não percebera até esse momento quanto sentira falta do Sr. Walker. Ao longo dos anos, ela o mitificara. Ela e a mãe tinham feito isso. Para a mãe, ele tinha sido a chance que devia ter aproveitado. Para Leni, tinha sido o ideal do que um pai poderia ser. No início, elas falavam sobre ele com frequência, até que ficou doloroso demais para as duas e então pararam.

Ele se moveu na direção dela, tirou o boné e o apertou com força nas mãos. Parecia diferente, mais exausto que envelhecido. Seu cabelo louro comprido estava grisalho e tinha sido penteado para trás em um rabo de cavalo. Ele obviamente estava trabalhando na mata quando o chefe Ward o chamou. Havia folhas secas e gravetos presos à sua camisa de flanela.

– Leni – falou quando não havia nada além de uma grade de cela entre eles. Agarrou as barras com as mãos grandes e avermelhadas pelo trabalho. – Achei que seu pai tivesse matado vocês.

A vergonha de Leni cresceu; ela sentiu o rosto quente.

– Mamãe o matou. Quando ele partiu para cima de mim. Tivemos que fugir.

– Eu teria ajudado vocês – disse ele, baixando a voz e se aproximando. – Nós todos teríamos.

– Eu sei. Foi por isso que não pedimos.

– E... Cora?

– Morreu – respondeu Leni com voz embargada. – Câncer no pulmão. Ela... pensava em você com frequência.

– Ah, Leni... Eu sinto muito. Ela era...

– É – interrompeu Leni baixinho, tentando nesse momento não pensar em todas as formas como sua mãe era especial ou em quanto sua perda doía.

Não fazia tempo suficiente, ainda; Leni não tinha aprendido a falar sobre sua dor. Em vez disso, chegou para o lado para que ele pudesse ver o menino sentado atrás dela.

– MJ... Matthew Júnior... Este é seu vovô Tom.

O Sr. Walker sempre parecera absurdamente forte, de um jeito sobre-humano, mas agora, com uma olhada para o menino que se parecia tanto com seu filho, Leni o viu se abrir por completo.

– Ah, meu Deus...

MJ pulou de pé. Estava segurando um dinossauro de plástico vermelho em uma das mãos.

O Sr. Walker se agachou para olhar o neto nos olhos através da grade.

– Você me lembra outro garoto de cabelo louro.

Aguente firme.

– Eu sou MJ! – disse o menino pulando, com um sorriso muito grande. – Você quer ver meus dinossauros?

MJ não esperou a resposta. Começou a sacar seus dinossauros de plástico dos bolsos, cada um com um floreio.

Acima do som de rosnados (*é assim que o tiranossauro faz, grrrr*), o Sr. Walker disse:

– Ele é muito parecido com o pai.

– É.

O passado abriu caminho para o presente. Leni olhou para os pés, incapaz de encarar o Sr. Walker.

– Sinto muito não ter lhe contado. Tivemos que partir depressa e eu não queria encrencá-lo. Não queria que tivesse que mentir por nós, e eu não podia deixar que minha mãe fosse para a cadeia...

– Ah, Leni... – disse o Sr. Walker por fim, se levantando. – Você sempre teve preocupações demais para uma garota da sua idade. Então por que está aqui se sua mãe matou Ernt? Curt devia dar a vocês duas uma medalha, não prendê-la.

Leni quase desabou diante da bondade que via nos olhos dele. Como ele podia não sentir raiva? Ela havia abandonado seu filho com dano cerebral, mentido por anos sobre sua ausência, e roubara dele anos da vida de seu neto. E agora tinha que pedir outro favor a ele.

– Eu a ajudei depois. Sabe... a se livrar do... corpo.

O Sr. Walker se inclinou para perto.

– Você admitiu isso? Por quê?

– O chefe me enganou. Enfim, talvez as coisas devam ser assim. Eu precisava contar a verdade. Estou cansada de fingir ser outra pessoa. Vou dar um jeito. Meu avô é advogado. Eu só... preciso saber que MJ está seguro até que eu... saia. Pode ficar com ele?

– Claro que fico, mas...

– E sei que não tenho direito de lhe pedir isso, mas, por favor, não conte a Matthew sobre o filho. Eu mesma preciso fazer isso.

– Matthew não vai...

– Sei que ele não vai entender, mas tenho que ser eu a lhe contar que ele tem um filho. É a coisa certa a fazer.

Ela ouviu o tilintar de chaves, passos. O chefe Ward estava se aproximando. Passou pelo Sr. Walker e destrancou a porta da cela.

– Está na hora.

Leni se abaixou até a altura do filho.

– Está bem, filhote – disse ela, tentando ser forte. – Você precisa ir agora com seu avô. A mamãe tem... coisas a fazer.

Ela lhe deu um leve empurrão, para que saísse da cela.

– Mãe? Eu não quero ir.

Leni olhou para o Sr. Walker pedindo ajuda. Não sabia como fazer aquilo.

O Sr. Walker pôs a mão grande no ombro de MJ.

– É um ano rosa, MJ. – A voz dele estava tão vacilante quanto Leni se sentia. – Isso significa que os salmões-corcundas estão enchendo os rios. Podíamos pescar hoje no rio Anchor. Há boas chances que você pegue o maior peixe de sua vida.

– Minha mãe e meu pai podem ir? – perguntou MJ. – Ah, espere. Meu pai não pode se mexer, eu me esqueci.

– Você sabe sobre seu pai? – indagou o Sr. Walker.

MJ assentiu.

– Mamãe o ama mais que a lua e as estrelas. Do jeito que ela me ama. Mas ele está com a cabeça quebrada.

– O menino precisa ir agora – disse o chefe Ward.

MJ olhou para Leni.

– Então eu vou pescar com meu novo avô, certo? Depois vamos brincar mais de cadeia?

– Aham – disse Leni, fazendo o possível para não chorar.

Ela ensinara o filho a confiar nela, sempre, e a acreditar nela, então ele fez isso. Estendeu a mão e o puxou para um abraço, deixando marcada a sensação dele. De toda a coragem que ela tinha gastado até então – voltar para casa, contar a verdade, chamar Tom Walker –, o que lhe cobrou o preço mais alto foi deixar o filho. Ela conseguiu dar um sorriso trêmulo.

– Tchau, MJ. Seja bonzinho com o vovô. Tente não quebrar nada.

– Tchau, mãe.

O Sr. Walker ergueu MJ no ar e o colocou em seus ombros. O menino deu uma risada alta e aguda.

– Olhe, mamãe, olhe! Eu sou um gigante!

– Ela não merece estar aqui – disse o Sr. Walker para o chefe Ward, que deu de ombros. – Você sempre foi um babaca caga-regras.

– Me insultar. Bom plano. Diga isso à corte, Tom. A audiência dela vai ser rápida. Às três horas. O juiz quer estar no rio às quatro.

– Sinto muito, Leni – falou o Sr. Walker.

Ela ouviu a gentileza em sua voz e soube que ele estava pronto para oferecer conforto. Leni não ousou estender a mão. Qualquer bondade agora podia romper o mínimo de controle que ela ainda tinha.

– Cuide dele, Tom. Ele é meu mundo.

Leni ergueu os olhos para o filho nos ombros do avô e pensou *por favor, que isso acabe bem*, em seguida a porta da cela se fechou com uma batida metálica.

O resto do dia se passou devagar, em imagens e sons não familiares, com um telefone tocando, portas se abrindo e fechando, pedidos de almoço sendo anotados e entregues, botas pisando forte no chão.

Leni estava sentada no banco duro de concreto, curvada contra a parede fria. A luz do sol entrava pela janelinha da cela e esquentava tudo. Afastou o cabelo úmido dos olhos. Tinha passado as duas horas anteriores chorando, suando e murmurando xingamentos. Em todo lugar onde podia estar úmida, ela estava. Sua boca tinha gosto da parte de dentro de um sapato velho. Foi até a privada pequena e sem tampa, abaixou a calça e se sentou, rezando para que ninguém a visse.

Como estava MJ? Torceu para que o Sr. Walker tivesse encontrado a orca de pelúcia – inexplicavelmente chamada de Bob – em sua mala. MJ não ia conseguir dormir sem ela. Como Leni tinha se esquecido de dizer isso a ele?

A porta da delegacia se abriu. Um homem entrou. Ele tinha ombros curvados e cabelo tão emaranhado que parecia ter sido eletrocutado. Usava botas de pesca acima dos joelhos e carregava uma maleta de náilon verde arranhada.

– Oi, Marci – cumprimentou com voz retumbante.

– Bom dia, Dem – disse a policial na recepção.

Ele olhou para os lados.

– É ela?

A policial assentiu.

– É. Allbright, Lenora. Audiência às três horas. John está vindo de Soldatna.

O homem caminhou na direção dela e parou diante da cela. Com um suspiro, sacou um envelope de sua pasta de náilon suja e começou a ler.

– Uma confissão bem detalhada. Você não vê televisão?

– Quem é você?

– Demby Cowe. O advogado que a corte lhe indicou. Nós vamos começar, alegar inocência e terminar. Os salmões estão nos rios. Está bem? Tudo que você precisa fazer é ficar de pé quando a corte mandar e dizer "inocente". – Ele fechou o arquivo. – Tem alguém que possa pagar sua fiança?

– Você não quer ouvir a minha versão?

– Tenho sua confissão. Vamos conversar depois. Muito, prometo. Penteie o cabelo.

Ele saiu antes mesmo que Leni pudesse realmente processar sua presença ali.

A sala de audiências parecia mais o consultório de um médico de cidade pequena que um salão santificado da justiça. Não havia madeira reluzente, nenhum banco parecido com banco de igreja, nenhuma mesa grande à frente. Apenas piso de linóleo, um monte de cadeiras dispostas em fileiras e mesas para a promotoria e a defesa. Na frente da sala, abaixo de uma foto emoldurada de Ronald Reagan, uma mesa de fórmica comprida esperava pelo juiz; ao lado dela, uma cadeira de plástico esperava por testemunhas.

Leni se acomodou na cadeira ao lado de seu advogado, que estava perto da mesa, estudando gráficos. O promotor – um homem magro de barba farta usando um colete de pesca e calça preta – estava sentado a sua mesa do outro lado do corredor.

O juiz entrou na sala, seguido pelo estenógrafo e pelo meirinho. Usava uma toga preta e comprida e botas de pesca. Assumiu seu lugar atrás da mesa e olhou para o relógio.

– Vamos ser rápidos, cavalheiros.

O advogado de Leni se levantou.

– Se for do agrado desta corte...

A porta da sala de audiência se abriu com uma pancada alta atrás deles.

– Onde está ela?

Leni podia viver até os 110 anos e ainda reconheceria aquela voz. Seu coração deu uma pequena cambalhota de alegria.

– Marge Gorda!

Marge avançou depressa com as pulseiras chacoalhando. Seu rosto escuro e envelhecido estava marcado por pequenas pintas pretas e seu cabelo era um emaranhado de dreadlocks mantidos afastados de seu rosto por um lenço dobrado na cabeça. Sua camisa jeans era pequena demais – bem esticada sobre os seios fartos – e sua calça estava manchada de azul de colher frutas silvestres e enfiada em botas de borracha.

Ela puxou Leni de sua cadeira e a abraçou. A mulher cheirava a xampu feito em casa e a fumaça de madeira. Ao Alasca no verão.

– Mas que droga – disse o juiz, batendo seu martelo. – O que está acontecendo aqui? Esta é a audiência dessa jovem que foi acusada seriamente por um crime...

Marge se soltou do abraço e empurrou Leni de volta para a cadeira.

– Droga, John, criminoso é este processo. – Marge andou até o banco do juiz com as botas rangendo a cada passo. – Esta garota é inocente de tudo e o maluco do Ward a forçou a confessar? E por quê? Cumplicidade em um crime? Ocultação de cadáver? Meu Deus! Ela não matou aquele bosta do pai dela, só fugiu quando sua mãe aterrorizada lhe mandou fazer isso. Tinha 18 anos e um pai violento. Quem não fugiria?

O juiz bateu com o martelo na mesa.

– Marge, você tem a boca grande como a de um salmão-rei. Agora cale-se. Esta é minha sala de audiências. E isto é apenas uma audiência, não um julgamento. Você pode apresentar suas provas quando for a hora.

Marge se virou para o promotor.

– Retire a maldita queixa, Adrian. A menos que queira passar os últimos dias da estação na corte. Todo mundo em Kaneq, e provavelmente no oleoduto, sabia que Ernt Allbright era violento. Vou trazer uma infinidade de gente para testemunhar a favor desta garota. Começando por Tom Walker.

– Tom Walker? – disse o juiz.

Marge olhou de novo para o juiz e cruzou os braços de um jeito que comunicava estar se preparando, uma disposição de ficar ali o dia inteiro defendendo seu argumento.

– Isso mesmo.

O juiz olhou para o promotor magro.

– Adrian?

O promotor examinou algumas folhas de papel dispostas à sua frente. Ele bateu com uma caneta na mesa.

– Não sei, meritíssimo...

A porta da sala de audiência se abriu. A mulher da recepção na delegacia entrou. Ela alisava nervosamente a calça.

– Meritíssimo? – começou ela.

– O que é, Marci? – perguntou o juiz com voz forte. – Estamos ocupados aqui.

– O governador está na linha. Ele quer falar com o senhor. Agora mesmo.

Em um minuto, Leni estava parada ao lado do advogado à mesa na sala de audiências e, no instante seguinte, deixava a delegacia.

Do lado de fora, viu Marge parada ao lado de uma picape.

– O que aconteceu? – perguntou Leni.

Marge pegou a mala de Leni e a jogou na caçamba enferrujada da picape.

– O Alasca não é tão diferente dos outros lugares. Ajuda ter amigos em posições importantes. Tommy ligou para o governador, que fez com que as acusações fossem arquivadas. – Ela tocou o ombro de Leni. – Está acabado, garota.

– Só uma parte. Tem mais.

– É. Tom quer que você vá para a propriedade. Ele vai levá-la para ver Matthew.

Leni ainda não conseguia se permitir pensar nisso. Deu a volta até o banco do carona e sentou-se no assento forrado por um cobertor.

Marge subiu no banco do motorista, ajeitando seu corpanzil com um movimento trepidante. Quando ela acionou o motor, o rádio ligou.

"Another little piece of my heart now, baby" soou rosnando pelo alto-falante. Leni fechou os olhos.

– Você parece frágil, garota – comentou Marge.

– É difícil não estar.

Ela pensou em perguntar a Marge sobre Matthew, mas, para ser franca, sentia como se a menor coisa pudesse quebrá-la. Então, em vez disso, olhou fixamente pela janela.

Enquanto seguiam pela doca, Leni não conseguiu deixar de olhar os respingos mágicos de luz. O mundo parecia iluminado por dentro, cores fantásticas arrojadas e douradas, picos aguçados de neve e rochas, grama verde vibrante, mar azul.

As docas estavam cheias de barcos de pesca e barulho. Aves marinhas piando, motores roncando, lançando fumaça preta no ar, lontras pairando na água entre barcos, tagarelando.

Elas embarcaram no grande barco de pesca vermelho de Marge – o *Fair Chase* – e seguiram velozes através da baía de Kachemak calma e azul, na direção das montanhas altas e brancas. Leni teve que proteger os olhos do brilho do sol na água, mas não havia como proteger o coração. Foi assolada por lembranças de todos os lados. Lembrou-se de ver aquelas montanhas pela primeira vez. Será que na época ela sabia que o Alasca ia agarrá-la? Modelá-la? Não sabia, não conseguia se lembrar. Tudo parecia ter acontecido em outra vida.

Elas contornaram a ponta da enseada Sadie e se esgueiraram entre duas ilhas verdes corcundas, suas praias cobertas de madeira levada pela maré, algas e seixos. O barco reduziu a velocidade e fez a volta no quebra-mar de pedra.

Leni teve o primeiro vislumbre da baía de Kaneq e da cidade erguida sobre palafitas acima dela. Elas amarraram o barco e subiram pela prancha na direção da cerca de alambrado que criava a entrada da cidade para a baía. Leni não achou que Marge houvesse dito nada, mas não tinha certeza. Tudo o que conseguia ouvir era seu próprio corpo, ganhando vida novamente nesse lugar que sempre ia defini-la – seu coração batendo, os pulmões inalando ar, seus passos no cascalho da rua principal.

Kaneq tinha crescido nos anos anteriores. As fachadas de lojas de madeira tinham sido pintadas de cores vivas, como as fotos que ela vira de cidades às margens de fiordes na Escandinávia. O passeio de madeira que conectava tudo parecia novo. Postes com luzes erguiam-se como sentinelas, jardineiras cheias de gerânios e petúnias pendiam de seus braços de ferro. À sua esquerda ficava o armazém, expandido para duas vezes seu tamanho original, com uma nova porta vermelha. A rua exibia um estabelecimento atrás do outro: a loja de iscas e lanches, a lanchonete, o armarinho, lojas de lembranças, barracas de sorvete, lojas de roupas e acessórios, guias, aluguel de caiaques e a nova taberna Malamute e a pousada Geneva, que exibia um enorme par de chifres brancos acima da porta.

Ela se lembrou de seu primeiro dia ali, com a mãe em suas novas botas de caminhada com uma blusa leve de mangas bufantes, dizendo: *Desconfio um pouco de vizinhos que usam animais mortos na decoração.*

Leni não conseguiu conter um sorriso. Meu Deus, como eles eram despreparados.

Turistas se misturavam aos moradores locais, ainda facilmente distinguíveis pelas roupas. Veículos se enfileiravam na rua diante da taberna Malamute: alguns quadriciclos, algumas motocicletas de trilha, duas picapes e um Ford verde-limão com o para-choque preso com fita adesiva.

Leni subiu na velha caminhonete de Marge. Elas passaram pelo armazém. Uma ponte recém-pintada, onde havia pescadores com linhas na água dos dois lados, levou-as através do rio cristalino e as deixou na estrada de cascalho que logo se transformava em terra.

Durante o primeiro quilômetro, havia novos sinais de civilização: um trailer residencial sobre blocos de madeira no meio do mato alto; ao lado dele, um trator totalmente enferrujado. Algumas novas entradas de carros. Uma casa pré-fabricada. Um velho ônibus escolar sem rodas parado perto da vala.

Leni percebeu que Marge tinha uma nova placa em sua propriedade. Dizia: ALUGUEL DE CAIAQUES E CANOAS AQUI!!!

– Adoro pontos de exclamação – disse Marge.

Leni ia falar alguma coisa, mas então viu o início das terras dos Walkers, onde o arco recebia hóspedes da pousada de aventura e prometia PESCARIAS, CAIAQUES, OBSERVAÇÃO DE URSOS E VOOS PANORÂMICOS.

Marge tirou o pé do acelerador quando se aproximaram da entrada de carros. Olhou para Leni.

– Tem certeza de que está pronta para fazer isso? Podemos esperar.

Leni ouviu a gentileza em sua voz e soube que Marge estava lhe oferecendo tempo antes de rever Matthew.

– Estou pronta.

Elas passaram por baixo do arco de Walker e seguiram ruidosamente pela estrada aplainada com cascalho. À sua esquerda, oito novas cabanas de troncos tinham sido construídas entre as árvores, cada uma posicionada para ter uma vista ampla da baía. Uma trilha sinuosa com corrimão levava até a praia.

Logo depois, chegaram à casa dos Walkers, agora a Pousada Walker. Ainda era uma joia da coroa: dois andares de troncos descascados, com uma grande varanda e janelas que davam para a baía e as montanhas. Não havia mais lixo à vista no quintal; nenhuma picape, rolos de arame ou paletes empilhados. Em vez disso, viam-se divisórias de madeira aqui e ali, paredes erguidas para esconder o que quer que houvesse por trás delas. Cadeiras Adirondack enchiam o deque. Os cercados de animais tinham sido movidos para a linha de árvores distante.

Lá embaixo no cais, um hidroavião estava amarrado junto com três barcos de pesca de alumínio. Havia pessoas caminhando por trilhas, pescando na praia. Empregados de uniforme marrom e hóspedes de roupa de chuva e coletes de lã novinhos combinando.

MJ saiu da pousada, correu pelo deque, desviando das cadeiras, e a alcançou, agitando uma coisa em sua mão.

Leni se abaixou e o pegou no colo, abraçando-o tão apertado que ele começou a se remexer para se soltar. Não havia percebido até então como estava com medo de perdê-lo.

Tom Walker caminhou em sua direção. Ao lado dele havia uma mulher nativa bonita e de ombros largos, com cabelo preto até o quadril que começava a ficar grisalho em uma única mecha. Ela usava uma blusa jeans desbotada enfiada em uma calça cáqui, com uma faca embainhada no cinto e um cortador de arame se projetando do bolso do peito.

– Oi, Leni – disse o Sr. Walker. – Gostaria que você conhecesse minha esposa, Atka.

A mulher estendeu a mão para ela e sorriu.

– Ouvi falar muito de você e de sua mãe.

Leni sentiu um nó na garganta quando apertou a mão áspera de Atka e falou:

– É um prazer conhecê-la. – Olhou para o Sr. Walker. – Mamãe ia ficar feliz por vocês. – A voz de Leni falhou.

Eles ficaram em silêncio depois disso.

MJ caiu de joelhos na grama, fazendo o tricerátops azul lutar contra o tiranossauro vermelho, rosnando efeitos sonoros.

– Eu gostaria de vê-lo agora – declarou Leni.

Soube instintivamente que o Sr. Walker estava esperando que ela lhe dissesse que estava pronta.

– Sozinha, eu acho. Se estiver tudo bem por você.

O Sr. Walker se voltou para a esposa:

– Atka, você e Marge cuidariam do pequeno por um minuto?

Atka sorriu e jogou o cabelo comprido para as costas.

– MJ, lembra-se da estrela-do-mar de que eu falei? O animal chamado de *yuit* pelo meu povo, o lutador das ondas? Você gostaria de ver uma?

MJ ficou de pé depressa.

– Sim! Sim!

Leni cruzou os braços enquanto observava Marge, Atka e MJ caminharem na direção da escada da praia. A voz animada e aguda de MJ foi sumindo aos poucos.

– Isso não vai ser fácil – disse o Sr. Walker.

– Eu gostaria de ter podido escrever. Queria contar a você e a Matthew sobre MJ, mas... – Ela respirou fundo. – Tínhamos medo de que eles nos prendessem se voltássemos.

– Vocês podiam ter confiado em nós para protegê-las, mas não precisamos falar sobre o que aconteceu na época.

– Eu o abandonei – disse ela em voz baixa.

– Ele sentia tanta dor que nem sabia quem era, muito menos quem você era.

– Você acha que isso alivia minha consciência? Que ele estivesse sentindo dor?

– Você também estava sentindo dor. Mais do que eu tinha conhecimento, acho. Você sabia que estava grávida?

Ela assentiu.

– Como ele está? – perguntou.

– Tem sido difícil.

Leni se sentiu extremamente desconfortável com o silêncio que caiu entre eles. Culpada.

– Venha comigo.

Ele a pegou pelo braço, equilibrando-a. Eles passaram pelas cabanas da pousada, por onde costumavam ficar os cercados de cabras, atravessaram uma plantação de feno cortada e entraram em um grupo de abetos-negros.

O Sr. Walker parou. Leni esperava ver uma caminhonete, mas não havia nenhuma.

– Não vamos a Homer?

O Sr. Walker balançou a cabeça. Ele a levou mais fundo entre as árvores até que chegaram a um passeio de tábuas, com um gradil de galhos retorcidos dos dois lados. Logo abaixo dele, em uma faixa de terra cercada de árvores, havia uma cabana de troncos que dava para a baía. A cabana de Geneva. Uma ponte larga de madeira levava do passeio de tábuas até a porta da frente. Não, não uma ponte, uma rampa.

Uma rampa de cadeira de rodas.

O Sr. Walker foi andando na frente, suas botas pisando ruidosamente na ponte.

Ele bateu à porta. Leni ouviu uma voz abafada, e o Sr. Walker a abriu, conduzindo Leni para o interior.

– Entre – disse ele com delicadeza, empurrando-a para dentro de uma cabana pequena e aconchegante com uma janela que dava para a baía.

A primeira coisa que Leni viu foi uma série de pinturas grandes. Uma delas – uma enorme tela inacabada – estava apoiada em um cavalete. Nela, uma explosão de cores: gotas, respingos e traços que de algum modo, de forma inacreditável, davam a Leni a impressão da aurora boreal, embora ela não soubesse dizer por quê. Havia letras estranhas e disformes em toda aquela cor; ela quase conseguia identificá-las, mas não exatamente. Talvez dissessem ELA? A pintura a fez sentir alguma coisa. Dor, primeiro, depois uma sensação crescente de esperança.

– Vou deixar vocês dois – falou o Sr. Walker.

Ele saiu da cabana e fechou a porta ao mesmo tempo que Leni viu o homem em uma cadeira de rodas sentado de costas para ela.

Ele se virou lentamente, as mãos respingadas de tinta ágeis na cadeira de rodas, manobrando para fazer a volta.

Matthew.

Ele ergueu os olhos. Uma trama de cicatrizes rosa-claro percorria seu rosto, dando-lhe uma expressão estranha, remendada. Seu nariz estava achatado, tinha a aparência amassada de um velho boxeador, e seu olho direito estava só um pouco caído por causa de uma cicatriz em forma de estrela no alto de sua maçã do rosto.

Mas seus olhos... Neles, ela *o* viu, viu *seu* Matthew.

– Matthew? Sou eu, Leni.

Ele franziu a testa. Ela esperou que ele falasse alguma coisa, qualquer coisa, mas não houve nada, apenas aquele silêncio doloroso e prolongado onde antes havia uma torrente infinita de palavras.

Leni sentiu as lágrimas brotarem.

– Leni – repetiu, com mais delicadeza.

Ele encarou-a e continuou olhando, como se estivesse sonhando.

– Você não me reconhece – disse ela, esfregando os olhos. – Eu sabia que não me reconheceria. E você não vai entender sobre MJ. Eu sabia disso. Eu *sabia*, é só que...

Deu um passo para trás. Não podia fazer isso agora, ainda não.

Leni ia tentar de novo mais tarde. Ensaiar as palavras. Ia explicar para MJ, prepará-lo. Eles agora tinham tempo, e ela queria fazer isso direito. Virou-se na direção da porta.

TRINTA E UM

— *E*spere.
Matthew estava sentado na cadeira de rodas, segurando um pincel grudento, com o coração acelerado.

Eles tinham lhe contado que ela estava lá, mas ele havia se esquecido, depois se lembrado e esquecido outra vez. Era assim com ele, às vezes. As coisas se perdiam nos circuitos confusos de seu cérebro. Recentemente, bem menos, mas ainda acontecia.

Ou talvez não tivesse acreditado. Ou achava que tinha imaginado aquilo, que lhe disseram aquelas palavras para fazê-lo sorrir, na esperança de que ele se esquecesse.

Ele ainda tinha dias nublados, quando nada conseguia sair da névoa, nem palavras, ideias ou frases. Apenas dor.

Mas ela estava ali. Ele tinha sonhado com sua volta por anos, passado e repassado as possibilidades. Imaginado e acalentado ideias. Havia ensaiado palavras para isso, para ela, sozinho em seu quarto, onde o estresse não tomava o controle e o deixava mudo, onde ele podia fingir ser um homem para o qual valesse a pena voltar.

Ele tentou não pensar em seu rosto feio e sua perna não mais perfeita. Sabia que às vezes não conseguia pensar direito, e as palavras viravam criaturas impossíveis que fugiam quando ele se aproximava. Ouviu sua voz antes forte tropeçar, emitindo palavras idiotas e o pensamento *Esse não pode ser eu*, mas era.

Largou o pincel molhado, agarrou com força o braço da cadeira de rodas e fez um esforço para se levantar. Isso doeu tanto que ele soltou um grunhido. Esse barulho o envergonhou, mas não havia nada que pudesse fazer. Cerrou os dentes e reposicionou a perna. Estava sentado havia muito tempo, consumido por sua pintura, que chamava de *Ela*, sobre uma noite da qual ele se lembrava dela na praia, e tinha se esquecido de se mover.

Ele cambaleou à frente em um passo torto e sem firmeza que provavelmente a fez pensar que podia cair a qualquer momento. Havia caído muito e se levantado ainda mais vezes.

– Matthew?

Ela se moveu em sua direção, com o rosto erguido.

A beleza dela o deixou emocionado. Queria lhe dizer que, quando pintava, a sentia, lembrava-se dela, que isso tinha começado na reabilitação como terapia ocupacional e agora era sua paixão. Às vezes, quando estava pintando, conseguia se esquecer de tudo, da dor, das lembranças, da perda, e imaginar um futuro com Leni, o amor deles como luz do sol e água quente. Ele os imaginou tendo filhos, envelhecendo juntos. Tudo isso.

Ele se esforçou para encontrar todas essas palavras. Era como estar de repente em um quarto escuro. Você sabia que havia uma porta, mas não conseguia encontrá-la.

Respire, Matthew. O estresse só piorava as coisas.

Inspirou e expirou. Cambaleou até a mesa de cabeceira, pegou a caixa cheia das cartas que ela lhe escrevera tantos anos antes, enquanto ele estava no hospital, e as outras, as que tinha enviado quando ele era um garoto triste em Fairbanks. Foi assim que ele aprendeu a ler de novo. Ele as entregou a ela, sem conseguir fazer a pergunta que o havia assombrado: por que você parou de me escrever?

Ela olhou para baixo, viu as cartas na caixa e o encarou.

– Você as guardou? Depois que eu deixei você?

– Suas cartas. – Sabia que suas palavras estavam alongadas; era preciso se concentrar para criar as combinações que queria. – Foi como eu. Aprendi a ler outra vez.

Leni olhava fixamente para ele.

– Eu rezei. Para que você. Voltasse.

– Eu queria – sussurrou ela.

Ele sorriu, sabendo como isso repuxava a pele em seu olho, fazendo-o parecer ainda mais estranho.

Leni passou os braços em volta dele. Matthew ficou impressionado com o modo como ainda se encaixavam perfeitamente. Depois de todas as formas como ele tinha sido remontado, refeito e aparafusado, ainda se encaixavam. Ela tocou seu rosto marcado por cicatrizes.

– Você é muito bonito.

Ele a apertou mais forte, tentou se firmar, sentindo-se, de repente, inexplicavelmente, com medo.

– Você está bem? Sente dor?

Ele não sabia como descrever o que estava sentindo, ou temia que, se dissesse, caísse no conceito dela. Ele estivera se afogando por todos aqueles anos sem ela, e ela era a praia que ele estava se debatendo para encontrar. Sem dúvida ia olhar para seu rosto destruído e remendado e fugir, e então ele ia voltar para as águas profundas e escuras sozinho.

Ele se afastou, mancou de volta até sua cadeira de rodas e se sentou com um gemido de dor. Não devia tê-la abraçado, sentido seu corpo contra o dele. Como voltaria a se esquecer dessa sensação? Tentou retornar a um trilho comum, mas não encontrou o caminho. Estava tremendo.

– Onde. Você esteve?

– Seattle. – Ela andou na direção dele. – É uma longa história.

Ao toque dela, o mundo – seu mundo – se abriu e se rompeu. Alguma coisa. Ele queria se alegrar no momento, afundar-se nele como em uma pilha de peles e deixar que o aquecesse, mas nada disso parecia real nem seguro.

– Me conte.

Ela balançou a cabeça.

– Eu decepciono. Você.

– Você não é uma decepção, Matthew. *Eu* sou. Sempre fui. Fui eu que parti. E quando você mais precisava de mim. Vou entender se você não me perdoar. Não consigo me perdoar. Fiz isso porque, bem... tem alguém que você precisa conhecer. Depois, se você ainda quiser, podemos conversar.

Matthew franziu a testa.

– Alguém? Aqui?

– Ele está lá fora com seu pai e Atka. Você quer vir comigo para conhecê-lo? *Ele*.

A decepção se cravou fundo, até seus ossos aparafusados.

– Eu não preciso conhecer. Seu *ele*.

– Você está com raiva. Eu entendo. Você disse que nós sempre devemos ficar ao lado das pessoas que amamos, mas eu não fiz isso. Eu fugi.

– Não fale. Vá – pediu ele com a voz dura. – Por favor. Só vá.

Leni olhou para ele com lágrimas nos olhos. Era tão bonita que ele não conseguia respirar. Ele queria chorar, gritar. Como podia se esquecer dela? Estivera à espera desse momento, dela, deles, por todos os anos dos quais podia se lembrar, através de dores tão fortes que ele chorava dormindo, mas todo dia acordava e pensava *Ela*, e tentava outra vez. Tinha imaginado um milhão de versões de seu futuro, mas nunca isso. Ela voltando só para se despedir.

– Você tem um filho, Matthew.

Isso acontecia assim com ele às vezes. Ouvia as palavras erradas, compreendia a informação que não estava lá. Seu cérebro avariado. Antes que ele pudesse se resguardar contra isso, usar as ferramentas aprendidas, a dor daquelas palavras se abateu sobre ele. Queria fazê-la compreender que ele tinha entendido errado, mas tudo o que pôde fazer foi uivar, um ruído profundo e contínuo de dor. Palavras o abandonaram; tudo o que lhe restava era emoção pura. Ele saiu bruscamente da cadeira e cambaleou para trás, para longe dela, atingindo com força a bancada da cozinha. Era seu cérebro avariado lhe dizendo o que ele queria escutar em vez do que tinha sido dito de fato.

Leni se moveu em sua direção. Ele podia ver como ela estava magoada, como achava que ele estava louco, e a vergonha fez com que ele quisesse lhe dar as costas.

– Vá. Se você está indo embora. Vá.

– Matthew, por favor. Pare. Eu sei que magoei você. – Ela estendeu a mão em sua direção. – Matthew, me desculpe.

– Vá embora, por favor.

– Você tem um filho – disse ela devagar. – Um filho. Nós temos um filho. Você me entende?

Ele franziu a testa.

– Um bebê?

– Sim. Eu o trouxe para conhecer você.

No início, ele sentiu uma alegria pura e intensa: então a verdade o atingiu com força. Um filho. Um filho dele, dos dois. Isso lhe deu vontade de chorar pelo que havia perdido.

– Olhe para mim – disse ele baixinho.

– Estou olhando.

– Eu pareço. Ter sido reconstruído com. Uma máquina de costura ruim. Às vezes dói. Tanto que não consigo falar. Levei dois *anos* até parar. De grunhir e gritar. E dizer minha primeira. Palavra de verdade.

– E...?

Ele pensou em todas as coisas que tinha imaginado ensinar a um filho, e isso desabou ao seu redor. Estava destruído demais para manter outra pessoa inteira.

– Eu não posso pegá-lo no colo. Não posso botá-lo. Nos meus ombros. Ele não vai querer isto. Como pai.

Ele soube que Leni tinha ouvido o desejo em sua voz ao dizer isso; o universo em uma palavra de três letras.

Leni tocou seu rosto, deixou que os dedos contornassem as cicatrizes que o haviam remontado e olhou fixamente em seus olhos verdes.

– Você sabe o que eu vejo? Um homem que devia ter morrido, mas não desistiu. Um homem que lutou para falar, andar e pensar. Todas as suas cicatrizes partem e remendam meu coração. Seu medo é o medo de todo pai. Eu vejo o homem que amei por toda a vida. O pai do nosso filho.

– Não. Sei como.

– Ninguém sabe como. Acredite em mim. Você pode segurar a mão dele? Pode ensiná-lo a pescar? Pode lhe fazer um sanduíche?

– Eu vou envergonhá-lo.

– Crianças são resistentes, assim como seu amor. Confie em mim, Matthew, você consegue.

– Não sozinho.

– Não sozinho. Somos você e eu, como sempre devia ter sido. Vamos fazer isso juntos. Está bem?

– Promete?

– Prometo.

Leni segurou seu rosto entre as mãos e ficou na ponta dos pés para beijá-lo. Com esse único beijo, tão parecido com outro beijo tanto tempo antes, uma vida inteira, duas crianças acreditando em um final feliz, ele sentiu seu mundo voltar a se alinhar.

– Venha conhecê-lo – sussurrou ela sobre seus lábios. – Ele ronca igual a você. E esbarra em todos os móveis. E ama os poemas de Robert Service.

Ela pegou a mão dele. Juntos saíram da cabana, ele mancando devagar, segurando a mão dela com força, apoiado nela, deixando-a firmá-lo. Sem dizer uma palavra, saíram das árvores e passaram pela casa que agora era uma pousada de pesca de nível mundial, na direção da nova escada da praia.

Como sempre, a orla estava cheia de hóspedes, vestidos em seus novos trajes de chuva do Alasca, pescando à beira d'água, com aves piando no ar, à espera de sobras.

Ele se segurava a Leni com uma das mãos e agarrava o corrimão com a outra, e desceu a escada devagar, hesitante.

Na praia à direita, Marge bebia cerveja. Alyeska estava na baía, dando aula de caiaque para os hóspedes. O pai e Atka estavam com uma criança, um menino agachado acima de uma grande estrela-do-mar roxa.

Matthew parou.

– Mãe! – gritou o menino quando Leni apareceu. Ele pulou com um sorriso tão grande que iluminava todo seu rosto. – Você sabia que estrelas-do-mar têm *dentes*? Eu vi!

Leni olhou para Matthew.

– Nosso filho – falou ela e soltou a mão de Matthew.

Ele mancou até o menino e parou. Com a intenção de se abaixar, desabou sobre um joelho, fez uma careta de dor e gemeu.

– Você soa como um urso. Eu gosto de ursos, e meu avô novo também. E você?

– Eu gosto de ursos – disse Matthew, inseguro.

Olhou o rosto do filho e viu seu passado. De repente se lembrou de coisas que havia esquecido – a sensação de ovos de sapo na mão, o jeito como uma boa risada às vezes sacudia todo seu corpo, histórias sendo lidas ao redor de uma fogueira, brincar de piratas na praia, construir um forte nas árvores. Tudo o que ele podia ensinar. De todas as coisas com a qual havia sonhado ao longo dos anos, em que tanto tentara acreditar nos piores momentos de dor, isso era algo sobre o qual ele nunca sequer ousara ter esperança.

Meu filho.

– Eu sou Matthew.

– Sério? Eu sou Matthew Júnior. Mas todo mundo me chama de MJ.

Matthew sentiu uma emoção diferente de tudo o que havia sentido antes. Matthew Júnior. *Meu filho*, pensou outra vez. Achou difícil sorrir; percebeu que estava chorando.

– Eu sou seu pai.

MJ olhou para Leni.

– Mãe?

Leni chegou ao lado deles, pôs a mão no ombro de Matthew e assentiu.

– É ele, MJ. Seu pai. Ele esperou muito tempo para conhecer você.

MJ sorriu, exibindo os dois dentes faltando na frente. Jogou-se sobre Matthew e o abraçou com tanta ferocidade que os dois caíram. Quando tornaram a se levantar, MJ estava rindo.

– Você quer ver uma estrela-do-mar?

– Claro – disse Matthew.

Matthew tentou se levantar, pôs a mão no chão. Pedaços de concha se prenderam à sua palma quando ele cambaleou, seu tornozelo frágil cedendo. Então Leni se aproximou, pegou seu braço e o ajudou a ficar de pé outra vez.

MJ correu até a água, falando por todo o caminho.

Matthew não conseguia fazer seus pés se moverem. Tudo o que podia fazer era ficar ali parado, com a respiração entrecortada, um pouco de medo de que tudo pudesse se quebrar como vidro ao mais leve toque. Com uma respiração. O menino que se parecia com ele estava parado à beira d'água, o cabelo louro brilhando ao sol, a barra de seu jeans molhada com água salgada. Rindo. Nessa única imagem, Matthew viu toda a sua vida: passado, presente e futuro. Foi um daqueles momentos – um instante de graça em um mundo louco e às vezes absurdamente perigoso – que mudavam a vida de um homem.

– É melhor você ir, Matthew – aconselhou Leni. – Nosso filho não é muito bom em esperar pelo que quer.

Ele olhou para ela e pensou *Deus, eu a amo*, mas sua voz tinha desaparecido, perdida nesse mundo novo no qual tudo havia mudado. No qual ele era pai.

Eles tinham chegado muito longe desde seu começo como duas crianças feridas, ele e Leni. Talvez tudo tivesse acontecido como devia ser, talvez cada um deles tivesse atravessado seus próprios oceanos – o dela, de amor arruinado e perda, o dele, de dor – para estarem ali juntos, aonde eles pertenciam.

– Algo em que sou bom.

Ele viu o que essas palavras significaram para ela.

– Eu queria ficar ao seu lado. Eu queria...

– Você sabe o que mais amo em você, Leni Allbright?

– O quê?

– Tudo.

Matthew a pegou nos braços e a beijou com tudo o que tinha e o que esperava ter. Quando enfim a soltou, com relutância, e se afastou, eles olharam fixamente um para o outro, tiveram toda uma conversa em respirações inaladas e expiradas. Isso era um começo, pensou ele; um começo no meio, algo inesperado e belo.

– É melhor você ir – disse Leni por fim.

Matthew caminhou com cuidado pela praia de seixos na direção do menino parado à beira d'água.

– Depressa – chamou MJ, acenando para que Matthew se aproximasse da grande estrela-do-mar roxa. – Está bem aqui. Olhe! Olhe, papai.

Papai.

Perto do mar, Matthew viu uma pedra chata cinza-escura lustrada, tão pequena quanto um novo começo, e a pegou. O peso dela era perfeito, o tamanho exatamente como ele queria. Ele a estendeu para o filho e disse:

– Aqui. Vou lhe mostrar. Como fazer. Pedras quicarem. Na água. É legal. Eu ensinei à sua mãe. A mesma coisa. Muito tempo atrás...

– Ele sempre acreditou que você podia voltar – falou o Sr. Walker chegando ao lado de Leni. – Disse que saberia se você estivesse morta. Que sentiria. Sua primeira palavra foi "Ela". Não levamos muito tempo para saber que estava se referindo a você.

– Como posso compensar o que fiz?

– Ah, Leni... É a vida. As coisas nem sempre saem como a gente espera. – Ele deu de ombros. – Matthew sabe disso melhor que qualquer um de nós.

– Como ele está de verdade?

– Ele tem suas batalhas. Dor, às vezes. Tem dificuldade de transformar os pensamentos em palavras quando fica estressado, mas também é o melhor guia do rio, e os hóspedes o adoram. Ele é voluntário no centro de reabilitação. E você viu seus quadros. É quase como se Deus tivesse lhe dado um dom como compensação. Seu futuro talvez não seja como o das outras pessoas, não o que vocês imaginavam quando tinham 18 anos.

– Eu tenho minhas batalhas também – confessou Leni em voz baixa. – E na época nós éramos crianças. Agora não somos.

O Sr. Walker assentiu.

– Na verdade há apenas uma pergunta. Todo o resto vem depois. – Ele se virou para ela. – Você vai ficar?

Leni fez o possível para sorrir. Estava quase certa de que essa era a pergunta que ele tinha ido fazer. Como também era mãe, entendia. Ele não queria que seu filho se magoasse outra vez.

– Não tenho ideia de como vai ser essa minha nova vida, mas vou ficar.

Ele pôs a mão em seu ombro.

Na praia, MJ deu um salto no ar.

– Eu consegui! Fiz a pedra quicar. Mãe, você viu isso?

Matthew olhou para trás e deu um sorriso torto para Leni. Ele e o filho se pareciam muito, os dois sorrindo para ela, parados juntos contra um céu azul-claro. Unha e carne. Inseparáveis. O início de todo um mundo novo de amor.

Embora tivesse pensado nelas ao longo dos anos, quase as mitificando, Leni percebeu que tinha se esquecido da verdadeira magia das noites de verão quando a escuridão não caía.

Agora estava sentada a uma das mesas de piquenique na praia dos Walkers. Um cheiro prolongado de marshmallows assados pairava no ar, adoçando o travo amargo do mar em seu movimento de vaivém. MJ estava parado na beirada, jogando sua linha na água e a puxando de volta. O Sr. Walker permanecia ao lado dele lhe dando dicas, ajudando-o quando a linha ficava emaranhada ou quando ele tinha algum problema. Alyeska estava do seu outro lado, lançando a própria linha. Leni sabia que MJ ia pegar no sono a qualquer minuto, ali mesmo onde estava.

Por mais que ela adorasse ficar ali sentada, apreciando essa nova imagem de sua vida, sabia que estava evitando algo importante. A cada minuto que passava, sentia o peso de sua fuga; como uma mão em seu ombro, um lembrete delicado.

Ela se levantou do banco. Não sabia mais calcular o tempo pela cor do céu – um tom de ametista brilhante pontilhado de estrelas –, então olhou para o relógio: 21h25.

– Você está bem? – perguntou Matthew.

Ele segurou sua mão até que Leni a puxou com delicadeza, então ele a soltou.

– Eu preciso ver minha antiga casa.

Matthew se levantou e se encolheu de dor ao colocar peso sobre o pé fragilizado. Ela sabia que tinha sido um dia longo.

Tocou seu rosto marcado por cicatrizes.

– Eu vou lá. Vi uma bicicleta perto da pousada. Só quero ir até lá. Volto logo.

– Mas...

– Posso fazer isso sozinha. Sei que você está com dor. Fique com MJ. Quando eu voltar, vamos botá-lo na cama. Vou lhe mostrar os bichos de pelúcia sem os quais ele não consegue dormir e lhe contar sua história favorita. É sobre nós.

Ela sabia que Matthew ia argumentar, por isso não lhe deu chance. Aquele era o passado dela, sua bagagem. Deu as costas para ele, foi até a escada da praia e subiu até a terra coberta de grama acima. Ainda havia vários hóspedes sentados no deque da pousada, falando alto, rindo. Provavelmente aprimorando as histórias de pescador que levariam de volta para casa.

Leni pegou uma bicicleta no suporte perto da pousada e subiu nela, pedalando lentamente sobre o solo enlameado e musgoso, atravessando a estrada principal e virando à direita em direção ao fim da estrada.

Lá estava o muro. Ou o que restava dele. As tábuas tinham sido retiradas, arrancadas dos pilares. As ripas arruinadas se amontoavam em pilhas, cobertas de musgo e escurecidas por anos de clima duro.

Marge Gorda e Tom. Talvez Thelma. Ela podia imaginá-los reunidos ali em sua tristeza com machados nas mãos, cortando madeira.

Ela virou na entrada de carros com mato até o joelho. A escuridão sugava a luz; o mundo era silencioso ali, como eram as florestas ou casas abandonadas. Teve que reduzir a velocidade, pedalar com força.

Enfim entrou na clareira. A cabana estava à esquerda, desgastada pelo tempo e os elementos naturais, mas ainda de pé. Junto dela, cercados de animais vazios e aos pedaços, sem portões, cercas quebradas por predadores, provavelmente lar de todo tipo de roedores. O capim alto, mesclado com ervas de flor cor-de-rosa e ginseng-do-alasca espinhoso, tinha crescido em torno do lixo que eles haviam deixado para trás; aqui e ali ela podia ver montes de metal enferrujado e madeira em decomposição. A velha caminhonete estava destruída, inclinada para a frente como um cavalo velho. O defumador era uma pirâmide de tábuas prateadas e mofadas, desabado. Inexplicavelmente, o varal ainda resistia, com pregadores presos, balançando ao vento.

Leni desmontou e, com cuidado, deitou a bicicleta de lado sobre a grama. Sentindo-se entorpecida, seguiu na direção da cabana. Mosquitos zumbiam em uma nuvem ao seu redor. Na entrada, ela parou, pensou *Você consegue fazer isso* e abriu a porta.

A sensação foi de voltar no tempo, para o primeiro dia em que estivera ali, com uma camada grossa de insetos mortos no chão. Tudo estava como elas haviam deixado, mas coberto de poeira.

Vozes, palavras e imagens do passado lhe vieram à mente. O bom, o mau, o engraçado, o horrível. Ela se lembrou de tudo em um clarão elétrico cegante.

Fechou a mão em torno do colar de coração em seu pescoço, seu talismã, sentiu a ponta afiada de osso pressionar a pele. Percorreu o lugar e chacoalhou as contas psicodélicas que tinham dado a seus pais a ilusão de privacidade. No quarto deles, viu a pilha empoeirada de pertences que revelavam o que tinham sido no passado. Um emaranhado de peles sobre a cama. Casacos pendurados em ganchos. Um par de botas com os dedos comidos.

Encontrou o velho lenço do Bicentenário dos Estados Unidos que seu pai usava e o enfiou no bolso. A faixa de cabeça de camurça da mãe estava pendurada em um gancho na parede. Ela a pegou e a enrolou como uma pulseira.

No mezanino, encontrou seus livros espalhados, as páginas amareladas e devoradas por traças; muitos tinham se tornado casa de camundongos, assim como seu colchão. Ela podia sentir o cheiro no ar. Um cheiro sujo e putrefato.

O cheiro de um lugar esquecido.

Ela desceu a escada, chegou ao chão sujo e grudento e olhou ao redor.

Tantas lembranças. Perguntou-se quanto tempo ia levar para lidar com todas elas. Mesmo nesse momento, ali parada, não sabia exatamente como se sentia em relação a esse lugar, mas sabia, *acreditava*, que podia encontrar um jeito de se lembrar da parte boa dele. Nunca ia se esquecer da parte ruim, mas ia se livrar dela. Precisava fazer isso. *Houve alegria também*, dissera a mãe, *e aventura*.

Atrás dela, a porta se abriu. Ela ouviu passos irregulares se aproximarem às suas costas. Matthew chegou ao seu lado.

– Estar sozinho é superestimado. Você quer. Consertar isso? Morar aqui?

– Talvez. Ou talvez queimemos tudo para reconstruir. Cinzas fazem o solo ficar bom.

Ela ainda não sabia. Tudo o que sabia era que finalmente estava de volta, depois de todos aqueles anos afastada, de volta aos loucos e resistentes que viviam fora do esquema em um estado que não era como nenhum outro, nesse lugar majestoso que a moldara, a definira. Uma vez, em outra vida, tinha se preocupado com garotas alguns anos mais velhas que ela que haviam desaparecido. As histórias tinham lhe dado pesadelos aos 13 anos. Agora ela sabia que havia cem maneiras de se perder e ainda mais maneiras de se encontrar.

Um véu muito fino separava o passado do presente; eles existiam ao mesmo tempo no coração humano. Qualquer coisa podia transportar você – o cheiro do mar na maré baixa, o pio de uma gaivota, o turquesa de um rio alimentado por geleiras. Uma voz ao vento podia ser real e imaginada. Ainda mais ali.

Nesse dia quente de verão, a península Kenai estava vibrante com cores. Não havia uma nuvem à vista. As montanhas eram uma mistura mágica de lavanda, verde e azul-gelo – vales, penhascos e picos –; ainda havia neve acima da linha das árvores. A baía estava safira, quase sem ondas. Dezenas de barcos de pesca navegavam ao lado de caiaques e canoas. Para os alasquianos, esse era um dia para se estar na água. Leni sabia que a praia Bishop, a faixa reta de areia abaixo da igreja russa em Homer, seria uma longa fila de caminhonetes e reboques de barcos vazios, do mesmo jeito que sabia que algum turista incauto estaria na areia procurando mariscos sem prestar atenção e seria pego pela maré.

Algumas coisas nunca mudavam.

Nesse momento Leni estava parada em seu quintal cheio de mato com Matthew ao seu lado. Juntos, caminharam até a elevação coberta de grama acima da praia e se encontraram com o Sr. e a Sra. Walker, Alyeska e MJ, que já estavam ali à espera. Alyeska deu a Leni um sorriso caloroso e acolhedor, como se dissesse: *Nós estamos juntos nisso agora. Família.* Elas não tiveram muito tempo para conversar nos dois dias anteriores, com o turbilhão da volta de Leni para o Alasca, mas as duas sabiam que haveria tempo para elas, tempo para costurarem suas vidas juntas. Seria fácil; amavam muitas pessoas em comum.

Leni segurou a mão do filho.

Um grupo grande esperava por ela na praia. Leni sentiu seus olhos sobre ela, percebeu como haviam parado de falar com sua aproximação.

– Olhe, mamãe, uma foca! Aquele peixe pulou para fora da água! Uau. Podemos ir pescar com o papai hoje, não podemos? Tia Aly diz que ainda há salmões-corcundas.

Leni olhou fixamente para os amigos reunidos à beira d'água. Quase todo mundo de Kaneq estava ali, até os ermitões que só eram vistos na taberna e, às vezes, no armazém. À sua chegada, ninguém falou. Um a um eles subiram em seus barcos. Ela ouviu a batida da água nos cascos, a trituração de conchas e seixos quando eles eram empurrados.

Matthew a conduziu até um bote da Pousada de Aventura Enseada Walker. Pôs um colete salva-vidas amarelo em MJ e em seguida o instalou no assento na proa, de frente para a popa. Leni subiu a bordo. Eles flutuaram até onde estavam os outros barcos, com Matthew sentado no meio trabalhando nos remos.

A baía estava silenciosa nessa tarde ensolarada e brilhante. O *V* profundo do fiorde parecia majestoso sob essa luz.

Os barcos flutuaram juntos pela enseada, batendo proas. Leni olhou ao redor. Tom e a nova esposa, Atka Walker, Alyeska e o marido, Darrow, com seus dois meninos gêmeos de 3 anos; Marge Gorda, Natalie Watkins, Tica Rhodes e o marido, Thelma, Boneca, Ted e todos os Harlans. Os rostos de sua infância. E de seu futuro.

Leni sentiu todos eles olhando para ela. De repente pensou quanto aquilo teria significado para a mãe, essas pessoas saindo para se despedir. Será que ela sabia quanto se importavam?

– Obrigada – disse Leni.

A palavra inadequada se perdeu em meio ao som de ondas batendo nos cascos dos barcos. O que ela devia dizer?

– Eu não sei como...

– Apenas fale sobre ela – sugeriu o Sr. Walker com voz gentil.

Leni assentiu e secou os olhos. Tentou outra vez, elevando a voz o mais alto que ela conseguiu:

– Não sei se alguma mulher já veio para o Alasca menos preparada. Ela não sabia cozinhar, assar nem fazer geleia. Antes do Alasca, sua ideia de habilidade de sobrevivência necessária era botar cílios postiços e andar de salto alto. Ela trouxe um short roxo para cá, pelo amor de Deus. – Leni respirou fundo. – Mas passou a amar este lugar. Nós duas amamos. A última coisa que ela me falou antes de morrer foi: *Vá para casa.* Entendi o que ela queria dizer. Se ela visse vocês aqui por causa dela, daria um de seus sorrisos radiantes e perguntaria por que estão todos aqui em vez de bebendo e dançando. Tom, ela lhe daria um violão; Thelma, ela lhe perguntaria que diabos você estava aprontando; Marge, ela abraçaria você até que não conseguisse respirar. – A voz de Leni vacilou. Ela olhou ao redor, se lembrando. – Ela ficaria emocionada de vê-los aqui, de saber que vocês abriram mão de tempo, com tudo o que têm que fazer, para se lembrar dela. Para se despedir. Ela me contou uma vez que sentia como se não fosse nada, um reflexo de outras pessoas. Nunca entendeu bem seu próprio valor. Espero que ela esteja olhando agora e saiba... finalmente... quanto era amada.

Um murmúrio de concordância, algumas palavras, então: silêncio. Uma tristeza tão profunda era algo silencioso e solitário. A partir de então, Leni só ia escutar a voz da mãe na própria mente, pensamentos canalizados através da consciência de outra mulher, uma busca contínua por conexão, por significado. Como todas as garotas sem mãe, Leni ia se tornar uma exploradora emocional, tentando descobrir a parte perdida dela, a mãe que a havia carregado, alimentado e amado. Leni ia se tornar ao mesmo tempo mãe e filha; através dela, a mãe ainda ia crescer e envelhecer. Ela nunca desapareceria, não enquanto Leni se lembrasse dela.

Marge Gorda jogou um buquê de flores na água.

– Vamos sentir sua falta, Cora – falou.

O Sr. Walker jogou um buquê de flores silvestres. Ele passou flutuando por Leni, uma mancha rosa vibrante sobre as ondas.

Matthew olhou Leni nos olhos. Estava segurando um buquê de flores silvestres rosa e tremoços que colhera de manhã com MJ.

Leni levou a mão ao interior de uma caixa e pegou o vidro grande cheio de cinzas. Por um momento solitário, o mundo se turvou e a mãe foi até ela, deu seu sorriso radiante, bateu com o quadril no dela e disse: *Dance, filhota.*

Quando Leni olhou outra vez, os barcos eram manchas coloridas em contraste com o mundo azul e verde.

Ela abriu o vidro e derramou o conteúdo na água, devagar.

– Eu te amo, mãe.

Leni sentiu a perda se assentar profundamente; era tanto parte dela agora quanto o amor. As duas tinham sido mais que melhores amigas; tinham sido aliadas. A mãe chamava Leni de o maior amor de sua vida, e Leni achava que isso talvez fosse sempre verdade entre pais e filhos. Lembrou-se de algo que a mãe lhe dissera uma vez: *O amor não desbota ou morre, filhota.* Ela estava falando de Matthew e tristeza, mas era igualmente verdade para mães e filhos.

Esse amor que ela sentia pela mãe, pelo filho, por Matthew e pelas pessoas à sua volta era durável, tão vasto quanto a paisagem, tão imutável quanto o mar. Mais forte que o próprio tempo.

Leni se debruçou e deixou algumas flores cor-de-rosa sobre uma onda que se movia delicadamente e as observou flutuar na direção da praia. Sabia que, dali em diante, sentiria o toque de sua mãe na brisa, ouviria sua voz no som da maré subindo. Às vezes, colher frutas silvestres ou fazer pão, ou mesmo o cheiro de café, a fariam chorar. Pelo resto da vida olharia para o vasto céu alasquiano e diria "Oi, mãe" e se lembraria dela.

– Eu sempre vou te amar – sussurrou para o vento. – Sempre.

MEU ALASCA, por Lenora Allbright Walker
4 de julho de 2009

Se você tivesse me dito, quando eu era criança, que um dia um jornal ia me procurar para falar sobre o Alasca nos 50 anos da data em que ele se tornou um estado, eu teria rido. Quem imaginaria que minhas fotografias iam significar muito para tanta gente? Ou que eu ia tirar uma foto do derramamento de óleo em Valdez que mudaria minha vida e chegaria à capa de uma revista?

Na verdade, era com meu marido que vocês deviam falar. Ele superou todos os desafios que este estado tem a oferecer e ainda está de pé. É como uma dessas árvores que cresce sobre um penhasco íngreme de granito. No vento, na neve e no frio congelante, elas deviam cair, mas não caem. Permanecem de pé, obstinadas. Vicejam.

Sou apenas uma esposa e mãe alasquiana comum que, acima de tudo, tem orgulho dos filhos que criou e da vida que de algum modo conseguiu arrancar dessa paisagem árdua. Mas, como todas as histórias de mulheres, a minha tem mais do que aquilo que às vezes é visto na superfície.

A família de meu marido é praticamente a realeza alasquiana. Seus avós fizeram a vida numa região remota e selvagem com uma machadinha e um sonho. Os pioneiros americanos perfeitos, tomaram posse de milhares de metros quadrados, começaram uma cidade e se estabeleceram. Meus filhos, MJ, Kenai e Cora, são a quarta geração a crescer nesta terra.

Minha família era diferente. Viemos para o Alasca nos anos 1970. Era uma época turbulenta, cheia de protestos, passeatas, atentados a bomba e sequestros. Mulheres jovens eram sequestradas em campi universitários. A Guerra do Vietnã tinha dividido o país.

Nós viemos para o Alasca para fugir daquele mundo. Como tantos cheechakos antes e depois, nos planejamos muito mal. Não tínhamos comida, suprimentos nem dinheiro suficientes. Não tínhamos praticamente nenhuma habilidade. Nós nos mudamos para uma cabana em uma parte remota da península Kenai. E aprendemos rápido que não sabíamos o bastante. Até nosso carro – uma Kombi – tinha sido uma escolha ruim.

Alguém certa vez me disse que o Alasca não criava caráter; ele o revelava.

A verdade é que a escuridão do Alasca revelou a escuridão em meu pai.

Ele era veterano do Vietnã, um prisioneiro de guerra. Não sabíamos na época o que tudo isso significava. Agora, sabemos. Em nosso mundo iluminado, sabemos como ajudar homens como meu pai. Entendemos como a guerra pode destruir até a mente mais forte. Na época, não havia ajuda. Ele tampouco era de muita ajuda para uma mulher que se tornara sua vítima.

O Alasca – a escuridão, o frio e o isolamento – penetrou em meu pai de um jeito terrível, transformou-o em um dos muitos animais selvagens que povoam o estado.

Mas no início nós não sabíamos disso. Como poderíamos? Nós sonhávamos, como muitos outros, e planejamos nosso curso, prendemos um cartaz de "Alasca ou nada" com fita adesiva na Kombi e seguimos para o norte, despreparados.

Este estado, este lugar, é como nenhum outro. É beleza e horror, salvação e destruição. Aqui, quando a sobrevivência é uma escolha que deve ser feita repetidas vezes, no lugar mais selvagem dos Estados Unidos, às margens da civilização, onde a água em todas as suas formas pode matá-lo, você aprende quem é. Não quem você sonhou ser, não quem imaginava que fosse, não quem foi criado para ser. Tudo isso vai ser despedaçado nos meses de escuridão fria, quando o gelo nas janelas turva sua visão, o mundo fica muito pequeno e você tropeça e dá de cara com a verdade de sua existência. Você aprende o que vai fazer para sobreviver.

Essa lição, essa revelação, como minha mãe me falou uma vez sobre o amor, é o grande e terrível presente do Alasca. Aqueles que vêm apenas pela beleza, por uma vida imaginária ou aqueles que buscam segurança vão falhar.

Na vasta extensão de sua natureza selvagem imprevisível, ou você se torna o melhor de si mesmo e tem sucesso, ou vai fugir correndo, do escuro, do frio e da dureza. Não há meio-termo, nenhum lugar é seguro, não aqui, na Grande Solidão.

Para nós poucos, os vigorosos, os fortes, os sonhadores, o Alasca é nosso lar, sempre e para sempre, a canção que você escuta quando o mundo está imóvel e silencioso. Ou você é selvagem e indomável e pertence a este lugar, ou não.

E eu pertenço.

AGRADECIMENTOS

Venho de uma longa linhagem de aventureiros. Meu avô deixou o País de Gales aos 14 anos para virar caubói no Canadá. Meu pai passou a vida à procura do extraordinário, do remoto, do incomum. Ele vai aonde a maioria das pessoas apenas imagina ir.

Em 1968 meu pai achou que a Califórnia estava ficando cheia demais. Ele e minha mãe decidiram fazer algo em relação a isso. Botaram todos nós – três crianças pequenas, dois de nossos amigos e o cachorro da família – dentro de uma Kombi. No calor do verão, nós partimos. Dirigimos pelos Estados Unidos, através de mais de uma dúzia de estados, à procura de um lugar ao qual pertencer. Nós o encontramos na beleza verde e azul do Noroeste Pacífico.

Anos mais tarde, meu pai saiu em busca de aventura outra vez. Encontrou-a no Alasca, às margens do magnífico rio Kenai. Ali, meus pais conheceram as moradoras Laura e Kathy Pedersen, uma mãe e uma filha, que tinham administrado um resort por anos naquela faixa incomparável às margens do rio. No início dos anos 1980, essas duas famílias pioneiras se juntaram e fundaram uma empresa que viria a ser conhecida como The Great Alaska Adventure Lodge. Três gerações de minha família trabalharam no hotel. Todos nós nos apaixonamos pela Última Fronteira.

Eu gostaria de agradecer aos Johns – Laurence, Sharon, Debbie, Kent e Julie – e a Kathy Pedersen Haley por seu entusiasmo e sua visão sem limites na criação de um lugar tão mágico.

Também gostaria de agradecer a Kathy e a Anita Merkes por seu conhecimento e ajuda editorial na recriação do mundo dos moradores do Alasca e da baía de Kachemak nos anos 1970 e 1980. Seus insights e seu apoio a este projeto significaram muito para mim. Quaisquer erros restantes são meus, é claro.

Além disso, a meu irmão Kent – outro aventureiro –, que respondeu uma torrente infinita de perguntas bizarras sobre o Alasca. Para mim você é, como sempre, um ídolo.

Obrigada a Carl e Kirsten Dixon e à equipe fabulosa do Tutka Bay Lodge na baía de Kachemak, por me acolherem em seu canto adorável do mundo.

Também gostaria de agradecer a algumas poucas pessoas muito especiais que ajudaram de forma imensurável neste romance, sobretudo nos momentos mais difíceis, quando eu me sentia pronta para desistir. Minha brilhante editora, Jennifer Enderlin, que esperou pacientemente, deu conselhos quando solicitada, em seguida esperou um pouco mais. Sou muito grata pelo tempo extra e por seu apoio. Obrigada a Jill Marie Landis e a Jill Barnett, que me estimularam quando eu mais precisei; a Ann Patty, que me ensinou a confiar em mim mesma; a Andrea Cirillo e Megan Chance, que estão sempre ao meu lado; e a Kim Fisk, que acreditou nesta história e na ambientação no Alasca desde o início e nunca teve medo de dizer isso.

Obrigada a Tucker, Sara, Kaylee e Braden. Vocês expandiram os limites do amor para mim e me deram um mundo novo.

E, por fim, a meu marido há trinta anos, Benjamin. Desde o começo, fomos parceiros neste negócio de escrever, e nada disso seria possível sem seu amor e seu apoio. A melhor coisa que já fiz foi me apaixonar por você.

CONHEÇA OUTROS LIVROS DA AUTORA

O Rouxinol

França, 1939: No pequeno vilarejo de Carriveau, Vianne Mauriac se despede do marido, que ruma para o front. Ela não acredita que os nazistas invadirão o país, mas logo chegam hordas de soldados em marcha, caravanas de caminhões e tanques, aviões que escurecem os céus e despejam bombas sobre inocentes.

Quando o país é tomado, um oficial das tropas de Hitler requisita a casa de Vianne, e ela e a filha são forçadas a conviver com o inimigo ou perder tudo. De repente, todos os seus movimentos passam a ser vigiados e Vianne é obrigada a fazer escolhas impossíveis, uma após a outra, e colaborar com os invasores para manter sua família viva.

Isabelle, irmã de Vianne, é uma garota contestadora que leva a vida com o furor e a paixão típicos da juventude. Enquanto milhares de parisienses fogem dos terrores da guerra, ela se apaixona por um guerrilheiro e decide se juntar à Resistência, arriscando a vida para salvar os outros e libertar seu país.

Seguindo a trajetória dessas duas grandes mulheres e revelando um lado esquecido da História, *O Rouxinol* é uma narrativa sensível que celebra o espírito humano e a força das mulheres que travaram batalhas diárias longe do front.

Separadas pelas circunstâncias, divergentes em seus ideais e distanciadas por suas experiências, as duas irmãs têm um tortuoso destino em comum: proteger aqueles que amam em meio à devastação da guerra – e talvez pagar um preço inimaginável por seus atos de heroísmo.

As coisas que fazemos por amor

Caçula de três irmãs, Angela DeSaria já tinha traçado sua vida desde pequena: escola, faculdade, casamento, maternidade. Porém, depois de anos tentando engravidar, o relacionamento com o marido não resistiu, soterrado pelo peso dos sonhos não realizados.

Após o divórcio, Angie volta a morar na sua cidade natal e retorna ao seio da família carinhosa e meio doida. Em West End, onde a vida vai e vem ao sabor das marés, ela conhece a garota que mudará a sua vida para sempre.

Lauren Ribido é uma adolescente estudiosa, bem-educada e trabalhadora. Apesar de morar em uma das áreas mais decadentes da cidade com a mãe alcoólatra e negligente, a menina sonha cursar uma boa faculdade e ter um futuro melhor.

Desde o primeiro momento, Angie enxerga em Lauren algo especial e, rapidamente, uma forte conexão se forma: uma mulher que deseja um filho, uma menina que anseia pelo amor materno. Porém, nada poderia preparar as duas para a repercussão do relacionamento delas. Numa reviravolta dramática, Angie e Lauren serão testadas de forma extrema e, juntas, embarcarão em uma jornada tocante em busca do verdadeiro significado de família.

CONHEÇA OS LIVROS DE KRISTIN HANNAH

Quando você voltar

Amigas para sempre

O Rouxinol

As cores da vida

O caminho para casa

As coisas que fazemos por amor

A grande solidão

Tempo de regresso

Os quatro ventos

Para saber mais sobre os títulos e autores da Editora Arqueiro,
visite o nosso site e siga as nossas redes sociais.
Além de informações sobre os próximos lançamentos,
você terá acesso a conteúdos exclusivos
e poderá participar de promoções e sorteios.

editoraarqueiro.com.br